A Doença como Símbolo

Pequena Enciclopédia de Psicossomática

A Doença Como Símbolo

Pequena Enciclopédia de Psicossomática

Sintomas, significados, tratamentos e remissão

Rüdiger Dahlke

*com a colaboração de Margit Dahlke,
Christine Schrödl, dr. Robert Hössl
e prof. dr. Volker Zahn*

Tradução
SAULO KRIEGER

Revisão
MARIA SUZETE CASELLATO

Editora
Cultrix
SÃO PAULO

Título original: *Krankheit als Symbol.*

Copyright © 1996 C. Bertelsmann Verlag GmbH, Munique.

Copyright da edição brasileira © 2000 Editora Pensamento-Cultrix Ltda.

1ª edição 2000.

18ª reimpressão 2023.

Todos os direitos reservados. Nenhuma parte deste livro pode ser reproduzida ou usada de qualquer forma ou por qualquer meio, eletrônico ou mecânico, inclusive fotocópias, gravações ou sistema de armazenamento em banco de dados, sem permissão por escrito, exceto nos casos de trechos curtos citados em resenhas críticas ou artigos de revistas.

Direitos de tradução para a língua portuguesa adquiridos com exclusividade pela
EDITORA PENSAMENTO-CULTRIX LTDA., que se reserva a
propriedade literária desta tradução.
Rua Dr. Mário Vicente, 368 – 04270-000 – São Paulo, SP – Fone: (11) 2066-9000
E-mail: atendimento@editoracultrix.com.br
http://www.editoracultrix.com.br
Foi feito o depósito legal.

Impresso por : Graphium gráfica e editora

Sumário

Introdução 7

PARTE 1
Relação de Órgãos e Regiões do Corpo 29

PARTE 2
Registro dos Sintomas 61

Literatura 335

Introdução

"O melhor remédio para o homem é o homem.
O mais alto grau da cura é o amor."

Paracelso

É muito antiga a idéia de usar o diagrama nosográfico – de descrição metódica das doenças – como oportunidade de crescimento no caminho da evolução, e, em essência, ele pode ser encontrado nos escritos sagrados de alguns povos. Em nossos dias, em que pese o declínio da religião e o triunfo da medicina científica terem passado para um segundo plano, tornando-se consideravelmente esquecidos, a nosografia tem se revigorado desde a publicação de *A Doença como Caminho*, em 1983. Esse despertar – renovado e reelaborado de modo mais amplo – deu-se até mesmo em razão de sua aceitação nas práticas da medicina acadêmica, enquanto entre os terapeutas de orientação naturalista ou psicológica ele há muito encontrara seu lugar. Entretanto, a disseminação da antiga arte da interpretação de diagramas nosográficos não se deu pela ação de profissionais, como seria de esperar, mas sim dos próprios pacientes, que se mostravam admirados. Eram eles que não raro levavam o método a seus terapeutas, os quais em sua maioria não estariam propensos, em condições normais, a seguir procedimento tão simples e razoável. Além disso, há tempos vêm se somando referências sobre a importância do significado das doenças, como ressalta Viktor Frankl: "O 'desejo de sentido' encontra-se na vida. Se o sentido da interpretação dá-se a conhecer, a doença é combatida com maior eficácia."

No plano corporal é possível interpretar, ao menos com o dedo no local, a fonte do problema; por exemplo, onde o sapato aperta ou onde incide a dor. No plano do contágio também é o caso de pôr o dedo na ferida (imaterial) e fazer a pergunta certa, que já livrara Amfortas, o rei do Graal, de seu sofrimento. Trata-se de perguntar pelo espectro que em cada ferida e em cada diagrama representa este "ei, o que está acontecendo?" O corpo é palco de acontecimentos desconhecidos da alma, ou, nas palavras do escritor Peter Altenberg: "A doença é o grito de uma alma agredida." Trata-se, pois, de descobrir o que a agride, e para tanto o corpo oferece as indicações necessárias. O corpo pode ser alçado à condição de palco no qual encontramos representada a nossa tarefa de crescimento e aprendizado. O meio de expressão do corpo é a linguagem simbólica, do modo como a encontramos em todos os mitos e tradições religiosas, nas ilustrações de lendas e contos de fadas e, naturalmente, nesse veículo simples e direto que é a linguagem corrente. A partir do espectro lançado pelo diagrama nosográfico percebe-se o sentido do acontecimento, para então, mediante coerente tratamento do tema, encontrarmos a chave para a sua solução.

A linguagem do corpo – da qual a linguagem dos sintomas é apenas uma dentre importantes subformas lingüísticas – é a mais falada de todas as línguas. *Todos* a falam, mesmo que nem sempre o façam conscientemente e que muitos jamais cheguem a compreender o que lhes diz o próprio corpo. Todos trazem o conhecimento de uma linguagem corporal quase em estado de latência, e por isso mostram algum assombro ao tê-la subitamente avivada. É como se ela pertencesse a um tesouro do saber que não podemos abarcar, e que desde tempos imemoriais estivesse adormecida em nós, esperando para ser despertada.

Com a compreensão da linguagem do corpo, tornamos a dispor de um acesso às nossas raízes, tanto em nossa cultura como na grande família da humanidade. Percebemos como pode ser perfeito o modo de expressão do corpo e remontamos àquele estado original de pré-confusão babilônica, quando todos ainda se comunicavam por meio de uma única e mesma língua. Se lágrimas rolam, a cor da pele sobre a qual o fazem é de importância secundária; correta e espontaneamente as interpretamos, a partir do contexto, como lágrimas de alegria, tristeza ou dor, independentemente de ser negro, branco, vermelho ou amarelo o rosto sobre o qual deslizam. Quanto mais rústica a pessoa, mais primitivo o seu modo de expressão, e assim poderemos aprender sobre os velhos tempos, observando que ainda trazemos em nós as experiências daquele passado.

Constituindo-se a partir de interpretações de diagramas nosográficos apresentados em *A Doença como Caminho*, *A Doença como Linguagem da Alma* e *Lebenskrisen als Entwicklungschancen* [A crise como oportunidade de desenvolvimento], bem como em livros que tratam de problemas específicos, como *Herz(ens)s-Probleme* [Problemas de coração], *Verdauungsprobleme* [Problemas digestivos], *Gewichtsprobleme* [Problemas de peso] e *Die Psychologie des blauen Dunstens* [A psicologia do humor azul], temos aqui uma obra de consulta, sobretudo por abordar a totalidade dos diagramas nosográficos com a pretensão da completude. Contam-se ao todo mais de quatrocentos diagramas e seus sintomas para interpretação, possibilitando ao usuário um acesso fácil e rápido à respectiva simbologia do diagrama.

Após termos classificado, em *A Doença como Caminho*, o modo de proceder da escola de medicina, por órgãos – como, por exemplo, a reunião de todas as doenças do fígado e dos rins – dez anos depois, na continuidade que tivemos com *A Doença como Linguagem da Alma*, selecionei o esquema cabeça-pé para possibilitar uma melhor cobertura do respectivo ambiente dos diagramas nosográficos. Na presente obra de consulta, por se pretender uma orientação rápida e segura, segue-se tão-somente a ordem alfabética. Todos os sistemas de classificação têm seus prós e seus contras, e poderemos transitar por esses sistemas com maior desenvoltura se conhecermos suas desvantagens. A classificação segundo órgãos, por exemplo, costuma esbarrar na dificuldade de perspectivas limitadas, vulneráveis em todos os seus aspectos, e podem ser encontradas em chavões da medicina acadêmica que ficaram bastante conhecidos, como "o rim do quarto 12". Se é verdade que o esquema cabeça-pé evita esse problema, ocorre que para a orientação não está suficientemente claro o fato de muitos diagramas, como os das doenças do sangue e dos nervos, não poderem ser classificados de maneira inequívoca. A ordem alfabética, ao contrário, oferece a mais rápida visão geral, bem como a orientação mais segura, ainda que ignore completamente o sentido e a função do contexto.

Considerando essa desvantagem, o melhor caminho com vistas à interpretação do sentido do diagrama nosográfico estará em associar diferentes planos mediante o seguinte esquema: antes de mais nada, deve-se buscar o significado da região afetada na primeira parte do manual – para uma amigdalite, por exemplo, a região seria o pescoço – e lá se informar sobre o significado simbólico do ambiente do problema. O segundo passo conduz – ainda na primeira parte do livro – ao órgão afetado, sua simbologia e função (em nosso exemplo, pois, às amígdalas), e desse modo ao plano de incidência do problema. O terceiro passo remete-nos à segunda parte do livro, ao problema fundamental e sua interpretação. Em nosso exemplo, da mesma forma, esse passo remeterá à inflamação e sua simbologia. Só então nos acenará com o quarto e último passo, a consulta à "inflamação das amígdalas".

Na segunda parte do livro, que é um registro de sintomas de doenças, para cada problema fundamental e específico constam indicações de possibilidades de tratamento e cura. No caso do nosso exemplo, são oferecidas idéias sobre o tratamento de problemas inflamatórios em geral e sobre como compreender seu sentido profundo. Somente depois disso o passo para o problema específico (a inflamação das amígdalas) fará sentido. Por tentador que possa parecer um direto lançar-se ao alvo, esse não é um caminho recomendável. Só mesmo o alicerce oferecido pelos três primeiros passos torna possível um tratamento do tema em profundidade. E também, ao percurso do geral para o particular, corresponde um comprovado modelo arquetípico.

Além disso, é muitas vezes valioso o remetimento transversal a diagramas nosográficos aparentados ou concatenados pelo seu conteúdo ao diagrama em questão (por exemplo, até mesmo os que estão em seu extremo oposto), de modo que ao final da interpretação resulte um extenso quadro da sintomatologia correspondente. Esse procedimento está exemplarmente conduzido na obra *A Doença como Linguagem da Alma*. Havendo interpretações pormenorizadas da referida nosografia em um dos sete livros acima arrolados, seremos remetidos à literatura complementar, para obter aprofundamentos adicionais. Recomenda-se, porém, que a busca inicial se restrinja ao próprio manual antes de se remeter às interpretações existentes, que já são propriamente avaliações individuais de considerável significado. O mesmo vale para as referências em fita cassete. Decorar interpretações vindas de fora naturalmente traz muito pouco em comparação com a busca interpretativa do próprio indivíduo. Soluções advindas do próprio esforço e busca são – mesmo não estando totalmente corretas – sempre melhores do que opiniões estranhas. A propósito, os próprios pensamentos, num passo seguinte, podem se fazer prodigiosos ao serem completados por interpretações já existentes.

Como auxílio, sobretudo no que diz respeito ao tratamento e à cura, podem revelar-se também as indicações de princípios originais. Tanto no caso das zonas e órgãos do corpo como no dos diagramas nosográficos e sintomas, essas referências são tidas como dados, de modo que o ambiente arquetípico, a par de sua tarefa específica, torna-se exemplarmente distinto. Mesmo com menor conhecimento desse sistema arquetípico, é possível, mediante o trabalho com uma obra de consulta, desenvolver um entendimento profundo a respeito. No caso de um ordenamento obscuro, títulos esclarecedores entre parênteses são mencionados antes dos princípios originais. Primeiramente, cada princípio original aparece indicando a região especificada, bem como o plano em que o problema se localiza, seguindo-se a isso, ligado com um hífen, o princípio original da sintomática. Muitas vezes se trata de combinar os referidos princípios originais, o que é expresso por uma relação oblíqua. Uma iniciação ao lidar com os princípios originais em conexão com diagramas nosográficos encontra-se no capítulo correspondente de *A Doença como Linguagem da Alma* (pp. 54-9 da edição alemã), ao passo que um tratamento geral desses princípios originais acha-se no livro *Das senkrechte Weltbild* [A Visão de Mundo Vertical].

O sistema de inclusão de diferentes planos e dos princípios originais é capaz de manter dentro de limites visualizáveis o perigo de uma tradução de sintomas em interpretações que já se encontram neles contidas (circularidades que passam ao largo do essencial, limitando-se a uma simples comparação). Com a hierarquização dos diferentes níveis, pode-se visualizar melhor também a ligação com o organismo integral, ao qual se ligam todas as nosografias. Em todo caso, é a pessoa como um todo que está doente, e é como tal que deve ser tratada; a alternativa seria uma inconveniente sintomatologia com sua respectiva "curativologia". O núcleo e o eixo do problema podem ser encontrados na hierarquização, sem que isso implique descuidar da ligação integral. Mesmo que a palavra "hierarquia" raramente seja considerada de modo positivo nos dias de hoje — se traduzida de modo literal ela significa "domínio do sagrado" ou do "uno" —, esse termo pode nos ajudar ao nos permitir distinguir com exatidão um ponto decisivo ao qual o paciente está atrelado.

Aquele que não pode mais enxergar diante das altas árvores da floresta não mais fará jus ao tema "doença". Em última análise, também fazem parte desse tema a consideração do meio ambiente e sobretudo do plano social, este tal como se revela nas questões referentes à família, à comunidade e no âmbito social dos ambientes doméstico e profissional, ainda que essas referências se façam de maneira apenas superficial. Encontramos uma exposição pormenorizada dessas considerações no livro *Der Mensch und die Welt sind eins* [O homem e o mundo são um]. Quanto mais amplo e multifacetado se torna o protótipo, melhor e mais certeiro ele será para a indicação crescente, que teremos a partir daí, no que diz respeito à orientação na convalescença. Esse foi também o ponto de partida de Paracelso, isto é, que um médico deveria diagnosticar a partir do ambiente no qual o paciente padece da doença, assim como deveria ser capaz de fazer o contrário: a partir da doença chegar ao ambiente. Medicar sem nada compreender das causas primeiras (Paracelso utiliza o termo "astrologia") é privar, de maneira até mesmo flagrante, o médico de sua capacidade. Vive-se hoje um tempo em que a compreensão das causas primeiras e seus respectivos arquétipos no meio clínico já começa a constituir a exceção segundo a qual felizmente se tem registrado um sensível aumento de interesse nos seminários de formação.

No acompanhamento de muitos casos poder-se-ia comprovar que, mediante o compromisso do paciente com sua nosografia e seu aprendizado aí implícito, também os médicos acabam por aderir a essa perspectiva, sem que isso interfira nas prescrições de sua outra terapia, mas, ao contrário, até venha a reforçá-la. Fundamentalmente, a interpretação das nosografias não pretende enfraquecer o trabalho conjunto de médico e paciente, mas sim fortalecê-lo. Ao assumir a responsabilidade, o paciente facilita o trabalho do médico. Quanto mais médico e paciente pensarem, sentirem e trabalharem conjuntamente, melhores serão os resultados da terapia. Nesse ponto, esta obra de consulta é antes de mais nada um estímulo para o aprofundamento da ligação entre terapeutas e pacientes, mas com o objetivo de fazer com que a pessoa em tratamento descubra a longo prazo o seu próprio médico interior. Promover esse desenvolvimento é, pois, a mais nobre tarefa de todo e qualquer médico. Nesse ponto, também ele poderá usar a interpretação das nosografias da melhor forma possível no campo da prevenção.

Num tempo em que a medicina *high-tech* já não pode se permitir tanto, a prevenção tem se transformado em palavra mágica. E é tanto mais espantoso que, do ministro da saúde aos médicos responsáveis, quase ninguém mais saiba o que essa palavra contém em si mesma. Em meio a esse dilema, a medicina convencional serve-se de uma etiquetagem fraudulenta, ainda que socialmente aceita, e qualifica suas medidas de detecção precoce como prevenção impertinente. Ora, a detecção precoce é incomparavelmente melhor do que o reconhecimento tardio, mas nada tem que ver com prevenção. A prevenção requereria vergar-se de forma prévia e voluntária para que não mais se necessite vergar o próprio destino. Mas para tanto é preciso saber perante o que vale a pena vergar-se, isto é, seria necessário conhecer a natureza da doença que corresponde à nosografia em questão. Mediante sua luta contra a doença, que se expressa numa torrente de anti-remédios (antibióticos, anti-hipertônicos, anti-histamínicos, etc.), inibidores (de ácido, etc.) e betabloqueadores, a medicina pouco chegou a conhecer da natureza das nosografias combatidas, sendo por isso incapaz de prevenir. Com ações em parte temerárias, seus representantes procuram ocultar essa insuficiência gritante. Até mesmo a campanha de retirada do útero da década passada já foi vendida como medida de prevenção ao câncer. Nesse nível, esses lamentáveis ginecologistas "argumentadores" poderiam deixar amputar até mesmo a concha da orelha – em nome de uma profilaxia do câncer de pele igualmente equivocada. Com efeito, hoje estamos – uma vez que a cruzada contra o câncer de útero ainda não chegou ao fim – de novo no limiar de uma atitude igualmente grotesca na medicina. Desde que foi descoberta a ligação entre o câncer de mama e determinado gene, o medo de um câncer hereditário cresceu enormemente. Nos Estados Unidos, mulheres portadoras desse gene, movidas pelo medo, já estão amputando seios saudáveis. Com tamanho pavor, nem nos damos conta do desamparo que a partir daí se manifestará de ambas as partes. Mulheres, cujas mães e avós tiveram câncer no seio, naturalmente e com justa razão sentem medo de elas próprias adoecerem. Fazem uso intensivo das possibilidades de nossa assim chamada profilaxia do câncer e, não raro, chegam a fazer dez mamografias por ano. Uma vez que tudo isso está de acordo com a tal profilaxia, essas mulheres se sentem clinicamente seguras. Passados dez anos, uma mulher contava com uma centena de mamografias, e assim o risco de ela ter câncer de mama aumentara consideravelmente. É claro que isso nada tem que ver com prevenção, tratando-se na verdade de um diagnóstico precoce malcompreendido. Esse exemplo ilustra bem quão perigosos podem se tornar os rótulos fraudulentos nesse campo.

A idéia de reduzir o risco por meio de uma amputação em tempo hábil contém em si um pensamento lamentável da medicina: o de que a prevenção não funciona. Se cultivássemos essa crença tal como ela vem ameaçando impor-se cada vez mais, a partir dos Estados Unidos, por fim estaríamos todos com o cérebro numa solução nutritiva. E ainda assim esse cérebro seria tomado pelo pânico de vir a desenvolver um tumor cerebral. Evidentemente, o futuro de nossa medicina não pode residir numa perspectiva tão macabra.

No plano de uma interpretação de nosografias em ligação com a compreensão de suas causas primeiras, a prevenção é plenamente possível e razoável. Tão logo se identifique a natureza ou o tipo do câncer de mama, a paciente pode, voluntariamente e prevenindo-se contra um círculo vicioso, aceitar o desafio e romper com o perigoso padrão familiar; e assim não deve deixar-se impressionar — o que não é fácil, mas é sempre possível. Isso pressupondo que a interpretação seja bem-sucedida e que a idéia de prevenção possa ser transferida para todos os quadros da enfermidade, e a medicina possa, enfim, fazer valer uma de suas tarefas mais nobres.

A idéia de prevenção é a que perpassa meu trabalho e também este livro. Por isso, também serão encontradas aqui algumas interpretações que parecerão não fazer sentido para os casos de situação crítica, em que o paciente não tem nenhuma consciência. Nesses casos elas apontam para aspectos preventivos que se tornam importantes tão logo o paciente se restabeleça de uma ameaça momentânea. Com a superação de uma doença grave — não importando como isso se deu — a seguinte pergunta deveria impor-se por si mesma: "Que lição posso tirar disso, e como posso encontrar, no futuro, outro modo de viver, mais adequado?" De modo igualmente retrospectivo, serão cabíveis as perguntas-padrão da interpretação nosográfica, como: "Por que justamente comigo, logo isso, e dessa maneira, bem nesta fase da minha vida? A que me força e de que me impede a nosografia?"

Do exemplo do medo de câncer de mama desencadeado por uma descoberta genética extrai-se outro ensinamento. É algo característico da medicina acadêmica relegar prontamente qualquer nosografia ao plano dos interesses espirituais, tão logo seja encontrado um componente causal físico. Isso bem pode se dever ao fato de a medicina convencional somente a contragosto ceder em alguma coisa à "concorrência da psicossomática" e respirar aliviada ao ser remetida de volta a seu campo de influência. Esse modo compartimentalizado de pensar dentro de fronteiras estreitas chega a ser um embaraço para a própria medicina. No futuro, encontraremos uma participação genética cada vez maior nas doenças, simplesmente porque a genética apresentará progressos nesse sentido, e logo depois da virada do milênio todo o patrimônio genético humano já estará determinado. Algo muito semelhante deverá se passar com a imunologia. Mas isso não será motivo para uma recaída na unilateralidade, como aconteceu no caso da úlcera estomacal, que foi prematuramente imputada cem por cento aos helicobacilos. Só o fato de metade da população de helicobacilos estar alojada no seu estômago sem causar uma única úlcera estomacal — e felizmente nem todas as pacientes portadoras do referido gene desenvolveram câncer de mama — deveria nos mostrar o caminho antes que se torne a jogar fora a criança junto com a água do banho. A descoberta do gene do câncer de mama é um avanço científico, e como tal deve ser festejada; mas se for interpretada como um argumento contra a psicooncologia (doutrina dos elementos anímicos do câncer), ela será antes de tudo, e sobretudo, mal interpretada. Recentemente, pesquisadores americanos isolaram uma substância que circula em nosso sangue quando estamos apaixonados. Nem por isso afirmaremos que durante séculos o amor foi falsamente tomado por um estado anímico-espiritual até ser, por fim, em nossos dias, descoberto como fenômeno puramente físico. O estar apaixonado continua sendo, a despeito dessa interessante descoberta, um fenômeno anímico, mas que também encontra no corpo a sua correspondência. E é a isso precisamente que a psicossomática se refere: a sincronicidade entre alma e corpo.

Da mesma forma, é razoável confiar desde o princípio nas restrições do método escolhido, caso pareçam apropriadas, para que se conheça a visão de mundo que está em sua base, a fim de com isso poder enfrentar abertamente suas oportunidades e perigos. Em nosso caso, o fundamento compõe a imagem de mundo da filosofia esotérica, sem que possamos compreender esse fundamento. Para tanto se recomenda a leitura integral de *A Doença como Linguagem da Alma*. Um elemento indiscutível da visão de mundo esotérica é a doutrina da reencarnação, que, se não é necessária para a interpretação de nosografias, tendo tampouco uma ligação necessária com a simbologia da doença, pode não obstante apresentar, ao lado de interpretações estritas que acabam por dissolver o quadro de sentido de uma vida, facilidades e auxílio essenciais. Nessa medida, em tal contexto são permitidas algumas observações. Más formações congênitas, por exemplo, que também podem ser constatadas mais tarde, a partir de sintomas surgidos no decorrer da vida, podem ser vistas como tarefas que a vida traz consigo, e isso no quadro da doutrina da reencarnação é muito mais fácil de aceitar. A partir dessa compreensão de mundo, as interpretações seguem-se seguras também no tocante a interpretações centradas em crianças ou em recém-nascidos, que desse modo, em princípio, não se diferenciam dos adultos. As pessoas têm tarefas a executar, e para tanto trazem uma boa bagagem. Em nossos dias, isso pode ser compreendido à luz de certas afirmações da genética, sem que seja preciso, portanto, recorrer à doutrina da reencarnação e à doutrina do karma, que lhe corresponde; mas, com a ajuda desse ensinamento, muitos aspectos podem ser mais bem compreendidos, e em maior profundidade. Interpretações de nosografias que apontam para a morte perdem muito de sua rigidez e de sua aparente ausência de sentido se tivermos diante dos olhos a cadeia da vida. Com efeito – para não abusar do pensamento reencarnacionista –, hoje sabemos, por meio de pesquisas sobre a morte, que mesmo pessoas prestes a falecer ainda aprendem muito, como quando lhes passa diante dos olhos o filme de sua vida. Da terapia de vidas passadas, que se fundamenta na visão de mundo esotérica, também resultam muitas interpretações e conhecimentos que para os usuários de orientação científica são mais difíceis de aceitar, como por exemplo a de que o suicídio de nada serve, uma vez que não põe termo à existência, mas tão-somente conduz a uma repetição da aula que foi recusada na escola da vida, o que freqüentemente acontece em condições piores.

Todas as interpretações deste livro provêm de uma tradução direta da linguagem do corpo e dos sintomas no plano da linguagem simbólica de nossa realidade de alma. Os livros que escrevemos até hoje privilegiaram nosografias de maiores magnitude e freqüência, que, como seria de esperar, aparecem também com maior freqüência nas experiências junto aos pacientes. Por essa razão, também para completar nosso léxico, contaremos aqui com o registro de uma série de assim chamadas pequenas ou raras nosografias, ainda que sejam corroboradas por experiências terapêuticas em menor número.

Obviamente, para o indivíduo afetado é a sua nosografia sempre a mais importante, e nessa medida a diferença entre nosografias de maior ou menor magnitude, mais freqüentes ou raras (e portanto, neste último caso, menos importantes) adquire um teor exclusivamente clínico. Dentro dos limites traçados para este livro, renunciamos a essas distinções; e é preciso mencionar que, por essa razão, poderão ser encontradas aqui algumas das nosografias tidas como raras segundo as regras da experimentação, sendo desprovidas de respaldo da experiência terapêutica, ou tendo-o apenas em parte. No entanto, um trabalho de quase vinte anos com o referido princípio fez crescerem de tal forma a certeza e a confiança na coerência do modo de expressão do corpo que esse procedimento se mostra justificável. Em todo caso, é tarefa do usuário permanecer vigilante e, de um modo geral, ter bem claro para si que não pode existir algo como duas dores de estômago iguais, havendo, isto sim, pacientes individuais com padrões de enfermidade semelhantes. Ter diante dos olhos esses componentes individuais contribui decisivamente para não se "colocar no mesmo saco" os pacientes, mesmo que tenham recebido o mesmo diagnóstico. Por outro lado, as nosografias têm algo de padronizado, que é alvo de atenção desta obra de consulta e em muitos aspectos é comparável com o repertório encontrado na homeopatia. Em caso de dúvida, recomenda-se consultar algum médico ou terapeuta que esteja familiarizado com esse princípio e combinar, juntamente com ele, os componentes individuais num padrão universalmente válido.

Diferentes amplitudes de experiência com nosografias conduzem a diferentes minúcias no tratamento. Neste livro, o espaço dedicado a um sintoma tem menos que ver com critérios relacionados com sua importância do que com a incidência de experiências, considerando que a disseminação de uma nosografia revela, por um lado, sua importância para a sociedade na qual incide, enquanto pelo lado terapêutico essa maior incidência resulta num leque mais rico de experiências. Por essa razão, a malária, que pouco desafia a vida da maioria das pessoas, terá um espaço menor do que a anorexia da puberdade, entre nós muito mais freqüente, e por isso mesmo muito mais abundantemente alicerçada em experiências terapêuticas. Epidemias e nosografias amplamente propagadas são um espelho dos comportamentos em seus focos de expansão. Com isso podemos indicar, por exemplo, doenças como o infarto do coração e o câncer, mas também as cáries e o resfriado, como quadros sintomáticos do nosso tempo e da nossa sociedade. Este léxico destina-se a compreender nossa atual situação como sociedade com fins lucrativos e altamente industrializada, no centro da Europa, num já agonizante século XX, sendo que a extensão das interpretações constantes neste trabalho não pretende reivindicar um caráter objetivo à importância dos sintomas, abstraindo-se o fato de cada sintoma ser, para quem o tem (isto é, subjetivamente), de qualquer forma o mais importante. De acordo com a repercussão deste manual, planeja-se revisá-lo na seqüência, para inserir nele conhecimentos mais amplos referentes a algumas nosografias raras.

O trabalho de interpretação está longe de supor que no âmbito do vivente não se possa contar com afirmações cem por cento corretas, da mesma forma que nenhuma interpretação poderia ser válida para todos os casos. Em geral, a condição para a validade das interpretações é a existência dos respectivos sintomas. O diagnóstico por si só diz muito pouco, de nada valendo para a doença e sua interpretação. Por exemplo, uma pressão baixa que não produza nenhum sintoma não pode ser interpretada.

Uma vez que todo indivíduo tem parte no mundo imagético, e o possui como inteira e interiormente seu, a interpretação individual faz-se coerente por si só, e as pretensas interpretações só poderão servir como guias, ou ser em todo caso valiosas, se fornecerem a moldura e mesmo as cores tal como constam na estrutura essencial da imagem. Disposição e atmosfera – decisivas para o efeito da imagem – são e permanecerão estritamente particulares, e assim só poderão ser descobertas mediante um empenho pessoal que vise a um padrão de enfermidade individual.

Essas limitações podem conduzir diretamente a uma não-aceitação das verdades desagradáveis encontradas nas interpretações, o que seria lamentável. As interpretações mais rígidas são precisamente as mais importantes porque sempre consistem em sombras que se ocultam nos acontecimentos relativos à doença. O modo de expressão da linguagem coloquial com relação às nosografias é muitas vezes bastante direto e honesto. Também o destino, por meio de suas engrenagens e golpes proverbiais, raramente escolhe caminhos difíceis. Depois de vinte anos de terapia de vidas passadas, sei por experiência própria que o destino não é ruim, mas pura e simplesmente condicionado por todos os recursos do nosso desenvolvimento. Por essa razão, peço aos pacientes que creiam em mim quando digo que um aparente e eventual caráter ofensivo que possam sentir ao deparar com certas interpretações dirigidas deve-se unicamente ao propósito de levá-los a uma tomada de consciência e ao desenvolvimento de si mesmos.

Com base nisso, ou seja, por nunca se saber em que plano uma pessoa vive, pode-se dizer que as interpretações serão sempre de livre valoração. Quando se designa o indivíduo corcunda por "corcova", é certo que isso ocorre por um processo de livre valoração (ou desvalorização). Neste livro, essa expressão é mencionada por apresentar o tema de forma reveladora, ainda que insensível: sinceridade (ou a sua falta) e, para além dela, humilhação, mas também (num sentido redimido) humildade. O corcunda personifica esse tema, e a linguagem coloquial refere-se a ele de um modo irreverente. Dos acontecimentos puramente corporais, contudo, jamais se depreende qual dos pólos do tema é vivenciado pelo paciente. Uma pessoa corcunda não raro vive humilhada pelo ambiente à sua volta e gosta de se sentir desamparada pelo destino. Mas nada impede que as tarefas que o aviltam, impelindo-o a vergar-se humildemente para baixo (para a Mãe Terra), sejam alvo de uma reviravolta, fazendo-se subitamente dominadas e transmutando-se em autêntica humildade. Não podemos visualizar o interior do corpo; entretanto podemos bem observar as pessoas a partir do exterior, mas para isso precisamos conhecê-las bem.

De tudo isso deve-se ter bem claro que é sempre desarrazoado abusar da intenção valorativa das nosografias. Se o ato de interpretá-las há de resultar no desenvolvimento da consciência, o de valorizá-las – tanto para outrem como para si próprio – só irá prejudicá-las. O abuso de interpretações de conceitos, e mesmo de preconceitos, revela de modo particular o caráter dos conceitos, mostrando que o princípio por eles representado (ainda) não se deixou apreender. A doença envolve sombras, e as sombras são desprezadas, quase ninguém atenta para elas. Mas o indivíduo que insiste em outras interpretações não-espontâneas não pretende ajudar, mas sim denegrir, e geralmente suscita violentas atitudes defensivas. A interpretação de nosografias é um excelente meio de ajudar as pessoas em seu caminho – mas somente quando elas o pedirem, e mesmo assim fazendo valer o necessário respeito e reconhecendo o fato de que a indicação vinda de fora nunca pode estar completamente certa.

O imenso prazer em disseminar a culpa está tão intimamente relacionado com a cultura cristã que não nos é possível prevenir-nos suficientemente com relação a ele. A culpa é o tema da religião, e penso não ser o caso de trazer sua problemática também para o campo da medicina, por ser já suficiente a falta de jeito com que a Igreja cristã lida com essa questão. Além do mais, o problema não reside na Bíblia propriamente dita, e sim na política que a Igreja construiu a partir dela. O próprio Cristo de forma alguma se inclina para um mercadejar da culpa, que a tão alto grau de perfeição foi levado por seus representantes aqui na Terra. Ele seria incapaz de usar o pai-nosso, a única oração que nos deixou, como motivo de castigo, a exemplo de como o compreendeu a confissão. Cinco pai-nossos para dez masturbações é um corrente mal-entendido cristão que nada tem que ver com Cristo. Os Evangelhos pendem muito mais para o contrário disso, relatando que Cristo preferia a companhia de publicanos e prostitutas, a escória da sociedade judaica de então, e na mesma medida mostrava-se sumamente crítico com os escribas. Na parábola da adúltera, ele impede seu apedrejamento e deixa claro aos judeus que todos eram culpados de adultério, com isso impedindo a projeção dessa "culpa" na adúltera. Da mesma forma, no Sermão da Montanha, ele repeliu os mandamentos com seu comportamento. Se um mero pensamento de cobiça basta para transgredir o sétimo mandamento, todos serão imediatamente culpados. Segundo sua exegese da lei mosaica, todos são culpados em tudo, e essa "culpa coletiva" é pensada juntamente com a idéia de pecado original. Com a expulsão da unidade do Paraíso, toda a humanidade, enquanto descendência do primeiro homem, é pecadora, o que em seu significado original também queria dizer "apartada". Ser apartado da unidade implica não somente castigo, mas também abnegação pelo trabalho ao longo de toda a vida, visando a uma reconquista da unidade. Quanto a isso, em suas origens as diferentes tradições estão de acordo. Todas as projeções de culpa chegam mais tarde, quando os religiosos, no decorrer de seu desenvolvimento, ou melhor, de sua confusão, passam a fazer política e a adquirir poder mundano. Uma vez que esse conceito de culpa em sua forma "comercial" pertence sobretudo à religião, devemos deixar a medicina livre de tudo isso, se as circunstâncias assim o permitirem.

Com a disseminação da culpa, que não deriva do Evangelho, a Igreja encontrou um meio de trazer as pessoas para o seu âmbito de poder, tornando com isso mais brandas as medidas implicadas – do comércio de indulgências até a mediação do sentimento de culpa sexual. A partir daí, no decorrer dos séculos foi construído um tamanho domínio da culpa que hoje deparamos com pessoas que só com muita dificuldade conseguem se libertar dele, mesmo estando há muito desligadas da Igreja. O prazer em disseminar a culpa, no entanto, tornou-se marca registrada do homem ocidental, atuando de maneira um tanto perturbadora no âmbito terapêutico. Está comprovado que o sentimento de culpa faz as pessoas ficarem doentes, e nesse caso uma intervenção clínica redundaria num perigoso erro médico, ao passo que torná-los conscientes e apontar caminhos para o seu tratamento seria um exercício terapêutico prioritário.

Com relação à interpretação nosográfica, somos aqui conduzidos a um grave mal-entendido. Quando uma pessoa, por força do que lhe indica a sua nosografia, defronta-se com uma tarefa difícil, sua situação será ainda mais problemática se à primeira ele trouxer associado um sentimento de culpa. A autora americana Joan Borysenko refere-se, muito oportunamente, a uma "culpa da nova era" que age com hostilidade em face do desenvolvimento e da vida, de modo muito semelhante ao da "culpa da era antiga", que as religiões impunham a seus fiéis para torná-los mais dóceis.

Essa necessidade de culpa profundamente enraizada em nós afeta grande parte de nossa vida social e o contato com as outras pessoas. O que interessa à medicina acaba por inverter as chances potenciais das interpretações nosográficas em seu contrário. O todo se faz tão amplo que quase ninguém pode ser perdoado, pois desse modo a culpa perderia a razão de ser. Em vez disso, procura-se por toda a parte atribuir a culpa aos outros, tornando a vida difícil e produzindo ainda uma "culpa" a mais. Esse lucrativo comércio da culpa floresce desde a política até os relacionamentos. Nossa via de desenvolvimento implica nos desvencilharmos de tudo isso, e podemos começar pelas interpretações nosográficas.

A se crer na Bíblia, movemo-nos sobre uma culpa fundamental justificada pela unidade perdida do Paraíso e pela realidade de nossa condição humana sobre a Terra; culpamos por assim dizer a realização da unidade no nível da consciência. Para além de qualquer culpa, no que nos toca temos "apenas" a responsabilidade de nos desenvolver para a unidade. A partir daí, nossa tarefa consiste no regresso tal como nos é indicado do modo mais simples pela mandala como mãe universal (ver *Lebenskrisen als Entwicklungschancen*, pp. 23-30). Georg Groddeck só expressará essa ligação de modo diferente ao encontrar na doença reiteradamente a saudade da mãe e o ansiado retorno à infância. O doente recebe, como antes, amor e cuidados sem nenhuma compensação. Mesmo os modernos convênios médicos se ajustam a isso. O não-pagamento dos honorários ao médico quando se está doente é uma tentativa de reviver o jardim das delícias original, onde tudo existia sem compensação. Aqui residem alguns perigos, como o de abusar da doença como busca e eximir-se de uma responsabilidade. A fuga para a doença como busca inconscientemente fracassada de alcançar a unidade é para nós um dos meios mais eficazes de recalcamento e um dos últimos álibis socialmente aceitáveis. É preciso vontade para renunciar a isso.

Voltando à mandala, nela encontramos uma magnífica programação para a nossa vida, com todas as passagens arquetípicas e em seu centro o ponto inicial e final. Vindos do ponto *central*, alcançamos a margem exterior do círculo ao regressarmos do centro da vida, mudamos a direção e voltamos para a remissão na unidade central. Como condições fundamentais para a cura, encontráveis tão-somente no centro da mandala, temos o entendimento, que no caminho através do mundo polarizado jamais é ou poderá estar seguro. Mesmo que se leve uma vida saudável, não é possível curar-se de todos os males do corpo. Embora uma alimentação saudável, atividade física na medida certa e pensamentos direcionados ao desenvolvimento sejam três condições que colaborem decisivamente para o nosso bem-estar, nem por isso constituem meios pelos quais possamos forçar o destino. O destino é maior, mais amplo e estende-se por espaços de tempo maiores do que os de nossa tão refinada busca de manejá-lo ou mesmo burlá-lo. Uma garantia cósmica de vida não nos é possível — mesmo com bom comportamento.

A reconciliação com a morte como remissão/solução de nossa vida é, por essa razão, a melhor base para a cura. Todos os nossos santos e sábios morreram, alguns deles ainda jovens. Temos de aprender a superar nosso modelo valorativo ocidental, que culmina na atitude de associar a vida ao que é bom e a morte ao que é ruim. Nada indica que uma vida seja tanto melhor quanto mais longa for. Se, a exemplo da filosofia esotérica, considerar-se a vida como escola, também o eixo gravitacional será deslocado. Ou, pelo menos, ficar mais tempo na escola nada tem que ver com padrão de excelência. Na melhor das hipóteses, permanece-se pelo tempo que for necessário e enquanto houver algo a aprender, fazendo-se completa abstração do gozo e da alegria de viver que a vida pode nos proporcionar, independentemente do aprendizado. A busca por uma vida mais longa, procurando-se coagir o destino mediante uma vida correta ("que agrade a Deus"), procede do mais antigo mal-entendido puritano: o de que Deus ama sobretudo os aplicados, trabalhadores, saudáveis e bem-sucedidos, e os contempla com uma vida mais longa. A maior parte dos santos, por exemplo, não se encaixa nessa categoria, e o próprio Cristo, de maneira contundente, teve um comportamento marginal.

Nosografias constituem tarefas sem castigo. O filósofo francês Blaise Pascal formula a questão de maneira bastante simples e clara na sentença: "A doença é o lugar onde se aprende." Se a vida é uma espécie de escola, as nosografias pertencem a um programa de ensino. Um histórico escolar pode conter notas ruins e traduzir-se em futuras tarefas de aprendizado, isso como conseqüência do ano escolar que se passou, sem que isso se constitua em castigo. De modo semelhante, tarefas nosográficas tornadas evidentes, que estão aí para ser executadas, não se destinam a nos castigar nem a nos condenar. De qualquer forma, devemos interpretar corretamente as notas do histórico, e também assumir a responsabilidade por isso, a fim de cultivar as conseqüências necessárias para o futuro. A pergunta sobre se todas as tarefas nosográficas constituem tarefas revela-se em todo caso muito claramente pela seguinte analogia: quem está na escola, evidentemente, tem lições a resolver; quem vive sobre a Terra também.

Na escola não falamos de culpa quando alguém está diante de uma prova importante, como os exames finais. Deve-se proceder da mesma forma com as provas que são, afinal, as nosografias. O mesmo vale para outros problemas e crises da vida. No momento do nascimento, a criança abandona o jardim das delícias do ventre materno e precipita-se para as experiências oceânicas de amplidão e ausência de gravidade, sem que ninguém seja culpado por isso. Quando uma infância leve e brincalhona naturalmente encontra o seu fim na puberdade, também não falamos de culpa, e o mesmo ocorre quando a vida, após sua primeira metade, caminha para a catástrofe (grego: *he katastrophe*, ponto de inversão) da mudança. Se em nossos dias são muitos os que interpretam taxativamente esse tempo de mudança da vida como catástrofe no sentido negativo, ainda assim ninguém está aí falando de culpa. Essas crises (da vida) são basicamente interpretáveis como nosografias e muitas vezes arroladas como sintomas. E tendo sido já tão detidamente apresentadas no nosso livro *Lebenskrisen als Entwicklungschancen* no presente léxico serão indicadas somente na sua sintomatologia corporal.

As tarefas que a vida dispõe em forma de nosografias, crises e outras provas para cada um de nós são suficientemente exigentes para ser reconhecíveis e admissíveis por si sós, ou, em outras palavras, esse aprendizado reside em algo penoso e, para quem não estiver preparado, espoliante. Terapeutas arrogam-se esse direito, o que só se justifica, em contrapartida, por meio de uma absoluta abstinência no que diz respeito a valores. Conforme o que foi reiteradamente ressaltado, o conceito de culpa não pertence ao contexto terapêutico, e aquele que dele não conseguir se desvencilhar poderia ao menos se limitar à pergunta: "Qual é a minha *dívida* para com o futuro?"

O corpo, como o mais confiável de todos os mestres, é que o pode revelar. Deixemo-nos dirigir e instruir por ele, o mais honesto dos terapeutas, que nos acompanha passo a passo pela vida e registra nossos descuidos e tropeços com precisão. O que nos falta é dele que podemos extrair, e, contanto que aprendamos a questioná-lo, ele nos comunica o modo como podemos ajudá-lo e a nós mesmos, isto é, o modo como podemos tornar-nos mais saudáveis. A pergunta "Onde foi que eu errei?" vale também na escola da vida e pode ser amplamente compreendida como pergunta que versa sobre onde se perdeu o sentido da vida e, com isso, sobre o ponto central da mandala da vida. "Perder o ponto" é uma possibilidade de tradução da palavra hebraica que significa pecar: *hamartanein*. Nesse contexto, tudo o que nos distancia do caminho do meio é pecado. Cada passo nesse caminho seria porém o contrário: a abolição do pecado, e é Cristo que efetivamente indica esse caminho. Nesse sentido ampliado, então, não resta um só erro de uma perspectiva absoluta e como que objetiva, mas tão-somente erros relativos, pautados num sentido e num objetivo de vida de caráter pessoal.

Nada há neste livro que seja verdadeiro para todos os casos, mas, como ensina a experiência, a maior parte dos temas do corpo encontra um equivalente nos temas da alma. Para descobrir esse paralelismo é necessário adentrar-se com alguma profundidade. Em um livro só poderemos encontrar propostas. Toda pessoa é convidada a distinguir por si mesma o que no seu "caso" vem em primeiro lugar. Aquele que de qualquer forma só o lê "por ler", ou como lhe convém, desperdiça as melhores oportunidades, pois as sombras revelam-se particularmente naquilo que não (nos) convém.

Nos últimos quinze anos, quando nossos livros encontraram mais de um milhão de leitores e sobretudo usuários, recebemos grande número de cartas, que em sua maioria obedeciam a um padrão peculiar. Num primeiro momento, a pessoa que nos escrevia mostrava-se bastante elogiosa, dizendo ter reconhecido toda a sua família na descrição dos fenômenos, e isso incluía os membros "difíceis", como a sogra ou o companheiro. Mas por fim acabava se lamentando, alegando não ter encontrado interpretações justamente para a sua própria nosografia. Esta lhe era bem conhecida, pois de um modo ou de outro já vinha se ocupando do tema há muitos anos. De um modo geral, as cartas continham um amplo assentimento dirigido à grande maioria das interpretações e uma áspera crítica a algumas delas especificamente. O amplo assentimento dizia respeito às nosografias dos outros, enquanto as críticas isoladas referiam-se quase sem exceção à temática da própria pessoa que escrevia. Nada nos impede de trazer à tona a sábia passagem bíblica em que se diz ser mais fácil reconhecer um cisco no olho do próximo do que uma trave em nosso próprio olho. Pois para o nosso próprio desenvolvimento são naturalmente decisivos cada cisco e cada trave que conseguirmos extrair.

O passo para o próprio erro, bem como a sua confissão, pode se dar com tanta prontidão que há mesmo erros que já trazem em si a oportunidade de crescimento. Só mesmo quando estamos doentes é que perguntamos o que nos falta, e só então podemos descobrir o que há de errado; encontrado o erro, faz-se possível a integração de nossa vida. Já nesse ponto a doença aparece como oportunidade. Com a ajuda deste manual, o leitor poderá se pôr em busca do que lhe falta para atingir a totalidade. E cada erro, à medida que conduz um aspecto falho da alma à integração, é um passo no caminho para a cura.

Na nosografia tem se corporificado, de forma não-resolvida, um princípio original mergulhado na inconsciência. A partir desse tema de sombras dão-se a conhecer os princípios originais, como também as possibilidades das quais derivarão passos de desenvolvimento positivo. A divisão "remissão", em seu aspecto mais importante, aponta para a possibilidade de encontrar outro plano redentor, no qual a própria energia arquetípica se permita viver sem interferir no transcurso da vida corpórea, contando-se até mesmo com a oportunidade de trazer para mais perto o tema da vida. A divisão "tratamento" fornece indicações de como se pode aproximar de maneira razoável temas secretos em nosografia. Com isso, propostas terapêuticas concretas só serão recebidas se de algum modo vierem a contribuir para a interpretação. Também serão mencionados nas indicações de leitura os programas elaborados que se tiver à disposição, bem como as fitas cassetes que diretamente digam respeito à interpretação e à reflexão sobre determinadas nosografias.

As indicações de tratamento e de remissão seguem sobretudo o pensamento homeopático e só excepcionalmente levam em consideração o pólo oposto da alopatia. São essas as duas orientações que determinam a medicina e, de modo supérfluo, polarizam terapeuta e paciente num ponto em que ambos têm tarefas a realizar e — a exemplo do que ocorre com todos os pólos opostos — mais dependem um do outro do que se excluem. A alopatia encontra-se na condição de salvar vidas, cumprindo assim uma das mais nobres tarefas da medicina; porém, infelizmente, ela não pode curar. A homeopatia, ao contrário, cura, e existe a possibilidade de fazê-lo mesmo em caso de nosografias crônicas; mas, em compensação, nos casos graves ela não tem condições de salvar vidas.

Para mim, pessoalmente, isso ficou claro por força de um exemplo impressionante no começo de minha atividade médica. Num encontro de terapeutas orientados para a medicina naturalista, um dos participantes sofreu um choque alérgico devido a uma picada de inseto; e, embora logo depois lhe tivessem sido ministrados remédios homeopáticos como o Apis e o Rescue dos florais de Bach, por meio de gotas pingadas em seu ouvido, o colapso da corrente sangüínea persistiu e o paciente já estava em vias de passar para o outro mundo. No entanto, com uma drástica dosagem de um remédio alopático chegou-se a uma rápida estabilização da corrente sangüínea, e uma hora depois o homem participava novamente do seminário. Na verdade, ele não estava curado de sua alergia. Isso não é possível por meio da noradrenalina e da cortisona. Com o princípio homeopático, ao contrário, tanto à interpretação como ao remédio a ser ministrado torna-se possível aproximar-se da raiz da alergia e aprender a lidar com ela. Ambos os princípios são eminentemente necessários: sem a alopatia, o paciente não sobreviveria; e sem a homeopatia ele não poderia encontrar a cura, já que o combate aos sintomas por meio de remédios alopáticos nem ao menos pode ser chamado de "cura". A autonomia dos sintomas e a cura não têm que ver essencialmente uma com a outra, e, muito ao contrário, o combate até mesmo reduz as possibilidades de cura.

No que diz respeito às interpretações nosográficas, felizmente não há alternativa entre as duas grandes orientações da medicina. É como se ambas jogassem no mesmo time, ainda que a partir de orientações opostas. Quando alguém tem medo, anseia pelo pólo oposto alopático, da amplidão e da abertura, que ele perdeu na estreiteza de seu medo. Em caso de um acesso de pânico, correrá o risco de tentar algo como o suicídio ou, se puder ser razoável, se medicará alopaticamente para providenciar a amplidão correspondente. A problemática do medo, porém, não se deixa resolver com o passar do tempo. A contrapartida só é possível quando a pessoa se permite adentrar a estreiteza do medo, atravessá-la e encontrar por detrás a amplidão e a abertura. Somente pela estreiteza atinge-se prolongadamente a amplidão. Se o posicionar-se na via alopática pode ser necessário em situações críticas de manutenção da vida, para a cura, porém, é pela via homeopática que somos instruídos. No exemplo do medo, é comum um dos pólos fechar-se quase totalmente em si próprio, quando o indivíduo está envolvido de modo bastante profundo (homeopaticamente) com o princípio do qual padece. Segue-se daí que em situações ameaçadoramente urgentes, a despeito de toda a interpretação nosográfica, o indivíduo não pode prescindir da ajuda médica tradicional.

A combinação entre medicina interpretativa e intervencionista, mesmo no âmbito da medicina reparadora, continua a ser em grande parte uma fonte de vantagens inimaginadas. É recomendável, por exemplo, descobrir o sentido profundo de uma fístula intestinal sem que com isso venha ela própria a desaparecer. Mas se na seqüência ela for atada mediante procedimento cirúrgico, a probabilidade de que volte a aparecer é bem menor. Interpretar nosografias não significa abandonar tudo o que é suplementar, e sim o contrário. De qualquer modo, se as tarefas de sentido e aprendizado forem devidamente compreendidas, um saneamento cirúrgico terá mais chances de transcorrer sem complicações e recaídas.

Devemos refletir, a seguir, sobre a diferença entre o ataque medicamentoso da alopatia, visando reprimir os sintomas, e sua aplicação no âmbito da alma, na tentativa de se aproximar do meio a partir do pólo. O paciente depressivo tem de lidar homeopaticamente com os temas relacionados com o medo – escuridão, morte e agressividade –, mas experiências luminosas servirão de ajuda para que ele descubra o outro lado da moeda. Assim, é compreensível que tanto a terapia das sombras como os banhos de luz e sol, e especialmente um encontro com a luz interior, devam concorrer razoavelmente para o retorno ao caminho do meio, que é o objetivo de toda terapia.

O estar doente é, em última análise, uma queda em relação ao centro (da mandala da vida), constituindo dessa forma um desequilíbrio relativamente à busca do corpo, para compensar um desequilíbrio. A cura deve aspirar ao meio, e esse por definição reside entre os pólos, razão pela qual as terapias, trabalhando sempre sobre esse eixo, esforçam-se por restabelecer o meio. O caminho mais rápido (urgente) para se chegar até aí passa freqüentemente pelo pólo oposto (alopático). O princípio homeopático, ao contrário, com seu primeiro passo, vem ainda amplificar a unilateralidade, o que por vezes reforça o problema como um primeiro agravamento. Seu objetivo a longo prazo é estimular de tal modo as forças de autocura do organismo que, a partir da própria força, o movimento em direção ao meio venha na continuidade. Em todo caso, ambos os lados trabalham no mesmo eixo do mesmo tema.

Com isso, de imediato, pode-se considerar as doenças (que se manifestam pelos sintomas) como correção do desequilíbrio no plano corporal, e isso é importante para não se deixar o fiel da balança pender para um dos lados. Permanecendo nessa idéia, o que está em jogo no restabelecimento é assegurar o equilíbrio não com passos involuntários e cheios de sofrimento, mas com passos voluntários e conscientes. Nos pratos da balança da vida, corpo e alma têm peso semelhante, quer isso nos agrade (e à medicina acadêmica), quer não. Quando não dominamos animicamente alguma coisa, o corpo entra como substituto e o faz a seu modo corporal. Só assim os fiéis da balança podem manifestamente se manter na posição horizontal. E só quando passamos a cultivar o tema anímico pode novamente o corpo arrefecer em seus esforços sintomáticos, a balança manter-se em equilíbrio, e então é possível falar em restabelecimento. A alma volta-se para a sua responsabilidade vivendo a temática de maneira consciente, a mesma temática que antes o corpo tinha de encarnar inconscientemente.

A pergunta-padrão dos médicos: "Então, o que está acontecendo?" — aponta em primeiro lugar para o princípio alopático, e desenvolve-se a partir daí, em primeiro plano e como o mais próximo dessa pergunta, o caminho principal da medicina. Mas a orientação homeopática se pauta pela seguinte pergunta: "Qual a melhor forma de chegar, a longo prazo, a um equilíbrio?" Ela se dá indiretamente, mas em compensação leva a equilíbrios realmente estáveis, já que aposta nas forças corporais da cura de si mesmo, em vez de socorrer o corpo com tropas estranhas (como os antibióticos). Se neste último caso o organismo torna-se a longo prazo dependente de ajuda externa, no outro vai ficando cada vez mais autárquico. Mas, evidentemente, ao que tem sede falta em primeiro lugar a água, que deve ser dada alopaticamente para salvar a sua vida. Como passo posterior, porém, devem ser esclarecidas as perguntas sobre como se pôde chegar a esse ressecamento e sobre como o paciente pode futuramente se defender de problemas semelhantes. O princípio de Saturno representa arquetipicamente o ressecamento, e, nessa medida, "estrutura", "clareza" e "moderação" seriam conceitos que o paciente deveria satisfazer para resolver definitivamente o seu problema.

A sintomática apresentada pela pergunta clínica: "O que está acontecendo?" — revela o que temos e, com isso, o princípio original que lhe está relacionado. Alérgicos padecem de lutas travadas pelo sistema imunológico contra alergênios secretamente inimigos. O princípio da luta é simbolizado pelo princípio original de Marte, e desse modo é Marte que lhe falta. Anseia-se pela paz, representada por Vênus. Mas quando Marte se expressa na nosografia, e conseqüentemente falta na consciência, é ele que tem de ser aprendido em primeiro lugar, isto é, os pacientes terão de aprender a posicionar suas energias aberta(ofensiva)mente, *tomar* a vida *de assalto* e *pegar o touro a unha*. Quando tiverem feito isso, Vênus, que é o pólo oposto, lhe cairá nas mãos como uma fruta madura.

As orientações alopática e homeopática só poderão entrar em razoável sintonia quando suas respectivas essências forem compreendidas. Um caminho pragmático, comprovado no campo de tensão entre a medicina acadêmica e os métodos complementares, consiste em separar mentalmente diagnóstico e terapia. O primeiro deve ser formulado, ou ao menos garantido, pela medicina acadêmica. O que sempre se pode analisar pelos exames sangüíneos de laboratório é a segurança absoluta do caminho seguido, não se permitindo oscilações. Aí não se tem uma oposição de princípio às oscilações, mas de um modo geral ao enorme fator de incerteza que elas trazem em si, e portanto à dependência das respectivas oscilações e suas qualidades, que não devem ser levadas em conta nos exames de laboratório, e na maior parte dos outros métodos de diagnóstico da medicina acadêmica. Mesmo com todo o risco das ações principais e secundárias da medicina alopática, não se pode deixar de considerar que seus métodos de diagnóstico são freqüentemente inofensivos e bastante esclarecedores. Também eu recorri, sempre que possível, aos resultados de pesquisas da medicina acadêmica para as interpretações deste manual. No diagnóstico, comprovou-se a regra pela qual tanto mais se avança (sem riscos) nos diagnósticos da medicina acadêmica quanto menos se avança no tratamento, o que ainda se justifica. Mesmo métodos de exame tidos por externos, e que atuam de forma bárbara, como a tomografia computadorizada e a axial computadorizada (tacografia), são bastante inofensivos para o corpo, e em todo caso se aplicam junto com exames radiográficos de rotina, aos quais quando crianças nos expúnhamos sem pensar. O mesmo vale evidentemente para exames por meio de injeção com substâncias radioativas ou para a retirada de tecidos de provas.

Mesmo quando aconselho a aplicação na prática de medicamentos alopáticos, trata-se de nosografias que trazem graves ameaças à vida — e faço-o na maioria das vezes com medicamentos que proscrevem o risco pela mera supressão. Nessa situação são justificáveis até mesmo afirmações que quase sem exceção abafam problemas anímicos. Ambos os métodos podem manter a vida por meio da repressão, mas não podem curar. Tampouco podem defender essa pretensão, pois isso significaria impedir o desdobramento. Quem faz uso de afirmações deve, em todo caso, saber que não está no caminho espiritual, mas, ao contrário, em situação de necessidade, procura não levar em conta esses problemas e suas tarefas. O sucesso dessas medidas tem sempre um tempo limitado, mesmo quando o quadro cronológico for prolongado. Mas o perigo reside precisamente aí, no caso de a relação com o problema original esvair-se *com o tempo*. E uma vez proscrito o grave perigo, pode-se novamente pensar numa cura e, portanto, num caminho homeopático, que tanto pode ser trilhado com o uso de medicamentos conhecidos como pelas interpretações correspondentes e pelo resgate das tarefas de vida daí resultantes. De preferência, deve-se perseguir paralelamente ambos os modos de terapia homeopática, que se completam admiravelmente na medida da natureza.

O tratamento de situações de grave ameaça à vida pela via homeopática pode ter conseqüências fatais, pois muitas vezes ele não atua com eficácia suficiente. Carece-se aqui de uma verdadeira maestria na arte da homeopatia. Mas também o tratamento alopático (pela medicina acadêmica ou por afirmações provenientes do âmbito do "pensamento positivo") é igualmente inadequado e altamente perigoso quando por ele se pretende chegar à cura para os casos de nosografias crônicas sem gravidade. Por mais bem pensado que seja esse procedimento, ainda assim ele só pode cobrir e suprimir sintomas e, com isso, empurrá-los mais profundamente para as sombras. Terapias que prometem cura têm, ao contrário, de descobrir, assimilar e, finalmente, redimir.

Muitas vezes, a interpretação de nosografias pode tornar supérfluos outros métodos de tratamento, mas também pode trazê-los combinados com quaisquer dentre ambas as orientações da medicina, alopatia e homeopatia, e a princípio não exclui nenhuma forma de tratamento. É natural que se recomende que ao lidar com os métodos repressivos da alopatia seja-se tão econômico quanto possível, reservando-o para os casos de real necessidade. Se é pretensão utilizar complementarmente medidas de tratamento corporal, recomenda-se, junto com os exercícios e meditações resultantes das interpretações, sobretudo os modos de cura natural, ainda que se deva considerar que estes em sua maior parte têm de ser experimentados no emaranhado de conceitos que envolvem a homeopatia e a alopatia. Mesmo quando as experiências de cura natural são introduzidas, na maioria das vezes, de modos comparavelmente inofensivos, isso só acontece com essa freqüência com uma intenção repressiva. Assim, são muitas as curas naturais que se utilizam de uma base alopática (os muitos assim chamados "meios complexos"). Tanto é que se torna incompreensível o antagonismo entre a medicina acadêmica e as assim chamadas linhas alternativas. Em todo caso, melhor seria usar o termo "métodos complementares" para ressaltar o aspecto complementar em detrimento do substitutivo. Não precisamos de nenhuma medicina alternativa, mas sim de uma síntese, na medicina, que consiga combinar os diferentes métodos no campo de uma filosofia que envolva doença e saúde, enquanto isso for razoável na situação em questão.

Não há prova racional que sustente o abismo artificialmente criado entre a medicina acadêmica e as curas naturais. Muitos dos remédios da medicina acadêmica provêm da natureza, como de certa forma é o caso da digitalina como preparado para o coração, extraída das folhas da dedaleira, ou da penicilina, atrás da qual se esconde o fungo *Aspergillus penicillium*, ou também o da multifacetada cortisona, que como hormônio do *stress* do próprio corpo poderia ser incluída nas curas naturais. Todavia, esses remédios, aplicados de modo prolongado, geram consideráveis efeitos colaterais. Nem tudo o que provém das curas naturais é por princípio inofensivo. Por outro lado, muito do que há na medicina acadêmica é medicina experimental, ainda não comprovada pelo saber científico quanto à eficácia de seus mecanismos de ação. A homeopatia clássica, em compensação, é reiteradamente incluída entre as curas naturais, ainda que seus recursos potenciais jamais sejam encontrados na natureza. Mesmo assim, a desconstrução de frentes absurdas serviria a toda a medicina e abriria caminho para a síntese. A interpretação das nosografias no sentido da psicossomática aqui defendida poderia assim exercer a função de ponte, pois se harmoniza com ambas as orientações fundamentais da medicina e pode muito bem evidenciar sua interdependência.

De mais a mais, abre-se a oportunidade para reconciliar corpo e alma. Isso ocorre com sucesso num sentido fundamental, como no caso da psicossomática derivada da psicanálise. Segundo meu entendimento aqui tomado por base, absolutamente tudo o que assume uma forma no corpo tem também um lado anímico. Onde há forma deve haver também conteúdo, ou, como Platão já formulara há milhares de anos: "Atrás de cada coisa há uma idéia." A forma se desfaz tão logo o conteúdo a abandona, o que facilmente se pode observar nos cadáveres. Se a consciência deixa um órgão, a estrutura abandonada adoece, mesmo que essa subtração da consciência não seja intencional nem jamais ocorra de modo consciente. Naturalmente, essa parte do corpo não está morta; aí vive, sim, precisamente o tema não transferido de modo consciente para uma forma inconscientemente vital, porém perturbada. Felizmente, foi-se o tempo em que os médicos acadêmicos podiam aludir com prazer, e sob os aplausos do público, a seus milhares de cirurgias executadas sem que jamais tivesse sido encontrada uma alma sequer. A propósito, esse argumento sempre foi expressão de arrogância e de uma pura e rematada burrice. A mesma opinião teríamos de um técnico de televisão que afirmasse jamais ter encontrado um programa de televisão, apesar de ter aberto milhares de televisores, concluindo daí a não-existência de programa algum. Por sorte, os técnicos de televisão não estão mergulhados num nível espiritual tão assustadoramente baixo.

Se por um lado a constituição de uma medicina psicossomática nos quadros da medicina acadêmica pode parecer um feliz desenvolvimento, por outro lado ela é em si um sintoma grave. Significa, embora em suas sombras, que algumas nosografias nem sequer são psicossomáticas. Mesmo que o número de nosografias reconhecidas (valorizadas) pela medicina acadêmica como psicossomáticas tenha aumentado drasticamente nos últimos anos, sempre restam algumas que, segundo se diz, nada têm que ver com a alma. Ao mesmo tempo, todo dentista sabe que, por detrás de cada dente, há uma alma e que, à exceção dos constructos de pensamento dos cientistas, nada nessa vida consegue separar corpo e alma.

Por outro lado, o fato de tudo ser psicossomático não significa que tudo seja puramente psíquico. Evidentemente que sempre há também a participação do corpo. A concepção da medicina acadêmica a esse respeito é particularmente absoluta. Se alguma vez ela reconheceu (valorizou) o caráter psicossomático de uma nosografia, abandona-o por completo aos especialistas da alma. E mesmo quando estes ressaltam a ligação entre corpo e alma com a palavra "psicossomática", a medicina acadêmica e universitária volta de pronto a insistir na sua separação. Seus psicossomáticos, como analíticos que são, especializam-se na alma. Aquele que se alça à pretensão – na verdade óbvia – de cuidar de ambos, continua sendo rejeitado com muita freqüência. Isso mostra quão distanciadas estão nossas universidades de sua pretensão original, qual seja, a de encontrar a unidade em todas as coisas.

Se há uma preponderância do elemento anímico ou do corporal na história da formação de uma nosografia, na situação individual é preciso que se esclareça em que medida um e outro podem ser encontrados, pressupondo-se que se esteja suficientemente inserido nos quadros do entendimento. O fato de não se poder ver alguma coisa revela pouco sobre a sua existência. Aquele que afirma a não-existência das coisas que ele não vê está no mesmo plano das crianças que cobrem os olhos com as mãos para não ver. Infelizmente, essa atitude tem como exemplo quase toda a psiquiatria, que nega o fundamento anímico (na medida em que é reconhecido de maneira errônea) a todas as psicoses chamadas endógenas. Se os psiquiatras se dessem ao trabalho de estender seus quadros de observação tanto quanto demonstra o psiquiatra americano Edward Podvoll em seu livro *Verlockung des Wahnsinns* [Sedução da loucura], também eles poderiam encontrar sentido e significado no seu campo de trabalho principal.

Muitas vezes trata-se de um problema anímico primário que gosta de se fazer representar no corpo, mas em outras situações há uma nítida preponderância do elemento corporal. Os trabalhadores que sofreram a contaminação pelo reator de Chernobyl e desenvolveram o câncer algum tempo depois não necessitaram, para essa dose de irradiação, nenhum padrão cancerígeno anímico particularmente manifesto. Mas mesmo em casos como esse há um componente anímico, que no entanto desempenha um papel subordinado ante a exposição à irradiação. Em última análise, há toda uma mistura entre os elementos anímicos e corporais. Nesse ponto é evidente que ambos os lados devem ser, desde o princípio, incluídos no tratamento.

A compreensão da doença como símbolo oferece uma oportunidade para que se siga a trilha de suas respectivas tarefas de vida. Com isso, o aspecto corporal da doença é de importância central, pois só passando por ele podemos chegar ao significado dos sintomas. Simbólico fora na antigüidade um certo anel de barro, com a ajuda do qual os amigos se reconheciam depois de muitos anos de separação. Na hora da despedida, ele era quebrado em duas partes, para que, pelo encaixe de uma com a outra, se ratificasse a união dos amigos mesmo depois de um longo período longe um do outro.

Símbolos são até hoje expressão de correspondência entre forma e conteúdo, e invariavelmente nos ajudam a reconhecer ligações. Sem conteúdo, o símbolo físico não tem sentido; sem forma, o símbolo na verdade continua a existir e, se tem algum sentido, é impalpável. Só as nosografias corporais permitem que nos acerquemos de conteúdos anímicos fechados. Uma forma corporal sem conteúdo não tem nenhuma efetividade (veja-se o exemplo do cadáver), mas com certeza a possui um conteúdo sem forma física; para entender isso, basta que pensemos nas idéias ou na alma imortal. Conteúdos anímicos tornam-se conscientes para nós ao tomar corpo como nosografias. As assim chamadas doenças do espírito são exemplos de nosografias admitidas sem formas físicas concretas, ainda que estas venham a torná-las nitidamente perceptíveis.

É de maneira exemplar que podemos acompanhar a seqüência na história da criação cristã, mas é possível fazê-lo também com base em quase todas as outras. Em primeiro lugar vem a idéia, o pensamento, o verbo ou o som, e só então a encarnação. A expressão do evangelho de João "No princípio era o Verbo, e o Verbo estava com Deus", e depois, "e o Verbo se fez carne" não deixa nenhuma dúvida quanto à seqüência. Tudo o que é criado provém da unidade, encarnando-se com a entrada na polaridade. Cada passo na encarnação impele mais profundamente para a polaridade. A doença pertence ao caminho da polaridade. Pensa-se em hierarquias, e ao anímico-espiritual é conferido o primeiro lugar em detrimento do corpo; não obstante, considerar ambos como tendo o mesmo valor costuma dar bons resultados no conflito com a doença, e em todo caso não se está concedendo ao plano corporal subordinado a primazia ou a pretensão de ser representante exclusivo.

Conselhos para uma transformação prática

Não há terapia que nos possa livrar das nosografias, mas podemos tudo fazer e deixar acontecer dentro de nossas possibilidades para provocar o retrocesso na direção do movimento. Os critérios essenciais para a cura são, pela minha experiência, a crença na cura de si mesmo e, nessa medida, em sua própria força e possibilidades – o passo para a autenticidade e para as experiências espirituais. Esses pontos tornaram-se conscientes para mim sobretudo na terapia com pacientes de câncer, mas em princípio são válidos para todas as nosografias. Se compreendemos a mensagem de um sintoma, podemos torná-lo supérfluo e fazê-lo desaparecer. Mas isso pode não acontecer, subsistindo uma necessidade de sofrer limitação ou dores. Contudo, compreender e aceitar o sentido que está por trás dele certamente fará cessar os sofrimentos. Entendimento e aceitação são sempre profícuos, mas não forçam um restabelecimento no sentido corporal. A *doença* deve ser compreendida inteiramente como *caminho*.

O reabilitar-se da doença pode ser tomado literalmente como "realojamento". Tomar posse novamente da casa do corpo, viver conscientemente em todos os seus quartos, membros e órgãos, eis a grande oportunidade que toda nosografia oferece. O analista Alexander Mitscherlich, em seu *Krankheit als Konflikt* [A Doença como Conflito], falava de como as doenças resultam da eliminação da consciência de determinadas regiões do corpo. Restabelecimento e convalescença são, conseqüentemente, passos de retorno à casa tradicional do corpo, e este manual de psicossomática é um convite a reassumir seus direitos de nascença. A expressão "tomar conta da casa" poderia ter aí suas raízes ou pelo menos fazer sentido desse modo. Mesmo a casa exterior, que é uma contrapartida à moradia da casa do corpo, pode ser interpretada como espelho da atual situação de vida. Ninguém poria em dúvida que habitar uma vila espaçosa expressa algo diferente de alojar-se num estreito porão. O visitante interpreta espontaneamente as condições de uma moradia, a atmosfera reinante, a existência ou falta de conforto, etc. Além disso, ainda fazemos distinção entre situações de moradia boas e caras e as menos boas e, portanto, mais baratas. De modo semelhante e ainda mais diferenciado podemos defini-lo com a morada do corpo e fazer desse passo-a-passo um tempo apropriado para nossa alma imortal.

Caso se trate de um conhecimento (do significado das nosografias), pensamos, ou melhor, o hemisfério esquerdo do cérebro arquetipicamente masculino pensa sobretudo em si mesmo. Mas o conhecimento intelectual por si só não consegue resolver problemas desse tipo, e a leitura de um livro exegético é que poderia mais facilmente levar ao restabelecimento. No caminho para a cura também o nosso outro lado – simbolizado pelo hemisfério direito do cérebro, arquetipicamente feminino – é ao mesmo tempo tarefa e socorro. Como passagem para ele recomenda-se, junto com a pura leitura da interpretação da nosografia e com uma meditação sobre isso, deixar-se examinar por outrem, e com isso considerar cautelosamente suas reações emocionais. As batidas do coração e as alterações em seu ritmo muitas vezes são indícios. Depois disso, evidententemente, o parceiro seria convidado a falar sobre o que viu e sobre a relação resultante para si mesmo. É melhor que não se faça nenhuma réplica a essas interpretações, mas em compensação deve-se ter a atenção concentrada em suas próprias reações emocionais. Depois disso, um diálogo poderia ser travado entre a pessoa que foi examinada e a que examinou.

Outra ajuda comprovada consistiria em formular perguntas sobre o tema da doença, que fossem análogas àquelas feitas em *A Doença como Linguagem da Alma*, e sobre cada pergunta dever-se-ia falar, meditar e refletir profundamente.

A partir de uma reflexão sobre esse assunto, deixa-se desenvolver um bom caminho nas profundezas do seu padrão anímico. O caminho mais simples para incluir nosso lado feminino é abordado em *Reisen nach Innen* [Viagem ao Interior]. Meditações dirigidas têm uma longa tradição também na nossa cultura e foram "reencontradas" precisamente nos quadros da psiconeuroimunologia da medicina ocidental. É muito recomendável que, paralelamente à assimilação intelectual de sua tarefa de vida, empreendam-se passos no mundo de suas imagens interiores. Contanto que se tenha à disposição, como tema, uma fita cassete da série psicossomática (música netuniana: cassetes para a ativação das forças de cura de si mesmo; ver indicações bibliográficas), a terapia das imagens da alma, em pequenos quadros, deixa-se conduzir por si mesma. Quem segue seu próprio caminho pelo período de uma lunação – com mudanças diárias de ambas as meditações –, ainda que o faça de início, com o tempo certamente realiza experiências que não lhe podem ser transmitidas pelo intelecto. Onde não há meditações prévias, pode-se aplanar o caminho com viagens interiores comuns, como "médico interior" ou "elementos rituais" (ver indicações bibliográficas), e então criar suas próprias meditações. O livro *Reisen nach Innen* (com os cassetes introdutórios), constitui uma boa ajuda adicional para se alcançar esse objetivo.

Exercícios e rituais podem representar uma ajuda complementar diretamente relacionada com as tarefas de vida resultantes da nosografia. No que diz respeito a seus próprios rituais, remetem-se ao livro *Lebenskrisen als Entwicklungschancen* [As crises da vida com chances de desenvolvimento], no qual há instruções para a criação de rituais individuais. Muitas vezes, também pelo jejum se pode aprofundar períodos de busca intensiva pelo significado de seus próprios problemas. O jejum tem a vantagem adicional de ser um meio primoroso de prevenção geral.

Terapias de pinturas, pelas quais se dá uma forma à nosografia e se pode expressar suas diferentes dimensões em cores e sensações, são em todo caso um apoio considerável no caminho para si mesmo. Assim, também aqui se chega, por meditações dirigidas e psicoterapias, aos primeiros pensamentos, que logo estarão a ponto de ser expressos de maneira irrestrita.

Quando não se consegue distinguir nenhum avanço sem ajuda exterior, ou quando a nosografia é por demais ameaçadora, a psicoterapia é sempre possível. Para tanto, temos experimentado a "terapia nosográfica", feita com os recursos de terapia de vidas passadas, como regressões e exercícios de respiração, e realizada num período mais curto, de uma a duas semanas, sendo, portanto, a melhor. De acordo com o aconselhamento costumeiro para as grandes nosografias, leva-se um mês inteiro para um quadro de terapia de vidas passadas.

Este manual não pode nem pretende diminuir nenhuma responsabilidade, mas, ao contrário, quer fazer com que se tenha à mão possibilidades e que se assuma plena responsabilidade pela própria vida com todas as suas tarefas. Ver a doença como álibi e rota de fuga e, para todos os efeitos, em seu caráter de desafio, é algo que poderia ajudar. Aquele que aceita o desafio, é protegido pelo destino.

Como obra de consulta, é evidente que este livro não substitui uma consulta médica, mesmo que a longo prazo seja mantida a oportunidade de aprender a lidar com nosografias e com outros desafios do destino, a partir de sua própria força, sobretudo pela via da prevenção. Felizmente, cada vez mais terapeutas começam a se deixar instruir na orientação desse modo de psicoterapia abrangente, e com isso crescem as chances de encontrar seu médico exterior nesse âmbito psicoterápico. O trabalho com o médico interior esteve e estará sempre no centro; em última análise, a cura só é possível a partir da própria força do paciente. O médico exterior poderá aliar-se adequadamente ao interior sempre e somente em caso de necessidade, e para isso este livro será de muita valia a ambos os lados.

RÜDIGER DAHLKE

Parte 1

Relação de Órgãos e Regiões do Corpo

Abreviações

→ *remete a verbete próprio*

Adamantino ver Esmalte do dente

Amígdalas (Amígdala palatina, amígdala rinofaríngea)
Significado simbólico: o mais forte policiamento no âmbito da defesa do assim chamado anel tonsilar de Waldeyer, sentinelas para o mundo exterior, bastiões da defesa do mundo interno contra bacilos vindos de fora.
Tarefa/tema: vigiar a estreita porta de entrada; impedir o acesso ao mundo interior.
Princípio original: Marte-Saturno.

Antebraços (ver também Braços)
Significado simbólico: força de alavancagem, "dar um empurrãozinho (em alguém)"; trazer o mundo para junto de si.
Tarefa/tema: manter/segurar (não largar); trazer o mundo para junto de si; mediar; capacidade de ação.
Princípio original: Mercúrio.

Ânus/Reto
Significado simbólico: entrada para o submundo e sua saída; porta dos fundos, escape; comporta entre o mundo exterior e o interior.
Tarefa/tema: vigiar a saída, guardião da última fronteira (mesmo sendo o esfíncter conscientemente controlável desde a fase anal); para usar um termo limpo, demitir-se; válvula para eliminar violenta pressão por trás (*emitir gases de odor desagradável*); molda o primeiro produto, o primeiro presente da criança ao mundo.
Princípio original: Plutão.

Aorta
Significado simbólico: principal via (de transporte) da corrente vital, o estar desperto e aberto para o mundo exterior.
Tarefa/tema: transporte de energia do centro para a periferia, ligação energética entre a região superior e a inferior, motor de apoio à manutenção de uma pressão sangüínea constante (função de caldeira).
Princípio original: Sol-Mercúrio.

Aparelho digestivo
Significado simbólico: comer e digerir o mundo (hin.: *bhoga*).
Tarefa/tema: acolher e processar o mundo material; assimilar o fruto do karma, que se fez amadurecer.
Princípio original: Lua (estômago)-Mercúrio (intestino delgado)-Plutão (intestino grosso e reto).

Apêndice/Ceco
Significado simbólico: beco sem saída dos primórdios da evolução, baluarte da defesa do intestino (centro imunológico linfático), organização imunológica do submundo; policiamento do reino das sombras.
Tarefa/tema: zelar pela ordem no inconsciente, defesa contra invasores estranhos ao submundo.
Princípio original: Marte-Plutão.

Artéria (ver também Vasos sangüíneos)
Significado simbólico: via energética, sistema de abastecimento (corrente de força), primeira metade da circulação.
Tarefa/tema: distribuição de energia; transporte de energia.
Princípio original: Mercúrio (ligação), Marte (energia).

Articulação
Significado simbólico: base para uma locomoção suave e flexível; origem da orientação das patas traseiras; base para salto ("dar um pulo até" e o "pulo-do-gato").
Tarefa/tema: possibilitar o transporte dos pés pelo andar, e com isso avançar fluidamente; possibilidade de sublevar-se: salto para o plano dos deuses; elasticidade.
Princípio original: Urano.

Articulação do ombro
Significado simbólico: sumamente móvel, tratando-se por isso de uma articulação esférica pouco estável; compromisso

entre o espaço de movimento tão grande quanto possível, de um lado, e a estabilidade e a segurança, de outro.
Tarefa/tema: preservar a maior liberdade com pequenas limitações, mas impedindo que se leve a extremos a *articulação*, no que se perderia o engaste; animar visando a uma mobilidade mais corajosa (espiritual) e, com isso, aventurar-se ao maior lance/projeto de sua vida e crescer para fora sobre si mesmo; permitir a expansão do âmbito das atividades artesanais; reagir, porém, com sensibilidade, quando esse âmbito for excedido; permitir maior amplitude no traçar do círculo, mas punindo todo ultrapassar das possibilidades de articulação; indicar eventuais exacerbações do trabalho artesanal em detrimento do trabalho espiritual.
Princípio original: Mercúrio-Marte.

Articulações
Significado simbólico: mobilidade, articulação.
Tarefa/tema: expressão, mediação entre o mundo interior e o exterior; trazer o mundo para dentro e as pessoas para o mundo.
Princípio original: Mercúrio.

Articulações internas
Significado simbólico: quando se mostram revelam franqueza, sentimento de segurança e confiança, necessidade de contato, mas também vulnerabilidade (axilas, rebaixar-se tão-somente para mostrar intimidade).
Tarefa/tema: angariar estímulo com a própria vulnerabilidade; desamparo.

Atlas (a primeira vértebra cervical; ver também Áxis e Coluna vertebral).
Significado simbólico: placa giratória do pequeno compartimento superior.
Tarefa/tema: trazer a carga da abóbada celeste (mito de Atlas, que, como castigo, sustenta a abóbada celeste sobre os ombros); mobilidade como a de uma plataforma de farol, que se abre para todos os lados; possibilitar visão geral e panorâmica, garantir perspicácia; responsabilidade.
Princípio original: Saturno (suportar uma carga), Mercúrio (placa giratória).

Áxis (segunda vértebra cervical)
Significado simbólico: ponto mais alto do eixo do mundo; eixo em torno do qual tudo gira.
Tarefa/tema: proporcionar mobilidade e direção.
Princípio original: Mercúrio-Júpiter.

Bacia
Significado simbólico: fundamento da vida, base; solo de ressonância, instrumento musical para os tons mais profundos da existência; estar na mesma vibração física da Mãe Terra; *bacia* de uma cisterna; invólucro, recipiente da fertilidade; invólucro da bacia, lugar dos "palácios da linhagem"; base do eixo vital (coluna vertebral): sustentação do ser ereto; contém as portas da vida e da morte: os órgãos sexuais que possibilitam a vida, bem como a entrada e a saída do reino dos mortos do intestino delgado; bacia estreita: expressão do arquétipo masculino; bacia larga e efluente: expressão da capacidade de parir do arquétipo feminino.
Tarefa/tema: entrar na mesma vibração; indicar como se anda e como se mantém de pé; dar apoio, deter, possibilitar desenvolvimento.
Princípio original: Saturno-Lua.

Bacinete/pelve renal (ver também Rins)
Significado simbólico: funil receptor do supér*fluo*; lugar preferido para a petrificação de associações não-dominadas e temas inconvenientes.
Tarefa/tema: reunir resíduos fluidos (anímicos), antes de serem despejados; traba-

lhos não-resolvidos: arrumar espaço vital para as pedras maiores.
Princípio original: Vênus-Lua.

Baço
Significado simbólico: filtro da força vital, depósito de vitalidade (sangue); túmulo e berço dos glóbulos vermelhos e brancos: (útero e cemitério — comparar com as deusas Hécate e Kali, que concedem e tomam a vida); tecido linfático a serviço da defesa.
Tarefa/tema: pureza da força vital; na medicina esotérica: o órgão mais importante para o corpo etérico, segundo os teosofistas; pertence à categoria dos chakras, na medicina antroposófica; ligação com o tema da morte.
Princípio original: Marte-Lua.

Barba
Significado simbólico: primitividade, mata virgem da face (masculina; o bárbaro é barbado); masculinidade; não-aparada, torna-se esconderijo.
Tarefa/tema: revelar a relação com o bárbaro interior: cultivá-la suprimindo-a (desbaratar a mata virgem), ou então mostrá-la ou apará-la até a condição de "barba de Lênin"; esconder elementos que simbolizam a força, como, por exemplo, lábios (não) sensuais; queixo recuado ou muito saliente; (pseudo)masculinidade: barba de marujo, bigode; significado político: barba de Hitler; barba dos *hippies*; realce de força e autoridade; barbicha ("o cavanhaque do mestre-escola"); exercer pressão, cuidado com a imagem: barba de bêbado, o tipo desleixado com a (arduamente cultivada) barba de três dias.
Princípio original: Marte-Vênus.

Batata/Barriga da perna ver Panturrilha

Bexiga
Significado simbólico: resistir, suportar e transmitir pressão; panela de pressão do corpo; capacidade de lidar com tensões; (antigo) reservatório de água.
Tarefa/tema: reunir águas residuais (da alma) liberadas para secreção e despejá-las em grandes porções; proporcionar alívio; resistir a pressão e poder suportá-la; afrouxar, deixar (es)correr o acúmulo; reter a água: "molhar as calças de medo".
Princípio original: Plutão-Lua.

Bico do seio
Significado simbólico: alimento; doação; para os bebês, nos dias de hoje, costuma ser substituído pela chupeta; os adultos usam por vezes a boneca inflável, com seios e mamilos de borracha; prazer, sedução, erotismo.
Tarefa/tema: (crianças) amamentar e aquietar (acalmar); satisfazer o parceiro, irradiar atração sexual: ereção dos mamilos no estado de excitação erótica; prover, mimar, atrair.
Princípio original: Lua (o materno), Vênus (o sedutor).

Boca
Significado simbólico: esfera do gozo (a oralidade da psicanálise); comunicação, órgão de expressão central da linguagem do corpo: boca para beijar e para fazer bico (mostrar desagrado); a boca em posição relaxada ou enviesada revela franqueza ou obliqüidade de intenção; boca grande: "bocão", "botar a boca no mundo" ; boca pequena: "à boca miúda", "tapar a boca"; a boca pequena representa docilidade; a grande pode representar desde sensualidade até vulgaridade; sexualidade (na linguagem corrente, paralelo entre o superior e o inferior): lábios como símbolo da sensualidade; entrada em plenitude ou vigor de coisa ou situação: boca da noite, boca da serra, boca de cena, boca do estômago; portal da linguagem; entrada (e saída) do mundo do corpo.
Tarefa/tema: recepção e expressão.
Princípio original: Lua (recepção), Mercúrio (articulação), Vênus (forma, função).

Braços (ver também Antebraços)

Significado simbólico: força, vigor, poder (latim: *arma*; português: "arma", "armada" ou "armadura"); lutar, "a braços com", "resolver no braço" (iniciar uma briga), "não dar o braço a torcer" (não se confessar vencido); ter condições de manter-se firme; com a conotação de "ter influência sobre"; dar proteção: "tomar nos braços"; "ser o braço direito de": pôr-se a serviço de alguém com máxima dedicação; "de braços abertos" tem conotação de receptividade e interesse, e o seu oposto, "de braços cruzados", conota ausência de ação e de interesse; "dar uma de joão-sem-braço" denota aparente ausência de pretensão ou intenção.

Tarefa/tema: Contato com o mundo exterior; agarrar o mundo (físico), abraçar, ter consideração pelo corpo ou cultivá-lo.

Princípio original: Marte-Mercúrio.

Braços

Significado simbólico: força, vigor, potência; os exércitos pessoais; símbolo de força (bíceps), lugar da força combativa e de penetração; o possibilitar da força de *resistência*.

Tarefa/tema: segurar, elevar, bater (derrotar); força de alavancagem; trazer o mundo para junto de si, empurrar os inimigos.

Princípio original: Marte.

Brônquios

Significado simbólico: canal de ligação entre os mundos interior e exterior; condução de energia e gases; os *ramos* bronquiais compõem a *árvore* respiratória interna.

Tarefa/tema: conduzir a corrente respiratória (*prana*), ligação entre o interior e o exterior; abastecimento e eliminação de energia; comunicação, rítmica.

Princípio original: Mercúrio.

Cabeça

Significado simbólico: capital do corpo, *cap*ital (essencial, principal), globo terrestre pessoal do microcosmo, a mais elevada instância da instituição corpórea (também externamente a mais alta posição), pólo para o corpo (acima-abaixo); lugar do entendimento, razão e pensamento: "mente clara", "cabeça forte", "manter a cabeça fria", "virar a cabeça de alguém"; o modo como alguém mantém a cabeça (fria) no lugar define o tipo do pescoço e muitas vezes do coração (quente); (auto)expressão; arrogância: "subir à cabeça", nariz em pé (antes era sinônimo de descortesia; hoje, a pessoa *de alta posição* olha com ar insolente estampado no rosto); o aprumo da cabeça revela com franqueza a pessoa que se é; a cabeça ligeiramente inclinada pede tolerância e benevolência, insinuando-se.

Tarefa/tema: expressão de disposição: "deixar pender a cabeça", "enterrar a cabeça na areia", "tomar na cabeça", "abaixar a cabeça"/"de cabeça baixa"; (auto)-afirmação: "manter a cabeça erguida", "levantar a cabeça", "não se deixar abater"; imposição: "meter algo na cabeça de alguém", "pensar com a própria cabeça", "querer a cabeça de alguém", "fazer a cabeça de alguém", "submeter alguém a uma lavagem cerebral" (mudar os referenciais), "bagunçar a cabeça de alguém"; visão geral, orientação: "não saber onde se está com a cabeça"; mandar e desmandar; a mais alta sensibilidade à dor fazendo-se valer preventivamente em caso de atitudes problemáticas ("bater com a cabeça na parede") e de pensamentos perigosamente unilaterais ("quebrar a cabeça", "queimar pestanas"), mas também de baixa atividade mental e bloqueio ("cabeça-dura", "careta").

Princípio original: Marte (ponta-de-lança do corpo)-Sol (capital)-Urano (perto do céu)-Mercúrio (função).

Cabelos (ver também Barba, Pêlos do corpo)
Significado simbólico: liberdade (*hippies*, musical *Hair*); vitalidade, indiferença: "ficar de cabelos brancos por causa de alguém ou alguma coisa"; força original e indomada; a beleza e a força da juba do leão; irradiação, caracterização; "cabelos longos, idéias curtas"; fontes cinzentas de experiência e charme (nos "homens maduros"), a sabedoria de uma cabeça branca; percepção do exterior: antenas; potência/bravura: "ter cabelo nas ventas", "ter cabelo no céu da boca/no coração"; medo: "de arrepiar os cabelos", "ficar de cabelo em pé"; as mulheres tendem a esconder as orelhas (órgão do ouvir e obedecer) sob os cabelos; os *hippies* faziam o mesmo intencionalmente, o que aos soldados é proibido: devem manter livres as orelhas e o queixo (vontade, imposição), tendo permissão para, no máximo, ocultar sua sensibilidade (os lábios) por uma barba.
Tarefa/tema: espelhar força e brilho; representar impulso para a liberdade; demonstrar potência, dignidade e força; constituir o direito; proporcionar beleza; antenas para a percepção do exterior.
Princípio original: Urano (liberdade), Sol (potência [Sansão]), Vênus (beleza).

Calcanhar (ver também Tendão de Aquiles)
Significado simbólico: clássico ponto fraco (calcanhar-de-Aquiles); ponto mais vulnerável para a sedução (picada da cobra) e, com isso, ligação com a terra e distanciamento do espírito e da espiritualidade (a pessoa volta-se para a terra, embora queira o céu): local de conflito entre a consciência que aspira a esferas mais altas e a inconsciência que impele para baixo (salto alto como busca de, ao menos aparentemente e com elegância, alçar-se sobre a polaridade).
Tarefa/tema: ligação intensiva com a Mãe Terra, local de contato e conflito entre a unidade paradisíaca e a polaridade terrena, porta de entrada para a infelicidade como expressão da polaridade (a serpente deve atentar contra Eva e suas filhas pelo calcanhar; "dar aos calcanhares" (fugir).
Princípio original: Netuno-Saturno.

Canal auditivo
Significado simbólico: árbitro das ressonâncias, centro auditivo.
Tarefa/tema: captar o som e conduzi-lo para dentro; operar como agente do tom do mundo.
Princípio original: Mercúrio.

Canal seminífero
Significado simbólico: percurso da semente animal (esperma); caminho da vida.
Tarefa/tema: proporcionar e conduzir uma nova vida.
Princípio original: Mercúrio.

Cápsulas supra-renais (Glândulas hormonais, consistindo em mais de quarenta zonas corticais produtoras de esteróides e na zona medular, que produz os hormônios do *stress*: adrenalina e noradrenalina)
Significado simbólico: central subordinada à glândula situada sob a face inferior do cérebro (hipófise) para a regulação do *stress* e para a economia da água e da vida sexual; conversão corporal real do comando vindo de cima.
Tarefa/tema: lidar com o *stress* (secreção de cortisona e adrenalina/noradrenalina); regulação da economia da água: separação de corticóides minerais, como o aldosterom; produção de hormônios sexuais; intervenção ativa no fluxo da vida.
Princípio original: Mercúrio (mediação pelos hormônios)-Marte (hormônios do *stress*)/Lua (economia da água)/Plutão (hormônio sexual).

Cavidade abdominal
Significado simbólico: proteção, centro de gravidade, ninho dos órgãos.
Tarefa/tema: cavidade das vísceras: calor, proteção; dar aos órgãos uma casa.
Princípio original: Lua.

Cerebelo (ver também Cérebro)
Significado simbólico: o governo central subordina o centro de coordenação de movimentos involuntários e motricidade sutil (na região occipital).
Tarefa/tema: fina sincronia dos movimentos; dá à coordenação o último retoque, para que tudo *corra* bem.
Princípio original: Mercúrio-Vênus.

Cérebro (ver também Encéfalo)
Significado simbólico: último grito do desenvolvimento (a mais nova versão computadorizada); base da cabeça fria; central superior para a coordenação da vida, especialmente dos pólos feminino e masculino.
Tarefa/tema: o *hardware* para o intelecto, para a razão (hemisfério esquerdo), e da mesma forma para o pensamento da totalidade (hemisfério direito); representante da polaridade no mais alto grau: a esquizofrenia (literalmente: divisão do cérebro) é efetivamente a nossa situação fundamental, na qual os hemisférios esquerdo e direito encontram-se inteiramente separados, unindo-se apenas nas profundezas do corpo caloso.
Princípio original: Mercúrio-Urano.

Cérebro sem o córtex cerebral /Tronco cerebral (ver também sistema límbico)
Significado simbólico: coordenação primitiva; primeiro modelo de computador; (no decorrer do desenvolvimento histórico) o cérebro ancestral, que já regia os antiqüíssimos fenômenos de sobrevivência (como a respiração); a *raiz* do cérebro, a partir da qual todos os outros ramos podem se desenvolver.
Tarefa/tema: processar sinais internos do corpo e coordená-los com os do meio ambiente; regular os processos vitais necessários à sobrevivência.
Princípio original: Plutão.

Chakras (sete centros superiores de energia ao longo da coluna vertebral; vários centros inferiores, como, por exemplo, nas mãos e nos pés)
Significado simbólico: ligação com o cosmo.
Tarefa/tema: coordenação do desenvolvimento humano no plano da matéria etérea; recepção da energia cósmica (*Prana*: força vital).
Princípio original: Netuno-Sol.

Circulação sangüínea
Significado simbólico: circuito da energia vital, que se forma a todo momento; abastecimento e eliminação.
Tarefa/tema: ligar, mediar, abastecer, dinamizar, nutrir; circular da periferia para o centro.
Princípio original: Sol/Marte-Mercúrio.

Clitóris
Significado simbólico: prazer, sensibilidade, desejo erótico.
Tarefa/tema: estimular, provocar; base do orgasmo clitoridiano, o "pênis" da mulher (também conheceu uma evolução histórica).
Princípio original: Vênus-Marte.

Coluna vertebral (espinha dorsal; ver também Costas)
Significado simbólico: apoio e dinâmica; coluna vertebral: dinâmica e ao mesmo tempo estática; eixo polar do mundo, amortecedor; medida de sinceridade: a posição ereta, "endireitar-se"; eixo de ligação entre o superior e o inferior; local do tornar-se homem, ascensão do humano; lugar da *kundalini* (energia) serpenteante (espiral); assim como a coluna vertebral, a serpente (bíblica) torna a humanidade "humana" pela primeira vez; espelho da história do desenvolvimento humano; imagem da simbologia original: mudança do feminino e masculino corpo vertebrado — disco vertebral.
Tarefa/tema: oferecer apoio, assegurar mobilidade; deter elasticamente os golpes da vida: dupla forma de S; carregar/suportar o peso da existência: disco verte-

bral como disco suplementar; carregar a coisa *capital*: a cabeça orgulhosamente erguida; órgão de expressão: "endireitar-se"; descoberta e demonstração de atitudes internas: "toma a tua linha", cabisbaixo, de cabeça erguida; ligar o superior com o inferior; as raízes com a Mãe Terra, a cabeça com o Pai, no céu; levantar-se contra (sublevar-se): levantar-se contra o modo de vida da comunidade; tornar-se semelhante a Deus.
Princípio original: Saturno.

Concavidade dos pés
Significado simbólico: ser homem/humano, curvatura bilateral, sobre a qual se baseia nossa humanidade; essa concavidade é única na criação (ao contrário do cérebro); base da orientação para cima, em direção ao céu, anseio por seguir seu caminho até a superação da lei da gravidade (alçar-se à liberdade espiritual no espaço livre); base de impulsão para todos os saltos na vida (grandes e pequenos).
Tarefa/tema: possibilitar (desde tempos imemoriais até hoje) o erguer-se sobre as patas traseiras e a posição ereta; orientação de cima para baixo: o homem entre o céu e a terra; confere elasticidade ao caminhar: base para um progresso harmônico.
Princípio original: Urano (impulsão)-Júpiter (curvatura, ponte).

Coração
Significado simbólico: lugar da alma, fonte da energia vital; centro do humano, ponto central energético (da vida); ponto cardeal, que representa a unidade/o divino em nós; centro da nossa existência, portão para a polaridade na unidade; centro e ponto de partida do amor/da capacidade de amar e das emoções; terra natal do sentimento, lugar das sensações mais profundas, barômetro das emoções: "falar com o coração", "com o coração nas mãos", "ter o coração de pedra"; o mais elevado órgão dos sentidos: "sentir/ouvir com o coração", "escutar o coração"; tecido do coração como exemplo-padrão para o comportamento cooperativo; ressonância; coragem, generosidade, vontade (coração de leão); identidade do eu.
Tarefa/tema: amor e unidade; expressar oportunidades para o coração: "abrir o coração/dar de coração"; perceber o tema central da vida; disposição para o acolhimento: "fazer algo de coração"; desenvolver-se; chegar à unidade a partir da dualidade; manter o fluxo de energia vital (do sangue); comandar o ritmo da vida.
Princípio original: Sol.

Cordas vocais
Significado simbólico: expressão; cordas que fazemos soar (em nós) e que nos fazem vibrar.
Tarefa/tema: articulação, formação da linguagem; expressão verbal, comunicação.
Princípio original: Mercúrio-Vênus.

Corpúsculos epiteliais ver Glândulas paratireóides

Córtex (córtex cerebral)
Significado simbólico: local de formação das imagens internas; espelho mágico: cria imagens a partir dos estímulos luminosos; cinema interno.
Tarefa/tema: converter estímulos luminosos em imagens.
Princípio original: Sol/Lua-Urano.

Costas
Significado simbólico: idade (os anos que carregamos nas costas); o peso que trazemos da vida: o peso da vida, fadiga ("curvar-se diante de alguém"); sinceridade ("ser direto"); ter apoio.
Tarefa/tema: orientar-se, carregar e agüentar, capacidade de agüentar (rendimento).
Princípio original: Saturno.

Costelas
Significado simbólico: elemento de construção do tórax; contribui para a imponência; segurança e proteção; flexibilida-

de e adaptação (ao ritmo da respiração, à polaridade).
Tarefa/tema: proteger, adaptar, atuar.
Princípio original: Saturno-Mercúrio.

Cotovelo (ver também Articulação)
Significado simbólico: disposição disseminatória, possibilidade disseminatória: "falar pelos cotovelos", cotovelada.
Tarefa/tema: pôr todas as alavancas em movimento, disseminação, arranjar/proporcionar para si espaço e lugar.
Princípio original: Marte.

Coxa
Significado simbólico: força de progresso e ascensão pelo movimento do maior dos músculos (*Gluteus maximus*).
Tarefa/tema: caminhar a passos largos/tumultuar; progredir: ir adiante.
Princípio original: Júpiter (de sua coxa fez nascer Dioniso, deus da embriaguez e do excesso).

D

Dedo anular (ver também Dedos)
Significado simbólico: demonstração de *status* social; mostra, entre outras coisas, o estado civil.
Tarefa/tema: brilhar, evidenciar a posição social.
Princípio original: Mercúrio-Sol.

Dedo indicador (ver também Dedos)
Significado simbólico: dedo que aponta (mostra a orientação e o caminho para onde ele aponta).
Tarefa/tema: orientação (o dedo pretende ser professor/didático).
Princípio original: Mercúrio-Júpiter.

Dedo médio (ver também Dedos)
Significado simbólico: o que mais sobressai dentre os quatro dedos, coluna do meio; estabelece o objetivo, mas é também depreciado como malandro ou acomodado, aquele que indica os limites.
Tarefa/tema: condução dos quatro dedos.
Princípio original: Mercúrio-Saturno.

Dedo mínimo (dedo mindinho; ver também Dedos)
Significado simbólico: o Benjamim (filho da alegria) dentre os dedos; o dedinho estendido é sinal de maneirismo, expressão de pretensões e afetações peculiares; na China, a unha comprida no dedo mínimo indica o indivíduo que não precisa trabalhar.
Tarefa/tema: sentir, intervir; a mais externa e sutil das antenas da mão; complemento da mão.
Princípio original: Mercúrio-Mercúrio.

Dedos (ver também cada um dos dedos individualmente)
Significado simbólico: destreza, pegar o mundo de jeito/com jeito, compreender.
Tarefa/tema: agarrar; "pôr o dedo na ferida"; trabalho manual (o de escrever, passando pelo costurar, até os cumprimentos).
Princípio original: Mercúrio.

Dedos dos pés
Significado simbólico: os dedos inferiores, agarrar-se à terra; apoio.
Tarefa/tema: garantir atrito e firmeza; antecipar-se ao futuro ("pegar no pé de alguém": mostrar-se insistente, importuno, atravancando-lhe o progresso); mobilidade dos pés; raízes delgadas: o fim do corpo; ligação das zonas reflexas com a cabeça (tal como sucede em cima, ocorre igualmente embaixo).
Princípio original: Mercúrio-Netuno.

Dentes
Significado simbólico: armas sólidas na boca, agressão; vitalidade, potência; redução; domínio do problema (esmiuçamento de pedaços maiores).
Tarefa/tema: deitar a mão, atacar, defender-se: "lutar pela vida"; instituir e aparen-

tar agressões: "mostrar os dentes"; imposição: morder como sinônimo de desgostar e afligir, de criticar e censurar, mas também de estimular e instigar; mostrar força vital e potência: "armado até os dentes"; garantir sua fatia: morder; dominar problemas: "um osso duro de roer", esmiuçar pedaços grandes.
Dentes incisivos: morder; princípio original: Marte; dentes caninos: realizar a caça; princípio original: Marte; dentes molares: triturar; princípio original: Saturno.
Princípio original (todos os dentes): Marte, Saturno.
Ordenamento dos dentes em relação aos meridianos (pelo dr. C. Kobau): 1. (primeiro incisivo): bexiga; 2. (segundo incisivo): rim; 3. (dente canino): vesícula; 4. (primeiro pré-molar): baço/pâncreas; 5. (segundo pré-molar): estômago; 6. (primeiro molar): intestino grosso; 7. (segundo molar): pulmão; 8. (dente do siso): intestino delgado.

Dentes caninos ver Dentes

Dentes incisivos ver Dentes

Diafragma
Significado simbólico: fole (dos pulmões), fronteira (entre o mundo superior e o do meio); (outrora:) sede da alma; lar da respiração.
Tarefa/tema: órgão do ritmo efetivamente seguido; separação das metades do corpo superior masculina (ar) e inferior feminina (água, sucos gástricos); mediação entre *Anima* e *Animus*.
Princípio original: Mercúrio (ligação)-Sol (centro)-Lua (vibrar em conjunto).

Disco vertebral
Significado simbólico: pólo feminino da coluna vertebral (disco suplementar flexível entre as vértebras duras).
Tarefa/tema: ter elasticidade para levantar peso; amortecedor, flexibilidade.
Princípio original: Lua-Saturno.

Dobra interna do cotovelo
Significado simbólico: reverso do → cotovelo: região da mais alta sensibilidade.
Tarefa/tema: sinalizar abertura e disposição para a entrega; oferecer oportunidade de afastamento, o recipiente aqui estando deitado, de modo flexível, diretamente sob a superfície.
Princípio original: Vênus.

Duodeno ver Intestino delgado

E

Eletrólitos (sais)
Significado simbólico: sal da vida: a essência da vida, o essencial (quem continuamente salga revela que lhe falta *sal na sopa* [da vida] e que sua vida se tornou insípida e sem gosto); "sal/salvação" têm lingüisticamente a mesma raiz.
Tarefa/tema: manutenção do potencial de tensão na membrana celular (bateria); combinação da água: o sal mantém o elemento anímico da alma, não permitindo que se dissipe; o sal corresponde alquimicamente ao corpo.
Princípio original: Saturno.

Encéfalo (ver também Cérebro e Cerebelo)
Significado simbólico: comunicação; logística, administração central, arquivo e biblioteca (memória); (sede da) direção central.
Tarefa/tema: coordenação da comunicação no interior e com o exterior, comutador central da cabeça/capital do corpo; planejar, guiar, assimilar, coordenar, arquivar.
Princípio original: Mercúrio, Urano (inspiração repentina do espírito: *insight*).

Epidídimo
Significado simbólico: reservatório da fertilidade masculina; maturidade masculina.

Tarefa/tema: conservar o sêmen antes de ele partir.
Princípio original: Plutão.

Esmalte do dente
Significado simbólico: pólo da dureza: aço das armas; brilho: o(a) companheiro(a) *se derrete* por sua vitalidade dura e fulminante.
Tarefa/tema: fortalecer as armas (temperá-las com o aço), armar os dentes para a dureza da luta pela vida; cortar/corte (*elegante*) e moer (*refeição*).
Princípio original: Saturno.

Esôfago
Significado simbólico: condução do alimento.
Tarefa/tema: transporte de nutrientes por meio da movimentação de ondas rítmicas; transporte para adiante (para o estômago) de todo o deglutido ou tragado.
Princípio original: Mercúrio.

Espinha dorsal ver Coluna vertebral

Esterno
Significado simbólico: escudo de proteção, eu centralizado; fechamento dianteiro do tórax.
Tarefa/tema: proteção, escudo.
Princípio original: Sol-Saturno.

Estômago
Significado simbólico: sentimento; capacidade de acolhimento, local de depósito de tudo o que foi engolido; sua forma de foice lembra a lua (seu princípio original) crescente; berço do sentimento, berço da infância, local de preparação e proteção.
Tarefa/tema: acolhida, entrega, impressionabilidade, passividade, disposição, abertura; pólo feminino: o sentir, "devorado pela paixão", "um soco na boca do estômago", "algo roendo por dentro", "comer o pão que o diabo amassou"; pólo masculino: decompor (ácidos estomacais), "ser uma pessoa azeda", "arrotar" (como vangloriar-se, ostentar, alardear); digerir alguma coisa; fome de realização, saudade/ânsia.
Princípio original: Lua/Marte.

Exterioridades das articulações
Significado simbólico: quando se mostram (para o exterior) revelam reserva, um voltar-se para si, uma ausência de necessidade de contato (braços cruzados).
Tarefa/tema: proteção (p. ex. rótula), delimitação.

Extremidades ver Membros

F

Fígado
Significado simbólico: renascimento da vida; imortalidade do fígado no mito: o corvo o devora durante o dia, e à noite ele volta a crescer (Prometeu); valoração, visão de mundo, (retro)ligação para baixo (com o início, com a origem) e para cima (capacidade de captar o sentido); laboratório; *Sucht und Suche* [Enfermidade e Busca].
Tarefa/tema: diferenciação e valoração; retroligação com o fundamento original, com a forma original da vida (re-*ligio*), encontrar a medida certa e o sentido da vida; síntese anímica: decompor e construir a estranha clara do ovo ("ser construtivo"), fazer a gordura (a opulência) digerível; desintoxicar; produtor/barômetro da disposição pela qual importa pouco a disposição pessoal e muito mais se a vida tem sentido e um temperamento por princípio, o temperamento fundamental (colérico, melancólico, sangüíneo, fleumático; a 14ª carta do tarô, a "Temperança", representa o mais essencial dentre os temas relacionados com o fígado, que é a moderação): o melancólico tende a ser o mal-humorado, que reclama de tudo e de todos sem motivo aparente; o colérico inclina-se a cuspir "veneno e bílis"; bílis (la-

tim: *chola*): o suco digestivo produzido no laboratório do fígado; como produtor da bílis, o fígado toma parte também na expressão da agressão; inimigo figadal; local de náusea e desgosto: "de maus fígados ou bofes".
Princípio original: Júpiter.

Forma do corpo
Significado simbólico: estrela de cinco pontas com a cabeça em sua posição mais alta; grande e robusto: o broto robusto quer lançar-se para fora e para o alto (ambição); pessoas de estatura alta (sobretudo mulheres) tendem a *encolher-se*; o pequeno corpo rechonchudo revela bonacheirice; pessoas pequenas (sobretudo homens) tendem a compensar sua baixa estatura com uma gerência incisiva.
Tarefa/tema: os altos têm de aprender a se manter em sua altura; os baixos, a dar-se menos importância.
Princípio original: Saturno/Vênus.

G

Gânglios (nervos)
Significado simbólico: pontos nodais de comunicação local.
Tarefa/tema: reunir informações sobre o local, unir e transmitir segundo o princípio do tudo ou nada.
Princípio original: Mercúrio-Urano.

Gânglios linfáticos
Significado simbólico: policiamento do corpo.
Tarefa/tema: interligados na cadeia linfática, filtram (fiscalizam) incessantemente a corrente em busca de um intruso não-autorizado; manutenção da ordem regional: primeira defesa contra inimigos; linfócitos instruídos atacam, como combatentes não-específicos, tudo o que for estranho: pós-acompanhamento e diferenciação dos elementos apreendidos, admitidos tanto rápida quanto profundamente.
Princípio original: Marte-Saturno.

Garganta (faringe)
Significado simbólico: (posse) incorporar, *engolir* (uma firma); cobiça e avareza; comprometer-se (engasgar-se); anel defensivo (linfático).
Tarefa/tema: fazer entrar, in*corpo*rar; defender (inimigos).
Princípio original: Vênus-Plutão.

Gengiva
Significado simbólico: berço das armas, leito dos → dentes; desconfiar.
Tarefa/tema: assegurar apoio e abastecimento; regeneração das ferramentas de agressividade.
Princípio original: Lua.

Glande
Significado simbólico: ogiva da arma masculina, ponta-de-lança da masculinidade; região das maiores sensações de prazer e da mais alta sensibilidade para o homem.
Tarefa/tema: perfurar, penetrar, abrir caminho; sentir prazer, perceber, farejar.
Princípio original: Marte (ponta-de-lança)-Vênus (sentir prazer).

Glândula pineal (epífise)
(para a anatomia oculta: ligação com o terceiro olho e, portanto, com o conhecimento)
Significado simbólico: é a glândula que nos confere o ritmo interno (da vida), a hora interna.
Tarefa/tema: regular o ritmo noite-dia.
Princípio original: Cronos-Saturno (quantidade do tempo), *Kairós* (qualidade do tempo; o melhor tempo para um projeto)-Lua (ritmo).

Glândula pituitária (Hipófise)
Significado simbólico: o cérebro dentre as glândulas, sede do governo dos hormônios; harmonia e adaptação no plano mais elevado.
Tarefa/tema: comando do mundo interior, sua adaptação ao mundo exterior; manutenção do equilíbrio do metabolis-

mo (homeostase) por meio de uma gradação da reação: comando e controle (sistema cibernético).
Princípio original: Mercúrio.

Glândula tireóide
Significado simbólico: central do metabolismo, determina a cota de metabolismo (o produto nacional bruto do corpo); desenvolvimento, evolução, maturação; regulador do temperamento; instância que determina as medidas da vitalidade e da atividade.
Tarefa/tema: regulação de temperatura, temperamento e condições ambientais (determinar o nível do metabolismo); desenvolvimento posterior, crescimento.
Princípio original: Mercúrio-Urano.

Glândulas (ver também cada glândula individualmente)
Significado simbólico: comando, informação.
Tarefa/tema: autocomando, ajustar a própria função às necessidades do organismo como um todo; produção de substâncias mensageiras.
Princípio original: Mercúrio.

Glândulas axilares (gênero de glândulas secundárias)
Significado simbólico: odor característico da pessoa.
Tarefa/tema: separação da própria sinalização de reconhecimento; cuidados com o odor pessoal, individual e característico; demarcação de terreno.
Princípio original: Vênus-Plutão.

Glândulas lacrimais
Significado simbólico: expressão emocional e de sentimentos, energia anímica supérflua; lágrimas: símbolo da dor, da tristeza e da alegria.
Tarefa/tema: lavar as janelas da alma; expressar sentimentos intensos, que excedem nossa capacidade de recebê-los.
Princípio original: Lua.

Glândulas odorantes (ver também Glândulas axilares)

Significado simbólico: marca odorífera pessoal, perfumar (no âmbito dos órgãos sexuais secundários).
Tarefa/tema: atrair, puxar; limitar, repelir; dentre os planos de escolha do companheiro, é o segundo em intimidade.
Princípio original: Vênus/Marte-Saturno.

Glândulas paratireóides (corpúsculos epiteliais)
Significado simbólico: proporcionar equilíbrio entre inflexibilidade e inconstância, entre contração e relaxamento (entre os espelhos de cálcio e de fosfato); responsabilidade na estabilidade da construção do andaime e dos elementos de movimento.
Tarefa/tema: conferir estrutura, proporcionar apoio, manter a inflexibilidade na manutenção de fronteiras importantes (regulamento da mudança de matéria dos ossos sobre a produção de paratormônio); estabilidade, firmeza; regular estado de tensão/esforço.
Princípio original: Mercúrio-Saturno.

Glândulas sudoríparas
Significado simbólico: represas (de dentro para fora); reguladoras da pele.
Tarefa/tema: estabilizar o "ambiente" da pele: proteger (contra o ressecamento), defender (produzir o invólucro ácido da pele), esfriar (por meio de sobreaquecimento), purificar (por meio de secreção); demarcar terreno.
Princípio original: Mercúrio-Lua.

Goela ver Garganta

Hemisfério direito do cérebro
Significado simbólico: o cérebro "feminino".
Tarefa/tema: pensar a totalidade, percepção do padrão/forma, mediação da criatividade e da intuição.
Princípio original: Lua-Vênus.

Hemisfério esquerdo do cérebro
Significado simbólico: o cérebro "masculino".
Tarefa/tema: direção intelectual, entendimento, razão (*ratio*), análise; reconhecer, denominar.
Princípio original: Mercúrio-Sol.

Hipófise ver Glândula pituitária

Hipotálamo
Significado simbólico: sede do governo subordinado na câmara alta (central do sistema nervoso vegetativo, superior ao cérebro como sede de produção hormonal e à glândula pituitária, diretamente subordinado ao governo central).
Tarefa/tema: coordenação do sistema nervoso visceral e da evolução involuntária, assim como dos impulsos nervosos e da porcentagem de hormônios no sangue.
Princípio original: Mercúrio.

I

Íleo ver Intestino delgado

Intestino (ver também Intestino grosso, Intestino delgado)
Significado simbólico: sistema labiríntico do corpo para a transformação de impressões materiais (em contraste com o labirinto cerebral da caixa craniana, que transforma as impressões imateriais).
Tarefa/tema: recepção, decomposição e assimilação (tomar para si) do mundo material como pressuposto para sua transmutação em tecido e energia do próprio corpo, capacidade de a partir daí fazer algo para si próprio; tomar o que for importante para a vida, liberar o que for supérfluo.
Princípio original: Mercúrio (intestino delgado); Plutão (intestino grosso).

Intestino delgado
Significado simbólico: análise (decomposição); assimilação (recepção) de mensagens materiais.
Tarefa/tema: assimilação analítica consciente; digestão de impressões materiais; medo existencial; o fabricar deliberadamente analítico; digestão de impressões materiais; medos existenciais; capacidade crítica (duodeno); apropriar-se do estranho; recepção no mundo interior.
Duodeno: análise; jejuno: receber seletivamente (assimilar, integrar); íleo: compensar, "reservatório" em caso de pressão por sobrecarga.
Princípio original: Mercúrio.

Intestino grosso
Significado simbólico: inconsciente; submundo, sombras e reino dos mortos, lado sem luz, *Hades* (grego: "reserva pudica" e, igualmente, "descoberta desavergonhada") do corpo; tesouraria da matéria; avareza.
Tarefa/tema: dar e presentear (excrementos: dinheiro); criar vida (produção de vitaminas pela flora intestinal); desfazer-se do velho (material e inconsciente) e da matéria; o lidar com a matéria; transformação e transmutação (metamorfose), "morrer para tornar-se": o mistério da queda.
Apêndice (ceco): beco sem saída do passado (dos primórdios da evolução); → apendicite: o beco sem saída do beco sem saída.
Princípio original: Plutão.

Íris (Íris: deusa grega da mediação e da paz, que como Hermes tem acesso a todos os reinos: o submundo [Hades], o reino dos homens, o mundo das águas [Posêidon], o mundo dos deuses [Olimpo])
Significado simbólico: diafragma do aparelho fotográfico do olho; mandala anelar que ao olho confere a cor e, ao espelho da alma, a profundidade; atlas dos órgãos (diagnóstico pela íris).
Tarefa/tema: regular a quantidade de luz (conhecimento) que alcança o nosso interior.
Princípio original: Mercúrio-Sol/Lua.

J

Jejuno ver Intestino delgado

Joelho
Significado simbólico: humildade, o ajoelhar-se como gesto universal de humildade: mesura palaciana, dobrar os joelhos na igreja, "ficar de joelhos"; humilhação: "pôr alguém de joelhos"; expressão de medo: ficar de joelho bambo, tremer/balançar os joelhos.
Tarefa/tema: ao ajoelhar-se, o indivíduo confere aos superiores a devida honra, para tanto fazendo-se pequeno/menor; expressar respeito e veneração (perante Deus e outrora também perante reis [divinos]); *curvar-se* para a Mãe Terra; expressar o reconhecimento da hierarquia no que diz respeito a Deus.
Princípio original: Saturno.

L

Lábios
Significado simbólico: sensualidade (saborear, acariciar e beijar); dirigir o interior para fora (a mucosa "interna" torna-se visível externamente); lábio superior: disposição espiritual e anímica; lábio inferior: sensualidade vital; lábios finos: intelecto calculista; lábios duros: caráter duro, exigente; lábios moles e úmidos: capacidade de abnegação, caráter meigo.
Tarefa/tema: moldar a linguagem ("ter lábia"); comunicação sensual; contato sensual com alimentos (saborear) e com outros lábios (beijar).
Princípio original: Lua-Vênus.

Lábios genitais (externos e internos)
Significado simbólico: porta de entrada para o tesouro (chinês: *jadejuwel* [jóia de jade]).
Tarefa/tema: proteger, preservar (o meio úmido contra o ressecamento).
Princípio original: Vênus-Lua.

Labirinto ósseo (no ouvido interno)
Significado simbólico: sinalizador do equilíbrio.
Tarefa/tema: manter corpo e vida em equilíbrio/na posição vertical, sinalizar o balanço do mar da vida; percepção da força da gravidade; encontrar o centro do corpo (da alma).
Princípio original: Vênus-Mercúrio.

Lado direito do corpo
Significado simbólico: o lado masculino, da vontade (yang).
Tarefa/tema: imposição; potência: a espada do poder é conduzida com justiça: o punho cerrado e verdadeiro mostra o poder de querer; o lado do negociar e do dar em contraposição à sensibilidade do lado esquerdo; atividade racional.
Princípio original: Sol.

Lado esquerdo do corpo
Significado simbólico: o lado feminino, do sentimento (yin).
Tarefa/tema: lado sensível, suscetível, a mão receptiva, que toma a forma de uma concha.
Princípio original: Lua.

Laringe
Significado simbólico: expressão; lugar da fala e do canto; instrumento musical do corpo; o pomo-de-adão como acessório masculino.
Tarefa/tema: constituição e expressão da voz/afinação.
Princípio original: Vênus-Mercúrio.

Ligamentos/Tendões
Significado simbólico: cordões dos quais tudo pende; correias de transmissão do sistema locomotor; ponto de fixação (para os músculos).
Tarefa/tema: segurar e resistir, converter a própria força e energia em ação (transferência da força muscular para os ossos); impedimento à extrema malemolência corporal.

Princípio original: Marte-Mercúrio (transporte de força)-Saturno (Mercúrio liga Marte e Saturno).

Língua
Significado simbólico: expressão, formação da linguagem: "falar em muitas línguas"; arma: "língua afiada"; lealdade: "palavra de honra"; auxílio à mastigação: empurrar o alimento por entre os molares.
Tarefa/tema: certificação do gosto: diferenciação; formação da linguagem: comunicação; mediação, transporte, incorporação; expressão (agressiva): "cortar a língua de alguém".
Princípio original: Mercúrio, Vênus.

M

Mama ver Seios

Mãos
Significado simbólico: posse, apanhar e agarrar: "pôr as mãos em alguma coisa", "deitar a mão em", "estender a mão", "ficar/ir de mãos abanando", "controlar com mão de ferro", "mão-boba" (procurar disfarçadamente tocar o corpo de outra pessoa com intenção libidinosa ou de furto), "dar de mão" (pôr de lado, abandonar, renunciar), "forçar a mão" (proceder de maneira inadequada, inoportuna); proteção e ajuda: "dar uma mão a", "uma mão lava a outra"; "pegar" uma idéia ou "pegar o gosto"; "pegar ou largar"; habilidades *manuais*; a mão como a mais importante ferramenta (dar e pegar): "ter alguém nas mãos" (ter alguém ao sabor de sua vontade, dominá-lo); base para a comunicação por meio de trejeitos e gesticulação: a mão esquerda vem do coração, "passar a mão pela cabeça de" (perdoar ou poupar alguém), "ao alcance das mãos", "levantar as mãos para o céu", "não ter mão de si/não ter mãos a medir" (não se conter, esbanjar), "lançar mão de"; lealdade: de mão aberta, em boas mãos, de mãos limpas, em primeira mão, "lavar as mãos" (isenção de culpa e responsabilidade); demonstração de força: nas mãos de (sob controle), "pôr a mão em", "ter mão em" (não deixar sair das mãos), ter mão leve (estar sempre disposto a bater, a espancar); "dar um jeito" na vida.
Tarefa/tema: conhecimento, aprendizado; comunicação, contato; sensualidade, manipulação; dar sinal e dar atenção.
Princípio original: Mercúrio.

Maxilar inferior
Significado simbólico: arsenal de armas, lugar móvel e base para nossas armas inferiores (→ dentes); como base do queixo, expressão de vontade (potente) e (força de) imposição.
Tarefa/tema: proporciona-nos a mordida: "morder alguma coisa", "mordedor" (aquele que tem o costume de pedir dinheiro emprestado a amigos e conhecidos) e "morder" como sinônimo de tomar o gosto de algo, experimentar; proporcionar a mastigação e, com isso, a digestão; segurar o apanhado, abocanhar de vez a presa.
Princípio original: Marte-Saturno.

Maxilar superior
Significado simbólico: depósito das armas, lugar estático e base para nossas armas superiores (→ dentes).
Tarefa/tema: desembaraçar-se, bater com os dentes em alguma coisa (primeiramente prender, antes de abocanhar definitivamente com o emprego do maxilar inferior).
Princípio original: Marte-Saturno.

Medula espinhal
Significado simbólico: via dos dados do corpo (entre a porção superior e a inferior); administração regional.
Tarefa/tema: regular as coisas no próprio local onde elas estão (na horizontal), transmitir o essencial para cima e de cima para baixo.
Princípio original: Mercúrio.

Membro masculino ver Pênis

Membros (extremidades; ver também Braços e Pernas)
Significado simbólico: mobilidade, atividade; prolongamento para fora.
Tarefa/tema: as extremidades superiores trazem o mundo para dentro ou aproximam-se do exterior; as inferiores levam as pessoas para o mundo ou fixam-nas fora de si mesmas; as *extremidades* trazem o extremo para o alcance das mãos.
Princípio original: Mercúrio, Marte.

Meninges 1 (porção externa: dura-máter; meio: aracnóide; diretamente no cérebro: pia-máter)
Significado simbólico: embalagem, fazendo-se uma proteção do cérebro mediante a mãe dura (dura-máter), cuidam com carinho do cérebro a partir de fora (assim como o periósteo da abóbada craniana); a mãe piedosa (pia-máter) atua como membrana para o metabolismo direto do cérebro, e o faz carinhosa e suavemente; entre a pia-máter e a aracnóide (pele de teia de aranha) encontra-se o local do liquor (líquido cerebral) como território neutro, de forma que a central predominantemente masculina é cercada de todos os lados por um envoltório líquido (feminino-anímico).
Tarefa/tema: proteger, guarnecer com cascalho, armazenar em colchão d'água; função de amortecedor, afofar, isolar: prover, revestir com o anímico, mediar o ritmo crânio-sacral.
Princípio original: Saturno, Lua.

Meninges 2
Significado simbólico: rítmica; embalagem das vias dos nervos principais.
Tarefa/tema: delimitação, proteção e rítmica (pulsar rítmico da corrente crânio-sacral).
Princípio original: Saturno-Lua.

Meridianos (ver também *Chakras*) (reservatórios de energia etérea, também chamados *nadis* na medicina indiana; fundamento da medicina energética chinesa, sobretudo a acupuntura)
Significado simbólico: vias de energia etérea.
Tarefa/tema: coordenação e comando energético do corpo e seus órgãos; manutenção do equilíbrio energético.
Princípio original: Netuno-Mercúrio.

Molar (ver Dentes)

Monte de Vênus
Significado simbólico: sexualidade; a mais suave colina do prazer, que se eleva por cima do púbis e está coberta pelo triângulo pubiano.
Tarefa/tema: proteger e esconder a entrada do palácio do sexo; dissimular e atrair: o monte quer ser conquistado e escalado.
Princípio original: Vênus.

Mucosa
Significado simbólico: capa protetora, fronteira interna, segundo limiar para o interior: barreira entre o exterior interno e para o mundo efetivamente interno; membrana de recepção; o muco como símbolo da abundância.
Tarefa/tema: proteção do órgão, produzir meio fluido (muco); proporcionar intercâmbio interno, fazer passar por uma represa, acolher; produzir um meio resistente.
Princípio original: Lua.

Musculatura
Significado simbólico: motor do corpo (desenvolvimento da força); polaridade: tensão e distensão.
Tarefa/tema: conquista do mundo exterior passando por um modo de trabalho antagonista; atividade, mobilidade, flexibilidade (adaptação ao mundo exterior); defesa no âmbito do corpo e da alma (a couraça muscular, a couraça do caráter no âmbito do peito, feita igualmente de massa muscular).
Princípio original: Marte.

N

Nádegas
Significado simbólico: força de resistência passiva, assentar alguma coisa (sedentário); (força de) im*posição*; *todos os valores* vigentes no maior de todos os músculos: o mais importante nessa denominação ainda é, ao que tudo indica, o ser *sedentário* (paciência) e o descansar. Peso/pesado, riqueza; atrativo sexual ("nádegas rijas").
Tarefa/tema: atrelar-se, dispor-se; tomar seu lugar, fazer pressão; pôr, possuir.
Princípio original: Júpiter.

Nariz
Significado simbólico: poder, orgulho ("nariz empinado"); sexualidade (a idéia de que o pênis do homem encontra correspondência, em forma e tamanho, com seu nariz); no interior do nariz encontram-se zonas que refletem muitos órgãos do corpo; as dos órgãos sexuais são particularmente acessíveis, sendo ativadas de preferência pelas fossas nasais e pelo congestionamento advindo do tabaco; expressão (logo atrás dos seios é o órgão preferido para cirurgias plásticas): o atrevido nariz arrebitado está, a seu modo "nasal", sempre adiantado na medida do comprimento de um nariz (nariz apontando para o céu) e sinaliza a infantilidade; o nariz longo e pontudo que afunda em tudo por onde passa; o nariz enorme que causa espécie; o nariz aquilino, que indica poder de consciência e uma astúcia certeira; o narizinho discreto; o nariz luminosamente vermelho e abatatado do palhaço, que demonstra seu descaramento; aliás, recomenda-se que o nariz seja mantido descaracterizado e demaquilado, pois ele por si só já é *distintamente* sentido como símbolo sexual e de poder — jamais se deve, por exemplo, fazê-lo brilhar ou impeli-lo para um primeiro plano, sendo o caso muito mais de empoá-lo discretamente; o nariz azul e vermelho de cachaça e o nariz noduloso da → Rinofima são francos e desagradáveis; o nariz com verruga, da bruxa, é proverbial e emblemático dessa criatura má e monstruosa.
Tarefa/tema: percepção de intenção: "farejar alguém", para conhecê-lo; criar confiança mediante o mútuo farejar; provar a comida com o nariz; gosto: aspirar a vida pelo nariz; instinto ("ter um bom faro", "farejar o perigo"), curiosidade ("meter o nariz"); purificação: filtragem do ar da respiração; buscar uma companhia que efetivamente se pode alcançar; canalização da energia vital do prana (segundo a concepção hindu, a cada vinte minutos reverte-se a dominância das asas do nariz, e com isso a polarização da corrente do prana); reconhecimento e demarcação de terreno pelo odor: demarcação de território (chave original/princípio-chave da percepção); fariscar, sondar a profundidade do sentimento, "não poder sequer sentir o cheiro de alguém"; guia para os âmbitos corpóreo e material ("saber onde se tem o nariz") e também intuitivo ("ter faro para alguma coisa"); espelho sincero: perceber a verdade ou o caráter de alguma coisa por tê-la diante do nariz ("ver o que está na frente do seu nariz").
Princípio original: Marte-Mercúrio.

Nervo auditivo (nervo do equilíbrio)
Significado simbólico: gerenciamento telefônico interativo, cabo do informante do equilíbrio.
Tarefa/tema: proporcionar equilíbrio e audição, encontrar o centro do corpo (da alma); proporcionar obediência.

Nervo facial
Significado simbólico: expressão da disposição e da identidade, encenação do mundo do sentimento na face; individualidade.
Tarefa/tema: a mímica, que mostra diferentes rostos.

Nervo óptico
Significado simbólico: gerenciamento interativo da luz, consulta, conhecimento, juízo, visão de conjunto.

Tarefa/tema: mediação entre estímulos luminosos e imagens internas, então tomadas por externas; percepção do mundo exterior e visível.

Nuca (ver também Pescoço)
Significado simbólico: ligação entre o superior e o inferior; lugar da força e da vontade férrea: onde se põe a canga (nos bois), local por onde se pode quebrar o querer de alguém: por conta disso, só penosamente os servos conseguem contrair uma aliança, e é também a esse aspecto que se relacionam os reveses, bem como para ele apontam o machado do carrasco e a guilhotina, que destroçam para sempre o querer dos condenados; local da obstinação: é fatigante manter a cabeça sempre levantada, tanto para o querer como para a musculatura da nuca; o indivíduo que a mantém pendida também se torna obstinado, pois com isso, de qualquer forma, a musculatura da nuca é sobrecarregada; ela é tanto um local de maior sensibilidade como de maior sensualidade: massagem na nuca (roçar no cangote de alguém).
Tarefa/tema: manter elevado o que é *capital*; proteger a via dos dados (canal da coluna vertebral); "puxar o carro".
Princípio original: Vênus-Saturno.

Olhos
Significado simbólico: visão, vista; mirante, janela; espelho e luminária da alma; entrada e saída do mundo anímico; estrelas cintilantes dos olhos (vivacidade fulminante); determinar o horizonte: "antolhos", "cego de amor", "ser zarolho"; significado ativo: ter contato visual, "lançar um olhar a alguém", "não tirar os olhos de alguém". Olhar dardejante, "secar com o olhar" (olho gordo ou olhar mal-intencionado), fixar alguma coisa com o olhar, examinar alguém, olhar por (uma provisão); terceiro olho: sexto chakra (*ajna*); o segundo rosto.
Tarefa/tema: deixar entrar impressões, sentimentos e disposições, refletir sentimentos, expressar distanciamento e proximidade anímicos; perceber o mundo.
Princípio original: Sol (Goethe: "Não fosse ensolarado o olho, como poderíamos avistar a luz?"); Lua (espelho da alma) — para a mulher, olho direito: Lua; olho esquerdo: Sol; para o homem, o contrário.

Ombros
Significado simbólico: capacidade de suportar ("um peso sobre os ombros"); atitude diante da vida (ombros largos ou estreitos); estofar os ombros: agir como se tivesse ombros largos e pudesse carregar/suportar um grande peso; atitude diante dos outros ("olhar por cima do ombro", "carregar nos ombros"); ombro a ombro (lado a lado, com familiaridade): guardar juntos, conservar intacto, figurando e respondendo um ao outro e um para o outro; o embate com o mundo: ombros caídos (resignação, humildade), "dar de ombros", "olhar/tratar por cima do ombro" (mostrar desprezo, ser arrogante), "chorar no ombro de alguém", "encolher os ombros/levantar os ombros" [mostrar indiferença ou indignação].
Tarefa/tema: carregar e suportar, arrastar pesos (consigo); espelhar para fora uma atitude interior; ligação entre a expressividade de mãos e braços e a do peito como local central e de integração; dar aos braços liberdade de ação.
Princípio original: Saturno-Júpiter.

Orelhas/Ouvidos
Significado simbólico: ouvir — sentido da audição — obedecer; o músculo da orelha é órgão de recepção passivo.
Tarefa/tema: deixar entrar; ouvir, escutar, obedecer; humildade; espreitar a profundidade nas raízes da vida; vibrar em conjunto, simpatia; "quem não quer ouvir tem de sentir".
Princípio original: Lua-Saturno.

Órgãos dos sentidos
Significado simbólico: ponte entre o interior e o exterior: vista e visão, cheiro e faro, audição e obediência, gosto em duplo sentido, tato e o sexto sentido (intuição).
Tarefa/tema: deixar-nos conhecer o mundo; ajudar a encontrar o sentido (significado); proporcionar sensualidade e a alegria de viver como satisfação dos sentidos.
Princípio original: Mercúrio-Júpiter (dos sentidos ao sentido).

Órgãos sexuais (genitália)
Significado simbólico: sexualidade; polaridade, yin e yang, *lingam* e *yoni* (hindu: para a espada [masculina] e a vagina [feminina]); órgão de regeneração em sentido amplo: assegurar a sobrevivência da humanidade, estar prontamente a serviço da próxima geração; a nova vida cresce sempre do pólo subterrâneo, primevo e feminino: ato sexual, pelo qual um óvulo é fecundado; impele a alma da criança para uma sucção espiral no corpo; analogia com o templo como o lugar onde o espírito desce até a matéria e a fecunda (no Oriente: "Palácio do Sexo"), para a mulher: os lábios genitais correspondem às cortinas ante o átrio do templo, a vagina corresponde ao átrio do templo, o útero, ao templo; para o homem: o falo corresponde à torre; os testículos, que simbolizam os olhos, põem em questão a percepção erótica, que em última análise deve conduzir à espiritualidade e ao sentido último; da mesma forma, ao nariz corresponde o membro.
Tarefa/tema: continuar a vida; dar prazer; ultrapassar a polaridade e vivenciar o êxtase da unidade; deixar morrer a polaridade (o orgasmo como pequena morte), do que resulta uma nova vida.
Princípio original: Vênus/Marte-Plutão (propagação).

Ossos
Significado simbólico: estabilidade, firmeza, obediência às normas.
Tarefa/tema: dar apoio e estrutura, função de suporte, proporcionar sentimento de firmeza interior; possibilitar antes de mais nada o caminhar ereto e definir a estatura: "endireitar-se"; a ossificação é, no princípio da vida, importante para a sobrevivência, ao passo que mais tarde se torna um estorvo para o viver.
Princípio original: Saturno.

Ovários
Significado simbólico: reservatório de fertilidade; tesouraria da evolução, memória do desenvolvimento.
Tarefa/tema: dar vida; passar adiante o que lhe é próprio (patrimônio); garantir o ritmo cíclico feminino.
Princípio original: Plutão, Lua.

P

Palato
Significado simbólico: sensor do gosto, local da satisfação do paladar, teto da cavidade bucal.
Tarefa/tema: degustar, provar, estipular o gosto bom; percepção e orientação gustativas.
Princípio original: Vênus-Júpiter.

Palma das mãos
Significado simbólico: honestidade, franqueza; invólucro da necessidade.
Tarefa/tema: tratar: curar com as mãos e abençoar; expressão, comunicação vinda do coração; o mapa da vida nas linhas das mãos.
Princípio original: Mercúrio-Lua (mapa da alma).

Pálpebras
Significado simbólico: cortinas da alma.
Tarefa/tema: proteção contra ressecamento, agentes externos e excesso de luz (obscurecimento), a regulagem da luz e o fluxo de informação dependendo do estado de consciência; pálpebras fechadas

sinalizando recolhimento para o mundo interior; abertas, franqueza e disposição receptiva.
Princípio original: Sol/Lua-Saturno.

Pâncreas
Significado simbólico: produção de explosivos para a decomposição dos alimentos: análise agressiva, enérgica (sucos gástricos); doce prazer (células produtoras da insulina); guerra e paz.
Tarefa/tema: digestão, decomposição dos alimentos em pequenas partes unitárias; receptividade da doçura da vida (insulina); tornar a energia disponível.
Princípio original: Mercúrio (análise), Marte (decomposição), Vênus (possibilitar receptividade da doçura da vida).

Panturrilha
Significado simbólico: força para saltar/pular; força de tensão, elasticidade; espontaneidade ("estar saltitante"); caixa-forte da exaltação emocional; ligação do músculo de saltar sobre o → Tendão de Aquiles com o calcanhar; nos indivíduos de musculatura mais forte, os músculos da panturrilha conduzem, mediante o ligamento mais forte, à mais delicada das posições (mordida da cobra, Aquiles).
Tarefa/tema: dar o salto (certo na hora certa), demonstrar prontidão para o salto; expressar inconfessado excesso de trabalho; levar a cabo (súbita) mudança; armazenar emoções.
Princípio original: Urano-Marte.

Papilas gustativas (na língua e no palato)
Significado simbólico: sensoras do gosto, provadoras.
Tarefa/tema: proteger do perigo; repelir gostos ruins; dar prazer; órgão de escolha: provar e decidir qual lhe será o sabor da vida.
Princípio original: Vênus-Júpiter (sentido do gosto).

Parassimpático
Significado simbólico: uma das metades do sistema nervoso autônomo: o pólo oposto, feminino, do (masculino) simpático.
Tarefa/tema: regeneração e tranqüilidade, estirar e afrouxar, e todas as atividades femininas orientadas para o interior, que apontam para a manutenção dos costumes ("A força provém da calma").
Princípio original: Lua-Vênus.

Parede abdominal
Significado simbólico: proteção; forro de proteção externo do revestimento das vísceras (os órgãos internos).
Tarefa/tema: cobertura da cavidade abdominal, (manto de) proteção dos órgãos dessa cavidade, cobre a fachada dianteira, que se tornou vulnerável devido à posição ereta; armazenador de gordura entre a epiderme mais exterior e a camada muscular.
Princípio original: Saturno, Lua.

Pele
Significado simbólico: fronteira (externa), fixação de limite; intermediar contato e ternura; respiração (de pele).
Tarefa/tema: escudo de proteção, constituir camada isolante, o que para a alma vem a se configurar como prisão: "sentir na própria pele" e "estar na pele de"; contato: intermediar o calor e o dar-se humanos; toque; percepção: tato, comunicar; expressão: espelho do mundo interior da alma (tez e assim por diante); "ficar vermelho de vergonha", como indicador de reações e evoluções psíquicas; "pôr a pele em risco" (por assumir determinada posição), "ser/estar sensível"; superfície de projeção de órgãos internos (zonas de reflexos).
Princípio original: Vênus (contato), Saturno (limite, proteção, isolamento), Mercúrio (tocar, comunicar, respirar).

Pêlos do corpo
Significado simbólico: força original, indômita e animal; peito forte, peludo e

masculino: acentuação da origem animal e instintiva; pernas fortes e cabeludas de mulher: ressonância da origem animal.
Tarefa/tema: demonstrar força "animal"; proteção (no passado, do frio): pele espessa (grossa).
Princípio original: Marte (força, potência instintiva), Saturno (proteção).

Pênis (*o membro – como se não houvesse nenhum outro!*)
Significado simbólico: falo: poder masculino ("realização"); órgão de geração e convencimento; varinha mágica (concede a vida); força penetrante, tubo de canhão para o esperma (armas direcionáveis); *espada que anseia pela bainha* (do latim *vagina*), *para encontrar sossego (e prazer)*; exercício de poder: penetrar, deflorar ("lança"), ferir; o dominar e o presentear andam de mãos dadas.
Tarefa/tema: direcionar a (nova) vida, dar prazer, servir como plataforma de lançamento para o esperma; possibilidade de, juntamente com o correspondente feminino que se tem na vagina, tornar a suprimir por um momento a bipartição do humano: proporcionar a vivência da unidade pelo orgasmo.
Princípio original: Marte.

Pericárdio
Significado simbólico: parede de proteção para o coração.
Tarefa/tema: proteção do coração contra doenças provindas de sua esfera íntima (mediastino); impedimento de hiperdilatação do coração por meio de fronteiras estanques.
Princípio original: Sol-Saturno.

Peritônio
Significado simbólico: abastecimento e prevenção, sensações abdominais; pele interna, tapete da cavidade abdominal.
Tarefa/tema: vestimenta da cavidade abdominal, revestimento de "preservação" (os órgãos da cavidade abdominal estão embrulhados por ele como por um lenço) para abastecimento com energia (sangue) e informação (nervos); sistema preventivo (único abastecimento de nervos, sendo com isso a instância sensível à dor no espaço ventral); fonte das dores de barriga (observar se há inchaço).
Princípio original: Lua-Mercúrio.

Pernas
Significado simbólico: movimento, mobilidade, progresso, ir adiante; manter-se firme, firmar-se sobre as próprias bases, obstinação, passo ereto: "fincar-se no chão com as duas pernas", "pernas, para que te quero!", "bater perna" (andar à toa, sem rumo), "não andar bem das pernas" (não ir adiante, não fazer progressos), "trocar as pernas", "à perna solta", "abrir as pernas"; força para andar e arrombar: "fazer uma perna" (tomar lugar do parceiro no jogo), "passar a perna em" (tomar a dianteira de alguém em alguma coisa, enganar, ludibriar), "ter à perna" (ser perseguido ou incomodado por alguém); "não ter pernas", "ter boas pernas".
Tarefa/tema: mostrar como se anda e como se mantém de pé; contato com o solo; demonstrar obstinação; levar a vida, seguir, progredir, defender-se (demitir-se); estar de pé; conseguir, compreender, confessar, distar.
Princípio original: Marte-Júpiter.

Pés
Significado simbólico: entendimento; constância, firmeza, continuidade, estabilidade; humildade; enraizamento, o ato de radicar-se, contato com a Mãe Terra.
Tarefa/tema: caminhar sobre a terra, pôr os pés no mundo: "andar com os próprios pés", "entrar de sola", "tomar pé"; sentido de realidade, defesa de um ponto de vista; "ter o mundo a seus pés".
Princípio original: Netuno (nossas "barbatanas")-Saturno.

Pescoço
Significado simbólico: incorporação de propriedade; ligação, comunicação e pas-

sagem entre o superior e o inferior; eixo e ponto crucial (base) do que é "capital" (a cabeça); elegância (o pescoço do cisne).
Tarefa/tema: incorporação: avarento, ávido, cobiçoso, "gargantão" (comilão, glutão); "afundado/metido na lama até o pescoço" (lama/lodo: baixeza, degradação, culpa, pecado), "socar algo/alguém goela abaixo"; expressão de medo (da morte), morte, aperto: ter alguém querendo o seu pescoço ou a sua cabeça, ou, inversamente: estar com alguém entalado no pescoço ("fulano não me desce") ou estar com alguém até o pescoço ("por aqui", como se diz, apontando para o pescoço); pular no pescoço de alguém, torcer o pescoço de alguém, pescoçada ou pescoção (tabefe); visão geral, conseguir algo pela possibilidade de pôr-se em diferentes ângulos de visão, vislumbrar um horizonte espiritual, poder considerar todas as faces de alguma coisa, "pôr a cabeça em ordem"; altivez, elegância, pescoço de cisne; apaixonar-se: "perder a cabeça" (em última instância, o pescoço): a região interna do pescoço como local de defesa (as amígdalas).
Princípio original: Vênus (incorporar, beleza, ligação), Saturno (que ata ou constrange, medo/aperto), Mercúrio (movimento).

Placenta
Significado simbólico: alimentação; o primeiro bolo (do grego *plakoûs, oûntos*, "bolo", passando ao latim *placenta*) que a mãe prepara para o filho: modelo simbólico para tudo o que virá depois; alimentar nova vida com a própria força vital (a exemplo do pelicano como símbolo religioso, que abre o peito com violência para seus filhotes, alimentando-os com o seu sangue).
Tarefa/tema: alimentação, abastecimento da nova vida.
Princípio original: Lua.

Pleura
Significado simbólico: tapete exterior dos pulmões; lenço que envolve os pulmões e reveste a face interna do tórax; é ao mesmo tempo armação (de expansão) e invólucro; apoio e limite para nossos vôos.
Tarefa/tema: embrulhar o → pulmão como órgão de contato, deixando uma abertura no nível da depressão entre os pulmões e as costelas; capacidade de deslizar, capacidade de ajuste no âmbito da comunicação.
Princípio original: Mercúrio.

Polegar (ver também Dedos)
Significado simbólico: unidade; o oposto aos quatro dedos; mediante sua oposição, o agarrar se torna possível, assim como a polaridade do conceito torna o conceito possível; símbolo da polaridade (a propósito, tem apenas duas articulações) no gesto de levantar e abaixar o polegar; fundamento da cultura e da técnica; expressão da força de querer e de conseguir; o ponto mais fraco de um cerco; na medicina esotérica: a ligação dos outros dedos com o polegar em *mudras* especiais (posições simbólicas dos dedos na tradição indiana) traz os princípios originais dos respectivos dedos em contato com a unidade.
Tarefa/tema: pegar a vida "de jeito" ou "a jeito", "ter dedo" (ser hábil, ter jeito), "meter o dedo" (intrometer-se).
Princípio original: Mercúrio-Sol (símbolo da unidade do espírito: distingue o humano dos animais).

Ponta dos dedos
Significado simbólico: extremidades de antenas; o sentir nas pontas dos dedos.
Tarefa/tema: apalpar o mundo, conformar-se bem com o âmbito sensível; ter experiências eróticas: acariciar, distinguir, estimular.
Princípio original: Mercúrio (o apalpar concreto)-Netuno (o pressentir com o toque da ponta dos dedos).

Prepúcio
Significado simbólico: cortina na frente da ponta-de-lança.

Tarefa/tema: proteger, conservar a sensibilidade.
Princípio original: Marte-Saturno.

Pressão arterial
Significado simbólico: energia (sangue)-resistência (paredes dos vasos)-fenômeno; harmonia entre homem e mundo; indicador do estado de tensão e presença da alma: pressão alta, luta, alta tensão; pressão baixa, distensão até ausência de energia.
Tarefa/tema: abastecer o organismo (energia, substância nutritiva, substância portadora), assegurar dinâmica; equivalência entre força de impulsão e aceitação da realidade.
Princípio original: Marte-Saturno.

Próstata
Significado simbólico: glândula do tamanho do polegar, que circunda o início da uretra no homem e contribui para a maior parte do volume da ejaculação (o líquido espermático); confiança na sexualidade (masculina) e vitalidade; é o guarda que se põe no limiar para a segunda metade da vida.
Tarefa/tema: zelar pela secreção da próstata para o ambiente certo e pela alimentação do esperma em seu caminho para a célula-ovo.
Princípio original: Lua-Marte.

Pulmão
Significado simbólico: ligação da árvore pulmonar interna com as árvores externas, com as quais nos ligamos à circulação da respiração; contato, comunicação, troca (linguagem: modulação da corrente expiratória); liberdade, poder respirar (profunda e) livremente; agilidade: os pulmões fazem de nós seres alados.
Tarefa/tema: estabelecer e manter contato com o mundo exterior, troca de gases; ligação do eu com o não-eu, relação; vindo logo depois da pele, é o segundo órgão de contato; o respirar como cordão umbilical para a vida; ligação com todos os seres vivos: respiramos todos o mesmo ar.
Princípio original: Mercúrio.

Quadril/Articulação coxo-femural
Significado simbólico: caminhar a passos largos, dar o primeiro passo, progresso e ascensão no pequeno como no grande, no bom como no mau; base tanto das viagens externas como das internas; caminhar a passos largos/exagero, imoderação; fazer com que algo se dê como um rabisco sem importância.
Princípio original: Júpiter.

Queixo
Significado simbólico: (força de) vontade, capacidade de imposição, iniciativa (a barbicha acentua esse aspecto nos homens → Barba).
Tarefa/tema: imposição, auto-afirmação.
Princípio original: Marte-Saturno.

Retina (ver também Olhos)
Significado simbólico: membrana conversível, lâmina fotográfica regenerável do olho.
Tarefa/tema: converter estímulos luminosos em estímulos elétricos, passo mediador da gênese de imagens internas como espelho de imagens externas.
Princípio original: Mercúrio/Urano-Sol/Lua.

Reto (Intestino grosso)
Significado simbólico: saída para o (ou entrada no) submundo; local de reserva de excrementos (avareza); última estação do caminho produtivo antes da liberação do produto final; escapamento.

Tarefa/tema: reunir e segregar detritos (excrementos), eliminar gases; na linguagem corrente e chula, tem-se "cheio de merda" com o significado de "cheio de luxo", "não feder nem cheirar" (como expressão que comprova a associação entre mau cheiro e valor), "merda" (gíria no meio teatral, indica, paradoxalmente, boa sorte, bom êxito), "algo não está me cheirando bem".
Princípio original: Plutão.

Rinencéfalo
Significado simbólico: o cheirar liga o faro ao mundo dos sentidos, assim como o sentir/instinto à intuição.
Tarefa/tema: como a parte primeira e historicamente enraizada do telencéfalo, liga-nos a nossos princípios, isto é, ao mundo dos instintos e dos sentidos; empregar o faro.
Princípio original: Plutão (o cérebro ancestral)-Netuno (faro, sentir).

Rins
Significado simbólico: órgão do equilíbrio e da associação.
Tarefa/tema: cuidar do equilíbrio entre as forças ácidas (masculinas) e básicas (femininas), estabelecendo com isso a harmonia entre os pólos masculino e feminino; modulagem entre os dois extremos, para encontrar um meio-termo entre os pólos; compensar diferenças, harmonizar distinções e contrastes; contato inter-humano como encontro com o aspecto inconsciente da alma: sombras, filtragem; totalidade.
Princípio original: Vênus.

Rosto/Face
Significado simbólico: sinal de reconhecimento, cartão de visitas, auto-expressão, individualidade; barômetro da impressão (do "ficar vermelho" à "cara-de-pau"), honestidade, fachada; central de observação; olhos abertos sinalizam sinceridade; fechados, o contrário; e as pálpebras quando caídas revelam cansaço (os olhos de ressaca podem ser atraentes por si sós); olhos ligeiramente vincados para baixo revelam fadiga e desistência; testa alta revela intelectualidade (entradas); o tamanho da boca revela o grau de maioridade ou a "boca grande"; os lábios falam de sensualidade; os dentes, de vitalidade; o nariz revela a força fálica; o queixo, o querer; as linhas e rugas são sinais verdadeiros do tempo.
Tarefa/tema: imagem, aparência e ar (semblante); recepção de contatos; expressão/mascaramento das impressões: fazer caretas: "livrar a cara" ou "não ter vergonha na cara", "mostrar sua verdadeira cara/face", "quem vê cara não vê coração"; percepção: avistar, cheirar, farejar.
Princípio original: Sol (auto-expressão)-Lua (impressões), Vênus (beleza, fachada).

Sais ver Eletrólitos

Saliva/glândula salivar
Significado simbólico: apetite, prazer ("de dar água na boca"); proximidade, a saliva como líquido íntimo do prazer: beijar e salivar.
Tarefa/tema: mistura (de alimentos e pessoas): *quem ou o que gostamos de comer*, procuramos salivá-lo; cuspir na mão, quando se tem vontade ou prazer de fazer alguma coisa; o cuspir simbolizando repulsa ou nojo de alguma coisa — logo, o contrário, isto é, o desejar, o sentir-se atraído implicaria engolir a própria saliva.
Princípio original: Vênus-Lua.

Sangue
Significado simbólico: energia vital, fluxo vital; ligação dos quatro elementos: *líquido* sangüíneo como base, eletrólito, sais (terra), oxigênio (ar) e a cor vermelha (fogo).
Tarefa/tema: portador material da vida, expressão da dinâmica individual ("uma

seiva muito particular"); energização, alimentação; pilar fundamental dos mistérios religiosos.
Princípio original: Marte (energia)-Sol (eu individual).

Seios maxilares (ver também Seios paranasais)
Significado simbólico: caráter desenvolto e arejado da cabeça; elemento de moldagem.
Tarefa/tema: aliviar a cabeça; distensão da estrutura óssea dura e firme; trazer o elemento ar para o elemento terra; tornar a cabeça mais leve de suportar (suportável); possibilitar-nos antes de mais nada a agilidade do ser, fazer com que sentimentos serenos aspirem a planos espirituais mais elevados (para os antroposofistas, o seio maxilar está ligado à sede da consciência); umedecimento e aquecimento do ar da respiração como preparação para a comunicação com o mundo exterior; campo de ressonância para a voz (voz nasal, se as fossas nasais, isto é, o nariz estiver congestionado); *design* do rosto individual.
Princípio original: Urano.

Seios paranasais (ver também Seios maxilares)
Significado simbólico: torna a cabeça leve e arejada; a leveza do ser tem sua base nos ossos aerados do crânio; estando livres os seios paranasais, também o sentimento da vida se faz livre, leve, ventilado por uma tendência à serenidade, em contraposição a uma cabeça pesada e ao sentimento de cabeça quente ou de não haver espaço mental, quando se está com as fossas nasais cronicamente congestionadas (seios paranasais); elemento de moldagem.
Tarefa/tema: arejar; tornar leve a cabeça mediante o afofar da estrutura rígida e firme dos ossos (trazer o elemento ar para o elemento terra); umedecer e aquecer o ar da respiração como preparação à comunicação com o mundo exterior; base de ressonância da voz (nasalização da voz, tão logo os orifícios se encontrem bloqueados, quando se tem as fossas nasais congestionadas); em caso de resfriado perde-se subitamente a leveza do ser; em caso de narinas cronicamente entupidas (congestionamento dos seios paranasais), perde-se essa leveza pouco a pouco; *design* individual do rosto.
Princípio original: Urano.

Seios/Glândulas mamárias
Significado simbólico: maternidade, nutrição, proteção; depois do cordão umbilical, a segunda ligação mais importante com o maternal; prazer, *sex appeal*, sedução; força/irradiação feminina (seio: em diferentes culturas, *o* símbolo da feminilidade); sentimento do próprio valor pelo feminino; confusão dos papéis sexuais: os seios tornam-se ofensivamente penetrantes (correspondendo ao pênis), com a boca do parceiro em situação de receptividade; na sociedade patriarcal: seios de tamanho médio e rígidos: ideal; seios muito pequenos: carência de substância; seios muito grandes: provocação; único órgão que se desenvolve paralelamente ao fazer-se mulher (somente nos seres humanos os seios são permanentes e independem da amamentação); órgão mais "corrigido" (até mesmo mais do que o nariz), resultando cicatrizes em todos os planos; proximidade: "no seio da natureza" (próximo da natureza), "amigo do peito" (amigo muito próximo e sincero).
Tarefa/tema: alimentar, relação (alimentar), atração sexual; prover, mimar, atrair.
Princípio original: Lua (o materno), Vênus (o sedutor).

Septo interventricular
Significado simbólico: linha de demarcação da polaridade no coração; limiar entre este mundo e o além no centro de nós mesmos.
Tarefa/tema: com a primeira respiração, separar completamente em duas partes (o lado direito e o esquerdo do coração) a câmara daquele que, estando por nascer,

encontra-se ainda estreitamente ligado à unidade.
Princípio original: Sol-Saturno.

Simpático
Significado simbólico: trata-se de um dos lados do sistema nervoso autônomo: o adversário "masculino" do "feminino" → Parassimpático; é ele que dá o comando militar "sentido!".
Tarefa/tema: competente para ataque e fuga, para confrontações, para tomar de assalto de antemão e todas as atividades masculinas dirigidas ao exterior e que o costume perpetua.
Princípio original: Sol/Marte.

Sistema imunológico
Significado simbólico: imunologia, defesa.
Tarefa/tema: defesa contra "inimigos" externos; tratamento do conflito por meio de medidas combativas.
Princípio original: Marte.

Sistema límbico (componente principal do tronco cerebral; dele dependem: tálamo, hipotálamo e glândula pituitária)
Significado simbólico: cérebro emocional (nos animais é a maior e mais importante região do cérebro, excedido no homem pelo encéfalo, sem porém lhe estar subordinado, sendo-lhe, isto sim, adjunto).
Tarefa/tema: central subordinada dos sistemas regulador neurovegetativo e hormonal reunidos; vigilância e comando dos processos vitais por assim dizer primitivos (como respiração, digestão, etc.), mas que compõem o fundamento da vida; fabricação e coordenação dos sinais internos do corpo com os do meio ambiente.
Princípio original: Mercúrio-Lua.

Sistema linfático
Significado simbólico: terceiro sistema de vasos do organismo; transporte de volta para o coração; união de tecidos mediante vazão: linfócitos (policiamento) impulsionam, com a corrente, para o policiamento linfático (latim: *lympha*, água).
Tarefa/tema: juntamente com as veias, compõe o sistema de refluxo para moléculas maiores (da gordura, da albumina); vaso principal: o conduto para o leite materno é o maior vaso linfático e é prioritário como transporte de retorno da gordura e do plasma sangüíneo.
Princípio original: Mercúrio-Lua.

Sistema nervoso (central)
Significado simbólico: modo corporal de comunicação a distância, serviço noticioso.
Tarefa/tema: comunicação num sistema pluridimensional: mediar, comandar, regular, controlar, produzir ligações eletroquímicas, transmitir notícias; ligação entre consciência e corpo; sistema nervoso voluntário: auxílio à realização do querer e do farejar conscientes (o sistema nervoso novo, "humano"); sistema nervoso autônomo (sistema nervoso das vísceras): órgão de condução dos acontecimentos inconscientes, dos reflexos (o sistema nervoso antigo, "animal").
Princípio original: Mercúrio.

T

Tecido adiposo
Significado simbólico: abundância, reserva; dentre todos os condutores de energia, é o material armazenado com o mais alto valor combustível; hoje, por excesso de oferta, é nitidamente um fator de diminuição da auto-estima.
Tarefa/tema: moldagem maleável (por exemplo, no rosto), estofo, isolamento (contra o calor ou contra a perda de calor) — hoje em dia excesso de peso como tema de isolamento social; camada protetora; importância (peso).
Princípio original: Júpiter-Vênus-Lua.

Tecido cartilaginoso
Significado simbólico: elasticidade, substância de construção de pontes, obrigatoriedade; tecido da juventude (força de

tensão elástica, flexibilidade da jovem árvore).
Tarefa/tema: garantir ligação como revestimento da superfície dos tecidos, função de ponte; interino aos ossos: abrir caminho para o elemento de estrutura e apoio no início da vida e por ocasião de novos começos.
Princípio original: Lua-Saturno.

Tecido conjuntivo
Significado simbólico: união, sustentação, compromisso, em oposição aos tecidos funcionais dos órgãos; sistema de base (a regulação vegetativa).
Tarefa/tema: dar forma (aos órgãos, ao rosto, ao corpo), garantir o entrelaçamento; os tecidos ósseo e adiposo são também tecidos conjuntivos; armazenar energia (gordura), oferecer sustentação (ossos).
Princípio original: Mercúrio-Saturno.

Tendão de Aquiles
Significado simbólico: poder de impulsão (salto) da alma, progresso, ascensão, o tendão mais forte do corpo, do qual pende a musculatura destinada a possibilitar o salto; clássico ponto fraco: vulnerabilidade (Aquiles foi segurado pelo calcanhar ao ser mergulhado no rio da imortalidade; por essa razão, seu calcanhar permaneceu vulnerável).
Tarefa/tema: auxiliar nos saltos, possibilitar progresso e ascensão.
Princípio original: Mercúrio-Urano.

Tendões ver Ligamentos

Testa
Significado simbólico: con*front*ação, (latim: *frons*, testa), "fazer testa a alguém", "testa-de-ferro", "dar com a testa na parede; a*testa*r; força espiritual (testa do pensador, testa recuada).
Tarefa/tema: dirigir, con*front*ar, preceder; escudo protetor, por trás do qual o pensamento se consuma.
Princípio original: Marte (fachada)-Urano (cobertura do céu).

Testículos
Significado simbólico: fertilidade (linguagem popular: também o homem tem "ovos"); criatividade, produção do supérfluo; a região mais sensível do homem: "pegar alguém pelos ovos".
Tarefa/tema: dar vida; política de segurança da natureza (superfluidez), lidar profusamente com as fontes em favor da conservação da vida; regurgitar de vitalidade e força; órgãos do prazer.
Princípio original: Plutão.

Timo
Significado simbólico: central imunológica e centro de instrução do próprio exército para a defesa interna; desenvolvimento da imunidade; base original do timo, linfócitos; (espécie de) maturação da personalidade (reconhecer-se a si próprio, delimitar o estranho); aumento da energia vital (gorilas batem em si mesmos antes de lutar, recentemente também quinesiólogos); ligação com a confiança em Deus, que permanece marcada durante a infância, enquanto a glândula tímica ainda está plenamente ativa; adelgaça-se no decorrer da vida e se faz, por assim dizer, cada vez mais adiposo.
Tarefa/tema: aprender a desmascarar e a atacar os inimigos; defesa interna.
Princípio original: Marte-Sol-Júpiter.

Tórax (ver também Seios)
Significado simbólico: sentimento do eu ("eu sou"), personalidade ("peitar", "de peito aberto"); couraça do caráter (Wilhelm Reich); caixa óssea para pulmão e coração; imponência, importância, proteção e segurança para o coração (sentimento) e pulmão (comunicação).
Tarefa/tema: demonstrar o sentimento do eu, ocupar espaço, influenciar, dilatar-se; proteção dos órgãos internos e, com isso, do mundo de sentimentos e emoções do coração e do local de comunicação em que consiste o pulmão; local de integração de todos, do racional que vem da parte

de cima, do intuitivo-arcaico que vem de baixo e das emoções que vêm de dentro.
Princípio original: Saturno (proteção, "cesto")-Sol (meio).

Traquéia
Significado simbólico: trocas gasosas.
Tarefa/tema: condução do ar e sua repartição entre os dois pulmões.
Princípio original: Mercúrio.

Trompa
Significado simbólico: fertilidade; como canal de ligação muscular entre o ovário (depósito) e o útero (ninho), um ativo sistema de garrafa de náufrago; primeiro escoadouro de vida.
Tarefa/tema: transporte (peristáltico) do óvulo pela própria força muscular, mediação da fertilidade.
Princípio original: Mercúrio (mediação)-Lua (fertilidade).

Umbigo
Significado simbólico: o centro físico, *Hara*, cerne do mundo dos homens (Dürckheim).
Tarefa/tema: ligação com a origem, com a mãe, com o paraíso do primeiro jardim das delícias.
Princípio original: Lua.

Unhas (ver também Unhas dos pés)
Significado simbólico: garras, nossa herança agressiva, ferramenta de agressão ("mostrar as garras"), origem.
Tarefa/tema: luta pela vida ("com *unhas e dentes*"); expressar agressividade ("mostrar as garras"); cobiça, avidez, "enterrar a unha" (vender muito caro); deitar as unhas em: apossar-se com violência e fraude (vitalidade e prontidão); certos gatos selvagens (ou predadores) que assustam espíritos amedrontados atraem magicamente seus parceiros (para a guerra dos sexos); demarcar terreno.

Princípio original: Marte (agressão)/Saturno (segurança).

Unhas dos pés
Significado simbólico: garras inferiores (traseiras [no caso dos animais]).
Tarefa/tema: agarrar-se firmemente, encontrar firmeza.
Princípio original: Marte.

Ureter (ligação entre os rins e a bexiga)
Significado simbólico: canais de águas residuais.
Tarefa/tema: desaguar temas anímicos consumidos.
Princípio original: Mercúrio-Lua.

Uretra
Significado simbólico: ligação da alma com o mundo exterior; controle de águas residuais mediante gatilho d'água (esfincter); nos homens, faz-se também de canal seminífero; condução da água residual e da água da vida (líqüido seminal).
Tarefa/tema: encaminhar, canalizar o anímico que sobreviveu e eliminar resíduos.
Princípio original: Mercúrio-Lua.

Útero
Significado simbólico: fertilidade; cavidade primeira de todos os começos, o fértil pântano original em que a vida pode se desenvolver: (o primeiro) ninho, segurança; órgão a partir do qual se expressa o ritmo (feminino); músculo extremamente forte (a força feminina reside no interior e só raras vezes se faz visível exteriormente).
Tarefa/tema: alojar a vida, alimentar; abrir-se e conceder a vida (pelo nascimento).
Princípio original: Lua.

Vagina
Significado simbólico: entrega; a vagina como bainha (do latim *vagina*) para a

espada masculina; entrada e saída dianteira para o submundo (sexual); mediação de vida e prazer (tesouro do prazer nos ensinamentos do amor orientais); possibilidade de, junto com o correspondente masculino que se tem no pênis, tornar a suprimir por um momento a bipartição do humano: proporcionar a vivência da unidade pelo orgasmo.
Tarefa/tema: abrigar e abraçar, acolher e expelir; entrega e prazer.
Princípio original: Lua-Vênus.

Válvulas cardíacas
Significado simbólico: válvulas das correntes da vida e da energia.
Tarefa/tema: conferir orientação e ordem à corrente da energia vital, produzir ligação entre as divisões do coração.
Princípio original: Sol-Mercúrio.

Vasos sangüíneos (ver também Artéria e Veias)
Significado simbólico: meio de transporte da energia vital, via energética; mediação, comunicação.
Tarefa/tema: fornecer, alimentar; abastecer, eliminar resíduos; transportar, transferir.
Princípio original: Sol/Marte-Mercúrio.

Veias (ver também Vasos sangüíneos)
Significado simbólico: o caminho de volta (latim: *venire*, vir); regresso da energia: a velha e desgastada energia vital redime-se nesse caminho para a fonte da juventude (sistema coração-pulmões).
Tarefa/tema: transporte do sangue lixiviado e utilizado de volta para o coração.
Princípio original: Lua-Mercúrio.

Ventre
Significado simbólico: sentimento, instinto (frio na barriga); gozo; concavidade original, sede dos sentimentos filiais; umbigo do mundo, centro; local do abastecimento (original), "ser redondo"; nos primeiros tempos, estava protegido entre as extremidades (nos animais de quatro patas, voltado para o chão); hoje, temos a evolução de um ventre exposto e aprumado.
Tarefa/tema: proteger, encerrar, digerir; expressão de medos/ameaças relativos à existência; depositório de alimentos; expressão de medo quanto ao futuro material.
Princípio original: Lua.

Vértebra cervical (ver também Atlas, Áxis, Coluna vertebral)
Significado simbólico: acentuação do aspecto vertebral dinâmico contra o tema estático da coluna; mobilidade da cabeça, torcicolo.
Tarefa/tema: proporcionar uma visão voltada para o conjunto (panorâmica) como para si próprio (circunspecção); manter a cabeça erguida, ou seja, sobre a água.
Princípio original: Mercúrio (-Saturno).

Vértebra lombar (ver também Coluna vertebral)
Significado simbólico: trazer/carregar o principal peso da vida; duplo encargo: estabilidade e mobilidade, também ressaltados pelo aspecto *cervical* e pelo tema *colunas*; zona problemática do eixo do mundo (mais de 95% dos acidentes com os discos vertebrais acontecem nessa região), onde se manifestam os conflitos entre os impulsos da pélvis (instintos) e os impulsos superiores (coração, cabeça).
Tarefa/tema: trazer e carregar: trazer peso e responsabilidade (existencial), carregar a sua cruz; trazer consigo pela vida o corpo superior; ligação da base espiritual (*Os sacrum*, perna sagrada) com as coisas da vida.
Princípio original: Saturno-Plutão.

Vértebra peitoral (ver também Coluna vertebral)
Significado simbólico: estabilidade; coluna do tórax.
Tarefa/tema: estabilidade para o mundo dos sentidos do espaço do coração; conferir apoio aos sentimentos e emoções.
Princípio original: Saturno-Sol.

Vesícula biliar/Bílis
Significado simbólico: agressão refinada (*ácido* biliar), amargor corrente: "bílis" como sinônimo de mau humor, irascibilidade e hipocondria; mudança.
Tarefa/tema: decomposição agressiva; agressão não como ataque frontal, mas como ensaboamento; digestão de gordura: amansar a gordura, ensaboá-la; domesticação do exuberante e abundante; tornar-se senhor da abundância; refinamento e mudanças enigmáticos; desfrutar efusivamente a plenitude e o sabor da vida; para os coléricos (grego: *cholé*, bílis; *aírein*, alçar): deixar fluir a energia vital de maneira espontânea e ardente, vivenciar o entusiasmo; para o melancólico (grego: *mélas*, preto; *cholé*, bílis): celebrar a beleza e o calvário da vida humana.
Princípio original: Plutão-Marte.

Vesícula ver Bexiga

Virilha
Significado simbólico: átrio para a íntima região sexual; maciez; vulnerabilidade (os maiores recipientes diretamente sob a superfície), sensibilidade.
Tarefa/tema: ligação entre o baixo-ventre e as extremidades inferiores; limitação da capacidade do corpo de carregar.
Princípio original: Lua-Vênus.

Voz
Significado simbólico: expressão da fala e da afinação/disposição; comunicação.
Tarefa/tema: articulação, formação da linguagem; expressão de informação e de sentimento (situação da voz e da afinação/disposição).
Princípio original: Mercúrio (mediação), Lua (afinação/disposição), Sol (expressão do eu).

Z

Zonas erógenas
(clitóris, lábios genitais, glande, excitação do pênis, halo do mamilo, região perineal, pescoço, parte interna das coxas e braços)
Significado simbólico: prazer; locais e campos de jogos eróticos, jardins das delícias do corpo, superfícies sensitivas.
Tarefa/tema: proporcionar prazer, *abrir caminho* para a reprodução.
Princípio original: Vênus.

PARTE 2

Registro dos Sintomas

A

Abdômen flácido (ver também Obesidade; avental de gordura; na ginecologia, também nas situações em que a bacia da mãe for muito estreita, ficando a criança totalmente projetada para fora, fazendo o ventre pender para baixo)
Plano corporal: estômago (sensação, instinto, capacidade de consumir, centro).
Plano sintomático: é pesado carregar a si mesmo; sinaliza ao mesmo tempo poder (o grande abdômen) e impotência (a carga pesada, junto à qual a pessoa se arrasta); orgulho de seu próprio peso (importância).
Tratamento: integrar de modo anímico-espiritual o que havia sido acolhido; sensação de deixar-se pender; fazer-se prenhe de idéias, e não de alimentos; deixar pender para fora a sua importância (peso) em planos menos incômodos.
Remissão: desenvolver poder, influência e peso (importância) em planos menos corpóreos.
Cobertura do princípio original: Júpiter.

Aborto

Plano corporal: útero (fertilidade, proteção).
Plano sintomático: fuga do fruto (do não-nascido): erro genético como expressão de um peso; a tarefa parece insolúvel, isto é, pesada demais; termo de um breve desenvolvimento; fuga, da parte da mãe, de uma situação corpórea desafiadora no nível anímico ou social: expulsão de um hóspede não-convidado; aborto inconsciente; inflamação ascendente como expressão de um conflito que impele para cima; *stress*, excesso de trabalho como sinal de deficiência no deixar entrar em si.
Tratamento (para a mãe): aprender a permanecer firme nas decisões uma vez acertadas (num plano superior), recebê-las e ficar com elas; examinar o desejo da criança num nível mais profundo com respeito a uma recusa inconfessa; exercícios de construção de um ninho segundo os aspectos físico e anímico.
Remissão: presentear e receber como presente a reconciliação com o tema da vida; aceitar a vontade superior em detrimento do desejo e vontade próprios.
Cobertura do princípio original: Lua-Urano, Plutão.

Aborto (pensar em)

Plano corporal: útero (fertilidade, proteção).
Plano sintomático: recusa consciente da criança não-nascida; medo do papel de mãe; medo do desafio (nos âmbitos corpóreo, anímico, espiritual e/ou social); inconsciência de algo como o deixar entrar sem que depois se aceite o desafio; fugir à responsabilidade; incapacidade de responder à vida.
Tratamento: abster-se de emitir juízo; em vez disso, deve-se descobrir a relatividade das valorações que num dado momento vierem a ser dominantes (na guerra, há ordem até mesmo para matar premeditadamente); espaço livre para criar/produzir; garantir as próprias possibilidades de desenvolvimento como independentes também da gravidez; reconhecer as oportunidades de desenvolvimento que a gravidez traz em si (por exemplo, o tornar-se adulta); aprender a responder a desafios; meditações sobre o próprio papel situado entre as condições de jovem, de senhora e de mãe; conscientização da temática do ego.
Remissão: na perspectiva da filosofia esotérica, não se pode criar nem suprimir a vida, que não começa nem termina, mas é; estar suscetível, estar pronto a acolher as grandes tarefas do destino: abnegação e responsabilidade; tornar-se efetivamente adulta: realização (eu mesmo = eu + sombras).
Cobertura do princípio original: Lua-Saturno-Plutão.

Abscesso

Plano corporal: pele (delimitação, contato, carinho) ou mucosa (fronteira interna, barreira).

Plano sintomático: um corroer-se nas profundezas, algo a roer alguém; destrói a superfície e torna a profundidade visível; dilaceramento: a agressividade dirige-se contra as próprias fronteiras.
Tratamento: deixar que o conflito o adentre profundamente e em seguida estabelecer relações com ele; preparar-se para o trabalho em sua profundidade; aproximar-se de suas profundezas; substituir corajosamente as próprias forças vitais por ocasião do rompimento das fronteiras criadas por si mesmo.
Remissão: reformulação dos próprios limites em frentes animadas de discussão.
Cobertura do princípio original: Marte-Plutão.

Abscesso (ver também Inflamação)
Plano corporal: quase todas as regiões da epiderme (delimitação, contato, carinho).
Plano sintomático: explosão de conflitos reprimidos; conflito estimulante da profundidade até a superfície, que ultrapassa o limite da pele e quer chegar à luz da consciência; conflito fronteiriço.
Tratamento: agressões conscientemente desfrutadas: artes de combate, boxear, exercitar o grito, danças agressivas, desenvolver a cultura do conflito; vivenciar-se como vulcão; deixar de aproveitar no plano das imagens o que precisa mesmo ser eliminado, romper ofensivamente os limites: explosão em vez de implosão.
Remissão: violência corajosamente conflituosa mediante a transposição das fronteiras efetivas; expressão do tema: descarga mediante ruptura para além do limite da consciência.
Cobertura do princípio original: aprender a lidar com Marte (energia) e Saturno (limites), Netuno.

Abscesso cerebral (ver também Abscesso)
Plano corporal: cérebro (comunicação, logística).
Plano sintomático: a porta de entrada para o ouvido (obedecer/escutar) e nariz (farejar) é dividida por um trauma (→ Acidente) ou metástase (sementeira; por exemplo, no caso de → Febre puerperal); conflito central ameaçador da vida, que não penetra na consciência; → Dores de cabeça [vertigens] (→ Distúrbios do equilíbrio): algo não está afinado no âmbito central, demonstra-se alguma coisa, imiscui-se; enrijecimento do pescoço; a obstinação torna-se freqüente; sentimento de fraqueza: torna-se nítido o relaxamento da força vital; sedimentação do sangue: a seiva vital perde em consistência, os glóbulos sangüíneos separam-se rapidamente da linfa, a ruína da energia vital faz-se evidente; desaceleração do pulso: a circulação da vida torna-se mais fraca e trabalha contra a febre; fraqueza na batalha em defesa das necessidades vitais.
Tratamento: tornar-se consciente da gênese e das raízes do conflito central; conduzir a luta decisiva pela vida de maneira aberta (ofensiva) e corajosa; transformar teimosia e obstinação em iniciativa e conseqüência; inserir (sacrificar) a própria energia vital na problemática central.
Remissão: comparecer corajosa e aberta(ofensiva)mente à batalha decisiva, defender-se e lutar.
Cobertura do princípio original: Mercúrio-Marte.

Abscesso duodenal (úlcera duodenal)
Plano corporal: intestino delgado/duodeno (análise, assimilação).
Plano sintomático: ambição e impulso para a frente enormes e incontroláveis levam a um dilaceramento de si mesmo, como, por exemplo, no caso em que se desfiam todos os pensamentos até os mínimos detalhes numa agressiva mania de criticar, perdendo-se a visão do todo na luta ruidosa pelos detalhes; crítica mordaz de si mesmo; expandir em torno de si uma atmosfera destrutiva; grito pela nutrição e pelo elemento feminino.

Tratamento: ultrapassar fronteiras, para tanto sacrificando parte da força vital; habituar-se à comida, construir abrigo, admitir regressões conscientes; luta do intelecto e de suas buscas viciosas de crítica; passividade, vivenciar a entrega.
Remissão: criar para si o repouso e a regeneração de um ninho próprio.
Cobertura do princípio original: Mercúrio-Marte.

Abscesso na córnea

Plano corporal: córnea do olho (vidraça do olho, visão, discernimento).
Plano sintomático: tumor no plano mais elevado do ver e conhecer: algo cresce para dentro diante dos próprios olhos, obstruindo-lhe a visão, sem que se tenha consciência disso (e então, é o corpo que tem de mostrá-lo); o próprio crescimento malconduzido barra-lhe a vista; obstrução da visão: certas regiões do campo de visão são apagadas.
Tratamento: deixar crescer a própria visão; trazer para o campo de visão os problemas que estão bem defronte de seu nariz; reconhecer que há sérios problemas de crescimento no que diz respeito à visão.
Remissão: reconhecer e aceitar as manchas de cegueira como um estímulo para o crescimento.
Cobertura do princípio original: Sol/Lua-Plutão.

Abscesso nas glândulas sudoríparas

Plano corporal: glândulas sudoríparas (represas), sobretudo nas axilas, bem como nas regiões genital e anal (no âmbito dos órgãos sexuais secundários e primários).
Plano sintomático: os estreptococos invadem os condutos das glândulas sudoríparas e formam um nódulo, que sempre simboliza um nódulo anímico: conflito inflamado num âmbito íntimo do corpo, relacionado aos cheiros do próprio corpo e à demarcação pelo odor; guerras pela necessidade de um odor pessoal, pelo campo íntimo no âmbito do amor e do prazer; conflitos não-reconhecidos e não-expressos no âmbito (secreto) da atração e da sedução.
Tratamento: deixar o vulcão entrar em erupção preferivelmente de maneira anímica; abrir-se animicamente para os temas excitantes (sobretudo no âmbito da sexualidade), em vez de abrir o corpo para os agentes; deixar vir à luz sua própria essência atrativa (sedutora); com respeito a isso, aprender a expressar-se com força ofensiva; defesa combativa de seus próprios domínios com uma demarcação por odores; dedicar-se agressivamente às necessidades pessoais; construir seu próprio campo no âmbito da intimidade com meios pessoais; o paciente tem de aprender a se expressar; o lancetar o abscesso pelo médico provoca novas irrupções vulcânicas (reincidentes).
Remissão: ausência de compromisso no âmbito da intimidade; lutar aberta(ofensiva)mente até o fim por suas próprias necessidades.
Cobertura do princípio original: Vênus/Saturno-Plutão.

Abscesso no estômago (ver também Doenças do estômago)

Plano corporal: estômago (sensação, capacidade de absorção).
Plano sintomático: sentimentos não-digeridos e não-expressos são digeridos no plano corporal; o fermento digestivo despejado e sobretudo o ácido clorídrico corroem a parede do estômago por falta de alternativas materiais: dilaceramento; despejar sal (ácido clorídrico) nas feridas abertas; tensão defensiva na região abdominal; o tipo do recém-nascido que inspira cuidados (→ Doenças do estômago).
Tratamento: tornar-se consciente do sentimento e da saudade da proteção materna/do paraíso infantil, bem como do desejo de amor e de receber cuidados; conscientemente trabalhar os conflitos e digerir impressões; renunciar à fachada de in-

dependência, ao poder de imposição; defender-se do que se tem ingerido até agora, sem nenhuma resistência; tornar-se mais duro, mais corajoso; romper com o ninho infantil tornado gaiola.
Remissão: deixar o ninho da infância para se tornar adulto.
Cobertura do princípio original: Lua-Marte.

Abscesso no fígado
Plano corporal: fígado (vida, valoração, retroligação).
Plano sintomático: conflito limitado, abarcável pela vista no âmbito da cosmovisão, da *religio* ou da valoração.
Tratamento: discussão agressiva e combativa com os respectivos temas excitantes; lutar ofensivamente pelo questionamento do sentido da vida; ocupar-se com o sentido, ou seja, com o sem-sentido da própria vida.
Remissão: fazer justiça às novidades excitantes e lutar por uma solução dos conflitos; lutar por um caminho para a própria visão de mundo com relação à autonomia espiritual.
Cobertura do princípio original: Júpiter-Marte.

Abscesso nos pulmões
Plano corporal: pulmões (contato, comunicação, liberdade).
Plano sintomático: conflito limitado no âmbito do intercâmbio do contato e da comunicação; ter um vulcão no âmbito da comunicação, que quer se acalmar.
Tratamento: discussão agressiva e combativa com os temas que lhe são excitantes e que entraram em derrocada nesse ciclo de problemas.
Remissão: fazer justiça ao novo e lutar por uma solução para o conflito.
Cobertura do princípio original: Mercúrio-Marte.

Abuso (abuso doentio)
Plano sintomático: confusão entre os planos do corpo e da alma (o alcoólatra deveria se ocupar com temas espirituais, e não espirituosos, e o pedófilo deveria fazer o mesmo com o elemento infantil não-resolvido que encontra nele, bem como reconciliar-se com a sua ânsia de inocência e pureza).
Tratamento: meditação sobre o verdadeiro (anímico-espiritual) objetivo do desejo: descobrir a embriaguez e o êxtase em si mesmo, sem a ajuda de coisa alguma.
Remissão: tornar-se um com a busca (no caso dos toxicômanos); tornar-se um com o feminino em si (para o estuprador); para todos: investigar a dimensão espiritual (religiosa) da vida, fazer vir à luz o excesso a partir da obrigação da repetição.
Cobertura do princípio original: Plutão, Netuno.

Abuso de nicotina/intoxicação por nicotina ver Fumo

Acalasia (estreitamento da entrada do estômago; ver também Vômitos/náusea)
Plano corporal: esôfago (condução do alimento).
Plano sintomático: recusa da porção ingerida; protesto crônico; medo profundo de todo tipo de acolhimento; fechar-se ao exigido; "vomitar alguma coisa" ou "regurgitar"; grande fome e medo violento equilibram a balança; cobiça e ascese.
Tratamento: honestidade perante a própria atitude de recusa; reconhecer que não se começa com a transformação do mundo e da vida; parar de engolir tudo sem consciência; aprender a expelir o que não é bem-vindo; programa de aprendizado para um comer e saborear conscientes: receber o alimento lentamente e em pequenos bocados.
Remissão: escolher, defender-se do que é prejudicial; ir no caminho dos pequenos passos; no pólo oposto: *bhoga* (do hindu: comer, digerir o mundo).
Cobertura do princípio original Lua-Saturno.

Acantose (tumor das células espinhosas da epiderme: *Acanthosis nigricans,* pele

tumorosa negra; hiperqueratose = excesso de formação de calosidade dura na epiderme)
Plano corporal: pele (delimitação, contato, carinho).
Plano sintomático: couraça, sobretudo nos pontos sensíveis (multiplicação das células da camada espinhosa da pele); proteção dos pontos sensíveis mediante escurecimento (pigmentação anormal sobretudo no pescoço, ombros, costas, cotovelos, região anal-genital, lábios); dissimular-se com a feiúra (tumor verrugoso da pele, hiperqueratose).
Tratamento: admitir o medo que se tem da lesão sobretudo nas partes sensíveis; adquirir consciência imunológica e de medidas de proteção; conferir resistência a partes suscetíveis e pontos fracos.
Remissão: defender conscientemente os próprios pontos fracos e partes suscetíveis.
Cobertura do princípio original: Saturno/Vênus-Saturno.

Acatisia (incapacidade de permanecer sentado calmamente)
Plano corporal: cérebro (comunicação, logística), aparelho *locomotor*.
Plano sintomático: (tornar clara e distinta a situação fundamental): ausência de orientação, girar em círculos, afastar-se do caminho como, por exemplo, no → Mal de Alzheimer.
Tratamento: exercícios de orientação na perspectiva anímico-espiritual; danças em círculos como valsas e brincadeiras de roda, desenhar a mandala e a meditação como rituais conscientes; estar no caminho legal (ter diante dos olhos o grande objetivo, a unidade).
Remissão: abrir-se conscientemente à cruz da vida (mandala); vivenciar a abertura em todas as direções; meditar sobre a sentença de Heráclito: "*Panta rhei*" ("Tudo flui").
Cobertura do princípio original: Urano-Júpiter.

Acessos de cólera/raiva
Plano sintomático: a agressividade reprimida irrompe na região de menor resistência, ou seja, na região de um ponto fraco, e descarrega-se furiosamente (no macrocosmo, comparar com a erupção de um vulcão); falta de coragem para expressar a própria agressividade no local onde ela se origina; perda do controle com relação às próprias energias: as certezas (da alma) queimam-se inteiramente.
Tratamento: conhecer e aprender a expressar a agressividade criando-lhe válvulas de escape em âmbitos construtivos; deixar que as certezas queimem conscientemente onde isso fizer sentido, por exemplo no orgasmo, mas também em todas as demais oportunidades de liberar-se em êxtase (dança, esporte, música); em primeiro lugar, passar para o pólo oposto e aprender o controle (o controle tântrico das energias sexuais só adquire sentido quando essa força é prontamente sentida em toda a sua originalidade).
Remissão: tornar-se consciente das próprias energias e jogar com elas conscientemente (Heráclito: "*Panta rhei*" ["Tudo flui"]). "A guerra é a mãe de todas as coisas"; coragem para manifestar sua força de expressão.
Cobertura do princípio original: Marte-Urano.

Acidentes (ver também Acidentes de trabalho/acidentes domésticos, Acidentes de trânsito)
Plano corporal: todos os planos corporais podem ser afetados.
Plano sintomático: lição obrigatória por ocasião de problemas não-resolvidos; pôr em questão de forma direta e repentina o caminho encetado por uma pessoa; corte no fluxo vital, interrupção violenta dos trilhos experimentados, ser sacudido subitamente para despertar, para voltar a tomar parte da vida de maneira atenta; caricatura de sua própria problemática.
Tratamento: reconstruir a estrutura/o desenrolar do acidente e transportá-lo para

a sua situação de vida; descobrir o acidente como ruptura na vida e proporcionar expressão a esse súbito desdobramento de força: em vez de sair da rotina por meio do acidente, é preferível dançar conscientemente fora das marcas, extrapolar os limites, deixar irromper novos impulsos criativos na vida.
Remissão: inserir espontaneamente interrupções súbitas e espontâneas de mudança no transcurso monótono (da vida); tornar o transcorrer da própria vida intenso, rico em variações e ameaçador da vida: tornar-se consciente de que o viver é, por princípio, perigoso à vida e de que de qualquer modo terminará em seu pólo oposto, que é a morte.
Cobertura do princípio original: Urano.

Acidentes de trabalho/acidentes domésticos
(ver também Acidentes, Acidentes de trânsito)
Plano corporal: todas as partes do corpo podem ser afetadas.
Plano sintomático: "queimar a boca (a língua)", "queimar o dedo"; "levar um tombo"; "cortar-se (na própria carne)"; "tropeçar", "escorregar", "contundir-se", "precipitar-se" (na condução da carreira), "acidente de percurso" (ao agir); "sangrar", "ficar roxo/ficar com uma mancha roxa"; "cair nas costas de alguém"; "desferir um golpe em alguém"; "enganar-se", "apanhar"; "passar mal", "desviar-se do caminho", "perder-se"; "levar um soco na cara", "atirar em alguém", "chutá-lo na canela", "derrubá-lo", ou seja, "tirá-lo do caminho", "pô-lo contra a parede", "isolá-lo", "deixá-lo de lado", "armar uma cilada para alguém", "dar-lhe uma sonora bofetada"; "exceder-se" (provocar um ponto de ruptura); "arvorar-se" (arrogância).
Tratamento: reconstrução do acidente e da transferência, com base na situação de vida atual, dentro da perspectiva anímico-espiritual: por exemplo, permitir-se uma dedicação à estrada da vida: engendrar novos caminhos em vez de ser violentamente coagido por uma nova orientação;

ou ocupar-se com a temática da queda da unidade (do paraíso) e trabalhar a própria soberba, que antecede a queda, em vez de sempre e novamente nela recair ao longo da vida.
Remissão: realizar o acontecimento do acidente num plano superior numa perspectiva anímico-espiritual, por exemplo, trilhando novos caminhos em vez de sempre novamente se perder pelo caminho ou dispersar-se; dançar fora do compasso, pisar na corda em vez de tropeçar nela; seguir vestígios ardentes de pensamento em vez de queimar a língua; apanhar o ferro em brasa em vez de queimar o dedo; elaborar pensamentos penetrantes em vez de sofrer escoriações; proceder a cortes profundos em vez de cortar a própria carne; vivenciar a mobilidade em todas as orientações em vez de escorregar; desenvolver uma cultura de conflito em vez de "se pegar" com alguém; quando for o caso, fazer com que sua luz penda mais para baixo e alargar a base, em vez de se precipitar; voluntária e oportunamente implantar a sua energia de vida, em vez de perder todo o sangue; pagar no tempo certo (o mais simples é fazê-lo em dinheiro) em vez de posteriormente vir a sangrar e a "ficar roxo"; olhar sempre para ambos os lados em vez de atacar alguém pelas costas; em seu devido tempo, negociar no terreno dos fatos em vez de se deixar duramente nocautear; queimar pestanas para a obtenção de uma solução em vez de queimar a si próprio; atiçar o entusiasmo; considerar o outro lado das coisas, em vez de amargar um recuo; vencer com honra e praticar a retirada (recuo), em vez de desferir um golpe em alguém; ligar-se com a terra em vez de sentir faltar o chão sob os pés; é melhor esgotar mentalmente todas as possibilidades e caminhos do que se equivocar, passar ao largo, ou antes que algo dê errado (praticar a criatividade); perder-se em sua tarefa/determinação em vez de se perder; estar preparado para tudo muito antes de levar um soco na cara; atirar num pássaro(-pensamento) em vez

de atirar (de algum posto) numa pessoa; cruzar com uma pessoa oportuna e ofensivamente, para mais tarde não atirar nela ou ser atingido por ela; meditar sobre a própria mortalidade, em vez de executar alguém (verbalmente); bater com toda a força no tempo certo, em vez de mais tarde se tornar presunçoso.
Cobertura do princípio original: Urano.

Acidentes de trânsito (ver também Acidentes, Acidentes de trabalho/acidentes domésticos)
Plano corporal: todos os planos corporais podem ser afetados.
Plano sintomático: buscar discussões mais agressivas: "ir de encontro aos interesses de alguém", "chocar-se com alguém"; de acordo com as circunstâncias concomitantes, ou realizar buscas de aproximação mais ofensivas ou deixar acontecer: "trombar com alguém", "deixar que alguém cruze o seu caminho"; conseguir uma aproximação erótica: "chocar-se com alguém", "pôr-se muito próximo"; querer mudar a orientação vital: "ser lançado para fora da estrada", "desviar-se do caminho (previamente estabelecido)", "ser arrebatado", "não conseguir fazer a curva"; querer se dar de maneira espontânea e incontrolável: "perder o apoio/controle/domínio".
Tratamento/Remissão: no geral: transporte do acontecer acidental para a situação de vida atual; por exemplo, "não poder mais brecar", exigência de estrangular o tempo (de vida); aceitar o contato erótico, em vez de "se chocar" com carros estranhos; trilhar voluntariamente novos caminhos em vez de se lançar para fora da estrada.
Cobertura do princípio original: Urano.

Acidez
Plano corporal: sistema líqüido (temas anímicos).
Plano sintomático: excesso de masculinidade (o ácido expele íons H+-, enquanto no pólo oposto a base H+- absorve íons) mantém a água do corpo (alma) em desequilíbrio; acidez em excesso no microcosmo e no macrocosmo (contrações e reumatismo muscular por um lado, solos ácidos e morte de florestas, por outro).
Tratamento: conseguir salvar a alma fazendo uso de meios masculinos; análise do corpo feminino e da natureza da mãe, para encontrar alternativas à unilateralidade.
Remissão: reconhecer, aceitar e realizar o pólo masculino; no excesso de acidez do conjunto dos meios internos e externos, reconhecer a tarefa de nutrir o pólo masculino em suas propriedades redimidas para equilibrar a miséria a que ele, com suas tendências não-redimidas, nos conduziu; realizar o espiritual (masculino) como pólo oposto ao materialismo não-redimido que, inclinando-se para o feminino, propaga-se desenfreadamente a partir do não-redimido masculino; objetivo final no pólo oposto: harmonia entre os pólos.
Cobertura do princípio original: Marte.

Acne juvenil (ver também Foliculite, Erupção de pele, Inflamação)
Plano corporal: pele (delimitação, contato, carinho).
Plano sintomático: a luta interna impele para o visível; transbordamento da sexualidade pubertária para as fronteiras: busca de fazê-la recuar; o tema "quente" da sexualidade e do relacionamento inflama-se na fronteira (da pele); excitação e pressão do novo, medo do novo; proteger-se dos encontros por meio de bolhas; desfiguração inconsciente de sua própria imagem aparente, para não ter diante dos olhos o tema conflituoso e ardente; como decorrência: agravamento pela sexualidade até então não-vivida; envergonhar-se de sua própria sexualidade; atacar suas próprias fronteiras e as normas dadas no plano corporal em vez de fazê-lo no plano da consciência; rosto com marcas de acne: antigo campo de batalha de discus-

sões pubertárias; prazer em espremer as bolhas, com isso ganhando cicatrizes.
Tratamento: descobrir e vivenciar a sexualidade no contexto pubertário; tomar para si (e para sua pele como órgão de contato) doações afetuosas; contatos eróticos de pele são buscados nos jogos da puberdade, nas discotecas; abrir fronteiras (da pele) de dentro para fora; ceder a impulsos estimulantes; melhorar com a luz do sol: proporcionar caloroso donativo para a pele; entregar-se à pressão sob a qual se está, investigá-la e ceder a ela; aprender a expressar suas necessidades sexuais em vez de bolhas.
Remissão: levar o transbordamento para o outro sexo, gozar da irrupção da sexualidade.
Cobertura do princípio original: Vênus/Saturno (pele)-Marte (inflamação).

Acne rosácea (ver também Rinofima, Acne juvenil)
Plano corporal: pele (delimitação, contato, carinho).
Plano sintomático: vermelhidão da pele com base numa situação de hipersecreção anormal das glândulas sebáceas (→ Seborréia), que pode ir desde uma dilatação de vasos até a formação de pústulas e pápulas e à tumoração das glândulas sebáceas, provocando uma desfiguração: o rosto floresce rosadamente e atrai olhares; situação de base (inflamatória), na qual se pode desenvolver um campo de batalha; última e desesperada busca da puberdade e do tornar-se adulto.
Tratamento: encontrar as fontes da vermelhidão (rubor); atacar o tema da puberdade/do tornar-se adulto e proporcionar a irrupção da sexualidade a ele relacionada; deixar desabrochar um novo estágio de vida com o mesmo ardor da rosácea; encontrar outros modos, resolvidos, de atrair olhares para si.
Remissão: tornar-se consciente das tarefas subjacentes à qualidade do tempo da vida, dando-lhes a oportunidade de prosperar; deixar-se desabrochar.

Cobertura do princípio original: Vênus/Saturno-Marte.

Acne ver Acne juvenil, Erupção de pele

Acromatopsia ver Daltonismo

Acromegalia (crescimento tardio das extremidades do corpo, devido a uma disfunção da hipófise, causada pela excessiva secreção do hormônio de crescimento)
Plano corporal: aumento das mãos (apanhar, agarrar, capacidade de ação, expressão), pés (firmeza, enraizamento), orelhas, nariz (poder, orgulho, sexualidade), queixo (vontade, imposição).
Plano sintomático: crescimento no plano do corpo em detrimento do plano anímico-espiritual.
Tratamento: exercitar grandes passos no que diz respeito ao transmitir; aprender a aproveitar as oportunidades, aprender a escutar (voltar-se para dentro; meditações para a descoberta da voz interior).
Remissão: viver espiritualmente a passos largos; força de disseminação; escutar e obedecer; ter um bom faro (intuição).
Cobertura do princípio original: Júpiter.

Actinodermatite ver Fotodermatoses

Actinomicose (doença produzida por actinomicetes que se infiltram na mucosa, havendo formação de pequenas inclusões indolores)
Plano corporal: sobretudo a mucosa (fronteira interna, barreira) da cavidade bucal (boca = recepção, expressão, emancipação).
Plano sintomático: encapsulações, elementos estranhos no plano da emancipação.
Tratamento: reconhecer quais os problemas que perduram no tocante à emancipação; e com relação a isso, por quem a pessoa se deixa consumir (fungos, parasi-

tas); vigilância no que diz respeito a coisas estranhas que são levadas à boca.
Cobertura do princípio original: Plutão.

Acúmulo na artéria porta (ver também Cirrose hepática, Varizes no esôfago)
Plano corporal: artéria porta (transporte de sangue, força vital), fígado (vida, avaliação, retroligação).
Plano sintomático: em caso de problemas hepáticos (esclarecer e interpretar o problema que está na base), em particular a → cirrose hepática, chega-se a um acúmulo de energia vital do fígado no corpo: formação de → Varizes no esôfago, → Hemorróidas sanguinolentas, cabeça-de-medusa (vasos dilatados no abdômen) como decorrência da vitalidade acumulada.
Tratamento: tornar-se consciente do acúmulo de energia vital que se instaura sob pressão na região do sentido da vida, dos valores e da medida certa; conduzir a vitalidade em outros domínios, e lá deixar que ela se torne visível: encontrar meios apropriados de expressão.
Remissão: expressar mais na perspectiva anímico-espiritual o âmbito temático do fígado fisicamente sobrecarregado, para aliviar o plano corporal; esclarecer para si o questionamento do sentido da vida.
Cobertura do princípio original: Marte/Júpiter-Plutão.

Adenite (inflamação dos nódulos linfáticos)
Plano corporal: em toda parte onde houver nódulos linfáticos (policiamento) (pescoço, virilhas, etc.).
Plano sintomático: conflito, luta, batalhas defensivas: guerra de âmbito local e limitado.
Tratamento: ocupar-se corajosa e aberta (ofensiva)mente e *tomar de assalto* os temas, em vez de esperar que se forme um acúmulo (nódulos); defender-se e aprender com a explicação vinda do meio ambiente.

Remissão: uma vida vivida de maneira ofensiva e corajosa.
Cobertura do princípio original: Marte.

Adenoma (tumor benigno, assumindo por fim a condição de tecido glandular)
Plano corporal: diferentes tecidos glandulares (comando, informação).
Plano sintomático: inchaço, tumor; eventual excesso de funcionamento por parte dos respectivos tecidos glandulares.
Tratamento: expandir-se no âmbito simbólico de equivalência (por exemplo, no adenoma bronquial: dilatar a comunicação).
Remissão: crescimento anímico-espiritual no plano correspondente das respectivas glândulas exócrinas (de secreção).
Cobertura do princípio original: Júpiter.

Adesões (acrescências e conglutinações)
Plano corporal: todos os órgãos internos no âmbito do abdômen podem ser afetados (sobretudo em períodos pós-operatórios).
Plano sintomático: coisas que originalmente não existem conjugadas passam a crescer juntas e a incomodar dolorosamente.
Tratamento: produzir também ligações raras no âmbito anímico-espiritual e, se necessário, sob dor; aproximar os diferentes caminhos da digestão e da assimilação.
Remissão: ligações raras e novas nos níveis contagiados; âmbitos estranhos e diferentes crescendo conjuntamente; fazer-se um com a sua intuição ("sentir um frio na barriga").
Cobertura do princípio original: Mercúrio-Júpiter.

Adiposidade (obesidade; ver também Obesidade)
Plano corporal: o corpo inteiro pode ser afetado, sobretudo o abdômen (sensação, instinto, gozo, centro), as nádegas (força de resistência, disseminação), coxas (de-

senvolvimento, firmeza), pescoço (incorporação, ligação, comunicação), etc.
Plano sintomático: abundância exterior em vez de preenchimento; diques de proteção exteriores em vez de segurança interior.
Tratamento: expandir-se nas perspectivas contagiadas, alargar o próprio âmbito de influência; adquirir peso (importância) em vez de adquirir peso (físico).
Remissão: preenchimento; ocupar e preencher o devido espaço; ampliação da consciência.
Cobertura do princípio original: Júpiter.

Adnexite (Inflamação no baixo-ventre, inflamação do anexo formado pelo útero, trompas e ovário; ver também Inflamação no ovário)
Plano corporal: região genital feminina (fertilidade, sexualidade).
Plano sintomático: conflito em torno dos temas fertilidade e reprodução; desconhecer o sexo como esporte de competição; superexcitação do tema e da região afetada.
Tratamento: observar *higiene na região genital*; reconhecer o intercurso sexual altamente diverso como expressão de um conflito; conduzir explicações no âmbito da fertilidade e da sexualidade.
Remissão: perseguir com meios ofensivos e corajosos as próprias representações da fertilidade e do dar à luz.
Cobertura do princípio original: Lua-Marte.

Adontia (ausência congênita de dentes)
Plano corporal: boca (recepção, expressão, maioridade). Maxilares superior e inferior (depósito de armas).
Plano sintomático: ausência de mordida e do partir com os dentes; déficit de vitalidade: não poder morder seu quinhão de vida.
Tratamento/remissão: exercício para aprender a impor-se sem agressividade (modelo: Mahatma Gandhi).

Cobertura do princípio original: Saturno-Lua.

Aerofagia (deglutição exagerada de ar)
Plano corporal: estômago (sentimento, capacidade de acolhimento), goela (incorporação, defesa), órgãos responsáveis pela digestão (*bhoga*: comer e digerir o mundo).
Plano sintomático: prontidão e solicitude em se iludir, engolir algo e incorporá-lo; o elemento ar faz-se deglutido, e não mentalmente transplantado: a agressão de um mal-entendido não-resolvido; "engolir em seco": nada ter a dizer, engolindo ordens e tudo o mais sem retrucar; altos títulos, isto é, intelectuais: inflar-se, envaidecer-se (por sentir-se importante?); estar sob pressão, exprimir-se (arrombar); não lograr expressar-se (as crianças geralmente juntam todas as sílabas, mas acabam "engolindo" tudo, sem efetivamente falar).
Tratamento: arejar-se; devorar o elemento ar em forma de pensamentos/fantasias/idéias/livros; digeri-lo, expelindo-o em seguida na forma de idéias práticas e inovadoras; expressar-se concretamente, em vez de produzir bolhas de ar e ar quente; o indivíduo deve procurar reconhecer o ponto em que exageradamente se enfatua; levar o pensamento e a consciência para o âmbito da alma.
Remissão: consciência qualitativa pelo engolir e falar; assimilar pensamentos e sentir conscientemente; tomar a seu cargo o que se necessita no nível ideal.
Cobertura do princípio original: Lua-Mercúrio.

Afasia (distúrbio da fala, por exemplo → Contusão cerebral → Apoplexia, trauma anímico)
Plano corporal: cérebro (comunicação, logística).
Plano sintomático: o centro lingüístico está bloqueado e, do mesmo modo, todos os sentidos e caminhos da comunicação a que se tenha acesso (mesmo os des-

prezados?): a linguagem das emoções e sentimentos recebe uma oportunidade; possivelmente a correção de uma preponderância intelectual.
Tratamento: reconhecer o que é revestido pela linguagem; ouvir em vez de falar; farejar, suspeitar, comunicação sem palavras: aprender a comunicar as coisas que não se deixam comunicar verbalmente; abrir para si novos caminhos de expressão; *input* em vez de *output*.
Remissão: avaliar, escutar para dentro ("o silêncio é de ouro"); ouvir com o coração; vida contemplativa.
Cobertura do princípio original: Mercúrio-Saturno.

Afecções/Dores na articulação coxofemural (ver Artrose)
Plano corporal: quadris, articulação coxofemural (caminhar a passos largos).
Plano sintomático: dores ao avançar e em geral a cada passo: passos largos/avanço são impedidos, o seguir adiante na vida é colocado em questão; grandes passos ou mesmo saltos já não são facilmente realizáveis; situação embotada; sentimento de estar enferrujado.
Tratamento: compreensão da própria imobilidade, das dores que antecedem todo avanço; perceber conscientemente o autodomínio que lhe custa cada passo; sujeitar-se a uma calma forçada; reconhecer que avanço e movimento têm um custo; dar passos interiores em vez de exteriores.
Remissão: viagens interiores: externamente, a calma – e dar passos largos para o interior; aceitar e valorizar a própria idade.
Cobertura do princípio original: Júpiter-Saturno.

Afonia ver Rouquidão

Afta ver Candidíase

Aftas (pequeno abscesso inflamado [vírus], ver também Estomatite)
Plano corporal: boca (recepção, expressão, maioridade), língua (expressão, fala, arma), palato (gosto).
Plano sintomático: conflitos inofensivos, mas muito dolorosos, no âmbito do gosto; o saborear torna-se um procedimento doloroso; compromisso incerto quanto ao caráter puro e salutar das refeições; sobretudo nas crianças: excesso de coisas inassimiláveis na boca.
Tratamento: discussão ofensiva e corajosa sobre temas relacionados ao gosto e à escolha da comida (por exemplo, o que diz respeito ao jejum); questão: "o que é bom para mim?"; ceder aos sintomas, que levam a um quase jejum: encontrar o gozo em outros planos.
Remissão: poder repelir o que não é assimilável; ausência de compromisso no que se refere à qualidade, quantidade e consciência.
Cobertura do princípio original: Marte-Lua.

Agnosia (perda da capacidade de reconhecer impressões das diferentes zonas sensitivas do cérebro)
Plano corporal: cérebro (comunicação, logística).
Plano sintomático: incapacidade de conhecer a si mesmo, por exemplo, no caso do → Mal de Alzheimer, → Contusão cerebral.
Tratamento/remissão: aprender a se entender e a se contentar com as percepções mais simples; realizar a simplicidade nos planos do exagero ("bem-aventurados os pobres [simples] de espírito, porque deles é o reino dos céus").
Cobertura do princípio original: Saturno.

Agorafobia (medo de lugares públicos e de grandes espaços descobertos; ver também Fobias)
Plano sintomático: não ousar pelo mundo grande e vasto, sentir medo da amplidão e da abertura na perspectiva anímico-espiritual.

Tratamento: tornar consciente para si a última fase do nascimento: passos da estreiteza em direção à amplidão (perder-se no mundo); tornar consciente a própria estreiteza (de consciência); acolher a própria qualidade de ser pequeno; aceitar que se é um grão de areia no cosmo; a tarefa de preencher esse grão de areia; concentrar-se no essencial; garantir a estreiteza mesma das quatro paredes; acolher o vazio e a amplidão no seio da própria vida.
Remissão: reconciliação com a obrigatoriedade da estreiteza, encontrar a certeza nos domínios mais estreitos; admitir e suportar que "se está só no meio de um vasto campo"; no pólo oposto: tornar-se internamente mais abrangente, ocupar espaço; encontrar o próprio lugar (no mundo), a própria terra natal; alvo distante: o conhecimento de que o verdadeiro reino não é deste mundo.
Cobertura do princípio original: Saturno-Júpiter.

Agranulocitose (queda na taxa total de leucócitos)

Plano corporal: sistema imunológico (defesa).
Plano sintomático: incapacidade mortal de defender-se contra ataques externos (carência de força defensiva contra bactérias devido à baixa de glóbulos brancos).
Tratamento: exercitar o deixar entrar, no sentido figurado, em vez de recusar-se corporalmente com toda a resistência.
Remissão: disposição acolhedora do espírito; abertura, ausência de limites dentro dos limites do próprio (caminho do) destino; equilíbrio entre limitação e abertura.
Cobertura do princípio original: Saturno-Marte.

Aids

Plano corporal: sistema imunológico (defesa).
Plano sintomático: abertura corporal em vez de anímico-espiritual, o que não é compatível com a vida a longo prazo; ausência de segurança e proteção do corpo no sentido do contágio; incapacidade crescente de defender-se imunologicamente, devido à elevada disposição defensiva da alma; sentimento de culpa sexual; amor reprimido; ameaça à força do instinto; leva-se o pólo arquetípico masculino ao desespero à medida que a atenção ao feminino é reforçada; põe-se o princípio masculino de joelhos e busca-se amá-lo; apelo à simpatia de outrem; acentuação exacerbada do exterior/material em detrimento do interior, do sentimento e da consciência (sexo em vez de amor); ligação de todos os contrários: aprende-se, assim, no nível do corpo, o que a união e o amor podem ser no nível da alma; expressão da deusa negra reprimida (Hécate/Kali) e sua terrível cólera; símbolo da dependência e do entrelaçamento coletivo.
Tratamento: lutar por uma abertura anímico-espiritual para poder garantir, no nível do corpo, limites (importantes para a vida); aprender a dar-se de alma e a defender-se corporalmente: aprender a proteger o plano corporal (camisinha); aprender a considerar conjuntamente conteúdo e forma (amor e sexualidade); tomar distância da violência e da força física (Marte) e ressaltar a ternura (Vênus), que não fere jamais; aprender a acentuar o pólo feminino em face do pólo masculino; abertura da alma por meio de conversas sem reservas; exercícios de confiança: aprender a deixar-se cair; do domínio de si mesmo para o domínio dos instintos.
Remissão: admitir realmente um outro alguém na sua vida; ligações nas relações, assumir/agüentar as conseqüências; lançar-se à vida como um todo, incluindo seus lados obscuros (também nas relações); união, tornar-se um com todos no plano anímico-espiritual.
Cobertura do princípio original: Plutão-Netuno (Marte-Vênus-Saturno).

Albinismo (carência geral de pigmentação)

Plano corporal: pele (delimitação, contato, carinho) e seus compostos suplementares: olhos (vista, discernimento, espelho da alma).
Plano sintomático: completa ausência de cor no âmbito da fronteira (pele): vida sem cor; completa ausência de cor do símbolo da liberdade e da potência, que são antenas (cabelos); janelas cintilantemente vermelhas da alma (olhos): advertência; o branco como cor da unidade no plano corporal em vez de se fazer valer dessa forma no plano da consciência: não estar preparado para a vida na polaridade; atolar-se na inocência da paradisíaca situação embrionária; a vitalidade parece perigosa (fuga do sol por causa do perigo de se queimar).
Tratamento: limitação ao contraste essencial em seu efeito exterior; vivenciar a riqueza de contrastes do "seja quente ou seja frio".
Remissão: fazer justiça ao branco no plano da consciência, a cor da unidade que tudo contém; claridade interna, alvo distante no pólo oposto: abrir-se para a vida com suas cores e tons intermediários.
Cobertura do princípio original: Saturno-Lua.

Albuminúria (secreção da albumina na urina devido a problemas nos rins ou a esforço excessivo)
Plano corporal: rins (equilíbrio, parceria).
Plano sintomático: a pedra de construção da vida perdida pela filtragem dos rins; os rins responsáveis pelo equilíbrio deixam passar: eliminar no plano corporal e não no plano sintomático.
Tratamento: liberar temas importantes no âmbito da parceria; largar, aprender a perdoar, mas também reconhecer em que ponto algo importante para a vida pode "passar por entre as pernas".
Remissão: deixar acontecer, deixar passar também coisas importantes para a vida; alvo distante, do pólo oposto: equilíbrio entre o eliminar e o conservar.
Cobertura do princípio original: Vênus.

Alcalose (elevação do pH do sangue, pólo oposto da → Acidez [acúmulo de ácido])
Plano corporal: inicialmente se sobrepor ao tecido (apoio), depois ao sangue (força vital).
Plano sintomático: excesso de elemento básico "feminino" no corpo, enquanto a alma carece do mesmo elemento.
Tratamento: no nível do contágio, garantir maior presença do feminino; abrir-se consciente e amigavelmente (em vez de reagir de maneira "ácida").
Remissão: fazer jus a seu pólo feminino; dar espaço ao feminino no mundo; alvo distante: encontrar e assegurar o equilíbrio entre os pólos masculino e feminino (Yin e Yang).
Cobertura do princípio original: Lua-Vênus (pólo oposto à acidez de Marte).

Alcoolismo (ver também Vícios, Cirrose hepática, Pancreatite)
Plano corporal: quase todos os domínios são afetados, sobretudo o fígado (vida, valoração, retroligação), estômago (sentimento, capacidade de absorção) e sistema nervoso (serviço noticioso).
Plano sintomático: busca-se fazer o mundo duro parecer suave, isto é, sentir-se suave e redondo; empurrar (lavar) para baixo com o álcool, o que de outro modo seria difícil de digerir; engolir tudo; engolir o que vier ("engolir em seco", "ter de engolir" [alguém/alguma coisa desagradável]); a completa embriaguez em vez do êxtase; saudades da proximidade das pessoas e de estar livre de conflitos, curado, de estar a confraternização do mundo a caminho de um arrefecimento de conflitos; regressão: pessoas que gaguejam e tropeçam retornam literal e motoramente ao plano da infância e novamente dependem da garrafa; o álcool como droga de fuga (proteger-se): encobrir a dor do fracasso; expressão de incerteza e fraqueza, apatia, sentimentos absurdos: o mamar na garrafa confere-lhe o sentimento de proteção

vivido pelo "lactente"; a longo prazo, conduz à impotência.
Tratamento: familiarizar-se com a própria brandura e buscar o oásis da brandura (do pólo feminino) em meio à dureza do mundo; atentar para a proteção nos domínios espiritual e social; fazer da vida algo redondo, cuja maleabilidade dos lados seja reconhecida; exercícios de regressão em água de morna para quente, exercícios de ventre materno; aprender a mamar em sentido figurado, conseguir ser tolerante com respeito a suas próprias frustrações: sexualidade estática, a ela correspondendo o dançar, o fazer música, tipos de esportes como o *wind surf* ou a corrida na neve, em profundidade; reconciliar-se com a própria infantilidade; ritual do ficar adulto; retorno ao essencial; ritual da procura: busca da visão; espiritualidade em vez da espirituosidade ("meditar em vez de mamar"); fazer uma visita aos Alcoólicos Anônimos.
Remissão: acolher e aceitar o que lhe acontece; busca de sentido, unidade, sanidade; realizar o mundo são interiormente, fazer-se um com todos (verdadeira confraternização); no pólo oposto: dominar o mundo em vez de fugir dele.
Cobertura do princípio original: Netuno.

Alergia (ver também Deficiência imunológica, Inflamação)
Plano corporal: pele (delimitação, contato, carinho), pulmões (contato, comunicação, liberdade), sistema digestivo (*bhoga*: comer e digerir o mundo).
Plano sintomático: conflito entre a mais alta agressão e a mais alta sensibilidade; guerra no plano corporal; reação excessiva, armar-se fortemente, defesa, marcação exagerada sobre a imagem que se tem do inimigo: investir até mesmo contra amigos (por exemplo, meios de vida) em vez de se ater aos inimigos (como as bactérias); forte agressividade inconsciente, agressão não-reconhecida nem vivenciada; luta contra o que provoca medo, medo da vivacidade/vitalidade: medo de rupturas vitais (até mesmo a da primavera, com seus germes e botões pontudos, com suas árvores em erupção e toda a sua vicejante verdura); jogo de forças: excede-se o evitar dos alergênios, tiranizando-se o meio ambiente e vivenciando-se agressões; a partir daí, os resultantes sentimentos de culpa conduzem a uma subseqüente troca de agressões.
Alergênios: símbolo do vital e do sujo, ressaltando particularmente o sexo como algo inferior e impuro; assim, não é necessário que a pessoa tenha consciência da referência simbólica, basta que ela seja conhecida pelo inconsciente coletivo (por exemplo, a criança não sabe que a penicilina é produzida com o fungo *Penicillium*):
1. Pêlos de animais em geral: medo do amor no que diz respeito ao animal e sexual; especialmente: pêlos de gato, capacidade de ficar sujo, gato sujo, de suavidade recostadeira, "gato falso"; pêlos de cachorro, agressão, o agressivo e "latido" caráter vigilante e policialesco do cachorro, seu dom de morder (a mordida amorosa, "querer comer alguém" [sentido chulo]); pêlos de cavalo, instintividade (o *caubói*, que com a força de suas pernas domina o mundo).
2. Pólen de flores, sementes de capim (semente masculina das plantas): medo da fertilidade, amor, sexualidade, instintividade.
3. Pó doméstico (excrementos de ácaros presentes no pó): medo do sujo, não-asseado, impuro.
4. Alimentos e estimulantes (meio de vida, vitalidade) em geral: o sujo, poluído, perigoso na alimentação; especialmente: frutos (resultantes da união sexual entre homem e mulher); a fruta encantadora e proibida do outro lado da cerca: "fruto proibido"/"comer dessa fruta até o caroço"; o morango: a fruta cheia, vermelha e tentadora, "sou louco pela tua boca de morango" (François Villon); pêssego: a atraente, erótica pele de pêssego; cereja: as "cerejeiras do quintal do vizinho", onde sem-

pre há um par que deixa a assinatura secreta no tronco da árvore; banana: fruta fálica, que libera, quando em forma de *Müsli* ou como papinha para bebê, uma substância pegajosa e lamacenta (viscosidade); cereais: como mingau/pasta viscosa de cereais: o escorregadio, viscoso e doce; glúten (a goma do cereal): o elemento que unta, elemento-papa e de ligação; leite: materno-feminino; álcool: a embriaguez estática, perda do controle, o fazer saltar as forças obscuras, desinibição.

5. Medicamentos: como agentes causadores têm atuado ao modo de boatos: em número crescente e perigosos, poluidores e nocivos (e desde então têm sido tão freqüentes quanto os alergênios); sobretudo a penicilina (o *fungo* penicilo *Aspergillus penicillium*): sujeira.

6. Cores, solventes: desde que foram descobertos como perigosamente intoxicantes e em número sempre crescente, apresentam-se cada vez mais como alergênios.

Tratamento: exercícios de agressão (meditação dinâmica, exercícios de confrontação, trabalho de corpo — energia em vez de alergia!) e instrução da sensibilidade (aprender a diferenciar amigos de inimigos); para o corpo, novamente desmantelar a prática da agressão e o agir com agressividade; arriscar a vida, aceitar desafios conscientemente; agir com ofensividade; estar pronto para reagir; aprender a desfrutar o erotismo; insensibilização do plano psíquico mediante discussões conscientes entre os domínios evitados e depreciados; deixar e assimilar na consciência os domínios evitados, por exemplo, como no caso da alergia ao pó doméstico; reconciliação com as piadas *sujas*, lavar com consciência uma roupa *imunda*, para desinfetá-la; psicoterapia no sentido do trabalho das sombras.

Remissão: "amar os inimigos"; reconhecer que o inimigo também tem uma individualidade; admitir de novo e conscientemente os símbolos classificados como inimigos, aceitando-os em sua inteira significação; reconhecer que na verdade eles são amigos; viver corajosamente, tomar a vida *de assalto*, a ferro e fogo (Marte); confrontar-se com a vida; aceitar desafios de maneira grata e valente e deixar-se promover por eles.

Cobertura do princípio original: Marte-Plutão (repressão da agressividade), Marte-Netuno (fuga da agressividade).

Alexia (perda da capacidade de ler)
Plano sintomático: recusar para si a vastidão do mundo intelectual.
Tratamento: em vez de soletrar com clareza, aprender a compreender diretamente a língua de Deus, que é *distintamente* compreensível em toda a criação; em vez de se ocupar com abstrações, fazê-lo com o concreto.
Tratamento: ler a criação divina como quem lê um livro.
Cobertura do princípio original: Mercúrio-Saturno.

Alopecia ver Queda de cabelo

Alta porcentagem de colesterina ver Hipercolesterinemia

Alterações climatéricas (fardos advindos de mudanças; ver também Calorões, Barba feminina, Mioma, Depressão involutiva)
Plano corporal: órgãos sexuais (sexualidade, polaridade, reprodução), glândulas/hormônios (condução, informação).
Plano sintomático: (sintomas de) balanço pela metade da vida: os sintomas mostram os temas que se mantêm abertos, o organismo continua a trabalhá-los: feminilidade não-vivenciada, medos de se descuidar, ambiente de pânico, necessidade de recuperar; 1. ebulições, calorões passageiros: o não-vivenciado faz "ferver" e amedronta; 2. transpiração: a mulher em chamas; 3. mucosa seca e quente: arder de calor; 4. corar: ao modo de acesso → Rubor; 5. irritabilidade: desafiar-se, deixar-

se apanhar por certos estímulos; 6. ser belicoso: perceber a intranqüilidade interior antes da partida/erupção; 7. insônia: perder o sono de tanta expectativa e aflição; 8. sensação de medo: sensação de estreiteza ante o novo, ante a ruptura nas novas terras; os quatro primeiros sintomas são relativos ao orgasmo, mas já se mostram incômodos no ato de fazer compras, em que só aparecem em segundo plano ou pelo medo de largar essa fase; os quatro sintomas seguintes podem também ser encontrados no comportamento *teen*; hemorragias freqüentes como ilusões de fertilidade: tumor/mioma como desejo inconsciente de gravidez; depressões até o risco de suicídio.

Tratamento: ainda uma vez, dar-se conscientemente ares de mulher em chamas e deixar viver (reviver) com tendência a se esgotar, mas também a se isolar; fazer-se ainda uma vez jovem mulher antes que essa fase seja realmente abandonada; entusiasmar-se e inflamar-se no sentido figurado: ser fogo e chama para temas acumulados; realizar a fertilidade nos outros planos; ter filhos no sentido figurado; ocupar-se com o alvo do caminho, com a redenção e com a morte: ler livros dos mortos; meditar sobre o onde e o para onde do caminho.

Remissão: em vez de calorões, encontrar calor no coração e em outros temas quentes, que agora têm primazia; preparar-se para as novas tarefas do regresso da alma: por meio do recomeço da fase de se tornar mulher, por meio de sua ausência como mãe e pelo dar-se definitivo como avó (espiritual); converter o papel de mulher e mãe no de avó e mulher sábia, pagar as contas em aberto (em sentido figurado: "que culpa trago da primeira metade da minha vida?") e dedicar-se aos novos e grandes temas do regresso.

Cobertura do princípio original: Vênus/Lua (feminilidade)-Urano (mudança)/Saturno (maturidade).

Alucinações (ilusões dos sentidos, percepções sem contrapartida exterior)

Plano sintomático: percepções que os outros não compartilham (não podem compartilhar): ópticas: ver imagens; acústicas: ouvir vozes; olfativa: sentir cheiros; tácteis: sentir toques; alucinações gustativas.

Tratamento: tomar todas as percepções por verdadeiras e importantes, sobretudo as observadas interiormente: quem ouve sua voz interior no tempo certo e dá crédito a suas imagens interiores não precisa de psiquiatra; ocupar-se de suas percepções interiores; reconhecer a função, de (suma) importância para a vida, das imagens e vozes interiores (se a alguém lhe fossem reprimidos os sonhos durante o período de sono por cerca de uma semana, ele então desenvolveria todas as alucinações); tornar-se consciente de que toda imaginação repousa nas imagens internamente armazenadas (a imaginação musical baseia-se na sucessão interna de sons armazenados); aprender a decidir quanto ao sentido das informações interiores, antes que a pressão por trás delas se torne forte demais; em boa hora, tomar a realidade anímica por verdadeira; tomar (aceitar) a realidade interna como verdade; aprender a imaginar conscientemente: por exemplo, no budismo tibetano e em diferentes ordens da magia, a visão de imagens interiores com os olhos abertos é um dos objetivos da fase de formação.

Remissão: conhecimento de que todas as percepções nascem sempre no interior; prestar atenção (cuidados) ao tempo certo para suas próprias percepções interiores.

Cobertura do princípio original: Netuno.

Amenorréia (menstruação ausente, não assentada; ver também Distúrbios da menstruação)

Plano corporal: ovários (fertilidade), útero (fertilidade, proteção).

Plano sintomático: recusa de ser mulher (por exemplo, no caso da → Anorexia):

regressão ao período de pré-sexualidade, onde tudo é menos polar e, por isso, menos sexual/ruim; estar vivendo fora do ritmo de sua própria determinação (sexual); guardar para si a seiva da vida (por exemplo, no estado de necessidade de nutrição); relacionar-se consigo mesma, abertura para o estranho, introduzir impulso (fecundado); carência de espírito de entrega e abnegação; estar em falta com a purificação e regeneração mensal; amenorréia secundária como decorrência do uso da pílula anticoncepcional, *stress*, tristeza, desnutrição e manancial de sensações.
Tratamento: voltar conscientemente para as fases que precedem o ser mulher (infância, juventude); exercícios e rituais para se livrar das tarefas das fases anteriores: confiança original no tempo intra-uterino, infantilidade na infância, aprendizado no ensino básico, jogar jogos da puberdade, exercícios de êxtase (sexualidade, música, esporte, danças).
Remissão: resgatar o ser criança para poder desligar-se disso; preparação para a primeira menstruação e para o ser mulher, com os devidos rituais (coletivos) de transformação.
Cobertura do princípio original: Lua-Urano.

Amigdalite (Angina tonsilar; ver também Dores no pescoço)
Plano corporal: pescoço (incorporação, ligação, comunicação), anel de Waldeyer.
Plano sintomático: luta agressiva pelo acesso ao mundo do corpo: agentes provocadores incitam as tropas de defesa junto às portas do corpo; estreiteza, medo: fechar-se, interditar-se; não querer/poder mais engolir tudo; busca de se fechar a todas as influências externas.
Tratamento: expressar agressividade, aprender a defender sua pele; desafiar-se pelo novo e deixar-se provocar por ele; aprender a delimitar-se de maneira aberta (ofensiva), a fechar-se e a interditar-se, se for o suficiente.
Remissão: dizer "não" ofensiva e corajosamente.

Cobertura do princípio original: Vênus (pescoço)-Marte (luta)-Saturno (estreiteza).

Amnésia (perda da memória)
Plano corporal: cérebro (comunicação, logística).
Plano sintomático: não querer lembrar-se de mais nada, não reter para si nenhuma imagem mais.
Tratamento: exercícios de soltura, aprender a confiar, pular consciente e como que ritualmente de cabeça na água; deixar-se cair para trás com braços prontos para amortecer a queda; numa roda de amigos com braços a postos, deixar-se cair cegamente; distinguir o âmbito da vida em que se forma um novo começo.
Remissão: libertação do passado, abandonar o antigo, chegar ao momento do aqui e agora; identidade verdadeira.
Cobertura do princípio original: Netuno.

Anafilaxia ver Alergia, Colapso

Anemia (ver também Anemia por carência de ferro, também chamada clorose)
Plano corporal: sangue (força vital).
Plano sintomático: escassez de glóbulos sangüíneos ou vermelhos: pouca cor e intensidade na vida; falta de vitalidade, perda de energia (vital), cansaço, sentimento de fraqueza; nenhuma alegria na vida; recusa em participar efetivamente do recebimento de energia vital e em convertê-la em atividade; interesse reduzido pela vida; doença como álibi para a própria passividade; incapacidade (da alma) de se abrir para a energia vital, indolência física; para uma vida pálida, uma aparência exterior também pálida; palidez diante do susto ou por esgotamento: o periódico sacrifício de sangue, contínua e mensalmente repetido, não pode ser compensado; hemoglobinemia (descoloração do sangue): a cor se retira da vida.
Tratamento: com consciência, deixar a vida principiar calmamente; descer serenamente para o centro (meio); aprender a modéstia autêntica; renúncia consciente à agitação da vida exterior à base de exercícios no silêncio: encontrar a força dentro e fora da fraqueza.

Remissão: encontrar o pólo da calma no próprio centro (meio); dar-se por satisfeito com o essencial; abrir-se para a vida.
Cobertura do princípio original: Marte-Saturno-Lua.

Anemia perniciosa
Plano corporal: a carência de vitamina B12 devido a problemas na mucosa estomacal conduz a distúrbios de maturação dos glóbulos vermelhos do sangue, transportadores da força vital; fraquezas de realização: não mais poder e querer; tonturas (→ Distúrbios do equilíbrio) e → Impotência: iludir-se quanto a alguma coisa e fugir da responsabilidade; perturbações no caminhar: não poder seguir adiante; → Icterícia: acúmulo na decomposição do sangue; → Queimação da língua, atrofia da musculatura da língua: apesar dos desejos ardentes ("tem alguma coisa me queimando a língua"), não ter mais nada a dizer.
Tratamento (após dose de vitamina B12): voltar-se para os âmbitos da realização e do poder; tornar-se confiável e renunciar à responsabilidade, reduzir funções; refrear-se externamente em favor de um desenvolvimento interior; externar o que lhe queima a língua enquanto for possível.
Remissão: em vez de estrangular a corrente da vida, voltar-se mais para suas atividades.
Cobertura do princípio original: Marte-Saturno/Netuno.

Anemia por carência de ferro
(ver também Anemia)
Plano corporal: a vermelhidão do sangue (cor da força vital).
Plano sintomático: cansaço, apatia, moleza e um déficit geral de energia; falta-lhe a força energética do ferro: a força "vermelha" do ataque e do novo começo não entra em ação.
Tratamento: continuar seu caminho sem organizar a energia masculina, tornar-se independente dela; de um modo delicado, calmo e sereno, refazer sem impulsos palpitantes, espetaculares e novos — fazer o que precisa ser feito; abrir-se com o próprio ritmo e entregar-se a ele; aceitação da responsabilidade para com a corrente vital individual; quanto ao consumo de energia, escolher conscientemente um modo de vida econômico e modesto.
Remissão: dominar sua vida em tranqüila serenidade (no budismo: manter a roda em curso, não por entusiasmo, mas pela necessidade de fazê-la virar); seguir os caminhos pretendidos de um modo próprio, inconfundível e contínuo; entrega.
Cobertura do princípio original: Marte-Netuno.

Aneurisma (dilatação das paredes das artérias ou do coração)
Plano corporal: paredes das artérias (artérias: vias de energia).
Plano sintomático: manifesta-se freqüentemente como lesões de parede (infarto) ou acúmulo nos vasos cardíacos; as paredes atrofiadas (necrose pós-infarto) permanecem pontos vulneráveis em potencial, e seu rompimento provoca evasão de sangue pelo pericárdio, fazendo com que o coração seja estrangulado de fora para dentro (tamponamento do coração): inchaço na região central do campo em que se registra a deficiência; o estreitamento e a dilatação da parede conduzem ao ponto vulnerável; dilatações saciformes das artérias devido a alterações da estrutura da parede podem conduzir ao rompimento: *rompendo-se o coração* (a parede do coração ou da aorta), sobrevém morte imediata.
Tratamento: alargar e ampliar os caminhos da própria energia vital no sentido figurado; conduzir a energia vital por novos caminhos; deixar a força vital fluir para fora; tomar consciência dos pontos fracos no próprio sistema energético; deixar penetrar na consciência a ameaça à vida, que em princípio é permanente; ficar consciente dos assuntos do coração que sejam estimulantes e sufocantes.
Remissão: em sentido figurado, alargar o coração e fazer com que se expanda

para além das fronteiras; em seu devido tempo, ceder à pressão do coração.
Cobertura do princípio original: Saturno-Netuno.

Angina do peito (estreitamento do vaso coronário/esclerose coronária)
Plano corporal: coração (sede do amor, da alma, do sentimento, centro energético), vasos sangüíneos (meio de transporte da força vital).
Plano sintomático: primeiro grau do → Infarto do miocárdio: passa a nutrir (com energia e oxigênio) o coração de maneira precária, estrangulando-o mediante contração ou "concretamento" dos controles de abastecimento de energia; mesquinhez (estreiteza de coração); estreiteza, medo: angina; coração obstinado, petrificado, pedra no peito; sacrifício da força do eu e desejo de poder; sentimento de aniquilamento; situação angustiante; grito por socorro do lado esquerdo/feminino; convulsão e luta no que tange aos assuntos relacionados ao coração; coração de pedra/de gelo, de pessoa insensível, desalmada, cruel.
Tratamento: conceder-se tranqüilidade; colocar a vida no coração; dar atenção à voz do coração: ouvir o coração e obedecer a sua voz; reconhecer sentimentos de medo e ódio, conhecer a própria estreiteza no ponto central e aceitá-la como fato; *chorar copiosamente*; não (mais) ter o coração de pedra; concentrar-se no cerne de si mesmo e no essencial da vida; obedecer às orientações mais ternas da vida; meditações com a mandala, Tai-Chi.
Remissão: concentração no coração, movê-lo para o centro da vida; gravitar em torno do centro, dançar em torno do centro; objetivo final no pólo oposto: conseguir novamente um lugar para o coração; abrir-se e encontrar espaço para as outras pessoas e suas necessidades: "ama o teu próximo como a ti mesmo", e depois disso o coração poderá nutrir-se novamente por si mesmo; abertura para manifestações afetuosas e corajosas.
Cobertura do princípio original: Sol-Saturno.

Angina tonsilar ver Amigdalite

Anorexia nervosa (ver também Bulimia, Vícios)
Plano corporal: todo o corpo, sobretudo em suas formações femininas; estômago (sensação, capacidade de absorção); afeta quase exclusivamente meninas.
Plano sintomático: recusa da passagem de menina para mulher; conflito entre espírito e matéria, pureza e instinto, avidez e ascese, fome e abstenção, egocentrismo e entrega; medo de experiências orgásticas (de unidade) com uma concomitante ânsia pela unidade; a avidez insatisfeita combate a ânsia pela ascese; medo da vivacidade concomitante ao apetite irresistível pelo vivo; objetivo: pureza e espiritualização, castidade e ausência de sexo, desmaterialização; ideal ascético: não se permitir nada que seja desfrutável (amor, comida); não à corporalidade: *rarefazer*-se; fuga da polaridade impura e suscetível com a feminilidade inoportuna; medo do amor sensual, resistência à sexualidade, à feminilidade, à maternidade; nojo da feminilidade e do acolher e fazer entrar que lhe é próprio; ânsia de se dar; exercício de força; rebelião inconsciente contra a imagem feminina predominantemente em vigor.
Tratamento: aceitar-se como mulher: ritual da puberdade; exercícios de reconciliação com a polaridade ("seja ou quente ou frio; o morno eu vomitarei"): tomar e experimentar, dar e presentear com dedicação; tornar-se sincera para consigo mesma e para com sua sombra; deixar a pureza sem corpo da torre de marfim; reconhecimento do princípio feminino, materno; conhecer e aprender a apreciar os temas venusianos; aprender a desfrutar a plena sensualidade; exercícios de purificação do render-se, como o jejum, o transpirar, a eliminação (o vômito como remédio das antigas artes curativas); exercícios/ exercícios espirituais severos e conseqüentes voltados contra si mesma: a título de experiência, estadia num claustro, para

vivenciar o ideal ascético; transformar a fuga da polaridade em busca, no caminho do desenvolvimento para uma superação da unidade; aspirar, de maneira conseqüente, à vivência da unidade e de experiências de situações limites (*peak experiences*); exercícios de realização do centro entre dois pólos: Tai-Chi, desenho da mandala e meditação; psicoterapia, para se reconciliar com as próprias formas arredondadas e com a fertilidade.

Remissão: reconciliação com o ser mulher: tornar-se mulher, quando se descobre em si a força do feminino e uma perspectiva (por exemplo, uma perspectiva em que ela *concebe* um filho, a quem ela por sua vez *presenteia* com a vida); dominar a passagem (ritual) para a puberdade; deixar para trás a infância e a juventude; amor (amar) com seu dar e receber plenamente desfrutado, ao mesmo tempo anímico e corporal; êxtase (por exemplo, sexual) como antegosto para apreciar a unidade; reconciliação com a unidade como soma das formas aparentes que a tudo abarca, encerrando também o domínio das sombras.

Cobertura do princípio original: Lua-Saturno/Urano/Netuno.

Anquilose (endurecimento das articulações)

Plano corporal: àrticulações (mobilidade, articulação).

Plano sintomático: endurecimento das articulações devido ao encolhimento da cápsula (contração capsular, tendinite, inflamações; supressão da mobilidade e da capacidade de articulação dessa região; limitação da mobilidade em geral).

Tratamento: ficar mais austero, rigoroso e essencial com as articulações; orientar as aparências para as regiões correspondentes (o tema de acordo com a articulação).

Remissão: substituir o plano da articulação corporal pelo plano anímico-espiritual; limitar os movimentos ao essencial e assim executá-los.

Cobertura do princípio original: Saturno-Mercúrio.

Ânus artificial (saída intestinal artificial; ver também Câncer do reto)

Plano corporal: reto (submundo), ânus (entrada e saída para o submundo).

Plano sintomático: problemas ao evacuar; o local da entrega é transferido da parte traseira para a frente, no centro; desejo secreto de ter relações com o inconsciente, ou seja, de dominá-lo; o apartado torna-se visível.

Tratamento: reconhecer onde, em sentido figurado, a pessoa deixa coisas feias saírem por lugares inadequados; terapia das sombras: contemplar na (própria) vida as coisas que de forma alguma pretende deixar aparecer à luz do dia; ocupação com os antigos sobreviventes (excrementos) do plano da consciência; conscientemente trabalhar e eliminar as separações do reino das sombras (diante da luz).

Remissão: integração das sombras e reconciliação com o Eu como objetivo da realização de si mesmo (eu + sombras = eu mesmo).

Cobertura do princípio original: Plutão-Urano.

Apatia

Plano sintomático: carência de disposição para a luta e para colaborar com a vida; deixar a vida passar; recusa em tomar parte da vida e em deixar-se afetar por ela (no grego: *a-pathos*: o não sofrer); abandono da vida, sentimento de ausência de sentido; querer fazer tudo certo sem envolver-se interiormente; completa falta de paixão.

Tratamento: consciente voltar-se para si; demarcar-se conscientemente perante sentimentos que subjugam; exercícios de simplicidade e vigilância, de renúncia: por exemplo, zen; retorno à solidão: encontrar força na calma e pela calma; em vez de evitar o sofrimento, exercer domínio sobre o apego: sábia limitação ao essencial (Buda: "todo sofrimento resulta do apego").

Remissão: ascese como arte da vida, auto-suficiência, estar só como quem está pleno na unidade.
Cobertura do princípio original: Saturno.

Apendicite (inflamação do apêndice)
Plano corporal: apêndice ileocecal do ceco no intestino grosso (beco sem saída do beco sem saída no inconsciente).
Plano sintomático: guerra, conflito no submundo (no beco sem saída do beco sem saída); geralmente, a primeira confrontação importante da criança com as sombras: conflito da região fronteiriça entre "a infância inocente" e "o perigoso mundo dos adultos"; incapacidade de digerir o cerne duro das coisas; irrupção do reino das sombras no mundo cotidiano: irrupção das agressões obscuramente oprimidas.
Tratamento: reconhecer os becos sem saída nos quais não se quer parar de lutar; discussão ofensiva com as sombras (com "o lado negro"); de modo voluntarioso, enviar o reprimido e o oprimido novamente para a luz da consciência; possibilitar os caminhos da criança em direção ao "perigoso mundo dos adultos" (rituais da puberdade).
Remissão: reconhecimento do obscuro parceiro interior, do pólo oposto; reconciliação com a irmã obscura, com o irmão obscuro.
Cobertura do princípio original: Plutão-Marte.

Aplasia (imperfeição ou incompletude inata de órgão ou parte do corpo, por exemplo, em decorrência do sonífero Contergan)
Plano corporal: qualquer parte do organismo pode ser afetada.
Plano sintomático: imperfeição dos temas representados pelo órgão.
Tratamento: realizar exercícios sem abordar suficientemente o tema correspondente e com isso reconhecer sua importância; compensação na consciência.
Remissão: libertar a temática (do corpo incompleto) no plano anímico-espiritual.

Cobertura do princípio original: de acordo com o órgão deficiente.

Apnéia (suspensão da respiração)
Plano corporal: pulmões (contato, comunicação, liberdade), centro da respiração no cérebro (comunicação, logística).
Plano sintomático: desprendimento do mundo polar do inspirar e expirar; despedida da polaridade (no momento da experiência transcendente a respiração permanece igualmente suspensa, como sinal de contato com a unidade).
Tratamento/Remissão: (a serem realizados pelo companheiro, uma vez que a vítima sabe que isso não lhe é mais possível): reanimação no sentido de buscar a polaridade por meio de respiração artificial e massagem no coração a partir do exterior ou, dependendo da situação, acompanhamento de morte.
Cobertura do princípio original: Saturno-Mercúrio.

Apoplexia
Plano corporal: cérebro (comunicação, logística), vasos sangüíneos (vias de transporte da força vital), nervos (serviço noticioso).
Plano sintomático: esclarecer e interpretar a situação de base, habitualmente a pressão alta; é-se tomado por um ataque no centro, que com sua força dá cabo da vida a que se estava habituado (tal como ser atingido e morto por um raio); acometido por um ataque de força superior; uma trombose entope um vaso central do cérebro e conduz a um acúmulo no lado do corpo afetado e a quedas eventuais no lado contrário; perder a metade feminina (esquerda) em função da masculina (direita); tendência a voltar as costas ao lado bloqueado, tal como há muito já se tem feito na perspectiva figurada (pacientes observam sua fornalha [no hemisfério cerebral direito, ou seja, no esquerdo], que se encontra perante o lado do corpo marcado pelo ataque apoplético [cruzamento das vias nervosas]); desligar um lado da vida (do corpo) no plano do governo: blo-

queio no plano mais alto; pela pressão alta: aproveitar todas as lutas com gratidão, para não ter de se apresentar à luta decisiva pela vida.
Tratamento: tornar-se consciente de qual lado (arquetípico) da vida lhe é subtraído e de qual se é dependente; no sentido figurado, reconciliar-se de tal modo com o lado ainda intacto (feminino/masculino) que todas as suas possibilidades possam ser esgotadas; apoiado nas capacidades do pólo remanescente, voltar-se para o lado bloqueado (da vida) e acordá-lo novamente para a vida; tal como uma criança pequena faz seus primeiros movimentos e dá seus primeiros passos, recomeçar a fazer com que esse lado participe da vida; assimilar conscientemente a experiência de que se precisa de ambos os lados para a vida, para que realmente se tome parte dela, de modo que, da mesma forma, só possam tomar parte dela os dois lados anímicos (feminino e masculino) desenvolvidos; as metades perdidas buscam seguir: integrar o lado das sombras, o pólo oposto; adentrar completamente o lado feminino (Yin), isto é, encontrar em sua profundidade o cerne da masculinidade (Yang); adentrar completamente o lado masculino (Yang) leva à descoberta do cerne da feminilidade (Yin), ver o símbolo do Tai-Chi; ocupar-se com o mito dos seres esféricos (Platão: *O Banquete*), que foram separados, e desde então suas partes buscam-se umas às outras: nesse ponto, o ataque de apoplexia torna-se, com a paralisia de meio lado, uma consumação do pecado original e do arquétipo mais profundo, posto no caminho de todas as pessoas.
Remissão: tirar partido do ataque ao vigamento de seu próprio edifício para um começo inteiramente novo, entrar em relação com ambos os lados da vida para se tornar uma pessoa completa.
Cobertura do princípio original: Marte-Urano.

Apraxia (incapacidade de movimento, sem que o paciente esteja paralítico)
Plano corporal: cérebro (comunicação, logística).
Plano sintomático: não mais poder estabelecer relações com o mundo, por exemplo no caso do → Mal de Alzheimer, → Contusão cerebral (querer agarrar algo, sem conseguir *segurá-lo*).
Tratamento: reconhecer a própria incapacidade; virar as costas à vida prática, para possibilitar o entendimento superior; preferir o mundo interior; aprender a se mover no mundo interior.
Remissão: preparação para a mudança da vida exterior para a interior.
Cobertura do princípio original: Saturno-Netuno.

Aquilia (carência de sucos gástricos)
Plano corporal: estômago (sensação, capacidade de absorção).
Plano sintomático: carência de força de decomposição marciana masculina.
Tratamento: renúncia a reações ácidas no âmbito doméstico (lunar); deixar o ácido lá onde é o seu lugar.
Remissão: âmbito do sentimento sem a força decompositória masculina; acolher e assimilar o mundo sem reações ácidas.
Cobertura do princípio original: Marte (ácido)-Lua (estômago)-Saturno (carência).

Arroto ver Eructação ácida

Arteriosclerose (endurecimento das artérias; ver também Angina do peito, Claudicação intermitente, Distúrbios na circulação sangüínea do cérebro)
Plano corporal: artérias (vias de energia), vasos sangüíneos (vias de transporte da força vital).
Plano sintomático: a base mais freqüente do infarto do coração e do cérebro: "a estagnação" parcial ou geral do fluxo vital; com a idade avançada, perda da flexibilidade e da elasticidade; crescente pressão interna; estreitamento da alma; acesso restrito ao pólo feminino.
Tratamento: concentração no essencial segundo a perspectiva energética; classificação da própria energia indo de ácida a

adstringente; ajustar a dissipação de energia; reconhecer e ajustar as lutas entre representantes; atacar o plano decisivo: concentrar-se no ponto central/no essencial; verdadeira eficiência, organização; exemplificação no macrocosmo: a cimentação do fluir do rio a curto prazo traz vantagens, mas a longo prazo é prejudicial.
Remissão: realização de soluções para a economia de energia; ter como lema "o supremo em primeiro lugar" (por exemplo, solucionar conflitos de autoridade no nível mais alto).
Cobertura do princípio original: Saturno.

Artrite ver Reumatismo muscular

Artropatia
Plano corporal: articulações (mobilidade, articulação).
Plano sintomático: endurecer por causa de alguma coisa, exceder a cobertura de alguma coisa, ir longe demais; lesionar alguém/ralhar com alguém, passar-lhe uma descompostura, dar uma pancada para endireitar; torcer-se, exagerar, *não ter pernas (para alguma coisa)*; estar exaltado, crispado ou contorcido.
Tratamento: endireitar-se com um fim determinado, estar de pé para fazer algo; ir além das próprias fronteiras; defender alguém com insistência; dar sua opinião de modo persistente; endireitar as coisas, ajeitar ou posicionar corretamente; fazer exercícios de contração-descontração (treinamento de Jacobson).
Remissão: fazer-se sentir/apresentar-se de maneira correta (para as coisas); conhecer as próprias fronteiras e ultrapassá-las; articular-se em suas respectivas possibilidades.
Cobertura do princípio original: Mercúrio-Júpiter (expandir)/Saturno (enrijecer)/Urano (comprimir)/Plutão (lesionar).

Artrose
Plano corporal: quase todas as articulações (mobilidade, articulação), sobretudo as articulações coxofemural, do joelho, tibiotarsiana e dos dedos:

1. Articulação coxofemural (caminhar a passos largos)
Plano sintomático: relaxamento da capacidade de articulação no âmbito do caminhar a passos largos; o progresso, e sobretudo cada passo, é doloroso; o seguir adiante na vida é posto em questão; grandes passos e saltos já não podem ser dados com facilidade.
Tratamento: confissão da própria imobilidade, da dor que antecede todo movimento; sentir conscientemente o que custa cada passo.
Remissão: proporcionar uma calma exterior e dar grandes passos para o interior; promover viagens internas.
Cobertura do princípio original: Júpiter-Saturno.

2. Articulação do joelho (humildade)
Plano sintomático: relaxamento da capacidade de articulação no plano afetado da flexão de si mesmo; gestos de humildade — como o ficar de joelhos — tornam-se doloridos (profissões insalubres como a do ladrilhador, que passa a vida superficialmente de joelhos, resvalando de um lado para outro e tendo de preparar o piso para as outras pessoas); o progredir na vida em geral só é possível mediante dores; os sintomas chamam a atenção para o tema reincidente da humildade, isto é, o eixo humildade-humilhação.
Tratamento: confissão da própria imobilidade, da dor causada por toda flexão e pelo caminhar a passos largos; tornar consciente o ato de ultrapassar-se que seria o custo de cada genuflexão; exercícios conscientes de humildade no plano anímico-espiritual; aliviar os planos corporais e com isso *descer* aos planos interiores para tomar a própria situação mais seriamente.
Remissão: humildade interior.
Cobertura do princípio original: Saturno.

3. Articulação tibiotarsiana (base para o salto)
Plano sintomático: relaxamento da capacidade de articulação no plano do salto; dificuldades em conseguir o salto; não estar mais para o salto; não poder mais

dar nenhum grande salto, todo salto produz dor; fim do passo elástico; com freqüência, o avançar na vida só se faz possível dolorosamente; as dolorosas articulações tibiotarsianas apontam para a atenção ao reincidente tema do salto.
Tratamento: assumir que não se aterrissou no terreno dos fatos e que não é mais possível se levantar sem dor; condescender consigo próprio; exercícios de aterrissagem; despedida de sonhos com altos vôos.
Remissão: *perpetrar o salto* interiormente em vez de fazê-lo de forma exterior; elasticidade e dinâmica interna, ser interiormente e vivamente saltitante.
Cobertura do princípio original: Urano.
4. Articulações das mãos e dos dedos (agarrar, capacidade de ação)
Plano sintomático: relaxamento da capacidade de articulação no plano do "pôr a mão", apreender e compreender; problemas em pegar a vida de jeito; o manipular causa dor; a capacidade de manuseio é limitada pela dor; o processo dolorido das articulações da mão e dos dedos aponta para a necessidade de uma atenção à temática da soltura, que leva o sintoma a se manifestar.
Tratamento: reconhecer que não lhe é mais possível pôr a mão e também, evidentemente, soltar; exercícios de soltar; despedida consciente de todas as manipulações.
Remissão: desprender-se da vida voltada ao exterior em favor da vida interior; pegar a vida de jeito; serenidade (desprendimento) interior.
Cobertura do princípio original: Mercúrio.

As drogas segundo uma crítica individualizada (deve-se considerar que numa sociedade que deixou de ser uma cultura, e na qual a busca saiu de cena, quase tudo se transforma em droga, como por exemplo o trabalho, as posses, os jogos, o sexo, etc.; → Vícios)

1. Heroína
Plano sintomático: total fuga da discussão com o mundo; sentimento de invencibilidade; perigos: enorme potencial vicioso e resvalar para a criminalidade ao adquiri-la → Aids (por meio de agulha contaminada), desmantelamento do cérebro, que se vai degenerando por obra da ação parasitária (junto às companhias ou aos dependentes).
Tratamento: ousar a verdadeira viagem heróica (heroína, herói); busca razoável de empreender o tornar-se adulto, grande e forte; aprender a recuar das projeções (do fazer da casa dos pais, da sociedade, etc. os responsáveis pela própria miséria).
Remissão: experimentar a unidade (mediante exercícios interiores), em vez de fechar com chave de ouro a sua fuga da polaridade.
Cobertura do princípio original: Netuno-Plutão.
2. Álcool (ver também Alcoolismo)
Plano sintomático: enganar a si mesmo duplamente, já que se trata de uma droga legal; típica droga de fuga (encharcar-se); sentir que o mundo é redondo; efeito como de um desenhista indolente: evitar a rigidez da vida; regressão ao plano infantil: cambalear, gaguejar, segurar-se na garrafa; perigos: → Cirrose hepática, danos aos nervos, → Delírio, decadência social.
Tratamento: buscar outros planos de experiência (que em todos os casos serão trabalhosos) para a necessidade legítima de abandono, suavidade, circularidade, abertura, coragem, felicidade e êxtase.
Remissão: submergir à unidade no mar, em vez de afundar-se no álcool: espiritualidade em vez de espirituosidade.
Cobertura do princípio original: Netuno-Lua.
3. Cocaína
Plano sintomático: fome de sucesso e de amor; o sucesso é confundido com o amor; capacidade de realização enorme e sobrenatural com elevado entusiasmo no pal-

co, na cama e onde quer que a sua energia não baste; a droga atua como um impulso criativo nos círculos artísticos; perigo: colapso nervoso, abuso do corpo e da alma.

Tratamento: em vez de seguir uma carreira depois da outra pelo faro, seguir uma única carreira na vida; intensificar a realização no modo natural: penoso, porém saudável treinamento para se manter em forma; encontrar caminhos, poder chegar a seu potencial de realização pelo próprio esforço; aprender que criatividade também se consegue com trabalho; aprender a visualizar o mal-entendido pelo qual aplauso e sucesso têm algo que ver com o amor.

Remissão: ser capaz de dar cabo sozinho dos impedimentos interiores ao caminho do desenvolvimento de si mesmo; independentemente de sucesso e meios de assistência exteriores, fazer-se um consigo mesmo e com alguém que se ame.

Cobertura do princípio original: Netuno-Sol/Marte.

4. Anfetamina, velocidade e outros estimulantes

Plano sintomático: aumentar a velocidade do sentimento da vida (impressões sempre mais numerosas e mais rapidamente transmutáveis); querer mais de si e do tempo (intensificação artificial da realização); perigo: desmoronamento nervoso, abuso do corpo e da alma.

Tratamento: tornar-se mais, em vez de viver mais rapidamente; vivenciar com maior intensidade, no sentido de adentrar mais profundamente; natural melhoria da realização a partir do próprio esforço.

Remissão: experimentar o ser lá onde a mais alta velocidade e o sossego absoluto são um.

Cobertura do princípio original: Netuno/Urano-Marte.

5. *Ecstasy*, Adam, "discodrogas" (drogas consumidas nos clubes noturnos)

Plano sintomático: abrir o chakra do coração e querer perceber-se como amor (sentimento de chegar ao objetivo); espécie de onanismo anímico; perigo: ruína da corrente sangüínea seguida de morte em decorrência de movimentação intensa associada à hidratação deficiente (em muitos dos clubes em que se toca o *techno*, o *ecstasy* é às vezes mais barato do que uma dose de bebida).

Tratamento: encontrar o caminho natural para a abertura do coração: amor extático; realmente travar relações; vivenciar a comunidade e a solidariedade.

Remissão: experimentar-se no amor por alguém, pelo mundo, fazendo-se um com todos, experiência da unidade.

Cobertura do princípio original: Netuno-Vênus/Sol.

6. Valium e outras drogas (originalmente) vendidas mediante prescrição médica ("*mother's little helper*", soníferos, excitantes)

Plano sintomático: o desligamento pelas drogas da realidade do dia-a-dia (Fluctin), desanuviamento da disposição (Lexotan), intensificação da capacidade de realização (Kaptagon), combate ao medo (Valium); perigo: em parte, um alto potencial vicioso, a pessoa afetada orienta-se e embala-se por uma certeza ilusória, já que é o médico que lhe concede o remédio que alimenta o vício.

Tratamento: aprender a tomar de assalto o tema correspondente, fazendo-o de maneira exigente e pelo próprio esforço.

Remissão: experimentar a alegria a partir dos próprios meios; dominar a vida de modo penoso, a partir da própria força e compromisso; em vez de brigar com as dificuldades e pedir socorro sempre da mesma forma, considerar obstáculos como desafios e tarefas naturais do caminho da vida; buscar em primeiro lugar a mão solícita no final do próprio antebraço, e só então recorrer a outras pessoas e de modo nenhum à química.

Cobertura do princípio original: Netuno-Mercúrio.

7. Produtos derivados da *Canabis* (haxixe, maconha)

Plano sintomático: o sentimento de proteção é como que minado; fuga da dura realidade; elevação da sensibilidade para a música e os sentimentos; intensificação da disposição; felicidade artificial (riso tolo prolongado, etc.); pode (se obstinado) perder a língua; perigo: baixo potencial vicioso, havendo porém um risco de desintegração social, que na maioria das vezes se eleva ilusoriamente; diluição interior: sempre um tornar-se frouxo, desengajado e (no sentido negativo) desinteressado – "ficar passado".
Tratamento: buscar segurança entre as pessoas; desenvolver um ritual comunitário de redenção (o enrolar do baseado assemelha-se incrivelmente à roda para fumar do cachimbo da paz entre os índios, e tem um significado semelhante); intensificar a sensibilidade por meio de uma consciência forte; exercícios de confrontação com a realidade; aumentar a intensidade da vida de modo natural (por exemplo, com um trabalho interessante).
Remissão: experimentar uma segurança autêntica; poder contemplar as maravilhas da vida também *com sobriedade* e comprazer-se nisso.
Cobertura do princípio original: Netuno-Netuno-Lua.
8. Drogas psicodélicas (LSD, mescalina e outras "drogas dos *hippies*")
Plano sintomático: busca por avançar na transcendência; transbordamento para outros planos de consciência (embriaguez de imagens); busca da verdadeira realidade interior; ânsia pela iniciação na realidade última; transbordamentos, ou seja, invasões repentinas e inesperadas no inconsciente indo até experiências (viagens de horror) psicóticas (das sombras); busca de aventuras no sentido de se tornar adulto; perigos: potencial vicioso bastante baixo; praticamente nenhuma dependência física, havendo porém uma provocação de episódios psicóticos, e com isso uma obstrução do acesso às próprias sombras por um caminho honesto e eficaz a longo prazo, e por isso mesmo fatigante.
Tratamento: exercícios de meditação para alcançar resultados com honestidade, isto é, com base no próprio esforço e dedicação; aprender a ser paciente, pois quem tem paciência recebe as experiências ansiadas como presente; psicoterapia para se reconciliar com as sombras, antes que elas sobrevenham em forma de uma viagem de horror; meditações e exercícios interiores para vivenciar as imagens da alma, próprias e ao mesmo tempo arquetípicas, de maneira honesta e bem dosada; para os *hippies* tardios: buscar a iniciação no ser adulto.
Remissão: uma experiência de iniciação.
Cobertura do princípio original: Netuno-Urano-Júpiter.

Asfixia/Pseudo-asfixia
Plano corporal: laringe (expressão, afinação), pescoço (incorporação, ligação, comunicação).
Plano sintomático: inchaço conflituoso da mucosa da laringe por ocasião de uma difteria (asfixia) e de outras inflamações (pseudo-asfixia); muito freqüente nas crianças (de cidades), particularmente expostas à poluição do meio ambiente (e que com isso por certo deixam de satisfazer às necessidades de seu corpo); guerras junto ao (no) pescoço, "querer a cabeça de"/ "estar até o pescoço"; ameaça à própria existência; discussões agressivas no âmbito da voz e do ingerir; não ter "até o pescoço" que lhe baste: recebe-se como que numa escaramuça de guerra aquilo que, devido à localização, é uma ameaça à vida; perigo de asfixia: o pescoço incha, estrangula-se interiormente; não poder mais gritar de rouquidão e inchaço; não poder mais ingerir por causa das dores na região intumescida; descargas agressivas: tosse de asfixia tipicamente rouca; a pessoa fica estreita demais no pescoço, estreita demais para respirar; a ligação entre cabeça e corpo ameaça se partir.

Tratamento (indicações para os pais do paciente): aprender a discutir aberta(ofensiva)mente; conduzir a guerra pela sobrevivência, defender-se; decidir batalhas no âmbito da voz e do ingerir; aprender a expressar e a impor a própria opinião; juntar cabeça e corpo em suas necessidades.
Remissão: trabalhar as agressividades do pescoço e com isso deixá-las sair.
Cobertura do princípio original: Vênus/Marte-Plutão.

Asma bronquial (ver também Alergia)

Plano corporal: pulmões (contato, comunicação, liberdade).
Plano sintomático: 1. exceder-se; querer tomar muito sem dar nada; desarranjo da polaridade entre o tomar e o dar: ameaça de asfixia com o que é tomado (em excesso); querer guardar tudo, separar-se, isolar-se na abundância: "estar até o pescoço com alguém/alguma coisa"; ansiar por amor, sem no entanto poder dar nenhum amor.
2. Os contatos geram repugnância; medo do passo adiante em direção à liberdade e à autonomia; internamente: esqualidez, medo, estreiteza; externamente: pretensão e dominação presunçosas (caixa torácica); defesa do vivo, querer isolar-se/ensimesmar-se em relação ao vivo: fuga para o ideal e formal.
3. Ufanar-se, desejo de "inflar-se"; a agressividade permanece escondida nos pulmões: "arrotar alguma coisa", "bufar de raiva".
4. Exercício de força e sacrifício de si mesmo mediante acidentes *extorsivos* que ameaçam a vida; desequilíbrio entre potência e impotência: "faz-me perder a fala", "falta-me o ar", em caso de confronto com o poder de outrem; ânsia por ar puro, do alto das montanhas; querer estar acima das coisas e das outras pessoas: "primeiro eu"; chorar lágrimas que vêm de dentro.
5. Defesa da zona obscura da vida, na maioria das vezes sobrecarregada; deslocamento da sexualidade para o peito (produção de muco). Concentrar o problema em forma de apontamento: 1. receber e dar; 2. querer ensimesmar-se; 3. Agressividade; 4. pretensão de dominação e pequenez; 5. sexualidade, amor e sujeira.
Tratamento: 1. terapia da respiração: numa respiração integrada, vivenciar e aceitar a compensação entre dar e receber; 2. impiedosas franqueza e honestidade; 3. vivenciar uma agressividade saudável, viver ofensivamente; 4. realizar e aceitar a pequenez na consciência, aprender a impor-se sem exercer força sobre a sintomática; 5. aprender a dar e aceitar o amor, elevar a sexualidade até o nível da consciência, em vez de trazê-la para o peito, deixar adentrar o que é evitado, acolher novamente a própria "imundície e sujeira", ocupar-se dela e integrá-la; terapia com a própria urina.
Remissão: expansão da consciência; ocupar espaço no sentido figurado; elevar-se acima da polaridade, porém reconhecendo ambos os lados da medalha; expirar e inspirar o "morrer para vir a ser"; realizar conscientemente o sonho; ser "todo em um" no sentido da auto-suficiência.
Cobertura do princípio original: Mercúrio (-Urano).

Assadura ver Intertrigem

Astigmatismo (curvatura irregular da córnea)

Plano corporal: olhos (vista, discernimento, espelho da alma).
Plano sintomático: olhar enviesado; visão de mundo distorcida (os raios de luz não se deixam enfeixar num ponto, de modo que não há formação de nenhum foco preciso (em grego: *stigma*, ponto).
Tratamento: perseguir teimosamente o modo de ver enviesado; perceber conscientemente o mundo de um modo *particular*, desenvolver uma visão ampla, abstraindo-a de uma concentração fortemente adensada.
Remissão: considerar o mundo criativamente; visão de mundo individual.

Cobertura do princípio original: Sol/Lua-Urano.

Ataxia (distúrbio na coordenação do fluxo dos movimentos)
Plano corporal: cérebro (comunicação, logística), aparelho locomotor (mobilidade, progresso).
Plano sintomático: padrão de movimento ao modo de solavancos e entrecortado: interrupções no fluxo de movimentos e ações.
Tratamento: proporcionar impulsos saltitantes e por vezes lançados para além do objetivo; aprender a deter-se e a aceitar interrupções.
Remissão: (no pólo oposto): encontrar e seguir o dourado caminho do meio; estar em fluxo: descobrir o fluxo interno e profundo da corrente da existência e corresponder-lhe.
Cobertura do princípio original: Urano.

Atonia (dormência característica dos músculos)
Plano corporal: musculatura (motor, força).
Plano sintomático: renunciar às forças dinâmicas de movimento; perda da capacidade de constituir tensão.
Tratamento: exercícios de descontração para espírito e alma.
Remissão: dedicar-se à sua fraqueza: abandono; serenidade anímico-espiritual (no budismo: *uppekha*, equanimidade); no pólo oposto, o arco perde sua força ao tensionar-se exageradamente e descontrair-se por inteiro: encontrar o (próprio) meio-termo entre a indolência e a tensão excessiva.
Cobertura do princípio original: Marte-Netuno.

Atresia (carência natural de orifícios corpóreos)
Plano corporal: superfície do corpo.
Plano sintomático: carência de válvulas para as temáticas relacionadas às respectivas zonas do corpo.
Tratamento: terapia cirúrgica para abrir a região de maneira enérgica (com força); abri-la, mais tarde e com consciência, da perspectiva anímico-espiritual.
Remissão: trazer consciência ao tema correspondente observação/acesso.
Cobertura do princípio original: Saturno-Plutão (ou então de acordo com o orifício).

Atrofia cerebral (diminuição da massa cerebral, estreitamento das circunvoluções cerebrais, aumento do ventrículo [cavidade], aumento do tecido conjuntivo, diminuição das células nervosas, acumulação de pigmentos)
Plano corporal: cérebro (comunicação, logística).
Plano sintomático: recuo do cérebro, sobretudo na velhice: recuo do espírito, vazio no plano físico em vez de vazio no plano espiritual; aumento da cavidade ("cabeça oca").
Tratamento: transformar, no tempo certo, saber em sabedoria ("só sei que nada sei"); planejar e levar a efeito conscientemente o recuo para o centro da vida; revogar o primado do intelecto em favor de uma vida rica em emoções e sentimentos; despedir-se conscientemente do mundo físico: preparar-se para a entrada no mundo do além.
Remissão: aspirar ao grande vazio no sentido figurado (o nirvana do budismo).
Cobertura do princípio original: Mercúrio-Netuno.

Aumento da pressão pulmonar
Plano corporal: pulmões (contato, comunicação).
Plano sintomático: no âmbito da comunicação, sem perceber (a nosografia quase não produz sintomas), sucumbir à pressão (problema básico dos pulmões; por exemplo, interpretar e atacar a → Asma); numa visão ampla: arruinar-se com o esgotamento do coração (risco de uma recusa do coração).

Tratamento: reconhecer a pressão no âmbito do contato e satisfazê-la (nas exigências que a compõem); desabafar com alguém no momento oportuno; promover um intercâmbio no que se refere aos assuntos do coração.
Remissão: esgotar-se na medida do coração; com todo o aparato, produzir ligações (plenas) entre o mundo interior e o exterior.
Cobertura do princípio original: Mercúrio-Plutão.

Aumento da próstata (Hipertrofia da próstata)

Plano corporal: próstata (guardiã junto ao limiar para a segunda metade da vida, abastecimento de esperma), órgãos sexuais (sexualidade, polaridade, reprodução).
Plano sintomático: crise do meio da vida, exortando-lhe o retorno e a liberação: a irradiação masculina perde em força, torna-se um riacho lastimoso; não conseguir liberar: devido à pressão para liberar tornar-se obrigado e com isso obstruído para a prática em questão; sofrer de acúmulo de água: não poder mais resolver tudo (formação de urina residual) e por isso ficar carregado; medo de envelhecer, de liberar e transmitir; pôr-se sob pressão (sobretudo anímica, sexual, etc.); obstruir o fluxo de energia anímica; não poder mais liberar o antigo e remanescente.
Tratamento: aproximação do pólo feminino; retorno à mandala da vida; recuo das grandes fantasias masculinas; ocupar-se voluntariamente com o liberar e integrar dos exercícios correspondentes na vida; viver com consciência e dedicação o que permanece aberto no âmbito sexual; amar e aprender a viver o erotismo, que inclui o contato com seu próprio lado feminino; fazer um balanço no ponto de viragem da vida por ocasião dos climatérios: as exigências para a ida, os preparativos para o retorno estão cumpridos e realizados?; integrar uma masculinidade nova e consciente (já não basta mais confiar na masculinidade jovem e vital da ida).
Remissão: reconhecimento e assimilação do tema da polaridade; liberar o que é supérfluo para o retorno.
Cobertura do princípio original: Plutão.

Ausência parcial ou total de pigmentação
ver Albinismo (forma congênita, que afeta todo o organismo); Vitiligo (forma adquirida, em áreas delimitadas da pele)

Ausências (acometimento de perturbação da consciência; ver também Epilepsia)
Plano corporal: cérebro (comunicação, logística).
Plano sintomático: abandono deste mundo, fuga da realidade.
Tratamento: desenvolver a compreensão de que o corpo está aqui, a alma porém vive aqui *e* do outro lado; mover-se por entre os mundos.
Remissão: confiar na existência de outros mundos, invisíveis, e não obstante viver *aqui*: ser um trabalhador fronteiriço.
Cobertura dos princípios originais: Netuno.

Autismo
Plano corporal: fechar-se completamente para o mundo exterior (comparar os filmes *Rain Man* e *House of Cards*); em muitos pacientes, eclosões de agressividade; viver em seu próprio mundo interior; exílio interior: exílio do exterior como resposta a uma sociedade desenganada; os pacientes vivem num *multi*verso em vez de num universo: não possuem nenhuma veia para o geral e, com isso, tampouco possuem alguma para o concreto; muitas vezes dispõem de um acesso ao mundo pitagórico dos números; têm o conhecimento de que tudo no universo é número e som: inacreditáveis (para os normais) e maravilhosas capacidades em jogos com números; são falhos para o grande e para o todo, assim como são geniais nos pequenos nichos da realidade.

Tratamento (para pais de autistas): procurar abrir vias de contato e comunicação fora do comum, já que os pacientes são pouco acessíveis e incapazes de um contato normal; pôr-se num outro mundo, extraordinário; buscar estimular uma ofensiva expressão de si mesmo, externar a vitalidade de um modo redentor.
Remissão: voltar-se para o interior no sentido do ser todo-em-um.
Cobertura do princípio original: Saturno/Urano-Mercúrio.

Avental de gordura (ver também Obesidade)
Plano corporal: estômago (sentimento, instinto, gozo, centro).
Plano sintomático: avental protege e cobre: nesse caso, os órgãos sexuais, tal como o avental (das ancas) propriamente dito, que fica a ponto de cobri-las; não querer se apresentar à região inferior de seu corpo e às suas necessidades: o acentuar da barriga faz lembrar a barriga das crianças e torna a pessoa sexualmente neutra, e com isso inofensiva.
Tratamento: ocupar-se com a própria sexualidade e pudor (pudicícia); proteger-se, no sentido figurado, de abusos sexuais; fazer a busca permanecer imaculada, reconhecer e examinar se não há métodos eficazes na consciência ("tornar-se novamente como uma criança"); não limitar a plenitude jupiteriana ao monte de gordura.
Remissão: realização em vez de plenitude (corporal); aspectos redimidos da pudicícia (sensibilidade); ascese consciente (como arte da vida).
Cobertura do princípio original: Lua-Júpiter.

Azia do estômago (ver também Eructação ácida)
Plano corporal: estômago (sensação, capacidade de absorção).
Plano sintomático: não demonstrar abertamente sua agressividade: "ser uma pessoa azeda"; impossibilidade de lidar cons-cientemente com os aborrecimentos: engolir desaforos; ansiar calorosamente pela vida.
Tratamento/Remissão: aprender a manifestar a agressividade por vias conscientes.
Cobertura do princípio original: Marte.

B

Balanite (inflamação da glande peniana devido à retenção de secreção fétida)
Plano corporal: glande (ponta-de-lança da masculinidade), prepúcio interno (porta de entrada para a ponta da arma).
Plano sintomático: fogo, membro em chamas: perigo na zona dianteira superficial da masculinidade; conflito agressivo em torno da ponta (da lança) da masculinidade; estímulo doloroso na ponta da lança: o membro está sensível ou hipersensível: "a ponta da lança arde no resfriamento"; o membro está sobrecarregado (fez-se quente demais?); punição por emprego intensivo ou errôneo (onanismo); punição por falta de higiene (no sentido corporal ou figurado); algo não lhe cheira bem com relação à ponta-de-lança de sua masculinidade, que está arruinada: suja, fétida, avermelhada e fora de forma.
Tratamento: tornar-se consciente do perigo no âmbito superficialmente fálico da masculinidade; decidir de maneira ofensiva e corajosa sobre o conflito em torno da ponta-de-lança da masculinidade; providenciar o remédio: maior ou menor emprego consciente da masculinidade; em vez de superaquecer o membro, tomar de assalto o tema da masculinidade e conquistá-lo mediante acalorada luta; jogar para o alto o julgamento/punição; reconciliar-se com o prazer; cuidar das próprias armas (maior cuidado no sentido higiênico ou psico-higiênico).
Remissão: aplicar um tratamento intencional às armas de todas as perspectivas: não deixar que elas sejam arruinadas;

emprego responsável das armas, conforme as possibilidades, e com prazer e amor; masculinidade.
Cobertura do princípio original: Marte-Marte.

Barba feminina (ver também Hirsutismo, Alterações climatéricas)
Plano corporal: rosto (cartão de visita, individualidade, percepção).
Plano sintomático: a sua porção masculina *(animus)* fica logo atrás; a desfiguração cosmética do pólo contrário mostra a verdadeira face: a rigidez masculina escondida; desejo de força vital e capacidade de imposição.
Tratamento: o mais tardar a partir da menopausa: dirigir a atenção ao pólo masculino; antes: pôr o pretendido caminho tão feminino quanto a Lua em consonância com as suas próprias partes que forem tão masculinas quanto o Sol, fazendo, assim, justiça a ambas as partes; desenvolvimento do princípio anímico; integração do pólo oposto no plano anímico em vez de fazê-lo no plano corpóreo.
Remissão: fazer-se um com o pólo oposto da alma: casamento químico.
Cobertura do princípio original: Sol-Lua, Marte-Vênus.

Bebê em posição transversal
ver Complicações no nascimento: bebê em posição transversal

Bexiga irritada ver Cistite

Blefarite (Inflamação das pálpebras)
Plano corporal: pálpebras (cortinas da alma).
Plano sintomático: no campo das → Inflamações, → Alergias e → Eczemas estabelece-se o conflito em torno do fechar dos olhos, ou seja, do abrir dos olhos; problema matutino, abrir os olhos colados; não querer ver a luz do dia de modo algum; de preferência não perder os olhos de vista, não querer se confrontar com a vida diária; deixar as cortinas fechadas: não se acha nada (nenhuma representação) em substituição a isso.
Tratamento: reconhecer conscientemente os problemas momentâneos com a confrontação da vida; dar um tempo (pausa para relaxar), dar espaço para olhar para dentro: deixar que os olhos uma vez se fechem conscientemente, para não ter de observar; não ficar cuidando de tudo; batalhar pelo seu descanso, engajar-se aberta (ofensivamente) na retirada.
Remissão: fazer uso das possibilidades de retirada em batalha: olhar para dentro em vez de olhar para fora e exercer a visão interior no sentido de uma busca da visão.
Cobertura do princípio original: Sol/Lua-Marte.

Bloqueio atrioventricular (ver também Disritmia do coração)
Plano corporal: tecido condutor de estímulos do coração: transmissão do nó sino-auricular para o nó atrioventricular (AV) (coração: sede da alma, do amor, do sentimento, centro energético; músculo: força).
Plano sintomático: os sinais do primeiro centro rítmico aos pares na aurícula são bloqueados totalmente ou em parte junto à base da câmara; as mensagens do coração não podem, ou ao menos não totalmente, ser transmitidas de cima para baixo no plano do coração; bloqueio em primeiro, segundo ou terceiro grau conforme a quantidade de impulsos engolidos; bloqueio de informação no centro da vida (do sentimento); o caminho certo é obstruído; longa condução nos assuntos do coração.
Tratamento: pôr-se tranqüilo quanto aos assuntos do coração; dar-se tempo, não forçar nada, aprender a omitir propostas; tornar mais lento e calmo o ritmo da vida.
Cobertura do princípio original: Urano-Sol.

Bloqueio do coração ver Bloqueio atrioventricular

Boca seca
Plano corporal: boca (recepção, expressão, maioridade).
Plano sintomático: estar em falta com o feminino-anímico: falta óleo na máquina; preparação para a luta em vez de dedicação a um tema; medo (por exemplo, de uma conversa), reserva, desprazer, disposição para a fuga; ânsia pelo pólo feminino: sede, desejo, umedecer-se os lábios.
Tratamento: reconhecer a preponderância da qualidade masculino-combativa e rever sua própria motivação; tornar-se consciente de sua própria situação de desprazer ou perigo: quem está em perigo? Farejar o aperto e adentrá-lo completamente, até convertê-lo em amplidão.
Remissão: alcançar o feminino-anímico: aproximar-se com sentimento das questões, apresentar-se à situação e colocar-se afinado com ela.
Cobertura do princípio original: Lua-Saturno.

Bócio (estruma, geralmente em decorrência de falta de iodo; pescoço inchado por hipertrofia da glândula tireóide; ver também Hipertireoidismo, Hipotireoidismo)
Plano corporal: pescoço (incorporação, ligação, comunicação).
Plano sintomático: aspiração à posse; cobiçoso, avarento e pão-duro; tendência a monopolizar, acumular e rapinar: estar "até o pescoço" — de dívidas ou de ganância?; pretensão de posse/de poder não-reconhecida e cobiça inconsciente, que o desligam da vida; angústia da alma; ligação com a terra (poder pôr para dentro); imobilidade conservadora; fome de energia, de atividade, de mudança.
Tratamento: identificar a própria necessidade da certeza e do poder e reconhecer-se nela; no sentido figurado, assegurar-se, para livrar a cabeça do tema e poder voltar a mover livremente o pescoço; encontrar outros lugares para armazenar as posses (pé-de-meia, conta bancária, cérebro para as posses espirituais, o coração para as experiências que envolvem sentimentos); perceber a obstrução pela posse e por todas as coisas que crescem no pescoço, e proporcionar-se facilidades.
Remissão: criar para si as posses excessivas e supérfluas do pescoço.
Cobertura do princípio original: Vênus-Plutão.

Bolhas ver Foliculite

Bolsas lacrimais (ver também Fraqueza do tecido conjuntivo)
Plano corporal: tecido conjuntivo (ligação, consistência, compromisso), olhos (vista, discernimento, espelho da alma).
Plano sintomático: emoções não-liberadas; segurar-se de medo, para não pôr tudo a perder; tristeza não-curtida: lágrimas não-choradas; consistência interna: deixar-se (e freqüentemente também aos outros) pender.
Tratamento: rastrear a tristeza acumulada, não-vivenciada e expressar-se; dar mais uma oportunidade às lágrimas não-choradas; deixar que os gatos saiam do balaio, esvaziar as bolsas lacrimais, desfazer-se em lágrimas; deixar-se pender conscientemente e entregar-se ao fluxo da vida.
Remissão: deixar fluir as emoções.
Cobertura do princípio original: Lua-Saturno.

Borreliose (infecção bacteriana transmitida por mordida de carrapato; ver também Lesão por mordida)
Plano corporal: de início, todas as partes da pele (delimitação, contato, carinho) podem ser afetadas, passando em seguida, depois de um intervalo, a órgãos e nervos.
Plano corporal: mordida de perversos vampiros, pequenos e perigosos; guerra na superfície, que mais tarde se alastra por diferentes âmbitos temáticos, atacando também o sistema responsável pelas informações (sistema nervoso).
Tratamento: lidar com o princípio plutônico (vez por outra, "deixar-se picar pela

tarântula"); ocupar-se com a própria perversidade; perseguir conflitos superficiais até as profundezas; estudo também de temas sobre os nervos (e que dão nos nervos); conceder, no tempo certo, aos adversários na corrida pela energia vital, pequenos e espontâneos sacrifícios a título de dádivas, para não se dar (a si próprio) involuntariamente em sacrifício, de cujos efeitos colaterais viriam grandes conflitos (tomem-se como exemplo as doações budistas para espíritos solícitos e perigosos).
Remissão: reconciliação com o "morrer para vir a ser" do princípio plutônico, que segue sem maiores cuidados até o fim; por livre e espontânea vontade nada poupar de si, sabendo que, pelo sim e pelo não, ele próprio não será poupado, e com isso estar preparado para tudo.
Cobertura do princípio original: Marte-Plutão.

Braço/Cotovelo de tenista (epicondilite)

Plano corporal: musculatura (motor, força), braço (força, vigor), articulações (mobilidade, articulação).
Plano sintomático: conflito em torno das capacidades do cotovelo: a ação do cotovelo provoca dores; agressividade tolhida, desejo reprimido; "uma vez na vida bater (com o punho) na mesa"; não pôr toda a força nos golpes; um problemático pôr-todas-as-alavancas-em-movimento, ou seja, alavancar; pôr um excesso de ambições inconscientes em seus movimentos.
Tratamento: ocupar-se agressiva e criticamente com um tema de sua própria imposição; aprender a se impor onde realmente importa (em vez de fazê-lo no campo onde isso é sempre um exagero?), inserir o cotovelo de modo econômico e reservado para tê-lo plena e *inteiramente* a disposição quando for necessário; fazer uso das obrigatórias pausas para reflexão, a fim de se ocupar com o sentido (da vida) dos movimentos até agora obstruídos e refreados; frear-se voluntariamente e tornar-se ativo no âmbito interior em vez de fazê-lo no exterior.
Remissão: jogar brincando: descobrir o próprio encarniçamento e excesso de carregamento do jogo com temas estranhos ao jogo; voltar a brincar como uma criança a título de estágio preparatório para o "tornar-se novamente como uma criança".
Cobertura do princípio original: Marte/Mercúrio-Saturno.

Bronquite

Plano corporal: brônquios (canais de ligação entre os mundos interior e exterior).
Plano sintomático: conflito acerca das vias de contato; conflitos discretos (resolvidos verbalmente) estabelecem-se com firmeza; obstrução das vias de comunicação com temas anímicos (muco).
Tratamento: buscar debates ofensivos e discutir no plano verbal; deixar-se mover dos trabalhos da alma para a imobilidade.
Remissão: disposição para o conflito: aceitar desafios corajosamente; deixar-se excitar por novos temas.
Cobertura do princípio original: Mercúrio-Marte.

Bruxismo (ranger os dentes à noite)

Plano corporal: dentes (agressividade, vitalidade).
Plano sintomático: a tensão e distensão do dia-a-dia é descarregada no range-range noturno ("estar mordido"): agressividade impotente; desejos de morder não-reconhecidos; desarmar noturno de suas próprias armas, os dentes como ferramentas de agressividade; cerrar os dentes, trincar-se gravemente, ter de passar pelos tempos de vacas magras.
Tratamento: tornar-se consciente de sua própria agressividade e reconciliar-se com ela; aprender a se defender: mostrar os dentes, morder, golpear; aprender a caçar; reconhecer (valorizar) a periculosidade de suas próprias armas e desarmá-las pelo conhecimento; trazê-las afiadas pelo uso; não se deixar dominar pelas dificuldades, mas desembaraçar-se delas

com os dentes; aprender a cerrar os dentes conscientemente, desenvolver tolerância a frustrações.
Remissão: reconhecer a agressividade como princípio vital e integrá-lo na própria vida.
Cobertura do princípio original: Marte-Saturno.

Bulimia (mania de devorar e vomitar; ver também Anorexia Nervosa, Vícios)
Plano corporal: todo o corpo, sobretudo em suas formas femininas; estômago (sensação, capacidade de absorção).
Plano sintomático: recusa da passagem de menina a mulher (muito raramente ocorrendo na passagem do menino a homem); a não-aceitação (quase sempre) do corpo feminino, havendo com freqüência uma luta contra: "dá vontade de vomitar"; fuga da feminilidade — isto é, da sexualidade afligida —, da polaridade sentida como impura; depreciação da plenitude feminina com suas formas arredondadas, ou seja, de sua própria sexualidade: inútil busca do preenchimento interior com acessos de preenchimento do estômago; compulsivos tomar e dar; não se permitir nada (amar, comer) com pleno gozo; vomitar ao mesmo tempo como castigo e depuração; regurgitar o que foi incorporado indevidamente; medo de experiências orgiásticas (da unidade) junto à ânsia pela unidade concomitantemente vigente (uma avidez inquieta luta contra a ânsia pela ascese): rápida mudança entre ascese (vomitar no sentido de depurar, esvaziar) e plenitude orgiástica (o grande devorar); conflito entre o mundo material e o espiritual: problemas com a polaridade na busca pelo meio (devorar: elemento orgiástico; vomitar: mortificação de si mesmo, depuração); no incorporar limitado à matéria, uma precária expansão da consciência; a fome de viver faz-se apaziguada não por experiências, mas pelo devorar ansioso: "pôr tudo dentro de si"; a conhecida "obesidade por carência afetiva": buscar confirmação, recompensa e amor no plano errado, em vez de abrir-se para o amor.
Tratamento: nas fases anoréxicas: conquistar mundos espirituais; nas fases de devoração: deixar entrar o mundo físico; aceitar-se como um ser sexualizado (ritual da puberdade); desenvolver uma disposição para se inserir na polaridade e renunciar à infância inocente e pura (acorde, deixe de ser criança!); fazer-se consciente da ânsia pela pureza e virginalidade; permitir-se alguma coisa: adentrar conscientemente as impressões, experiências, sensações: aprender a dar e a sentir comprometidamente, o mesmo valendo para o dar e o presentear; conhecer e aprender a apreciar temas venusianos: aprender a gozar a plena sexualidade; exercícios libertadores de depuração, como o jejuar, transpirar, secretar (o vômito é um expediente da antiga medicina naturalista ainda hoje utilizado); exercitar o rigor e o desencadear de conseqüências sobre si mesmo em vez de continuar na indolência infantil; converter a fuga da polaridade em busca, para ultrapassá-la no sentido de um caminho de desenvolvimento em direção à unidade: subjugar o mundo (mitologicamente, o dragão) em vez de evitá-lo; importante estação no caminho da anorexia para o restabelecimento: nesse caso, reconhecê-la como tal; retomar a luta contra as exigências da feminilidade, ou seja, do papel sexual: reconciliação com a própria determinação (como mulher); ampliar espaços de experiência nos planos anímico e espiritual: *papar* o parceiro, *devorar livros* como passagem para o gozo normal; nos ataques de fome reconhecer a fome de viver e transferi-la para o plano anímico-espiritual; receber e processar todas as impressões que lhe chegam em algo que lhe seja palatável; de maneira conseqüente, aspirar às vivências culminantes/de unidade; exercícios de reconciliação com a polaridade ("seja quente ou frio, pois o morno eu vomitarei"); reconhecer o sistema pendular na rapidez das trocas eruptivas e descobrir o meio

como objetivo: a recusa da vida (ruptura) e a fome acobertada (de viver) como um divisar unilateral; exercícios para a realização do meio entre os pólos: Tai-Chi, o oleiro no torno rotatório, desenhar a mandala e meditar com ela como ritual, cavalgar; abrir as fronteiras do eu, ficar à espera de outras pessoas e deixá-las entrar.
Remissão: tornar-se (uma mulher) adulta (por exemplo, *concebendo* uma criança a quem ela pode *dar* a vida); vencer a problemática passagem para a puberdade (ritual); deixar para trás a infância e a juventude; reconciliação com o terreno; viver o amor na plenitude de seu gozo, receber e dar ao mesmo tempo anímica e corporalmente: apoderar-se do ser amado, gostar de devorá-lo e desfrutar o todo; saber apreciar o êxtase (sexual, por exemplo) como sendo uma preparação para a unidade; praticar o comer o mundo (hindu: *bhoga*), em vez de devorar o mundo da geladeira; reconciliação com a unidade como ampla soma das formas fenomênicas a encerrar também o mundo das sombras.
Cobertura do princípio original: Lua-Plutão/Urano.

Buraco de Botal ou de Galeno
(aberto)
(ver também Insuficiência cardíaca congênita)
Plano corporal: coração (sede do amor, da alma e do sentimento, centro energético).
Plano sintomático: agarrar-se a uma fase anterior (a situação embrional no ventre materno é conservada): estar num caminho falso com a força da vida; recusar-se a entrar na (calamitosa) polaridade.
Tratamento: submeter-se ao jogo dos contrários, comparecer à vida; praticar intercâmbio e comunicação no caminho projetado.
Remissão: pela primeira vez (ainda!) abandonar a condição infantil (do fluxo de energia), para então reconquistá-la mais tarde num plano mais alto e no aspecto anímico-espiritual ("e então você não será mais como as crianças").

Cobertura do princípio original: Sol-Lua.

Botulismo
(envenenamento de carne, lingüiça ou peixe submetidos à conservação inadequada, sendo contaminados pelas bactérias do botulismo com neurotoxinas muito perigosas; o envenenamento é tratado com um tipo de soro bastante específico
Plano corporal: paralisias no âmbito do sistema nervoso (serviço noticioso).
Plano sintomático: não poder mais enxergar (obstrução da visão); não poder mais engolir (admitir) nada (perturbação da deglutição); em vez disso aprender a dar (o estômago bombeia para fora como primeira medida); não mais tomar parte na comunicação (obstrução da respiração) até um completo boicote da polaridade (paralisia respiratória como interrupção da comunicação); bloqueio geral dos comunicados vindos de longe (paralisia ocasionada pelas neurotoxinas).
Tratamento: (considerações sobre uma doença vencida): ter consciência daquilo que envenena e que não se consegue digerir; cuidar da visão em vez de cuidar da vista; parar de deixar entrar tudo, de ingerir qualquer coisa; executar espontaneamente o ritual da entrega; conceder-se fases de tranqüilidade para os nervos.
Remissão: esvaziar-se (no sentido do grande vazio, do nirvana); tendência a ultrapassar a polaridade (suspensão da respiração por ocasião da experiência da unidade).
Cobertura do princípio original: Mercúrio-Netuno.

Cabeça-d'água ver Hidrocefalia

Cãibra da panturrilha (espasmo sural)
Plano corporal: parte inferior da perna (força de impulsão, elasticidade), panturrilha (emoções).
Plano sintomático: falta de sais minerais: falta sal na sopa da vida; cisão emocional

acumulada; deixar de dar grandes saltos, ir abaixo, não poder mais; sinal de resignação interior e tarefas não-reconhecidas: não conseguir mais dar o salto; não levar a cabo o salto na vida.
Tratamento: esforçar-se e vivenciar essas posturas, em vez de as encenar no palco do corpo; opor-se ao ameaçador.
Remissão: tensão consciente.
Cobertura do princípio original: Urano.

Cãibra de escritor (mogigrafia)
Plano corporal: mãos (apanhar, agarrar, capacidade de ação, expressão).
Plano sintomático: problemática da certeza/intecerteza: ambição extrema, nível de pretensão exagerado; desejo de ascensão social ao lado de uma exibição de modéstia; caráter espasmódico dos esforços, na realidade nada se tendo a dizer (escrever).
Tratamento: tornar-se consciente de todas as pretensões que desembocam no seu escrever; harmonizar os desejos e expectativas com a atitude: todo exibicionismo conduz, a longo prazo, à crispação; reconhecer honestamente se o escrito tem realmente de ser escrito, se o dito tem realmente algum valor para a conversa.
Remissão: professar sua escrita e seu escrever, reconciliar-se com suas próprias palavras; deixar fluir os pensamentos; ter consciência de que sempre é preciso assumir compromissos e de que não é fácil pôr no papel toda a verdade.
Cobertura do princípio original: Mercúrio-Plutão.

Cãibras (contrações incontroláveis do músculo em rápida seqüência e sem nenhum resultado prático)
Plano corporal: musculatura (motor, força).
Plano sintomático: 1. contrações prolongadas (tônicas): tensão duradora sem nenhum sentido (exterior); 2. contrações que vão e vêm (ciclicamente): mudanças de tensão prolongadas e improdutivas; esforços sem sentido (reconhecível) e sem objetivo; enrijecimento dos músculos produzido por um esforço exagerado: por exemplo, → Cãibras na panturrilha em pessoas que saltam muitas vezes (em geral) sem dar impulso suficiente.
Tratamento: empreender esforços, também sem esperar resultados; permitir descargas de tensão que não produzem nenhum resultado direto (por exemplo, pelo orgasmo ou pela terapia do controle da respiração); converter a tensão prolongada em atenção e vigilância; construir tensões de maneira consciente e fazer com que sejam descarregadas; tensões alternadas: exercícios de inversão da polaridade (por exemplo, argumentar vigorosamente durante dez minutos a favor de alguma coisa e dez minutos contra); querer agir pelo (ritual do) agir (na filosofia hindu: agir sem agir), e com isso praticar a assim chamada renúncia ao fruto (no budismo: *phala varja*): tornar-se independente dos frutos do trabalho há muito esperados e fazê-lo, apesar de tudo, com dedicação e consciência.
Remissão: reconhecer a tensão e distensão como pólos naturalmente opostos do fluxo de energia.
Cobertura do princípio original: Marte-Urano/Plutão.

Calafrios
Plano corporal: todo o organismo pode ser afetado.
Plano sintomático: contrações que independem da vontade e que não se pode influenciar fazem tremer o corpo inteiro: não conseguir mais se controlar; ter de se deixar tremer de cima a baixo; busca do destino, fazer despertar para tarefas (na maioria das vezes lutas) acumuladas; sentir-se frio mesmo quando com febre alta.
Tratamento: deixar-se tremer de cima a baixo e despertar para as exigências do tempo; deixar-se misturar para chegar a novos conhecimentos (misturar as cartas novamente, voltar a formar o padrão a partir das mesmas peças do quebra-cabeça); não conseguir mais se controlar, mas deixar a força vital seguir seu curso; des-

cobrir a meditação do agitar-se/da *kundalini* (Baghwam-Osho) como ritual, para ativar novamente o fluxo da vida; ser quente ou frio, mas de qualquer modo ir aos extremos.
Remissão: deixar atuar em si o mito de Arjuna do Bhagavad Gita, aquele que durante muito tempo foi inteiramente (mentalmente) sacudido pelo Senhor Krishna, até que por fim empreendeu sua luta.
Cobertura do princípio original: Marte-Urano.

Calcificação dos vasos ver Arteriosclerose

Cálculos (litíase; ver também Cálculos biliares, Pedra na bexiga, Pedra nos rins)
Plano corporal: diferentes regiões podem ser afetadas, sobretudo a região dos rins (equilíbrio, relacionamento), ducto biliar (agressividade, veneno e fel), intestino (assimilação de impressões materiais) e bexiga (segurar e liberar pressão).
Plano sintomático: empedramento de energias; certos temas não podem mais ser mantidos em solução e caem; reagir de forma rígida e empedrada: empedrar em face de determinados problemas; solidificar-se em estátua de sal (como a mulher de Ló, que olhou para trás): não fluir para adiante e com agilidade junto da corrente da vida; os sais (dos quais é feita a maioria das pedras), como recusa de forças básicas (femininas) e ácidas (masculinas), apresentam-se como algo inteiramente novo, neutro, que liga extremos; desencadeadores de → Cólicas, que lutam contra a pedra em ondas de ataques dolorosos, a fim de pari-la em meio às respectivas dores do parto.
Tratamento: defrontar-se com as correspondentes energias de maneira conseqüente, clara e firme; procurar se desembaraçar do que não tem mais solução (secretar); ficar saturado de certos temas, levá-los a cabo; não se pode suplantá-los justamente por se estar farto deles, e então eles se fazem representar, provocando mais aborrecimentos; é preferível tornar-se insolente do que deixar que os temas se cristalizem em pedras; manter num equilíbrio resolvido as forças femininas e masculinas em seu próprio jogo da vida, e a partir daí criar algo novo, qualitativamente neutro, mas que ligue ambos os lados entre si; mediante contrações musculares ofensivas (dolorosas), pôr em movimento o que está retido, entalado e empedrado em si mesmo, para livrar-se de tudo isso.
Remissão: com representações concretas, debruçar-se sobre a realização do tema relativo à formação de cálculos no órgão em questão.
Cobertura do princípio original: Saturno-Plutão.

Cálculos biliares (ver também Cálculos, Cólica biliar)
Plano corporal: ductos biliares e vesícula biliar (agressividade, veneno e fel).
Plano sintomático: energia corrente, agressividade petrificada, sobretudo no contexto das obrigações familiares (com mais freqüência em mulheres casadas, doentes e com filhos); agressividade enigmática e intoxicante, que produz acúmulo de energia; nascimento de um amargor não-vivido, de um veneno fortalecido; condensação de todas as erupções que tenham ficado retidas durante muito tempo.
Tratamento: expressar e vivenciar a energia agressiva por meio de ataques verbais e ações concretas; desfrutar vigorosamente a plenitude, o sabor e a opulência da vida; movimentos enérgicos e gritos facilitam o nascimento de cálculos biliares; se praticados no tempo certo, também esses podem se tornar supér*fluos*; prevenção: nisso se reduz todo o dito acima.
Remissão: ver Cólica biliar
Cobertura do princípio original: Plutão/Saturno-Marte.

Calorões (ver também Alterações climatéricas)
Plano corporal: circulação sangüínea (ciclo de energia vital, abastecimento e descarga).

Plano sintomático: o organismo continua a trabalhar temas que ficaram em aberto: feminilidade não-vivenciada ("mulher em chamas"); o não-vivido e proibido provoca calor, "calorão" sexual; medo de estar em falta: ser deixada para trás e só querer recuperar de maneira ofensiva e na primeira oportunidade o que está em falta; ambiente de pânico: estar em falta com alguma coisa e não saber mais *como lidar com isso*.
Tratamento: reconhecer corajosamente aquilo com que se está em falta; recuperar o que tiver para ser recuperado; ficar (de cama) com o próprio calor; conseguir lidar com as tarefas (da vida) em vez de se deixar manipular: desenganchar interiormente o que estiver preso; vivenciar a fertilidade anímico-criativa com o coração quente, em sentido figurado: fazer despertar em si o entusiasmo para um tema/projeto; criar um compromisso; calor, tema ígneo: reconhecer o fogo (instinto insatisfeito: Marte) como tal, fogo que faz transpirar, e converter (o Sol) em fogo tudo o que se refira ao calor do coração e ao entusiasmo.
Remissão: mudar o princípio original da Lua para o Sol; em vez do calorão (superficial) momentâneo (que lhe sobrevém de repente), o coração caloroso de dentro para fora; dedicação ao vivenciar cômodo e profundo do tempo de vida que está por vir.
Cobertura do princípio original: Lua-Marte-Vênus-Sol.

Calos

Plano corporal: pés (firmeza, enraizamento).
Plano sintomático: mostrar "onde lhe aperta o calo"; determinadas regiões da cabeça (em regiões dos dedos dos pés acham-se zonas de reflexo para a cabeça) estão sob pressão; pôr-se nos dedos dos pés (a caminho); tentativa de blindar pontos fracos: porém, cada uma das exageradas couraças pode começar a doer a qualquer momento.
Tratamento: descobrir onde exatamente reside o ponto da pressão (mapa das zonas de reflexo dos pés); idealizar medidas anímico-espirituais de proteção (cobertura); confrontar-se com o que o (im)pressiona; renunciar ao ponto de vista que esboça reação ou assegurar-se com argumentos plausíveis; perguntar-se onde o sapato (da vida) o aperta; viver à larga; pisar fundo, não em ovos, dando-se mais liberdade para pisar (com sapatos maiores); descobrir pontos de vista confortáveis, nos quais realmente é possível ficar.
Remissão: ser generoso consigo mesmo; ocupar posições confortáveis; dar espaço para suas raízes, conceder margem de movimento para suas nadadeiras.
Cobertura do princípio original: Netuno-Saturno.

Calosidades

Plano corporal: locais sobrecarregados da pele (delimitação, contato, carinho).
Plano sintomático: protuberâncias calosas benignas, formação de couraças nos lugares de relativa sobrecarga: busca por parte do organismo de se proteger contra lesões causadas pelo desgaste.
Tratamento/Remissão: no sentido figurado, proporcionar-se uma melhor proteção contra sobrecargas.
Cobertura do princípio original: Saturno.

Calvície ver Queda de cabelo

Câncer (carcinoma)

Plano corporal: quase todas as regiões e órgãos do corpo podem ser afetados.
Plano sintomático: neoplasma: algo novo está crescendo, formando-se para fora dos limites; desgosto profundo, lesão não-assimilada, a vivência de um choque bloqueia as próprias forças de defesa e torna-se um desencadeador: imunologicamente, o câncer começa após um colapso da defesa (em caso de defesa intacta, células cancerígenas são eliminadas pelo sistema imunológico, num processo que na verdade ocorre com freqüência); um problema de

vida não-reconhecido e destrutivo prepara a base: caranguejar em torno (em vez de seguir em frente em seu próprio caminho); degeneração: dançar a sua própria dança; tamanho é o afastamento da linha de desenvolvimento que lhe é própria (nos âmbitos temáticos afetados) que é o corpo que proporciona ao tema (esquecido/reprimido) uma expressão, para que com isso nada lhe falte completamente; o câncer realiza corporalmente o que seria necessário no correspondente âmbito da consciência; o câncer como iniciação: um resultado *incisivo*, uma cesura *decisiva* na vida; falha no conceito de realização da liberdade e da imortalidade; a repressão das possibilidades de experimentar limites, dos impulsos vitais; ater-se firmemente às normas; perfeita adaptação social (normopatia); agressividade e egoísmo na ocorrência do câncer: a agressiva e opressora política do cotovelo, a lei do mais forte, infiltração, invasão, extorsão, exploração de (células) escravas: *ego-trip*, quebra das regras normais de convivência; (células cancerígenas) sobrecarregadas, querer dar com a cabeça na parede (problemática envolvendo o crescimento); converter dignos ideais de subordinação no princípio do ego total; o desejo não-vivenciado de impor os próprios interesses sem consideração; o lado obscuro do feminino (Hécate/Kali): as sombras do amor como vingança do princípio feminino longamente atormentado: em vez da comunicação com o movimento, tem-se egoísmo, onipotência e pretensão à imortalidade; a busca de imortalidade e onipotência (da alma) vive nas células cancerígenas e não na consciência; amor (como o princípio que ultrapassa todas as fronteiras) nos planos errados; processo de regressão: a relação com o salto original, a fonte da *religio*, vai abaixo nas tendências regressivas das células cancerígenas do corpo; crescimento e desenvolvimento como objetivo pervertido em nosso tempo e em nossa sociedade; reconhecer as metástases (latim: *filiae*, filhas obscuras e desastrosas) como filiais e sucursais com as quais cobrimos o corpo de terra; padrão coletivo de expansão sem consideração e de realização dos próprios interesses; espelho da exploração da terra pelas pessoas; polarização do "eu" e da sociedade: falta de consciência de uma unidade grande, extensa e abarcadora.

Tratamento: fazer um balanço: o caminho até então trilhado corresponde ao que lhe é próprio (intrínseco)?; nos âmbitos temáticos afetados, abrir-se para representações extravagantes e fantasias ousadas, deixar que cresçam corajosas e ofensivas e que se expandam; deixar crescer o novo (neoplasma); voltar a se lembrar de antigos sonhos, de seus próprios objetivos e desejos de vida, (tornando a) vivenciá-los e transformá-los de maneira bravamente decidida; ajudar o corpo em seu impulso de crescimento e conduzi-lo em planos resolvidos; com a certeza de não ter mais nada a perder, criar coragem para a própria realização/para os próprios caminhos; levantar-se contra as regras (estreitas, rígidas, inflexíveis); dinamitar regras que obstruam o desenvolvimento; em vez de se submeter a pequenas ordenações (normopatia), encontrar seu lugar na grande ordem (*religio*); passar dos limites (pisar na bola), dançar fora do ritmo (previamente estabelecido), sobretudo para conhecer o ego ao menos uma vez; imposição decidida; pôr em questão o eu rígido e a delimitação; expansão da consciência; reconhecer a ausência de limites e a imortalidade da alma; retroligação no sentido da religião ("de onde vim? para onde vou? quem sou eu?); expandir-se sobre o ego; regressar aos (próprios) princípios originais; retroligação com o fundamento primeiro do ser; aprender a dizer não, a ficar em si; é melhor até mesmo vivenciar os próprios erros do que assumir virtudes alheias; acolher a luta pela sobrevivência aberta (ofensiva) e agressivamente no plano imagético interior; terapia da reencarnação, psicoterapia Simonton, terapia da respiração.

Remissão: proporcionar expressão em vez de deixar o corpo falar por si; reconhecer a necessidade de passar do nível

corporal, e por isso mesmo perigoso à vida, para o nível anímico-espiritual, desafiador, mas que nos salva a vida, e, nesse último, apostar num crescimento expansivo; descobrir o amor sem fronteiras, não se importar com normas estabelecidas por si mesmo ou por outrem, comprometendo-se tão-somente a vivenciar e realizar a mais alta das leis individuais; experimentação de limites no sentido de situações limites (*peak experiences*); imortalidade, em vez de, a partir do corpo, inclinar-se para a alma (colocar a alma imortal em primeiro plano); no mito de Hércules, estudar a luta com a hidra: quando Hércules é mordido por um caranguejo, não parte para uma regressão não-resolvida, mas aceita o desafio, apresenta-se para a luta, aniquila o caranguejo (câncer) e assim domina a monstruosidade.
Cobertura do princípio original: Plutão-Júpiter (câncer) e também, em conformidade com (todos) os órgãos e regiões possíveis, os mais diferentes princípios originais.

Câncer da tireóide (ver também Câncer)

Plano corporal: glândula tireóide (desenvolvimento, maturação); pescoço (incorporação, ligação, comunicação).
Plano sintomático: impulsos de desenvolvimento reprimidos e não-realizados começam a tomar seu próprio caminho, a enfurecer-se desenfreadamente no âmbito corporal e, ainda assim, a se realizar; tamanho é o afastamento de sua ligação com a maturação e o desenvolvimento de sua determinação de vida que as forças longamente reprimidas golpeiam de próprio pulso e atravessam sua *ego-trip* corporal no sentido de uma degeneração; o retorno do salto para as origens, no sentido da religião, cai, a partir do plano de desenvolvimento, num retirar-se do corpo para um plano celular primitivo e originalmente inicial: permitir a degeneração de possibilidades de desenvolvimento, usurpação de potenciais.
Tratamento: permitir conscientemente a entrada em ação das forças anímico-espi-

rituais de maturação e desenvolvimento que estiveram reprimidas por um longo período, para liberar o corpo do peso dessa temática; o que tem permissão para escorrer do palco da consciência torna-se supérfluo e sem importância no palco do corpo; no âmbito do desenvolvimento, zelar com bravura pela descarga; permitir corajosamente o curso das tendências ofensivas de maturação; com agressividade, proporcionar sua própria força de desenvolvimento; considerar todas as medidas mencionadas no verbete → Câncer: sendo o câncer uma nosografia que afeta todo o organismo, é preciso preveni-lo em todas as frentes.
Remissão: voltar a seu caminho específico de desenvolvimento e dar livre curso a seus desejos; não mais deixar que sua realização pessoal seja impedida por impulsos de maturação há muito acumulados e reprimidos; reconhecer a necessidade de passar do nível corporal, e por isso mesmo perigoso à vida, para o nível anímico-espiritual, desafiador, mas que nos salva a vida, e, nesse último, apostar num crescimento expansivo: descobrir o amor sem fronteiras, deixar de se importar com normas estabelecidas por si mesmo ou por outrem, comprometendo-se tão-somente a viver e desenvolver-se na mais alta das leis.
Cobertura do princípio original: Mercúrio-Plutão/Júpiter.

Câncer de mama (ver também Câncer)

Plano corporal: seios (maternidade, nutrição, proteção, prazer).
Plano sintomático: medo de viver por si própria; ficar entre os novos e os antigos papéis da mulher (conflito envolvendo a emancipação); desconhecer a identidade da própria alma; viver sentimentos estranhos; abandono de seu caminho individual e feminino; estranhamento da própria feminilidade (mundo da sensibilidade, maternidade, etc.): ligação materna não-resolvida, amor de mãe desiludido; cobertura "degenerada" da região afeta-

da (por exemplo, não fazer justiça ao tema "mãe"); ser derrubada por força ofensiva não-vivida: a agressividade trilha seu caminho pelo corpo; o desgosto profundo e não-trabalhado conduz à resignação: retorno inconsciente; encontrar-se ferida e zangada, sem reagir para externar seu aborrecimento (pesar interior, sentimento de vingança); recusa em desatar por meio de golpes, de fazer pressão, de ficar incisivo e acusar; orgulho de não ser egoísta: o modo suave e feminino de realização da vida tornou-se um entrave (amazona).
1. Seio esquerdo: a parte feminina figura em primeiro plano (o seio como órgão que alimenta; princípio original: Lua); problemas de mãe (maternidade), temática referente ao ninho e à proteção (temática *anima*); 2. seio direito: a parte ofensiva e feminina figura em primeiro plano (os seios como "arma" feminina, o bico do seio como princípio invasivo; princípio original: Vênus); conflito com o parceiro e/ou com o pai (temática *animus*).
Tratamento: aprender a viver a própria feminilidade sem embaraços; responder por sua feminilidade; concentrar-se no particular, no individual e impor-se; atacar com agressividade temas relacionados à mama — no duplo sentido de seio e de mamãe — maternidade, alimentar, cuidar, alimentar-se a si mesma; inserir o seio: conquistar aquela que é a sua parte da vida (da mulher); encontrar e empregar a própria força; pôr para fora (mostrar) sua ira e suas emoções; abrir o próprio peito, externar seu desgosto; voltar ao essencial; retorno consciente ao próprio desejo; recusa consciente de parte da feminilidade; considerar todas as medidas preventivas mencionadas no verbete → Câncer: sendo o câncer uma nosografia que afeta todo o organismo, é preciso preveni-lo em todas as frentes.
Remissão: o encontro da identidade; voltar ao essencial, e a isso se chega mediante o próprio impulso original da vida; retirada para o próprio tema da vida: viver o próprio sonho; assumir o ser mulher com força penetrante, para então trazer para a vida a ternura e a compreensão maternal; entrega desinteressada, que propicia o encontro e a vivência da própria identidade; reconhecer a necessidade de transmutar o nível corporal — e perigoso (para a vida) — no desafiador — porém salvador da vida — nível anímico-espiritual, possibilitando a este último um crescimento expansivo; descobrir o amor incondicional (imortal), que não conhece fronteiras e a tudo abrange (por exemplo, o amor de mãe).
Cobertura do princípio original: Lua-Plutão/Netuno.

Câncer de pele (ver também Câncer)

Plano corporal: pele (delimitação, contato, carinho).
Plano sintomático: crescimento de algo selvagem e tumoroso no âmbito das próprias fronteiras e do contato direto; tamanho é o afastamento da orientação que lhe é própria no tocante às regiões de fronteira e contato que o corpo toma as rédeas do tema, em grande parte para lhe proporcionar uma expressão; o crescimento anímico-espiritual nesse campo esteve bloqueado por tanto tempo que ele agora abre caminho no corpo sempre de modo agressivo e avassalador; o câncer desenvolve corporalmente no âmbito da fronteira e do contato o que se faz necessário no âmbito correspondente da consciência.
Tratamento: abrir-se para as próprias fronteiras com o mundo de modo consciente, corajoso e engajado; abrir-se em amor para o meio circundante; abrir-se no âmbito da fronteira e do contato para suas próprias representações selvagens e audaciosas, deixar que cresçam e prosperem corajosas e ousadas; reconquistar antigos sonhos de uma vida sem fronteiras e compromissos de grande porte e tornar a vivenciá-los de maneira decidida; seguir todas as medidas preventivas mencionadas no verbete → Câncer: sendo o câncer uma nosografia que afeta todo o organismo, é preciso preveni-lo em todas as frentes.

Remissão: descobrir o amor sem fronteiras por si mesmo e pelo mundo, não se importar com normas de qualquer natureza, comprometendo-se apenas com a sua própria lei: viver abertamente e com contatos alegres; com isso, porém, poder contar a qualquer momento com a própria força no que diz respeito ao estabelecimento de fronteiras contra agressões externas; reconhecer a necessidade de passar do nível corpóreo e perigoso (à vida) para o nível anímico, desafiador, mas que liberta a vida, e, neste último, apostar num crescimento expansivo.
Cobertura do princípio original: Vênus/Saturno-Plutão.

Câncer do pênis (ver também Câncer)

Plano corporal: destruição (na maioria dos casos) agressiva da ponta-de-lança: destruição até a perda do instrumento de poder; é quase sempre decorrência de conflitos (inflamações) prolongados e crônicos no prepúcio interno, nos quais o esmegma (lubrificador do prepúcio) também toma parte (tema da higiene); degeneração no âmbito da imposição agressiva da força fálico-masculina; crescimento tumoroso selvagem e sem consideração das células degeneradas da epiderme; provém quase sempre da glande peniana; tamanho é o distanciamento da linha de desenvolvimento que lhe é própria com relação à imposição e reprodução masculina que o corpo proporciona ao tema (esquecido/reprimido) uma irrupção; o crescimento anímico-espiritual nesse campo temático esteve por tanto tempo bloqueado que ele agora abre caminho no corpo sempre de modo agressivo e desordenado; o câncer realiza corporalmente no âmbito fálico o que seria animicamente necessário no âmbito análogo da consciência.
Tratamento: pôr radicalmente em questão os hábitos e tradições antigas e ultrapassadas no que, de modo geral, diz respeito ao comportamento masculino, à imposição masculina, à conduta fálico-sexual e à sexualidade e, se for o caso, destruí-las sem nenhuma consideração; abrir-se no âmbito da masculinidade e da reprodução para suas próprias representações extravagantes e fantasias audaciosas, deixar que prosperem e se expandam de maneira corajosa e livre; recordar-se de antigos sonhos e de seus próprios objetivos, desejos e idéias de sexualidade, masculinidade e reprodução, (voltando a) vivenciá-los e transformá-los; no plano anímico-espiritual, começar a lutar no *front* mais exterior; com a segurança de quem não tem mais nada a perder, criar coragem para a sua própria realização/para o seu próprio caminho; subtrair do corpo o impulso de crescimento e conduzi-lo a planos resolvidos; considerar todas as medidas mencionadas no verbete → Câncer: sendo o câncer uma nosografia que afeta todo o organismo, é preciso preveni-lo em todas as frentes.
Remissão: proporcionar expressão no âmbito anímico-espiritual, em vez de deixar o corpo falar por si; reconhecer a necessidade de passar do nível corporal, e por isso mesmo perigoso à vida, para o nível anímico-espiritual, desafiador, mas que nos salva a vida, e, neste último, apostar num crescimento expansivo; descobrir o amor sem fronteiras, deixar de se importar com determinações estranhas e normas estabelecidas por si mesmo ou por outrem, comprometendo-se apenas a viver e expressar-se na mais alta das leis.
Cobertura do princípio original: Marte-Plutão.

Câncer do reto (o mais freqüente dos cânceres intestinais; ver também Câncer, Prolapso anal, Obstrução Intestinal)

Plano corporal: reto (submundo), intestino grosso (inconsciente, submundo).
Plano sintomático: é freqüente no campo da obstrução (avareza): irritação crônica da fronteira com o reino das sombras (mucosa intestinal); temas não-resolvidos das sombras: conflitos horríveis, repugnantes, vulgares; degeneração no âmbito da eliminação e da liberação: a discrição esconde o processo de crescimento — o pro-

cesso do "morrer para vir a ser" é interrompido quando a pessoa se detém em coisas sem vida (problema típico da sociedade masculina centrada no acumular e no ter, tratando-se, por isso, de um câncer bastante difundido); crescimento tumoroso inconsciente e avassalador no submundo; tamanho é o afastamento de sua linha própria de desenvolvimento no âmbito do liberar e do eliminar que o corpo proporciona ao tema (esquecido/reprimido) uma expressão; o crescimento anímico-espiritual nesse âmbito temático esteve por tanto tempo bloqueado que ele agora abre caminho no corpo sempre de modo agressivo e desordenado; o câncer realiza corporalmente o que seria necessário no âmbito correspondente da consciência; obstrução por detritos na passagem de um mundo para o outro; medo, que está na base, de uma inundação pela torrente do próprio caos interior; a verdadeira tarefa é contrária à atitude que vai desde a parcimônia até a avareza; hostilidade ao desenvolvimento: "dificultar a vida"; estar afastado de seu próprio conceito de vida: medo de viver a si próprio; ligação "degenerada" com o reino das sombras do inconsciente: a força ofensiva não-vivenciada sai a qualquer custo; a agressividade irrompe-se na via do submundo; retro-orientação; regressão ao plano corporal.

Tratamento: aprender a limpar os detritos anímicos internos (ter como imagem mítica Hércules, que limpa o curral de Áugias); aprender a conservar o essencial (no plano anímico-espiritual); problematizar conscientemente o liberar, reconhecê-lo como tarefa da viagem da vida; desafiar as fronteiras com o reino das sombras; adentrar o medo de sua própria torrente interior feminina até que ele se dissolva; recusar determinados negócios (que digam respeito unicamente à matéria); no âmbito do liberar-se, abrir-se para suas próprias representações extravagantes e fantasias ousadas; considerar todas as medidas mencionadas no verbete → Câncer:

sendo o câncer uma nosografia que afeta todo o organismo, é preciso preveni-lo em todas as frentes; reconhecer o seu desvio da tarefa de vida original; reaproveitamento do que é verdadeiro e próprio; não sentir medo diante do que lhe é intrínseco; buscar caminhos inusitados de confronto com as sombras; atacar o inconsciente com coragem e força ofensiva.

Remissão: integrar corajosa e aberta(ofensiva)mente o seu mundo das sombras ao (próprio) modo individual; reconhecer a necessidade de passar do nível corporal, e por isso mesmo perigoso à vida, para o nível anímico-espiritual, desafiador, mas que nos salva a vida, e, neste último, apostar num crescimento expansivo; descobrir o amor sem fronteiras, não se importar com normas estabelecidas por si ou por outrem, comprometendo-se apenas a viver na mais alta das leis e a desenvolver-se.

Cobertura do princípio original: Plutão-Plutão.

Câncer do sangue ver Leucemia

Câncer dos rins (ver também Câncer)

Plano corporal: rins (equilíbrio, parceria).
Plano sintomático: destruição agressiva das células renais com tendência a fazer as funções renais entrarem em colapso; estar por demais afastado de seu próprio caminho no âmbito da parceria e da harmonia; não encontrar sua identidade nas relações com os outros, não conseguir definir-se de maneira satisfatória (o câncer cobre por inteiro todas as fronteiras); não poder guardar o próprio reino; degeneração no âmbito dos contrários, isto é, da parceria; crescimento selvagem e avassalador, desestruturado; tamanho é o distanciamento da linha de desenvolvimento que lhe é própria com relação à ligação e conciliação dos pólos contrários, ou seja, com relação à harmonia verdadeira (como centro entre a guerra e a paz), que o corpo proporciona ao tema (esque-

cido/reprimido) uma expressão; o crescimento anímico-espiritual nesse campo temático tem estado por tanto tempo bloqueado que ele agora se realiza no corpo de modo agressivo e desordenado; o câncer encarna no âmbito temático afetado o que seria animicamente necessário no plano correspondente da consciência.

Tratamento: empreender corajosa e agressivamente algumas idéias de parceria e harmonização de forças contrárias, deixando-as prosperar sem levar em conta o normal e socialmente recomendável; não se deixar obstruir, mas seguir seu próprio caminho de modo ousado e ofensivo; pôr radicalmente em questão hábitos e tradições antigas e ultrapassadas — no que diz respeito à parceria, à ligação e à reconciliação dos contrários — e, se for o caso, destruí-los sem qualquer consideração; na permanência de diretivas culpadas (sobretudo no âmbito da parceria), questionar suas próprias projeções; de maneira bravamente resoluta, (voltar a) vivenciar e transformar antigos sonhos sobre seus próprios objetivos/desejos, assim como idéias no âmbito da parceria e do equilíbrio/harmonização; com a segurança de quem não tem nada a perder, criar coragem para empreender a realização de seu próprio caminho; deixar de assumir compromissos frouxos e ficar na sua; expressar nas relações o que se necessita e quer, estando pronto para dar; a consciência de sua procedência ajudará na retroligação com a fonte, facilitando o salto para o tema central da vida; abrir-se para a mortalidade (da alma) e aspirar à onipotência na unidade como objetivo de toda a vida; considerar todas as medidas mencionadas no verbete → Câncer: sendo o câncer uma nosografia que afeta todo o organismo, é preciso preveni-lo em todas as frentes.

Remissão: ruptura com idéias de parceria e relações antigas e realmente estranhas ao próprio ser e também com caminhos de reconciliação dos contrários; luta ofensiva pelo próprio conteúdo (da vida) e sentido: proporcionar-se expressão no âmbito anímico-espiritual, em vez de deixar o corpo falar por si; reconhecer a necessidade de passar do nível corporal, e por isso mesmo perigoso (à vida), para o nível anímico-espiritual, desafiador, mas que nos salva a vida, e, neste último, apostar num crescimento expansivo; retirar projeções (por exemplo, parar de imputar ao parceiro a responsabilidade pela sua própria vida); descobrir o amor sem fronteiras, que a tudo abrange, não se importar com normas estabelecidas por si ou por outrem, comprometendo-se apenas em viver e expressar a sua própria e a mais alta das leis.

Cobertura do princípio original: Vênus (rins)-Júpiter/Plutão (câncer).

Câncer na bexiga (ver também Câncer)

Plano corporal: bexiga (segurar e liberar pressão).

Plano sintomático: crescimento tumoroso e selvagem no âmbito do reservatório de águas residuais (anímicas); conflito não-resolvido, reprimido para as sombras, junto às fronteiras do âmbito do fluir da alma; tamanho é o afastamento da orientação que lhe é própria nas relações com os detritos anímicos que o corpo toma as rédeas do tema, em grande parte para lhe proporcionar uma expressão; o crescimento anímico-espiritual nesse campo esteve por tanto tempo bloqueado que ele agora abre caminho no corpo de modo agressivo e avassalador; o câncer representa no âmbito das águas residuais o que se faz necessário no âmbito correspondente da consciência.

Tratamento: dedicar-se a seus próprios detritos anímicos de maneira consciente, corajosa e engajada; abrir-se no âmbito da alma para suas representações selvagens e fantasias audaciosas, deixando que cresçam corajosas e ousadas; expandir e defender o próprio território; reconquistar

antigos sonhos de uma perspectiva anímica e tornar a vivenciá-los de maneira aberta (ofensiva) e resoluta; seguir todas as medidas preventivas mencionadas no verbete → Câncer: sendo o câncer uma nosografia que afeta todo o organismo, é preciso preveni-lo em todas as frentes.
Remissão: descobrir o amor sem fronteiras por si e pelo mundo; não se importar com normas estabelecidas por si mesmo ou por outrem, comprometendo-se apenas com a sua própria lei; viver de maneira aberta no que diz respeito ao anímico e, em especial, aos detritos anímicos (em vez de, por exemplo, ser rancoroso); reconhecer a necessidade de passar do nível corpóreo, e por isso mesmo perigoso (à vida), para o nível anímico, desafiador, mas que nos salva a vida, e, neste último, apostar num crescimento expansivo.
Cobertura do princípio original: Lua-Plutão.

Câncer na laringe (câncer das cordas vocais; ver também Câncer)
Plano corporal: laringe (expressão, afinação), cordas vocais (expressão, voz).
Plano sintomático: o medo estrangula-lhe o pescoço: medo negativo, que molda a vida; ficar sem voz, de medo: degeneração no âmbito da comunicação; crescimento tumoroso selvagem e avassalador no âmbito da voz; tamanho é o seu distanciamento da via de desenvolvimento que lhe é própria no que diz respeito à fala e à expressão que o corpo proporciona ao tema (esquecido/recalcado) uma expressão; o crescimento anímico-espiritual nesse campo temático esteve bloqueado por tanto tempo que agora ele abre caminho no corpo de modo agressivo e desordenado; o câncer desenvolve corporalmente no âmbito da formação da linguagem o que seria necessário no correspondente domínio da consciência.
Tratamento: no domínio da linguagem, abrir-se para suas próprias representações extravagantes e fantasias audaciosas, dei-xando-as crescer e expandir-se corajosas e ousadas; reconquistar antigos sonhos e formas de expressão e (novamente) vivenciá-los e transpô-los de maneira bravamente decidida; com a certeza de não ter mais nada a perder, criar coragem para empreender a realização de seu próprio caminho; considerar todas as medidas mencionadas no verbete → Câncer: sendo o câncer uma nosografia que afeta todo o organismo, é preciso preveni-lo em todas as frentes.
Remissão: proporcionar-se (com relação ao conteúdo) expressão verbal, em vez de deixar o corpo falar por si; reconhecer a necessidade de passar do nível corporal, e por isso mesmo perigoso à vida, para o nível anímico-espiritual, desafiador, mas que nos salva a vida, e, neste último, apostar num crescimento expansivo; descobrir o amor sem fronteiras, não se importar com normas estabelecidas por si mesmo ou por outrem, comprometendo-se apenas a viver a mais elevada das leis e a expressar-se.
Cobertura do princípio original: Mercúrio-Plutão.

Câncer na próstata (ver também Câncer)
Plano corporal: próstata (guardiã do limiar para a segunda metade da vida, armazenamento de esperma), órgãos sexuais (sexualidade, polaridade, reprodução).
Plano sintomático: sintomas semelhantes aos do → Aumento da próstata, já que essa temática também deve ser incluída aqui; destruição agressiva da próstata de dentro para fora; degeneração no âmbito do sistema de abastecimento do esperma; crescimento tumoroso selvagem e sem consideração das células degeneradas da próstata sob o influxo dos hormônios masculinos; desencadeador: conflito freqüentemente desagregador e repugnante no âmbito sexual; tamanho é o afastamento da linha de desenvolvimento que lhe é

própria que o corpo proporciona ao tema (esquecido/reprimido) uma irrupção; o crescimento anímico-espiritual nesse campo temático esteve por tanto tempo bloqueado que se encarna no corpo de modo desordenado; o câncer realiza corporalmente na próstata o que seria animicamente necessário no âmbito da consciência: o crescimento ofensivo das glândulas para o abastecimento de esperma visando à preparação do meio de escoamento necessário.
Tratamento: pôr radicalmente em questão os hábitos e tradições antigos e ultrapassados que de um modo geral digam respeito à parte masculina da reprodução e da sexualidade e, se for o caso, destruí-los sem qualquer consideração; abrir-se no âmbito da masculinidade e da fertilidade para suas próprias representações extravagantes e fantasias audaciosas, deixar que prosperem e expandam-se corajosa e livremente; deixar brotar seus próprios impulsos criativos de crescimento, cuidando para que as coisas fluam livremente; recordar antigos sonhos e seus objetivos, desejos e idéias de erotismo e amor, (voltando a) vivenciá-los e transformá-los de maneira bravamente resoluta; com a segurança de quem não tem nada a perder, criar coragem para empreender a realização de seu próprio caminho; tirar do corpo o impulso de crescimento e conduzi-lo a planos redimidos; considerar todas as medidas mencionadas no verbete → Câncer: sendo o câncer uma nosografia que afeta todo o organismo, é preciso preveni-lo em todas as frentes.
Remissão: romper com as idéias antigas e realmente estranhas ao próprio ser no âmbito afetado da reprodução e da sexualidade, para lutar agressiva e aberta(ofensiva)mente pelo seu próprio caminho (de vida) e pelo sentido da vida; proporcionar expressão no âmbito anímico-espiritual em vez de deixar o corpo falar por si; reconhecer a necessidade de passar do nível corporal, e por isso mesmo perigoso à vida, para o nível anímico-espiritual, desafiador, mas que nos salva a vida, e, neste último, apostar num crescimento expansivo quanto ao âmbito afetado; descobrir o amor sem fronteiras, deixar de se importar com qualquer determinação estranha e normas estabelecidas por si mesmo ou por outrem, comprometendo-se apenas a viver a mais alta das leis e expressar-se nela.
Cobertura do princípio original: Lua/Marte-Plutão.

Câncer na vesícula (ver também Câncer)
Plano corporal: vesícula biliar (agressividade, veneno e fel).
Plano sintomático: a agressividade reprimida e não-realizada, que no subsolo se torna mais amarga, venenosa e também perigosamente perversa devido a seu acúmulo durante longo tempo, começa a trilhar seu próprio caminho, a amainar-se no âmbito corporal, estando ainda para ser realizada; junto com a armazenagem e a acumulação da agressividade, tem-se um afastamento considerável da determinação vital, e as forças que por tanto tempo permaneceram sem vida acabam por estourar na própria mão e perpassar toda a sua *ego-trip* em forma de uma degeneração.
Tratamento: tomar consciência de seu próprio azedume; para aliviar o corpo, deixar entrar em ação de maneira consciente as respectivas forças anímico-espirituais há muito reprimidas e retidas para si; o que tem a permissão de sair do palco da consciência torna-se pouco importante para o corpo, sendo freqüentemente suspenso; providenciar a descarga de agressividades disfarçadas e armazenadas: deixar que agressividades tóxicas reprimidas tenham seu curso na consciência; manifestar o seu próprio azedume de maneira ofensiva (trata-se de um vivenciar acalorado, mas não de imposição de um desafogo); acatar as medidas mencionadas sob

o verbete → Câncer: sendo o câncer uma nosografia que afeta todo o organismo, é preciso preveni-lo em todas as frentes.
Remissão: voltar para o caminho que lhe é intrínseco, não mais se deixar fugir à realização por agressividades represadas e embotadas; reconhecer a necessidade de passar do nível corpóreo, e por isso mesmo perigoso (à vida), para o nível anímico-espiritual, desafiador, mas que liberta a vida, e neste último apostar num crescimento expansivo; descobrir o amor sem fronteiras, não se importar com determinações estranhas nem com normas estabelecidas por si ou por outrem, comprometendo-se apenas a viver a mais elevada das leis e evoluir.
Cobertura do princípio original: Plutão-Plutão.

Câncer no colo do útero (ver Câncer no útero)

Plano corporal: mucosa (fronteira interna, barreira) no âmbito do colo do útero (fertilidade, proteção).
Plano sintomático: resultante de uma infecção viral, sobretudo entre mulheres jovens, antes da menopausa, na seqüência de prolongadas inflamações vaginais e freqüente troca de parceiros sexuais: conflito crônico e insolúvel no âmbito sexual, tendendo a se tornar maligno e a pôr em questão a própria vida; quase pode ser visto como uma → Doença venérea (por exemplo, nunca ocorre em virgens, estando pois sempre no campo das infecções pelo ato sexual); incapacidade de proteger-se adequadamente contra ataques e abusos.
Tratamento: conduzir ofensivamente discussões sobre temas relacionados à sexualidade; reconhecer a própria superexcitação nesse domínio; aprender a se proteger contra ataques e abusos de interesses estranhos na própria esfera sexual; considerar as medidas mencionadas no verbete → Câncer: sendo o câncer uma nosografia que diz respeito a todo o organismo, é preciso preveni-lo em todas as frentes.
Remissão: resolver discussões na esfera íntima a seu próprio favor; reconhecer a necessidade de passar do nível corporal, e por isso mesmo perigoso (à vida), para o nível anímico-espiritual, desafiador, mas que liberta a vida, e neste último apostar num crescimento expansivo; descobrir o amor sem fronteiras, não se importando com determinações estranhas e normas estabelecidas por si ou por outrem, comprometendo-se apenas a viver a mais elevada das leis e evoluir.
Cobertura do princípio original: Vênus-Marte.

Câncer no estômago (ver também Doenças do estômago, Câncer)

Plano corporal: estômago (sensação, capacidade de absorção).
Plano sintomático: conta-se, na maioria das vezes, com uma longa história anterior de irritação crônica e de uma (inconsciente) acidez agressiva, de uma postura de criança mimada, de resignação; em sua vida, algo se encontra no estômago e não pode ser digerido: redunda num conflito aparentemente insolúvel; o próprio ninho é inconscientemente posto em questão e ameaça despedaçar-se de dentro para fora; a parede do estômago como símbolo das paredes do antigo ninho da infância são corroídas de maneira destrutivamente agressiva, e os restos do que foi corroído começam a pulular e a espalhar-se; degeneração no âmbito do sentimento e da receptividade, por exemplo, na receptividade a coisas e sentimentos que não correspondem ao cerne mais profundo de seu ser, mas lhe custam muita energia; crescimento tumoroso (inconsciente) selvagem e desordenado no mundo dos sentimentos e no circuito da receptividade; tamanho é o afastamento da via de desenvolvimento que lhe é própria no âmbito do sentimento, do ninho da receptividade, que o corpo tem de proporcionar ao tema

(esquecido, reprimido) uma expressão; o crescimento anímico-espiritual nesse ciclo temático esteve por tanto tempo bloqueado que ele agora abre caminho no corpo de modo agressivo; o câncer realiza no plano corporal o que seria necessário animicamente no âmbito análogo da consciência; sentimentos não-vividos de solicitude, de ausência de fronteiras, de amor e amplo intercâmbio afundam-se no corpo; a busca de imortalidade e onipotência (da alma) esgota-se nas células cancerígenas em vez de fazê-lo na consciência; a retroligação com a origem, a fonte da *religio* afunda-se nas tendências regressivas das células do corpo.

Tratamento: libertar-se agressivamente da gaiola (dourada) da infância, tornar-se auto-suficiente, aprender a se erguer sobre suas próprias pernas; atacar aberta (ofensiva)mente o antigo ninho das origens e deixar que resulte algo inteiramente novo e especial da energia restante; abrir-se no âmbito do sentimento e da receptividade para as suas próprias representações extravagantes e fantasias ousadas, deixar que cresçam corajosas e não controladas (por outrem) e desenvolver-se; reconquistar antigos sonhos que se tinha da perspectiva de um ninho próprio aconchegante, do reino do sentimento e da receptividade ao mundo, (tornando a) vivenciá-lo e transformá-lo de maneira bravamente resoluta; com a certeza de não ter mais nada a perder, criar coragem para a realização, para trilhar seu próprio caminho e seu próprio ninho; vivenciar sentimentos de solicitude, de ausência de fronteiras e de amor; vivenciá-los corajosamente com meios abertos (ofensivos), até mesmo pela destruição de, por exemplo, antigas estruturas do ninho infantil; ter à mão as perguntas sobre a origem e o sentido do todo, assim liberando dessa tarefa as células do corpo; considerar as medidas mencionadas no verbete → Câncer: sendo o câncer uma nosografia que afeta todo o organismo, é preciso preveni-lo em todas as frentes.

Remissão: proporcionar-se expressão, em vez de deixar o corpo falar por si; reconhecer a necessidade de passar do nível corporal, e por isso mesmo perigoso à vida, para o nível anímico-espiritual, desafiador, mas que nos salva a vida, e neste último apostar num crescimento expansivo; descobrir o amor sem fronteiras, não se importar com normas estabelecidas por si mesmo ou por outrem, comprometendo-se apenas a viver a mais elevada das leis e desenvolver-se.

Cobertura do princípio original: Lua-Plutão.

Câncer no fígado (ver também Câncer)

Plano corporal: fígado (vida, avaliação, retroligação).

Plano sintomático: degeneração no âmbito da filosofia de vida, da *religio*, da pergunta pelo sentido da vida ou no âmbito das avaliações: crescimento selvagem e avassalador no plano do corpo; conflito radical, que tem a ver com o sentido da vida e é inconsciente ou parece insolúvel ao paciente; tamanho é o afastamento da linha de desenvolvimento que lhe é própria quanto à cosmovisão, à espiritualidade, ao sentido e objetivo da vida que o corpo proporciona ao tema (esquecido/reprimido) uma expressão; o crescimento anímico-espiritual nesse campo temático esteve por tanto tempo bloqueado que ele agora abre caminho no corpo de modo agressivo e desordenado; o câncer realiza corporalmente, nos domínios temáticos afetados, o que seria necessário no âmbito correspondente da consciência; destruição agressiva das células do fígado, com o risco de deixar sucumbir as funções vitais (prognóstico semelhante ao da → Cirrose hepática).

Tratamento: questionar radicalmente os hábitos e tradições antigos e ultrapassados que dizem respeito à religião, à filosofia de vida e às perguntas pelos valores da própria vida e, se for o caso, destruí-las sem se importar com o risco de negar muito do antigo para chegar a uma autonomia espiritual; abrir-se no âmbito da filosofia da vida e da *religio* para suas próprias representações extravagantes e fantasias ousadas, deixar que prosperem e se expandam de maneira corajosa e livre; lembrar-se de antigos sonhos com seus próprios fins religiosos, desejos e representações de sentido da vida, tornar a vivenciá-los de maneira selvagem e decidida e transformá-los; com a certeza de não ter mais nada a perder, criar coragem para a realização, para trilhar o próprio caminho; subtrair ao corpo o impulso de crescimento e conduzi-lo em planos redimidos; proporcionar-se expressão no âmbito espiritual, em vez de deixar o corpo falar por si; considerar as medidas mencionadas no verbete → Câncer: sendo o câncer uma nosografia que afeta todo o organismo, é preciso preveni-lo em todas as frentes.

Remissão: levar adiante a busca pelo verdadeiro sentido da vida; reconhecer a necessidade de passar do nível corporal, e por isso mesmo perigoso à vida, para o nível anímico-espiritual, desafiador, mas que nos salva a vida, e neste último apostar num crescimento expansivo; descobrir o amor sem fronteiras, não se importar com normas estabelecidas por si próprio ou por outrem, comprometendo-se apenas em perceber e cumprir a mais alta das leis individuais e expressá-la.

Cobertura do princípio original: Júpiter-Plutão.

Câncer no intestino grosso ver Câncer do reto

Câncer no pâncreas (carcinoma pancreático, ver também Câncer)

Plano corporal: pâncreas (análise agressiva, digestão dos açúcares).

Plano sintomático: destruição agressiva das células do pâncreas, correndo-se o risco de deixar sucumbir as funções digestivas; degeneração no âmbito da análise agressiva do meio de vida; crescimento tumoroso, selvagem e avassalador das células glandulares degeneradas, proveniente quase sempre da cabeça do pâncreas, sendo três vezes mais freqüente no homem do que na mulher; tamanho é o afastamento de sua linha própria de desenvolvimento no que diz respeito à análise e digestão da vida que o corpo proporciona aos temas (esquecidos/reprimidos) uma irrupção; conflitos freqüentes de abastecimento: não receber o que se crê ser de direito, ou seja, o que em segredo já se tem certamente como seu; o crescimento anímico-espiritual nesse campo temático está de tal modo bloqueado que caminhos têm de ser abertos no corpo de modo agressivo e desordenado; o câncer realiza corporalmente, no âmbito temático afetado, o que seria animicamente necessário no domínio análogo da consciência; alastramento prematuro de um crescimento maligno em temas como a paternidade e o equilíbrio dos contrários (rins), intercâmbio e comunicação (pulmões) e sentido da vida (fígado).

Tratamento: pôr radicalmente em questão hábitos e tradições antigos e ultrapassados no que diz respeito à análise e digestão da vida, e, confirmando-se inadequados, destruí-los sem qualquer consideração; abrir-se, no domínio da análise e digestão, para idéias extravagantes e audaciosas fantasias, deixando que prosperem e se expandam de forma livre e corajosa; recordar-se de antigos sonhos com os próprios objetivos, desejos e representações de assimilação da vida, vivenciá-los (novamente) e transformá-los de maneira (bravamente) resoluta; com a segurança de quem não tem mais nada a perder no campo da certeza, criar coragem para a realização, para trilhar o próprio caminho; extrair do corpo o impulso para o crescimento e conduzi-lo a planos redimidos; considerar as medidas mencionadas sob o verbete → Câncer: sendo o

câncer uma nosografia que afeta todo o organismo, é preciso preveni-lo em todas as frentes.
Remissão: romper com representações de assimilações, possibilidades de digestão, modos de análise, avaliações e juízos antigos e realmente estranhos ao próprio ser, batalhando agressiva e ofensivamente pelo seu próprio caminho e sentido da vida; proporcionar-se expressão no domínio espiritual, no mundo da consciência, em vez de deixar o corpo falar por si; reconhecer a necessidade de passar do nível corporal, e por isso mesmo perigoso à vida, para o nível anímico-espiritual, desafiador, mas que nos salva a vida, e neste último apostar num crescimento expansivo no domínio (do princípio original) afetado; descobrir o amor sem fronteiras, não se importar com determinações estranhas e normas estabelecidas por si mesmo ou por outrem, comprometendo-se apenas a viver e expressar-se em sua própria e mais elevada lei.
Cobertura do princípio original: Mercúrio-Plutão.

Câncer no pulmão (carcinoma bronquial; ver também Câncer).
Plano corporal: pulmões (contato, comunicação, liberdade).
Plano sintomático: degeneração nos campos de contato e comunicação, como, por exemplo, intercâmbio e contato, que, embora não correspondam ao cerne mais profundo do ser, demandam muita energia (seguindo seus próprios caminhos ao modo de um tecido bronquial arrematador); crescimento tumoroso selvagem e avassalador nesse ciclo temático; interrupção (destruição) da comunicação (primeiramente pelo fumo – a esse respeito ver também o problema fundamental que está na origem e se expressa pelo → Fumar – e secundariamente pelo crescimento cancerígeno); crescimento infiltrado em âmbitos estranhos; invasão das zonas tabus: ruptura das fronteiras de outrora (membranas basais): a comunicação não-vivenciada, obrigatória, que não conhece fronteiras (amorosas) afunda-se no corpo; deixar de receber ar, não conseguir mais respirar: estreiteza e medo no próprio território da vida; tamanho é o distanciamento da via de desenvolvimento que lhe é própria que o corpo proporciona ao tema (esquecido/reprimido) uma expressão; o crescimento anímico-espiritual nesse ciclo temático esteve por tanto tempo bloqueado que ele agora abre caminho no corpo de modo agressivo e desordenado; o câncer realiza corporalmente o que seria animicamente necessário no plano da consciência; a busca da imortalidade e da onipotência (da alma) esgota-se nas células do corpo em vez de esgotar-se na consciência; ruptura para a imortalidade (no plano das células); a retirada para a origem, a fonte da *religio*, vai abaixo com as tendências regressivas das células cancerígenas do corpo: regressão para os planos (de metabolismo) primitivos.
Tratamento: atrair o câncer (não seguir o próprio caminho da perspectiva da comunicação) para a ante-sala da memória (da doença) e aí o contemplar; nos âmbitos de contato e intercâmbio, abrir-se para as representações extravagantes e fantasias ousadas, deixando-as crescer e desenvolver-se de maneira corajosa e não controlada (pelos outros); atitude ofensiva e penetrante para o próprio caminho da vida: lembrar-se de antigos sonhos e de suas formas de expressão na perspectiva da comunicação, (voltando a) vivenciá-los e transformá-los de maneira bravamente resoluta; buscar e travar discussões no âmbito da comunicação; com a certeza de não ter mais nada a perder, criar coragem para a realização, para trilhar o próprio caminho; realizar intercâmbios sem fronteiras e contatos amorosos; introduzir-se corajosamente (intelectualmente) em campos inusitados, que "oficialmente" nada têm que ver consigo; forçar rupturas espirituais; retorno a uma forma de vida mais simples e modesta; consciência do retor-

no às próprias raízes ("de onde venho?"); reconciliação com a mortalidade do corpo; prospecção do próprio objetivo: a imortalidade (da alma); considerar as medidas mencionadas no verbete → Câncer: sendo o câncer uma nosografia que afeta todo o organismo, é preciso preveni-lo em todas as frentes; estabelecer uma comunicação comprometida, sem fronteiras e amorosa, impondo-a corajosamente, mediante a destruição de todas as antigas estruturas de comunicação com meios abertos (ofensivos); ter sempre presentes as perguntas sobre o sentido do todo, liberando dessa tarefa as células do corpo.
Remissão: liberdade de expressão; comunicação individual; reconhecer a necessidade de passar do nível corporal, e por isso mesmo perigoso à vida, para o nível anímico-espiritual, desafiador, mas que nos salva a vida, e neste último, apostar num crescimento expansivo; descobrir o amor sem fronteiras, não se importar com normas estabelecidas por si mesmo ou por outrem, comprometendo-se em perceber e cumprir a mais alta das leis individuais; estabelecer a comunhão com o mais alto dos planos humanos; buscar comunicar-se com Deus (por exemplo, pela oração, meditação); ter nas próprias mãos a busca pela imortalidade e onipotência (da alma).
Cobertura do princípio original: Mercúrio-Plutão.

Câncer no seio (ver Câncer de mama)

Câncer no útero
Plano corporal: mucosa (fronteira interna, barreira) do útero (fertilidade, proteção).
Plano sintomático: conflito sexual de alta frustração, crônico e não-resolvido, empurrado para as sombras; tumor que cresce de maneira selvagem, sem ordem ou estruturação, no campo da fertilidade e da criatividade; a paciente encontra-se tão afastada da via de desenvolvimento que lhe é intrínseca, no que diz respeito ao âmbito maternal, que acaba por aceitar o desenvolvimento desse tema no plano corporal; o crescimento anímico-espiritual nesse campo esteve bloqueado por tanto tempo que irrompe no corpo, atacando de maneira agressiva e avassaladora; o câncer desenvolve corporalmente no âmbito do útero o que seria necessário para a alma no nível análogo da consciência; tem sua base, freqüentemente, no excesso de estrogênio (hormônio do amor) decorrente da menopausa: em vez da preparação para o aninhamento do óvulo, ocorre uma crescente degeneração da mucosa; maternidade não-vivenciada (degenerada; alta incidência em mulheres sem filhos, freiras e prostitutas).
Tratamento: no âmbito da fertilidade e da criatividade, abrir a porteira para as próprias idéias (mesmo as selvagens) e para uma audácia ofensiva; ceder a corajosos e ousados impulsos de crescimento; relembrar e tornar a vivenciar os sonhos de uma vida relacionados aos temas da maternidade e da fertilidade; seguir o próprio caminho, evitar tratamentos rejuvenescedores (com estrogênio); acatar as medidas mencionadas no verbete → Câncer: sendo o câncer uma nosografia que afeta todo o organismo, é preciso preveni-lo em todas as frentes.
Remissão: descobrir onde residem a criatividade e a identidade; reconhecer a necessidade de passar do nível corpóreo e perigoso (à vida) para o nível anímico e desafiador, mas que liberta a vida, e neste último apostar num crescimento expansivo; vivenciar e desfrutar conscientemente a maternidade: antes da menopausa, fazê-lo no sentido concreto; depois, como avó.
Cobertura do princípio original: Lua-Plutão.

Câncer nos testículos (ver também Câncer)
Plano corporal: testículos (fertilidade, criatividade).

Plano sintomático: crescimento selvagem no âmbito da fertilidade; crescimento selvagem — desestruturado e desordenado — no âmbito da criatividade e da fertilidade; tamanho é o afastamento da via de desenvolvimento que lhe é própria no que diz respeito à fertilidade que o corpo passa a atuar como substituto para proporcionar expressão ao tema; o crescimento anímico-espiritual esteve por tanto tempo bloqueado nesse campo que agora abre caminho no corpo, fazendo-o sempre de modo agressivo, desordenado e brutal; o câncer realiza corporalmente no âmbito da criatividade o que seria necessário à alma no âmbito correspondente da consciência.

Tratamento: abrir suas próprias fronteiras (para o mundo) de maneira consciente, corajosa e engajada; abrir-se em amor para o submundo e dedicar-lhe a própria vida; abrir-se no âmbito da fertilidade e criatividade para suas próprias representações selvagens e fantasias audaciosas, deixar que cresçam corajosas e (por vezes) ousadas; lembrar-se de antigos sonhos de vida num transbordamento de criatividade e tornar a vivenciá-los de maneira decidida; considerar todas as medidas preventivas mencionadas no verbete → Câncer: sendo o câncer uma nosografia que afeta todo o organismo, é preciso preveni-lo em todas as frentes.

Remissão: descobrir o amor sem fronteiras, não se importar com normas estabelecidas por si mesmo ou por outrem e conscientemente criar a própria lei e vivê-la de maneira amigável; confiar nas próprias idéias e fantasias; reconhecer a necessidade de passar do nível corporal, e por isso mesmo perigoso à vida, para o nível anímico-espiritual, desafiador, mas que nos salva a vida, e neste último apostar num desenvolvimento expansivo.

Cobertura do princípio original: Marte-Plutão.

Candidíase (afta [estomatite com formação ulcerosa]; ver também Dermatomicoses)

Plano corporal: sobretudo a pele mais externa (delimitação, contato, carinho), mucosas internas (fronteiras internas, barreiras); também por baixa imunidade (por exemplo → Aids) ou terapia de longa duração à base de antibióticos.

Plano corporal: as próprias fronteiras tornam-se, apesar do escudo de proteção feito de envoltório ácido e da proteção por células de defesa, ocupadas por atrevidas e bem propagadas tropas estrangeiras (tumores provocados por cogumelos altamente ramificados [micélios]); ser demasiado fraco para proteger sua pele; tudo o que está mortificado corre o risco de sofrer um ataque por cogumelos (cogumelos são saprófitos, vivem de matéria orgânica em decomposição); o aguerrido conflito inicia-se apenas tardiamente e já em profundidade no próprio terreno do corpo.

Tratamento: reconhecer quantos mortos se está arrastando consigo; abrir as próprias fronteiras na perspectiva anímico-espiritual, em vez de protegê-las; dar espaço para o estranho e apropriar-se dele; abrir os próprios domínios sem vida, mortificados, para outros impulsos vitais; primeiramente ficar em total expectativa e conhecer a partir da própria vivência antes de iniciar uma discussão encarniçada; exercícios concretos: compartilhar a refeição com alguém, por exemplo, hospedar um estrangeiro, travar relações com ele e questionar de maneira ofensiva e crítica como ele gostaria de expandir seu modo de vida em seu próprio domínio; adotar para si uma alimentação viva, que possa transformar o corpo em estruturas vivas, das quais os fungos não poderão se aproveitar.

Remissão: aceitação e integração de outros impulsos e formas de vida; do próprio terreno vivo (da consciência).

Cobertura do princípio original: Plutão.

Cansaço da primavera (inversão do metabolismo)

Plano corporal: nutrição deficiente (acentuada pela carência de vitamina C, que sobrevém na primavera); na mudança das fases do ano, recusar a mudança como símbolo; assustar-se com o aumento dos (próprios) humores; combater a própria força marciana nas atividades marcianas ofensivas (corte de árvores, legumes e verduras crescidas artificialmente, germes pontudos que perfuram a Mãe Terra, botões que saem de seus invólucros); medo de partir para novas possibilidades, da energia que se manifesta na primavera; passado o sono do inverno, não estar abastecido de toda a força que seria necessária.
Tratamento: como ser da criação, compreender e aceitar a mudança; defrontar-se abertamente com a própria energia vital; aprender a comprazer-se nela; aprender a amar o novo como oportunidade de crescimento.
Remissão: viver em harmonia com a qualidade do tempo: calma e atividade em seus respectivos momentos; ajustar-se à sucessão das fases do ano.
Cobertura do princípio original: Marte-Netuno.

Caquexia (enfraquecimento geral, consumição)
Plano corporal: afeta o organismo como um todo.
Plano sintomático: renúncia do corpo: definhamento, colapso do corpo em nosografias que levam à morte; o sistema suspende cada vez mais o serviço; morrer lentamente: o corpo desiste, na maioria das vezes acionando conscientemente um desprendimento espiritual.
Tratamento: preparar-se para abandonar sua decadente morada corporal: deixar que a alma se ponha em primeiro plano; cuidar de sua alma em vez de continuar a investir em sua morada quase a ponto de ser abandonada; a tarefa agora é desistir: desistir do corpo, de forma tão consciente quanto possível para estar preparado para a viagem da alma, para o vôo livre do pássaro que é a alma; providenciar alimento espiritual: oratórios como gênero musical, leitura de livros dos mortos, rituais para a morte.
Remissão: render-se conscientemente: "seja feita a Tua vontade".
Cobertura do princípio original: Saturno (como homem da foice para o corpo e guardião do umbral para as almas).

Carbúnculo ver Furúnculos

Carcinofobia ver Medo de câncer

Carcinoma bronquial ver Câncer no pulmão, Fumo; *no útero* ver Câncer no útero, Câncer no colo do útero; *pancreático* ver Câncer no pâncreas

Cardiastenia ver Acalasia

Cardiomiolipose ver Degeneração adiposa do coração

Cardiomiopatia (ver também Miocardite, Insuficiência cardíaca)
Plano corporal: coração (sede do amor, da alma, do sentimento, centro energético).
Plano sintomático: dá-se de diferentes formas, em geral como um alargamento frouxo do músculo do coração com uma redução da musculatura.
Tratamento/Remissão: expandir o coração no sentido figurado, de modo que ele possa permanecer corporalmente em sua forma original.
Cobertura do princípio original: Sol-Júpiter-Saturno.

Carência de açúcar no sangue ver Hipoglicemia; *de sucos gástricos* ver Aquilia.

Cáries
Plano corporal: dentes (agressividade, vitalidade).
Plano sintomático: começo de apodrecimento, deixar os dentes serem *devorados*; recalcamento da agressividade, atitu-

de defensiva, não poder revidar; um evitar relacionado à incapacidade, "mostrar os dentes a alguém", inibição da mordida; ausência da possibilidade de conseguir ("morder-se"), compromisso frouxo; perda de vitalidade, energia e potência; problemas com a expressão da agressividade (morder) e o realçar do essencial (moer); perda do sentimento do próprio valor com a perda da saúde dentária ("a cavalo dado não se olham os dentes"); ter de "mastigar" ou "moer" um problema; preferência por alimentos leves e moles, que não exigem muito dos dentes e da força marciana, deixando-se degenerar.
Tratamento: aprender a lutar com suas próprias armas; praticar e conduzir o cuidado com suas armas: limpar os dentes e vivenciar (esgotar) a agressividade (suas forças vitais); sobre o conhecimento da simbologia dos dentes, aprender a apreciar bem e a fazer algo para si, e com isso poder fazer algo por alguém; sobre a saúde dos dentes e a vitalização da corrente da vida, construir o sentimento do próprio valor; conquistar um parceiro "doce", em vez de beliscar coisas doces: aprender a amolecer ativamente as durezas da vida, desfazer o entorpecimento; conceder-se alimentos integrais, que encontrem nos dentes um adversário digno.
Remissão: reconhecimento de que entrar em guerra com Marte é perigoso, já que ele é seu elemento: é preferível reconciliar-se com ele, comprazer-se nele e encontrar suas energias; no nível espiritual, ser como as crianças, isto é, sem dentes.
Cobertura do princípio original: Marte-Marte.

Caspa
Plano corporal: couro cabeludo (pele da cabeça, delimitação, contato; cabeça, capital do corpo).
Plano sintomático: mudar a pele; desfazer-se da própria pele; sair da pele, esquivar-se.
Tratamento: desistir de antigos envoltórios; mudar a pele no sentido de renovar.
Remissão: sair da (antiga) pele e trilhar novos caminhos.
Cobertura do princípio original: Saturno.

Catarata
Plano corporal: olhos (visão, discernimento, espelho da alma).
Plano sintomático: olhar turvo, esfumado e disfarçado, não (querer) ver a realidade com nitidez; por causa do manto cinzento, o mundo perde em clareza, mas também em contundente precisão; distanciamento apaziguador do submundo; abaixar as persianas para não ter de ver o que não se quer ver; escamas diante dos olhos; visão turva como pólo oposto ao olhar luminoso da criança: perspectiva turva; as cintilantes estrelas dos olhos desbotam sob o manto cinzento.
Tratamento: deixar desvanecer-se o mundo exterior, posicionar o olhar para uma precisão interior; distanciar-se do mundo exterior para se dedicar ao mundo interior; abaixar as persianas externas e voltar-se para dentro; transformar perspectivas turvas em claro discernimento; ceder à pergunta sobre que atitude errônea em seu interior estaria turvando um olhar claro.
Remissão: discernimento em vez de visão voltada para o exterior.
Cobertura do princípio original: Sol/Lua-Saturno.

Catarro ver Doenças das vias respiratórias, Resfriados, Gripe

Cegueira (ver também Daltonismo)
Plano corporal: olhos (vista, discernimento, espelho da alma).
Plano sintomático: não querer ver, cegueira da consciência; obrigação de olhar para dentro: as imagens internas permanecem (restam), enquanto as externas lhe são tomadas.
Tratamento: visão interna: viajar para dentro em vez de fazê-lo para fora; aprender a enxergar no mundo interior: com o

domínio da visão interior, aprender a deduzir a exterior.
Remissão (ver também a biografia de Helen Keller): o verdadeiro enxergar, a mais alta visão; os grandes visionários, que viram a realidade por detrás das formas exteriores, foram muitas vezes cegos (por exemplo, Tirésias no mito de Édipo); solução dos trabalhos interiores, conquista do mundo interior.
Cobertura do princípio original: Sol/Lua-Netuno.

Celíaca/Diarréia tropical (ver também Problemas digestivos, Alergia)

Plano corporal: intestino delgado (análise, assimilação).
Plano sintomático: alergia a gorduras, à cola dos cereais que dá consistência ao pão: não querer aceitar o pão da fase adulta, mas combatê-lo de maneira agressiva; guerra contra o lubrificado, escorregadio e viscoso, contra o pólo feminino da vida; despedaçam-se a hostilidade ao corpo, a hostilidade à vida, ao corpo e à alma.
Tratamento (para os pais, cujos problemas geralmente são espelhados pelos filhos): reconciliação com o princípio da agressividade e com o pólo feminino da realidade na forma da sopa original escorregadia, viscosa, da qual decorre toda a vida; reconciliar-se com sua própria corporalidade; desenvolver prazer no âmbito corporal e na amizade com o corpo.
Remissão: uma vida cheia de prazer junto ao princípio feminino doador de vida.
Cobertura do princípio original: Mercúrio-Plutão/Marte.

Celulite (marcas falsas, que não correspondem a nenhuma inflamação; ver também Fraqueza do tecido conjuntivo)

Plano corporal: pele (delimitação, contato, carinho), tecido adiposo subcutâneo (abundância, reserva).
Plano sintomático: em se tratando de um fenômeno de moda, trata-se de um fenômeno que até a virada do século jamais seria tido por doença, e, muito ao contrário, pertencia ao ideal de beleza da época; para o ideal elegante e esguio de nosso tempo não cabe o aumento do tecido conjuntivo nas coxas, nas nádegas, etc.; fenômeno da pele com aspecto de casca de laranja devido ao aparecimento de suave acúmulo linfático e formação de edema; o aspecto feminino da figura é acentuado e então combatido com afinco (na maioria dos casos por meios que se utilizam apenas do produtor, permanecendo o fenômeno por muito tempo sem ser influenciado).
Tratamento: homeopático: aceitação do modo de vida do princípio original suavemente feminino, da fraqueza e da brandura, que ainda se fortalece com o processo de envelhecimento; realizar a entrega como tema de vida arquetipicamente feminino (em vez da fraqueza do tecido conjuntivo e do deixar-se pender); alopático: perda de peso e movimento, treinamento e estabilização (na direção de um ideal de silhueta masculina); pôr-se também espiritualmente em movimento, pôr o líquido anímico em movimento.
Remissão: abrir-se para o fluxo vital feminino, permanecer em fluxo e reconciliar-se com o próprio tema de vida.
Cobertura do princípio original: Lua-Júpiter.

Ceratose/Hiperceratose (ver também Psoríase, Calos, Inflamação da córnea)

Plano corporal: pele (delimitação, contato, carinho).
Plano sintomático: formação doentia de calosidades na pele (por exemplo, delimitada pela formação calosa, primeiro estágio para Basaloma: encouraçamento das fronteiras externas; busca de se proteger contra o exterior e isolar-se; construção de uma armadura, do próprio castelo.
Tratamento: aprender a proteger-se do cansaço excessivo – geral ou ocasional; produzir segurança num sentido figurado; aprender a se proteger em sua pele e a sentir-se bem nela.

Remissão: defender-se (sua pele) também sem armadura exterior, com algo como um armamento interior.
Cobertura do princípio original: Vênus/Saturno-Saturno.

Cervicite (inflamação da mucosa do colo do útero)
Plano corporal: útero (fertilidade, proteção).
Plano sintomático: conflito e luta na entrada para o submundo feminino (quem deve ter a permissão de entrar aqui?); como conflito crônico, geralmente constitui a base para degenerações posteriores.
Tratamento: conflito consciente e corajoso em torno da entrada para a cavidade feminina; defesa ostensiva da própria entrada no plano da consciência em vez de fazê-lo no plano corporal: escolha crítico-ofensiva (aberta) do visitante; deixar-se provocar em vez de deixar entrar o agente provocador; aprender a dizer "não"; reconhecer que batalhas não-resolvidas, adormecidas (compromissos incertos) constituem perigo (rebanhos perigosos) para o futuro (por exemplo, dormir com ele para que ele não vá com nenhuma outra); para o próprio conceito vital, pseudo-soluções radicais podem conduzir a *ego-trips* radicais e corporais (→ Câncer).
Remissão: proteção ostensiva do acesso ao útero (para o próprio tornar-se mãe).
Cobertura do princípio original: Lua-Marte-Saturno.

Cesariana (ver também Complicações gerais no nascimento)
Plano corporal: útero (fertilidade, proteção), ventre (proteção).
Plano sintomático: 1. nas crianças: vontade de permanecer de cócoras no país das delícias; desconcertar-se com o salto para baixo; fazer-se importante e pesado; padrão de vida: "os outros devem ver o que é feito de mim"; 2. para a mãe: recusa em dar a criança (ao mundo), não querer se separar; ter vivenciado (desfrutado) pouco (conscientemente) a gravidez; tomar-se (a si mesma) por muito importante; medo de ser muito estreita, de ficar pouco atraente; queda da consagração consciente do ser mãe; medo da dor, nos casos de cesariana conscientemente desejada; recusa geral perante o tamanho da tarefa: grito de socorro ao ajudante: "não posso, não quero e não faço!"
Tratamento: 1. para as crianças/futuros adultos: aprender a lidar com os limites e a ultrapassá-los quando necessário; aprender a assumir a responsabilidade que é sua, mas também deixar-se ajudar; aprender a confiar na própria força, a superar a estreiteza; dar o salto certo; ocupar-se criticamente do próprio padrão de vida; compreender, em seu devido tempo, que os outros só no começo olham para o que é feito de você; 2. para a mãe: aprender a despedir-se conscientemente e a deixar-se para mais tarde no decorrer do tornar-se (ser) mãe; aprender a beleza de ser mãe, aceitar a maturidade; tratamento do próprio trauma do nascimento com relação ao medo ante o aperto original; travar contato consciente com a "iniciação" do ser mãe (ritual).
Remissão: encontrar o meio-termo entre o atrelar-se às coisas e o precipitar-se impacientemente; encontrar o padrão de atrelar e aguardar conscientemente: tratar disso, de fazer com que surja daí alguma coisa.
Cobertura do princípio original: Marte-Lua.

Choque ver Colapso

Cianose (coloração azulada da pele; ver também Mitraltenose, Estenose tricúspide adquirida)
Plano corporal: sangue (força vital), pulmões (contato, comunicação, liberdade).
Plano sintomático: abastecimento insuficiente das extremidades do corpo: esconder-se em seu interior, subabastecer as fronteiras externas, deixá-las descuidadas e inanimadas; convite a abusos e quebras de fronteiras.
Tratamento: aprender a lidar com a energia vital de maneira econômica; animar

seu interior e redimir os temas interiores; no pólo oposto: quando a vida interior estiver assegurada, vir à luz e tratar das fronteiras e superfícies de contato com o exterior.
Remissão: pôr interior e exterior em harmonia; estabelecer a harmonia entre suas pretensões e as que lhe são estranhas.
Cobertura do princípio original: Marte-Mercúrio-Saturno.

Ciática/Isqualgia (ver também Acidentes)
Plano corporal: coluna vertebral (sustentação e dinâmica, retidão), discos vertebrais (pólo feminino da coluna vertebral), nervos (serviço noticioso).
Plano sintomático: irritação do nervo ciático, ou seja, do nervo que segue pelo canal da medula espinhal, com dores consideráveis devido à pressão (disco vertebral deslocado); problema do disco vertebral: (excessiva) pressão existencial; o feminino e flexível é pinçado e esmagado, prensado (extorquido?) entre dois elementos rígidos masculinos; *sobrecarga* (por exemplo, como compensação pela insegurança e sentimento de inferioridade): carregar/imputar-se muita coisa (nos ombros), sobrecarregar-se, aceitar em demasia para causar impressão e confundir a impressão verdadeira; rasgar-se, já que conscientemente não há "superexcitação"; busca de reconhecimento; pressão que dá nos nervos; a pressão interna abre caminho; afastar-se de uma pressão interna: alternativa dolorosa; em caso de deslocamento: o eixo da vida (do mundo) está fora de enquadramento; transposições da coluna vertebral: estar entalado, apertado; humilhação por falha na retidão: "corcova"; retidão sobrecarregada em forma de teimosia: "solteirão".
Tratamento: deixar-se desafiar (estimular) (a cada progresso e ascensão) no âmbito do comando central (ciático); tornar-se consciente da pressão existencial e do papel do feminino; *empurrar* o flexível e feminino da própria existência mais para o ponto médio; carregar (suportar) conscientemente o peso da própria existência; reconhecer e liquidar situações de sobrecarga para compensar a insegurança: submeter as cargas sobre os próprios ombros a um exame crítico; fazer experiências com o eixo da vida e com o ponto médio da vida; encontrar uma orientação conveniente; tornar a encaixar o que está desenquadrado; tornar a regular as histórias experimentadas; posicionar as coisas corretamente (mesmo quando se sente dor); fazer uso da calma a que se é obrigado para repensar.
Remissão: limitação ao essencial; conversão da humilhação em humildade; resignar-se; honestidade para consigo mesmo, e com isso apresentar-se perante o mundo; movimentos internos.
Cobertura do princípio original: Júpiter/Marte-Saturno.

Ciciar
Plano corporal: língua (expressão, linguagem, armas), boca (receptividade, expressão, maioridade).
Plano sintomático: ao pronunciar as letras sibilantes, apoiar a ponta da língua nos dentes da frente; falso golpe de língua; modo de expressão ininteligível e preso; não (querer) ser compreendido.
Tratamento (para os pais, cujos problemas geralmente são espelhados pelos filhos): aprender a dirigir sua atenção para as letras perigosas (o sibilar da cobra); acentuar as letras sibilantes; mostrar compreensão, proporcionando à criança a sensação de ser compreendida.
Remissão: sentir-se compreendido, encontrar compreensão, encontrar o golpe de língua certo, querer se comunicar.
Cobertura do princípio original: Mercúrio.

Cifose (curvatura da coluna da vértebra dorsal apontando para dentro; normal quando em grau leve; ver Corcunda)

Plano corporal: coluna vertebral (apoio e dinâmica, retidão), costas (esforço, retidão).
Plano sintomático: estiramento da musculatura das costas para proteção do lado anterior lesionado, que é escondido; humildade não-vivenciada; crianças/adultos curvados, abalados; curvar-se, pôr-se para baixo (mentalidade de "ciclista" e de "puxa-sacos"); "dobrar-se", falta de retidão; força pressionada para baixo, falta de forças na expressão de si mesmo; ausência de anteparo; dobrar-se, para não se chocar com nada; carência de reservas.
Tratamento: resistir, para não ter as costas quebradas; perceber conscientemente uma adaptação oportunista e reconhecê-la em sua incompatibilidade com a retidão interior e, a longo prazo, também com a retidão exterior; encontrar apoio em seu eixo vital; viver a partir de seu próprio anteparo; abrir o coração e o âmbito da comunicação (pulmões).
Remissão: deixar crescer a autêntica humildade a partir das humilhações e por meio da consciência.
Cobertura do princípio original: Saturno.

Cinetoses (doenças de viagem ou de movimento; ver também Distúrbios do equilíbrio)
Plano sintomático: as doenças de viagem fundamentam-se na atitude de não se deixar envolver com a viagem: a pessoa está iludida com algo (tonturas); processo típico: informações diferentes, contraditórias e até mesmo excluídas dos órgãos dos sentidos na central (cérebro); exemplo do enjôo ao navegar: os olhos sinalizam calma, e o órgão do equilíbrio, movimentos balouçantes; as tonturas revelam tonturas: eis aqui alguém que não se mete com o mar; enjôo ao voar: não se adaptar ao ar e ao vôo com suas possibilidades; náuseas e tonturas ao andar de carro quando não se é o motorista: não interagir com o percurso, não olhar para fora o suficiente; para os enjôos em geral: vivenciar-se num terreno oscilante; não se sentir em seu elemento; não estar aqui nem lá, mas sim entre os mundos e entre a cruz e a espada; movimentos rápidos demais para a própria consciência; não poder confiar em seus olhos; *sentir nojo* (nessa situação).
Tratamento: conduzir as informações a uma concordância, por exemplo, no enjôo ao navegar: ir para o convés do navio e perceber conscientemente os movimentos das águas ou então fechar os olhos e a porta às fontes de erro; confiar no chão oscilante do elemento estranho, entregar-se a ele; adaptar-se à velocidade e estrangular a própria velocidade de assimilação ou aumentá-la: nos brinquedos de parques de diversões; desenvolver uma orientação interior para a situação; estar aberto para as percepções falhas dos olhos.
Remissão: render-se à situação com seus respectivos elementos.
Cobertura do princípio original: Netuno.

Cirrose hepática
Plano corporal: fígado (vida, avaliação, retroligação).
Plano sintomático: ponto de vista enrijecido com relação à avaliação e ao questionamento do sentido da vida: fígado enrijecido por causa de um tecido hepático que é incapaz de executar suas funções no tecido conjuntivo que contém a cicatriz (doenças que estão em sua base: → Alcoolismo, → Icterícia (mal curada), → Intoxicação); o fígado não cumpre mais suas tarefas; seus temas ficam em segundo plano; firmar-se obstinadamente no conceito de ausência de sentido da vida; atrofia freqüente como pólo oposto à expansão e ao crescimento incipientes (num eventual estágio prévio a uma adiposidade do fígado); intoxicação: o estabelecimento em que se faz o serviço vem abaixo; a inferiorização da realização faz um paralelo com os progressos da cirrose; desvanece (desaparece) o prazer pela vida em todos os planos: inapetência até a apatia; a seiva vital escapa a partir daí (tendência para a hemorragia devido à falta de fato-

res coagulantes); vasos dilatados no esôfago (→ Varizes no esôfago) e vasos dilatados no abdômen (chamados "cabeça-de-medusa") devido ao acúmulo, ou seja, ao refluxo na corrente de energia vital no fígado, isto é, diante dele; efeminação nos homens no sentido de castração, pois os hormônios ativos femininos não podem mais ser decompostos; desenvolvimento dos seios, de pêlos pubianos femininos, involução dos testículos; → Hidropisia estomacal: o anímico acumula-se no centro, não pode ser mantido em fluxo; estrelas do fígado: em vez de dirigir seu olhar às estrelas no firmamento como expressão de uma ordem superior, na qual todos têm o seu lugar (que lhes é conveniente), são produzidas estrelas na pele (vasículos arrebentados).

Tratamento: tornar-se consciente de seu próprio enrijecimento na questão do sentido da vida e da avaliação e mudar de direção interiormente, em vez de reconstruir o fígado; deixá-lo atrofiar de maneira desmedida; ocupar-se criticamente da toxicidade de sua própria condução da vida; renunciar a pretensões de realização, voltar-se para as questões essencialmente interiores; guardar distância do caráter devorante do mundo e aprender a modéstia; esgotar suas energias vitais com o essencial e abandoná-las conscientemente; em seu próprio mundo energético, confrontar-se com o acúmulo que delineia seu abdômen; satisfazer o pólo feminino da própria vida, resolver-se com o masculino (a ilusão do macho em muitas doenças relacionadas ao alcoolismo); dar importância à alma (a água feminina no ventre) e acumulá-la (em seu centro); o jejum como processo de convalescença e para a recuperação da medida correta.

Remissão: restabelecer-se no tempo certo e encontrar o essencial (o sentido da própria vida) pela diferenciação e pela avaliação; reconhecer na cirrose hepática (na Alemanha, a quarta *causa mortis* mais freqüente) o preço do crescimento a qualquer custo.

Cobertura do princípio original: Júpiter-Saturno.

Cistite (Inflamação da bexiga)

Plano corporal: bexiga (segurar e liberar pressão).

Plano sintomático: conflito, guerra em torno do soltar (liberação de líquido = liberação do lixo anímico); dores palpitantes conduzem ao toalete: necessidade palpitante de um liberar (de águas residuais) anímico, abandono doloroso e imperfeito de peso morto (anímico); chorar por baixo sob dores; estar constantemente sob dolorosa pressão; pôr-se (deixar-se) inconscientemente sob pressão; exercer pressão/poder sob dores; conflito entre o guardar (manter) e o soltar; tem-se freqüentemente a obrigação de oferecer "cedo demais" em sacrifício algo animicamente essencial (falso sacrifício).

Tratamento: tornar-se consciente da pressão anímica, sob a qual se está; reconhecer a urgência de liberar os detritos anímicos; perceber o quanto se está morto por ter de dominar alguma coisa; aprender a devolver a pressão na perspectiva anímica; praticar a liberação de pressão sob dores: praticar a liberação em perspectiva figurada; seguir as necessidades palpitantes e fazer justiça a elas; deixar fluir a (água da) alma em todos os planos, não a acumular durante muito tempo.

Remissão: disposição para o conflito, pressão da alma; dedicar-se aos desafios anímicos mesmo quando dolorosos; liberar interesses palpitantes, lixos anímicos: realizar a liberação do ultrapassado com relação à atitude de vida; por um lado, conservar o essencial da particularidade anímica, por outro, sacrificar o lixo anímico (não a alma).

Cobertura do princípio original: Lua/Plutão-Marte.

Cisto

Plano corporal: diferentes órgãos podem ser afetados, por exemplo, ovários (fertilidade), seios (maternidade, alimentação,

proteção, prazer), glândula tireóide (desenvolvimento, maturidade).
Plano sintomático: desenvolvimento que se põe à parte; na maioria das vezes é o anímico (a água) que se põe à parte; crescimento em vias malconduzidas no âmbito simbólico do órgão afetado; segredos improdutivos em local perigoso.
Tratamento: proporcionar espaço para seu próprio e obstinado desenvolvimento; pôr coisas importantes à parte para si; aprender a guardar segredos (anímicos).
Remissão: tolerância no que diz respeito aos desenvolvimentos obstinados; crescimento anímico no âmbito afetado.
Cobertura do princípio original: Lua.

Cisto no pescoço (ver também Cisto)
Plano corporal: pescoço (incorporação, ligação, comunicação).
Plano sintomático: resíduos de estágios evolutivos embrionários que normalmente estariam completamente superados e desaparecidos, por exemplo, restos de bolsas, fendas e ductos branquiais das eras aquáticas da vida; estar atolado no desenvolvimento; permanecer preso aos primórdios; algo permanece aberto e inacabado; o estado inacabado torna-se uma tarefa pessoal; a herança pessoal exige ainda doações particulares das pessoas afetadas.
Tratamento: examinar a vida em busca de desenvolvimentos abertos, fins abertos e pontos abertos; tornar-se consciente deles e enviar-lhes uma doação particular; descobrir eventuais ganchos, nos quais ainda se pende; ter diante dos olhos os lados inacabados da própria personalidade.
Remissão: reconciliação com a própria história; levar conscientemente o desenvolvimento adiante e conduzi-lo a um termo.
Cobertura do princípio original: Vênus/Saturno-Lua.

Cisto nos ovários
Plano corporal: ovários (fertilidade).
Plano sintomático: acúmulo de líquido nas cavidades dos ovários, que só em raríssimos casos pode se tornar perigoso, isso dependendo do local ou em decorrência de tamanho e pressão extremos (hoje podem ser prematuramente visualizados pelo ultra-som, mas na maior parte das vezes não precisam ser operados): a água anímica concentra-se nos ovários; se tiver sua base limitada a distúrbios hormonais, o acúmulo resulta num crescimento malconduzido, que em contrapartida pode atrair mais sangue para si: perda de energia vital; distúrbio na formação organizada dos folículos: estar fora do equilíbrio (feminino); ilusões de saltos foliculares e grande atividade no âmbito da fertilidade, sem haver uma autêntica entrada no tema; lágrimas engolidas *lá para baixo*, problemas com o princípio materno (com a própria maternidade ou com a mãe).
Tratamento: com as forças da alma, aproximar-se do tema da fertilidade; tornar-se consciente de suas verdadeiras intenções com relação à própria fertilidade: preparar-se para o que a mulher quer deixar que cresça em seu corpo e para o que ela deixa crescer.
Remissão: reconciliação com o papel da fertilidade na própria vida.
Cobertura do princípio original: Lua.

Cisto sinovial (exostose)
Plano corporal: encontrado nas cápsulas articulares (articulações, mobilidade) ou no tecido conjuntivo denso modelado dos tendões (cordões dos quais tudo pende).
Plano sintomático: abscesso (cisto contendo substância gelatinosa) no tecido conjuntivo, resultante de uma degeneração viscosa do tecido conjuntivo; levando em conta que se trata de uma doença de nenhuma gravidade, pode eventualmente chegar a incomodar: protuberâncias inofensivas, que na pior das hipóteses causarão um incômodo visual.
Tratamento/Remissão: antigos cirurgiões solucionavam o problema por meio de uma pancada no nódulo, que rompia o cisto, e o caso estava resolvido: como *bater uma vez com o punho cerrado na mesa para acabar com o tumor*; deixar crescer

(a partir de si mesmo) uma característica marcante.
Cobertura do princípio original: Júpiter.

Claudicação (ver também Claudicação intermitente)
Plano corporal: pernas (mobilidade, progresso, firmeza), pés (firmeza, enraizamento).
Plano sintomático: arrastar uma perna atrás de si: arrastar-se pela vida; um correr desigual: evolução do movimento não-habitual; ser obstruído em seu progresso, ser diferente: ser *outsider*.
Tratamento: aprender a se manter *outsider* e a ser extraordinário; trazer para a vida um elemento original ("desviar-se"); alçar as loucuras banais da evolução claudicante do movimento a planos mais exigentes: dançar fora da marca; providenciar surpresas criativas; trazer mudança à evolução monótona da vida; um seguir adiante lento e paciente.
Remissão: Hefaísto, o genial ferreiro dos deuses do panteão grego, que tendo caído do céu passou a coxear nas duas pernas, tinha um desafio: ele criou objetos de arte belíssimos a partir de seu espírito genial.
Cobertura do princípio original: Urano-Saturno.

Claudicação intermitente (paralisia intermitente; ver também Arteriosclerose)
Plano corporal: sangue (força vital), vasos sangüíneos (vias de transporte da força vital).
Plano sintomático: não (mais) se vai para a frente ou para o alto na vida; fronteiras estreitas, oposições duras; mobilidade limitada, raio de ação mínimo: "não se vai mais longe do que isso", "não poder levar adiante".
Tratamento: abandonar conscientemente pretensões, fantasias de ascensão e ambições de progresso; não querer mais nada; desistir da luta: "devagar e sempre";

aprender a respeitar os limites encontrados; aceitar as oposições como referências; construir novos caminhos para a força vital e completar os antigos (treinamento de vasos).
Remissão: resignação no sentido de retroceder de objetivos já estabelecidos e de sonhos de altos vôos: produzir energia vital para o fluxo que enfraqueceu; deixar-se levar sem pretensão ou luta; descida da torre egóica e sossego quanto ao objetivo, para encontrar a calma interior; conversão, regresso e exame de consciência, em vez de longa marcha e ascensão.
Cobertura do princípio original: Marte-Saturno-Netuno.

Claustrofobia (ver também Fobias)
Plano sintomático: medo extremo de ambientes fechados e apertados: a sensação de estar sem saída torna-se consciente; reanimação da situação de nascimento não-dominada.
Tratamento: assimilação do trauma do nascimento (por exemplo, pela terapia da reencarnação e pela terapia da respiração); reconhecer a estreiteza ameaçadora, que instila medo também no aspecto nutritivo do ventre materno; travar relações conscientes nas profundezas do medo e da estreiteza, até que esta se converta em amplidão; descobrir no abrigo e no estar contido o aspecto positivo da proximidade.
Remissão: ver toda a vida, a partir do nascimento, como uma cadeia de elos a serem vividos um depois do outro; após cada passagem estreita, tornar a se posicionar na amplidão, que nos oferece uma nova perspectiva de vida.
Cobertura do princípio original: Plutão.

Climatério viril (alterações climatéricas no homem)
Plano corporal: órgãos sexuais (sexualidade, polaridade, reprodução), glândulas/hormônios (condução, informação).
Plano sintomático: comportamento externo saliente: de repente, passar a vestir-se com roupas joviais, começar a praticar

esportes radicais e a ter namoradas jovens; mal-entendido: em vez de se tornar de novo como uma criança no plano anímico-espiritual, busca-se obter isso no plano social; resultado: comportamento infantil, amolecimentos, mudanças femininas no rosto, crescimento das mamas; mal-entendido: em vez de realizar o pólo oposto, a *anima*, na consciência, procura fazê-lo no plano corporal; resultado: amolecimento; inchaço da próstata, obstrução do "deixar a água fluir": o orgulhoso jato, atributo da irradiação masculina, torna-se um lastimável fio d'água, obrigando seu dono a demoradas tentativas de se aliviar no banheiro; quebra na realização: marca a quebra no caminho da vida, o tempo da mudança, onde realmente acontece a conversão e o exame de consciência; depressão até a tendência para o suicídio; mal-entendido: a tarefa agora acumulada, de se ocupar da solução e da redenção, da morte como objetivo da vida, é removida do anímico-espiritual para o banal corpóreo.

Tratamento: tornar-se consciente da tarefa arquetípica do "tornar-se outra vez criança" no plano anímico-espiritual; fazer a *anima*, pólo feminino da alma em cada homem, acordar para a vida; praticar o aliviar-se (por exemplo, na profissão, esportes, família); reconhecer o ponto de virada e utilizá-lo para um exame de consciência; amadurecer de pai para avô; ocupar-se da morte.

Remissão: refletir no sentido da *religio* e adaptar-se conscientemente ao padrão de vida da mandala.

Cobertura do princípio original: Sol/Marte-Urano/Saturno.

Coágulo sangüíneo (ver também Trombose)

Plano corporal: sangue (força vital), corrente sangüínea (via de transporte da força vital).

Plano sintomático: paralisar o fluxo vital em curso; firmação do apartado; coagulação do fluido; deficiência, obstrução da (corrente da) vida.

Tratamento: dar-se mais tempo; reduzir o ritmo da vida sem precipitar nada; solidificar algo do fluxo da vida, tirá-lo do fluxo, e disso fazer alguma coisa; cristalizar para fora o essencial; bloquear, ou seja, reduzir certos domínios da vida (afetados pela embolia).

Remissão: o uso da corrente de energia vital é destinado a projetos concretos.

Cobertura do princípio original: Marte/Mercúrio-Saturno.

Coceira ver Prurido

Colapso (passagem fluente para o choque)

Plano corporal: sistema cardiocirculatório (coração: sede da alma, do amor, do sentimento, centro energético; corrente sangüínea: ciclo da energia vital, armazenamento e eliminação de resíduos).

Plano sintomático: afluência deficiente de energia vital no cérebro: por deficiência da circulação sangüínea do cérebro, sobrevém-lhe um agudo colapso; palidez, transpiração abundante, o coração dispara, respiração superficial: sintomas de pânico; a energia vital acumula-se nas regiões inferiores (pernas) ou interiores (fígado, intestino) do corpo e falta na sede do governo, bem como na circulação periférica; escassez de água anímica feminina no sistema vascular central: carência no cérebro e no coração.

Tratamento: como medida necessária, descansar a cabeça profundamente, pôr as pernas para cima, abastecer-se de ar puro (substância), meios de nutrição do plasma (Plasmaexpander); a curto prazo, para salvar a vida em caráter de urgência, favorecer as regiões centrais (como cabeça e coração) (pensar alopaticamente); orientar o eixo gravitacional (da vida) para o pólo feminino inferior e para a assimilação (digestão) de experiências; encontrar-se voluntariamente com o (antigo) deus (da natureza) Pã; abaixar a crista; aquietar-se (pôr as pernas para cima); providen-

ciar uma comunicação purificada (abastecer-se de ar puro).
Remissão: em vez de entrar em colapso (desmoronar), deixar-se cair voluntariamente (no lugar certo e no tempo certo): encontrar seu próprio ritmo de vida; garantir o meio-termo entre o exigir demais e o de menos, entre o fluxo de água feminino e a energia ígnea masculina.
Cobertura do princípio original: Sol/Lua-Urano/Saturno.

Colapso nervoso

Plano corporal: nervos (serviço noticioso).
Plano sintomático: vêm abaixo as certezas que se tem no cérebro; comunicação interrompida devido a excesso de trabalho: colapso das ligações no sistema nervoso, acúmulo, obstruções; ver-se demais como ponto central, o que resulta numa sobrecarga de trabalho na estação submarina; excesso de *inputs*, pouco ou mesmo nenhum *output*: correr atrás da vida e deixar-se acossar; confiança traída, poder convencer o meio que o cerca e a si mesmo de seu valor; estar encantado e arrebatado, viver numa multiplicidade de tensões; descuido das regras de comunicação e mediação.
Tratamento: reconhecer o excesso de trabalho do cérebro; ficar alegre pelo fato de as seguranças terem debandado e por terem sido eliminadas de modo tão flagrante; incorporar a comunicação voluntariamente e de forma provisória até um novo ordenamento e uma nova orientação; desenvolver "nervos de aço"; reduzir o *input* provisoriamente, elevar o *output*; resguardar-se, não deixar nada entrar, deixar correr e escoar; aprender a liberar, antes que algo de bom seja aceito e guardado no armazém de informações; conceder-se calma, abandonar a luta no exterior; em vez de se deixar superexcitar pela multiplicidade de impressões e exigências, aprender a distanciar-se no tempo certo e de maneira consciente; ocupar-se prematuramente com a visão de conjunto; assumir uma perspectiva de pássaro e aprender a escolher; no pólo oposto (alopático), em caso de excesso de trabalho objetivo de tipos robustos (muito mais raro é o colapso do supersensível): aliviar a cabeça da condição de única central e de responsável por todas as decisões, levar e incluir o coração (sentimento, intuição) e o abdômen (sensação, instinto, gozo, centro).
Remissão: ligar-se ao coração; comunicação de coração para coração; agir a partir do abdômen.
Cobertura do princípio original: Mercúrio-Urano.

Colapso pelo calor (ver também Colapso)

Plano corporal: circulação sangüínea (ciclo da energia vital, abastecimento e descarga).
Plano sintomático: queda da circulação sangüínea sob a extrema e prolongada ação do calor: devido à expansão dos vasos da epiderme, muito sangue desaparece em seu interior, e fará falta à central cerebral; um excesso de água anímica volatiliza-se para fora do corpo, com o suor, e para a periferia do corpo, com o alargamento dos vasos da epiderme; superexigência do elemento anímico feminino água sob a ação intensa do elemento masculino fogo: excesso de fogo — escassez de água; o anímico (água) é expelido em grande quantidade sob forte influxo ígneo masculino, de modo que a pessoa fica prejudicada.
Tratamento: agudo alopático: cuidar da compensação do desequilíbrio; sombras frias, abastecimento de água; homeopático e de longo prazo: ocupar-se com o elemento fogo e suas ações; descobrimento de planos redimidos como o entusiasmo, o fogo interior, etc; extravasar o anímico, em vez de se desfazer corporalmente da água.
Remissão: encontrar o meio-termo entre o influxo anímico da água e a energia ígnea masculina; compensação dos quatro elementos em sua vida.

Cobertura do princípio original: Sol-Lua.

Colecistite ver Inflamação da vesícula biliar

Cólera (disenteria por ruptura da bílis; ver também Diarréia)
Plano corporal: intestino (processamento de impressões materiais).
Plano sintomático: conflito sobre a digestão, na maioria das vezes desencadeado por alimentos contaminados (com o vibrião do cólera); medo que se expressa por meio de diarréias sólidas ("borrar-se de medo", "fazer nas calças"); empobrecimento no plano anímico (perda de água condicionada à diarréia); ameaça à vida (insuficiência da corrente sangüínea).
Tratamento: luta ostensiva (aberta) em torno da assimilação/digestão: fazer-se consciente das ilusões sobre si mesmo nesse domínio; conflito com os lados obscuros (sujos) quanto ao *digerir*; liberar o anímico em grandes quantidades, trazê-lo para a luz da consciência; buscar estreiteza e medo no plano da consciência; entregar-se totalmente ao medo, até que ele se transmute; submeter-se espontaneamente à total depuração do mundo das sombras (no sentido figurado).
Remissão: disposição para o conflito no que diz respeito aos temas das sombras, mas também é preciso aceitar os limites da própria disposição para a receptividade e para a digestão; estar em fluxo.
Cobertura do princípio original: Mercúrio-Netuno-Marte.

Cólica biliar (ver também Cólicas, Cálculos biliares)
Plano corporal: vesícula biliar (agressividade, veneno e fel).
Plano sintomático: dores ao modo de contrações que querem impelir o cálculo (a pedra: a pedra no caminho, no sapato) para adiante e para fora; combater o obstáculo em ondas de ataque sempre renovadas; com violentas contrações, levar a cabo um parto difícil; produzir novo começo; ainda conseguir trazer para o mundo, apesar de tudo, a agressividade corrente e toxicamente fortalecida; insistência em resolver seus complexos; separação da energia acumulada resultante do bloqueio.
Tratamento: com violência ritmada, libertar-se das pedras (cálculos) que a própria pessoa depositou pelo caminho; superar a preguiça (cujo símbolo é a pedra); livrar-se do complexo com persistência e firmeza; não se trata de nenhuma inserção prolongada, mas sim de criar uma *solução* com tentativas ritmadas de inchar e desinchar: é preferível cuspir veneno e bílis [dizer cobras e lagartos] do que parir um cálculo biliar; demonstração aberta (evidente) da própria energia agressiva; tornar a fazer fluir aberta(ostensiva)mente a própria energia agressiva; dar corajosamente o primeiro passo; abandonar (de modo doloroso) aquilo que representa uma pedra no caminho de uma vida despreocupada; superar obstáculos em vez de afastá-los; alternativas (ainda segundo a operação): uma dieta ou uma vida ofensiva.
Remissão: tomar consciência do aspecto no qual o cálculo (pedra) é uma pedra no caminho (veneno? [ácido] biliar? azedume?) e futuramente trazer à luz essa temática de modo consciente e cauteloso; largar e vencer os obstáculos que se interpõem em seu caminho.
Cobertura do princípio original: Plutão-Marte.

Cólica de vento (ver também Doenças da infância)
Plano corporal: pele (delimitação, contato, carinho).
Plano sintomático: juntamente com sintomas gerais de pouca expressão, surge uma erupção pruriente, que se expande aos solavancos, cujas pápulas passam por bolhas e pústulas, que se convertem em crostas; na maioria das vezes saram sem feridas, contanto que não haja infecções secundárias das bolhas (risco de repressão defensiva devido a tratamento prematuro com cortisona): o transbordamento do novo realiza-se sempre aos solavancos e causando irritação.

Tratamento/Remissão: deixar-se coçar e irritar por novos impulsos; ultrapassar as fronteiras de forma corajosa e aberta (ofensiva); promover novos desenvolvimentos agressiva e insistentemente.
Cobertura do princípio original: Marte.

Cólica dos três meses
Plano corporal: intestino delgado (análise, elaboração).
Plano sintomático: digerir a recusa, tão rápida quanto excessiva, no momento errado: a criança quer contato, atenção, que falem com ela, e isso alimenta um mal-entendido, juntando-se em seu intestino toda a sorte de leites — digeridos, pré-digeridos e semidigeridos — sobrecarregando-o e fazendo com que ele deflagre uma greve: ainda não se pode fazer justiça às exigências de digestão da vida; assimilação dolorosa do mundo; primeiro, é preciso aprender a digerir; a partir do quarto mês, a criança tem à sua disposição outras possibilidades de receber contato de pele, e isso melhora a situação.
Tratamento (para os pais): amamentar somente a intervalos de duas horas (não o fazer seguindo um horário rigoroso demais, mas também não a cada choro da criança, o que além do mais suscitará o padrão de apaziguamento de todos os problemas pela via da alimentação); proporcionar contato (de pele) suficiente, independentemente da amamentação; exigir da criança e promovê-la em seu nível anímico, em vez de sobrecarregá-la corporalmente.
Remissão: tratar a criança não segundo conceitos (amamentação necessária, amamentar a cada quatro horas, e assim por diante), mas de acordo com o próprio sentimento.
Cobertura do princípio original: Lua/Mercúrio-Plutão (cólica).

Cólicas
Plano corporal: diferentes órgãos podem ser afetados, sobretudo na região dos rins (equilíbrio, parceria), ducto biliar (agressividade), intestino (assimilação de impressões materiais) e bexiga (segurar e liberar pressão); ver também cada um individualmente.
Plano sintomático: batalha campal contra um obstáculo com ondas de ataque sempre renovadas; atacar obstáculos com esforços ritmados (tentativas de expulsão); dores ao modo de contrações, que na maioria das vezes fazem expelir uma pedra; intensificação extrema do peristaltismo naturalmente caducante em suas respectivas regiões.
Tratamento: pôr em movimento o retido e entalado e livrar-se dele mediante contrações musculares ofensivas; chegar a soluções em vez de o fazer por meio de mobilização prolongada de inchaço e desinchaço rítmicos; atacar bloqueios com pretensões e exercícios de abandono sempre renovados; (de modo doloroso) largar o que lhe atravanca a vida.
Remissão: livrar-se de obstáculos que estejam em seu caminho.
Cobertura do princípio original: Marte-Urano (Saturno: pedra).

Colite (ver também Colite ulcerativa, como primeira forma particularmente grave de colite)
Plano corporal: intestino (análise, assimilação), intestino grosso (inconsciente, submundo).
Plano sintomático: conflito em torno da digestão (do mundo), em especial em torno da análise e da assimilação (diferenciação e recepção): região do intestino delgado; da viagem ao submundo: região do intestino grosso; discussão agressiva sobre o dado ou recebido pelo corpo; no domínio da consciência, discussão por demais cuidadosa e temerosa.
Tratamento: lutas corajosas em torno de assuntos relativos ao que se deve deixar entrar; discussão ofensiva sobre o conteúdo das sombras (em caso de → Colite ulcerativa); vontade de ajustar-se às atuais condições de vida; resolver abertamente

o conflito quanto ao dizer sim e não (*digerir* também significa separar o joio do trigo e aprender o que é bom e o que é ruim para si).
Remissão: travar relações de modo consciente e aberto (ofensivo) com o "admitido", ingerido; empreender com vontade a viagem para o reino das sombras.
Cobertura do princípio original: Plutão-Marte-Mercúrio.

Colite ulcerativa (inflamação do intestino delgado)

Plano corporal: intestino delgado (inconsciente, submundo), sangue (força vital).
Plano sintomático: guerra civil no submundo, em *fronts* enigmáticos: luta sangrenta contra si mesmo; agressividade voltada para si: "rasgar o traseiro"; "puxa-saco", "rastejar" atrás de alguém, para fazer-se de "bom menino"; no inferno está faltando o diabo: ritual mágico de sangue em pleno submundo; papel do sacrifício: fazer um sacrifício de sangue (sacrifício inconsciente da própria vitalidade); no pólo oposto: busca desesperada de se purificar até no sangue; dezenas de evacuações (lavagem intestinal): ablutomania no nível inferior; a força vital concentra-se no submundo; medo de desenvolver a própria vida e a personalidade; "suar frio" de medo; é algo humilhante estar permanentemente "borrando-se de medo": sentimentos de dor e de vergonha; renúncia à vida pessoal em favor de uma unidade simbiótica com outrem; acontecer explosivo, no caso de uma relação de dependência; manter-se preso à fase anterior; ainda não ser asseado, precisar de fraldas; a mãe ameaçadora, controladora e vivida, que exige submissão; agarrar-se à mãe; simbiose condicionada; medo da solidão advinda da responsabilidade para consigo; resignação, virar-se por si mesmo, desesperança; compromisso incerto com o restituir e o reter para si.
Tratamento: em vez de sentimento de culpa, mostrar verdadeiro arrependimento (metanóia: conversão do modo de pensar); corajosa discussão com as próprias forças repugnantes nas sombras (do reino das sombras); ser duro consigo mesmo; esforçar-se na luta pelos temas sombrios da alma; desenvolver ampla disposição (pôr a própria força vital à disposição); compromisso de esforçar-se perante os outros; fazer funcionarem as relações ("dar uma lubrificada"); tomar consciência da temática sobre dependência e independência, isto é, poder da alma e poder sobre a alma; reconhecer a estreiteza nas relações e associá-la ao medo da vida (trauma de nascimento não trabalhado?); psicoterapia: descobrir e resolver os pactos da alma atrelados ao submundo — e com isso descobrir também o "mundo superior iluminado" (o sangue como aspecto de vitalidade); consideração consigo mesmo, regresso ao próprio reino: aprender a responder às exigências (desafios) do destino; dissolver volumes de sangue em derivados do sangue e ligá-los novamente a uma base voluntária.
Remissão: iluminação ostensiva e corajosa do submundo e das sombras; reconciliação com as próprias raízes mágicas; duras lutas internas no caminho para si mesmo; disposição para o sacrifício até o fim, e na posição certa; desistir conscientemente de exercer poder sobre outras almas, para libertar e ser livre; realizar a grande transformação a partir da própria força: metanóia.
Cobertura do princípio original: Plutão-Sol.

Colpite (ver também Inflamação, Corrimento)

Plano corporal: vagina (entrega, prazer).
Plano sintomático: tem como base o lidar com tricômonas, fungos etc. e/ou a carência de feminilidade (hormônio do grupo estrogênio): conflito inflamado pelo acesso ao prazer e amor receptivos femininos; discussão aberta (ofensiva) em torno do local que abriga a disposição para a receptividade e a entrega; possibilidade de *se tirar de circulação*.

Coma 128

Tratamento: apresentar-se ao conflito pelo acesso ao prazer e ao amor; luta pelos temas relacionados à disposição para a receptividade e a entrega; deixar o conflito ardente inflamar-se na luta sexual como em infecções ardentes; de maneira aberta (ofensiva), defender-se também contra abusos masculinos em vez de apontar essa energia contra si; tornar-se consciente da eventual carência de feminilidade; desenvolver possibilidades conscientes de manter à distância o parceiro ou o marido.
Remissão: tornar-se "mulher" sobre seu próprio submundo.
Cobertura do princípio original: Vênus-Marte.

Coma
Plano corporal: cérebro (comunicação, logística).
Plano sintomático: inconsciência profunda em decorrência de quebra no metabolismo cerebral; é com freqüência o fim da história de uma doença; muitas vezes também a saída da vida para um estágio inter-reinos (interdomínios) entre a vida e a morte; tempo de preparação prolongado da alma para a sua viagem pelos estágios do bardo no além; às vezes se trata de uma estação intermediária (tempo de exame de consciência) antes da decisão pelo retorno à morada do corpo.
Tratamento (a ação não é mais possível ao paciente; indicações para os familiares): encontrar medidas de acompanhamento que sejam razoáveis para a alma, que (ainda) percebe tudo completamente; por exemplo, pôr para tocar missas, oratórios e réquiens, leitura dos livros dos mortos egípcio e tibetano, rituais de passagem; trazer cuidadosamente o provedor (od) de energia até a alma (flores viçosas, velas acesas) — as doações são vivenciadas em todas as suas formas, podendo os presentes ser físicos ou em pensamento.
Remissão: disposição interior para as viagens da alma.
Cobertura do princípio original: Saturno (como o homem da foice e guardião do umbral)/Netuno (aquele que extrapola os limites).

Comer e vomitar (vício de) ver Bulimia

Comichão ver Prurido

Complexo sintomático gastrocardial ver Síndrome de Römheld

Complicações gerais no nascimento
(ver também Nascimento prematuro, Cesariana, Placenta insuficiente, Placenta prévia)
Plano corporal: útero (fertilidade, proteção)
Plano sintomático: a mãe de nascimento está marcada por toda e qualquer relação posterior com novos começos e pelos muitos sintomas de medo subseqüentes: "tudo está no princípio" como conhecimento fundamental da filosofia esotérica.
Tratamento (depois das complicações): ter consciência do padrão cunhado pelo nascimento e realizar seus temas fundamentais pelo menos nos planos redimidos; por exemplo, em vez de sempre esperar por ajuda externa, como no caso dos filhos nascidos por cesariana, aceitá-la nas ocasiões em que ela aparecer; caso contrário, aprender a recorrer à mão solícita ao final do próprio antebraço; em vez de dizer para si: "os outros devem ver que *algo* saiu de mim", melhor é vivenciar a seguinte máxima: "os outros devem ver que *tudo* saiu de mim!"; esclarecer e aceitar o (padrão) nascituro; pôr em dia o próprio trauma do nascimento.
Remissão: reconciliação com as forças marcianas e agressivas do princípio.
Cobertura do princípio original: Marte-Lua.

Complicações no nascimento: bebê na posição transversal
Plano corporal: útero (fertilidade, proteção).
Plano sintomático (na criança): não mais querer tomar parte; recusa perfeita, des-

trutividade de uma atitude obstinada: "eu fico de lado, e então os outros devem observar o que acontece comigo" (→ Cesariana); a fase da teimosia infantil chega antes do tempo; achar-se numa encruzilhada no próprio caminho de desenvolvimento; não ter aprendido a superar a estreiteza e o medo; vir ao mundo sem ter de nascer; em vez de se libertar, esperar ser libertado (atitude de princesa): esperar pela solução em vez de se esforçar para consegui-la.
Tratamento (da parte da criança depois de adulta): desconstruir a atitude de espera; recuperar, com seu medo, a experiência da estreiteza como iniciação no mundo da polaridade.
Remissão: entender-se com seu próprio caminho (incluindo a cesariana).
Cobertura do princípio original: Lua/Marte-Saturno.

Complicações no nascimento: o bebê está de costas
Plano corporal: útero (fertilidade, proteção).
Plano sintomático (na criança): oposição, recusa, protesto: "estar obrando": estender a saudação ao mundo dos valores assentados; ocorre sobretudo em crianças que não pertencem ao sexo que os pais manifestaram desejar ou fizeram-no secretamente; recusa do princípio marciano e de um salto corajoso de cabeça no mundo polarizado; temerosa e prematura renúncia à vida; estratégia tardia do ficar de cabeça erguida a qualquer preço; teimosia.
Tratamento (para os filhos em questão depois de adultos): aprender a abnegação.
Remissão: reconciliação com o princípio marciano.
Cobertura do princípio original: Lua/Marte-Saturno-Urano.

Complicações no nascimento: contágio da criança
Plano corporal: útero (fertilidade, proteção).

Plano sintomático: 1. da parte da mãe: recusa em trazer a criança ao mundo; não querer largar (a criança); 2. do lado da criança: temer o corajoso salto de cabeça na vida; falta de confiança (original); não querer se desligar do ninho aconchegante (comodismo).
Tratamento: 1. evitar a superproteção da criança; todas as medidas compensatórias encerram algum risco de exagero (por exemplo, o de alimentá-la em excesso); tornar-se consciente de que ser mãe não implica somente proporcionar abrigo e proteção, mas também o dar à luz e a renúncia; 2. (da parte da criança depois de adulta) não perder de vista o risco de *ficar* por muito tempo *sentado* onde quer que seja, de cobrir as coisas, de permanecer por tempo demais; preparar-se para uma certa hostilidade ao desenvolvimento, para então combatê-la.
Remissão: 1. dar à criança o seu espaço (vital); 2. criar coragem; empreender coisas importantes no tempo certo.
Cobertura do princípio original: Lua-Júpiter-Plutão.

Complicações no nascimento: contrações prematuras
Plano corporal: útero (fertilidade, proteção), canal do nascimento (escoadouro da vida).
Plano sintomático: a criança põe-se cedo demais no caminho (da vida); 1. da parte da mãe: busca de se livrar da criança antes do tempo, de expulsá-la e deixá-la ao ar livre, busca inconsciente da expulsão; 2. da parte da criança: disparada, fuga, ser ativo.
Tratamento: 1. na educação: deixar a criança a seu próprio tempo e dar-lhe seu espaço; tomar a criança junto do peito; praticar a paciência; aceitar com gratidão a exoneração da corrida social contra o tempo, sujeitar-se à calma; 2. (da parte da criança depois de adulta) praticar a cautela (e a consideração); aprender a reconhecer os perigos da impaciência: o trabalho adiado é na maioria das vezes mais cansa-

tivo do que o esforço necessário à sua execução; aprender a lidar com a própria velocidade; transformar pressa e atividade num operacionalizar energético.
Remissão (para ambos): finalizar as coisas; permanecer até o fim; ficar até o fim no leme (do barco).
Cobertura do princípio original: Lua/Urano-Marte.

Complicações no nascimento: cordão umbilical no pescoço
Plano corporal: pescoço (incorporação, ligação, comunicação), útero (fertilidade, proteção).
Plano sintomático: 1. da parte da mãe: tendência a sufocar a criança, mesmo mais tarde (por exemplo, com "amor"); 2. da parte da criança: agressão a si mesma; busca de se estrangular: "é preferível matar-me do que me abandonar, confiando-me ao fluxo"; medo do futuro.
Tratamento: 1. manter diante dos olhos o risco de superproteção; controlar o forte impulso de dominação; 2. (da parte da criança depois de adulta) fazer-se consciente de suas próprias forças plutônicas (que sorvem e abarcam); aprender a vislumbrar forças destrutivas e a reconhecer o → Suicídio como fuga.
Remissão (para ambos): reconhecer o princípio "morrer para vir a ser" como um dos temas originais da humanidade; aprender a lidar com os processos da metamorfose.
Cobertura do princípio original: Lua/Marte-Plutão.

Complicações no nascimento: rompimento da bolsa amniótica
Plano corporal: útero (fertilidade, proteção).
Plano sintomático (da parte da mãe): levar a criança cedo demais *para o ar livre*, desviá-la da água da vida; não querer deixar a cavidade materna mais tempo à disposição.

Tratamento (para a mãe e a criança depois de adulta): atentar para as decisões apressadas e impensadas.
Remissão: dominar a arte do momento certo.
Cobertura do princípio original: Lua-Urano.

Concussão cerebral (comoção; ver também Contusão cerebral, Acidente, Acidente de trabalho/acidente doméstico, Acidentes de trânsito)
Plano corporal: cérebro (comunicação, logística), cabeça (capital do corpo).
Plano sintomático: concussão do sistema de pensamento, do padrão de pensamento de até então (alguém que não se comove com nada pode ainda, não obstante, ser abalado, atingido); revogação do domínio da cabeça; alerta direto: "para entender, só dando com um pau na cabeça"; dar ao menos um passo adiante; correção violenta de um caminho errado; "dar com a cabeça na parede" significa fracassar dolorosamente; ter demonstrado algo para si; renunciar temporariamente à responsabilidade e, sem nenhum poder, estar sobre si mesmo e sobre o mundo; esquivar-se da responsabilidade; não saber o que o leva adiante em sua própria vida e o conduz a coisas decisivas (amnésia retrógrada: não se lembrar de como se deu o acidente).
Tratamento: rever os hábitos de pensamento até então cultivados que conduziram à catástrofe; conceder à cabeça (e para si como um todo) muitas pausas para descanso; cuidar das advertências, progredir de maneira cautelosa; rever radicalmente o caminho tomado; inserir pausas para o pensamento, descer do cavalo alto; aprender a não fazer caso de determinadas coisas; aprender a esquecer e a dar; de vez em quando, transmitir voluntariamente responsabilidade e poder, acalmando-se com isso; em vez de se render ao plano físico, fazê-lo ao espiritual; aceitar con-*front*ações no sentido figurado.

Remissão: na catástrofe, reconhecer também o ponto de virada (do grego *he katastrophe*: catástrofe e ponto de virada) e tomá-lo como ocasião para uma mudança e exame de consciência; deixar-se comover e repensar.
Cobertura do princípio original: Urano-Mercúrio

Condiloma (*Condyloma acuminata*: infecção pelo vírus condiloma)
Plano corporal: superfície superior da pele (delimitação, contato, carinho), sobretudo os pontos úmidos e protegidos: órgãos sexuais (sexualidade, polaridade, reprodução) e ânus (entrada e saída para o submundo).
Plano sintomático: excrescência inofensiva, pequena, escarpada, em forma de repolho ou de crista de galo (no máximo, em quantidade passível de causar um incômodo apenas cosmético).
Tratamento: conceder-se também pequenas e inofensivas brincadeiras (nos domínios afetados); deixar crescer "pequenas coisas", que não levam a lugar algum, não são benéficas nem nocivas, mas constituem algo próprio; permitir-se também o inútil; conflitos inofensivos nos domínios afetados.
Remissão: ligeira expressão de possibilidades de crescimento; discussões criativas, inofensivas e brincalhonas nos domínios íntimos.
Cobertura do princípio original: Vênus-Marte-Plutão (verruga).

Condução acelerada ver Problemas cardíacos

Constipação ver Resfriados

Consumpção ver Caquexia

Contração de Dupuytren (ver também Problemas com as mãos)
Plano corporal: palma da mão (honestidade, franqueza), raramente também nos tendões dos pés (firmeza, enraizamento), musculatura (motor, força).
Plano sintomático: conforme a mão ou pé afetado, está em jogo ou o modo feminino (esquerdo) ou o masculino (direito) de entender a vida; não pegar o jeito da vida (a mão mostra a tentativa malograda); não tomar pé; agressividade inconsciente, inimizade: punho cerrado; reserva, deslealdade: a mão cobiçosa ("rapinagem"); deixar de estar aberto para a vida; não mais estar pronto para agarrá-la e pegar seu jeito; medo, câmara secreta.
Tratamento: tornar a agressividade consciente e, no sentido figurado, tentar captar a vida, aproveitar a ocasião, isto é, fincar os pés na terra; confessar deslealdade (para consigo mesmo ou para com outrem); confrontar a própria cobiça ("unha-de-fome"): aprender conscientemente a dar e a receber; adentrar o medo até que ele se transforme em amplidão e abertura.
Remissão: professar a qualidade de seu manuseio (ações); comparecer à vida; harmonia, as belas mãos resultam da guerra (Marte) e da paz (Vênus); fazer as pazes com o mundo.
Cobertura do princípio original: Mercúrio-Plutão.

Contratura (redução, atrofia)
Plano corporal: passível de ocorrer em muitas partes do corpo.
Plano sintomático: redução das entranhas devido a uma atrofia de tecido em cicatrização: campos problemáticos de outrora não foram suficientemente bem assimilados; endurecimento como resíduo e lembrança de antigos campos de batalha.
Tratamento: fazer com que antigas cicatrizes desapareçam pelo resgate de energias subjacentes: voltar a trabalhar os campos problemáticos de outrora; reduzir a pouco valorizada substituição de tecido (tecido com cicatriz); ocupar-se de antigos campos de batalha de maneira conseqüente e rigorosa.
Remissão: arrematar o antigo antes de deixá-lo em paz definitivamente.
Cobertura do princípio original: Saturno.

Contusão 1 (ver Acidentes, Acidentes de trabalho/acidentes domésticos, Acidentes de trânsito)
Plano corporal: articulações (mobilidade, articulação), musculatura (motor, força), pele (delimitação, contato, carinho).
Plano sintomático: *contundir* alguém (na maioria das vezes a si mesmo): enganar-se na avaliação do local, de um perigo, etc.; ser o pára-choque.
Tratamento: preparar-se para aterrissagens (demoradas); chegar à realidade de um só golpe.
Remissão: apreciar corretamente as energias e dinâmicas atuantes no jogo (da vida) e poder travar relações com elas.
Cobertura do princípio original: Marte-Saturno.

Contusão 2 (ver também Acidentes, Acidentes de trabalho/acidentes domésticos, Acidentes de trânsito)
Plano corporal: pele (delimitação, contato, carinho).
Plano sintomático: cair entre todas as cadeiras, sob as rodas; estar entalado sem perceber (torno).
Tratamento: tornar-se consciente das forças antagônicas em sua própria vida; aprender a suportar as tensões da alma.
Remissão: depois de ter aprendido a agüentar a pressão e resistir, integrar também o pólo contrário: definir sua posição no sentido figurado e chegar a decisões.
Cobertura do princípio original: Marte-Saturno.

Contusão cerebral (agravamento da sintomática da → Concussão cerebral)
Plano corporal: cérebro (comunicação, logística), cabeça (capital do corpo).
Plano sintomático: basicamente o mesmo da concussão cerebral, mas com risco de seqüelas; ascensão de conteúdos reprimidos em conseqüência do violento abalo; o padrão de pensamento vigente é afetado; arrojo; impelir para fronteiras definitivas; ser golpeado na cabeça; recuo temporário do domínio da central de distribuição: regressão até a impotência.
Tratamento: dar muitas pausas para descanso à central de distribuição; reconhecer a própria ausência de consciência e impotência; deixar-se atingir, de preferência em seu mundo de pensamentos.
Remissão: começar de novo.
Cobertura do princípio original: Urano-Mercúrio-Saturno.

Coqueluche (tosse comprida; ver também Doenças da infância)
Plano corporal: pulmões (contato, comunicação, liberdade).
Plano sintomático: tosse seca, não solúvel, e por isso também não passível de solução, que aparece predominantemente à noite; acessos de uma tosse extenuante, semelhante ao latido de um cachorro e com o típico ofegar ao aspirar, ligando-se às descargas com caráter de acesso; estes vão até a dispnéia grave, convulsões, hemorragias e lesões cerebrais; decorrência nosográfica mais freqüente: bronquiectasia (dilatação de brônquios ou de bronquíolos); geralmente com a curva evolutiva característica: três semanas de desenvolvimento ascendente, três semanas de desenvolvimento descendente; manifestação de agressividade na idade infantil.
Tratamento (para os pais): reconhecer a agressividade como um princípio importante para a vida e proporcionar-lhe uma manifestação ativa; educação para a coragem, com uma orientação no sentido de empreender a vida e promover a vontade de agir; deixar claro para si que a obstrução do desenvolvimento da agressividade (convulsões) pode se tornar perigosa (para a vida); expansão do campo de comunicação (bronquiectasia); vivenciar reflexivamente em nosografias o aumento da energia agressiva e sua diminuição daí decorrente no curso da vida.
Remissão: aceitar a agressividade em seus lados obscuros (noturnos) e nos lados claros de todos os dias: reconhecer o princí-

pio marciano também nas forças de imposição e afirmação da primavera (seiva crescente, árvores em erupção, botões detonadores de invólucros, saraivada de tiros).
Cobertura do princípio original: Marte-Urano-Mercúrio.

Coração de atleta ver Hipertrofia do coração

Coração excessivamente pequeno
Plano corporal: coração (sede do amor, da alma, do sentimento, centro energético).
Plano sintomático: falta de exigência e de treino; a batida do coração, em todas as ocasiões, chama o coração à consciência; perceber (excessivamente) pouca coragem/força/amor/emoção; pequenez da vontade, fraqueza; pólo oposto: coração grande e amplo; quase poder se abandonar à força de seu coração; distúrbios na regulação da circulação: não poder tomar parte nem ativa nem ofensivamente na circulação da vida.
Tratamento: ocupar-se mais com o próprio coração (por exemplo, ajudar a si mesmo em vez de uma exagerada disposição para ajudar os outros), exigir pouco do coração no sentido figurado, e cuidar também do coração corporal, por exemplo, por meio de exercícios suaves: fazer algo pelo coração, com sua força, emoções e sentimentos, não só em sonho, mas também concretamente; em todas as ocasiões orientar sua atenção pelo coração, seguir o rastro de suas necessidades e proporcionar-lhes também uma base (física); aprender a dedicar-se.
Remissão: concentração nos assuntos do próprio coração; dedicação às necessidades de seu coração; vivenciar a saudade; a verdadeira modéstia no sentido de uma resignação; alopaticamente: agarrar um coração e deixar que ele cresça sobre si mesmo numa orientação ampla, aberta e corajosa.

Cobertura do princípio original: Sol-Saturno.

Corcunda
Plano corporal: coluna vertebral (sustentação e mobilidade, retidão).
Plano sintomático: forma de penitência; ser curvado pela vida/pelo destino; o "corcova"; o olhar voltado para o chão leva à humilde confissão de sua própria origem; para ele, as árvores não crescem no céu; ser humilhado; o enfrentamento humilde de toda e qualquer decorrência de seu estado: ter de olhar de baixo para cima; dureza para consigo mesmo.
Tratamento: penitenciar-se espontaneamente quando necessário; aprender a respeitar a Mãe Terra; aprender a encontrar as pessoas com humildade: aprender a servir; olhar para cima (para Deus?) com humildade; ser conseqüente e forte diante de si mesmo.
Remissão: a partir da humilhação inerente à sua postura exterior, deixar crescer uma humildade autêntica como atitude interior.
Cobertura do princípio original: Saturno-Saturno.

Coréia ver Dança de São Vito

Corrimento (leucorréia, fluxo; ver também Colite)
Plano corporal: vagina (entrega, prazer).
Plano sintomático: em primeiro lugar, resulta de uma higiene errada, quer dizer, exagerada (*spray* íntimo, lavagem da vagina, tampão); na maioria das vezes resulta de um conflito (inflamação) na região da vagina ou do útero: os "detritos em guerra" são dessa forma eliminados; corrimento sangüíneo: suspeita de vida estranha em essência (degeneração → Câncer) nessa região (nesse tema); busca de purificação do submundo sexual, nojo da falta de asseio do parceiro; estar farta dos planos inferiores (catarro vaginal); o eventual cheiro repugnante do corrimento denuncia o quanto a situação é infecta

para ela; fazer-se (inconscientemente) sem atrativos; (querer) livrar-se de algo (supérfluo).
Tratamento: forçar conscientemente a assimilação/eliminação de cacos e destroços do conflito vigente na região genital; levar a energia vital pela corrente desse fluxo/corrimento para encontrar, tão depressa quanto possível, as formas de vida estranhas em essência (também aqui, como sempre, mediante esclarecimento médico!); *manter asseada* a região genital (clareza e limpeza anímico-espiritual); arranjar coragem para mandar o parceiro lavar-se; pôr tudo novamente em andamento; sair de si.
Remissão: soltar conscientemente (deixar escoar) aquilo de que não mais se necessita; cuidar da ordem nessa sensível temática (nessa sensível região do corpo).
Cobertura do princípio original: Vênus/Lua-Plutão.

Corrimento anormal de lágrima (Epífora)
Plano corporal: glândulas lacrimais (expressão de emoções e sentimentos), olhos (vista, discernimento, espelho da alma).
Plano sintomático: por obstrução do escoamento no ducto lacrimal ou devido à produção exagerada de lágrimas chega-se a um verter contínuo de lágrimas que nada tem de espetacular; chorar inconsciente; a água da alma goteja a partir daí.
Tratamento: travar relações com a alma; chorar conscientemente: lavar as janelas da alma, tornando-a com isso mais clara; descobrir a fonte interior de lágrimas e dedicar-se a ela.
Remissão: fazer corresponder a energia anímica supérflua em forma de lágrimas ao plano da alma (acesso renovado ao correspondente plano do sentimento; dar livre curso a seus sentimentos).
Cobertura do princípio original: Lua.

Crescimento de pêlos por todo o corpo ver Hipertricose

Crianças choronas (em geral crianças de abdômen inchado; ver também Cólica dos três meses)
Plano corporal: dores (corporais/anímicas) na maioria das vezes de causa desconhecida.
Plano sintomático: desespero sonoro (de garganta), que pode levar os pais ao desespero também; ímpetos de agressividade, que mobilizam nas testemunhas os seus próprios problemas de agressividade não-assimilados.
Tratamento (para os pais, cujos problemas geralmente são espelhados pelos filhos): melhoras freqüentes depois de um passeio de automóvel, em resposta às vibrações; massagens suaves, que transmitem dedicação e sensação de proteção; reconhecer suas próprias oscilações de afinação e *exteriorizá-las*; aceitar os altos e baixos das emoções em si e nos filhos; deixar que se tornem conscientes suas próprias dores e sofrimentos jamais exteriorizados; encontrar caminhos no sentido de pôr para fora gritos reprimidos; reconhecer (valorizar) a agressividade como força fundamental da vida; renúncia ao que não é bem-vindo (concretamente: ingestão de alimentos muito freqüente e malconduzida; no sentido figurado: pânico a cada choro da criança); aprender a ter paciência e a servir; aprender a ser mãe/pai até os limites do suportável; dar o melhor de si e então aprender a manter a calma interior, apesar dos temporais exteriores.
Remissão: reconciliação com o papel de mãe/de pai; construir um ninho e saber também transmitir a respectiva sensação de ninho.
Cobertura do princípio original: Mercúrio (comunicação)-Marte (agressividade)-Lua (criança).

Criptorquia (ausência de um dos testículos, por ter ficado retido na cavidade abdominal ou no canal inguinal)
Plano corporal: testículos (fertilidade, criatividade), região genital (sexualidade, polaridade, reprodução).

Plano sintomático: os testículos mantêm-se retraídos na história do desenvolvimento, não participando da descida à região sexual: o corpo explicita uma imaturidade que é da alma; testículos (glândulas generativas) que permanecem nos planos superiores e mais altos (e menos suspeitos) se tornam incapazes de funcionar (sem fertilidade): recusa em descer aos reinos (domínios) férteis e inferiores das coisas sexuais (por exemplo, para fantasias limpas); para o paciente o sintoma é freqüentemente tão penoso quanto o tema, que com isso se torna obstruído.

Tratamento (para os pais, cujos problemas são geralmente espelhados pelos filhos): deixar que a sexualidade do princípio viva no submundo (sexual); reconhecer, no tempo certo, o risco de infertilidade (em todos os planos) e preveni-la pela descida (obrigatória) ao submundo, procedendo, se preciso for, a violentas correções de posição (dos testículos), mediante: 1. terapia hormonal, ou 2. operação que impõe a descida; 1. deixar afluir mais o masculino, e 2. violento deslocamento dos atributos da masculinidade na bolsa (escrotal) submundana e determinada para isso.

Remissão: entender que a criação de uma vida nova só é possível no submundo (do sexual), assim como a metamorfose da matéria morta na nova vida (ou vitamina) também só pode se dar no reino dos mortos do intestino.

Cobertura do princípio original: Lua-Plutão.

Crise espiritual (processo da kundalini; ver também Psicose)

Plano sintomático: a membrana entre o reino das sombras e a consciência diurna é diluída por exagerados exercícios espirituais, e a alma é abandonada sem proteção às sombras; a abertura por demais rápida e ambiciosa converte-se em maldição; os afetados deixam de ser senhores em sua própria casa (corpo): imagens interiores inundam a pessoa e adquirem poder; o medo (por exemplo, de se dissolver ou se perder) torna-se preponderante; o pânico do ego ante seu ocaso passa a ser a sensação determinante da vida.

Tratamento: busca de contato com a terra, para poder suportar as experiências em curso a partir de uma sensação do próprio corpo: por exemplo, trabalhos no jardim, que fazem suar; promover tudo o que esteja relacionado ao corpo, incluindo o sexo, contanto que leve ao esgotamento e não seja realizado com intuito tântrico; comida substanciosa, para que o corpo possa pesar tranqüilamente; passeios na natureza, que acentuam o contato com a terra; os mais variados tipos de relações com a matéria, como arrumar alguma coisa, limpar (ocupar-se simbolicamente do mundo inferior de um modo ordenador); todas as demais medidas sensibilizadoras (como alguma meditação e outros exercícios espirituais que apontem para a transcendência); nenhuma droga, ou então, se o vício existir, somente a clássica válvula de escape que é a nicotina.

Remissão: envolver-se diariamente e de modo prático com a cobertura do fogo (energia *kundalini*), com o elemento água (mergulhar no mar de sensações e imagens), com a leveza dos mundos de pensamento (ar) e também com o elemento terra: deixar que entrem em si; reconhecer o reino das sombras sem se agarrar a ele; esticar em primeiro lugar a cabeça para o Pai que está no céu, com as raízes dos pés bem fincadas na Mãe Terra.

Cobertura do princípio original: Netuno (dissolução)-Saturno (fronteira).

Crises da meia-idade ver Alterações climatéricas, Climatério viril

Crosta de leite (ver também Erupção de pele)

Plano corporal: pele (delimitação, contato, carinho).

Plano sintomático: o bebê tem problemas fronteiriços: sente-se pouco tocado, mas repele o contato com a erupção re-

pulsiva; ser emocionalmente desleixado; busca interromper o isolamento; o bebê está com dificuldades que remetem à passagem do meio aquoso da bolsa amniótica (escamoso como um peixe) para este mundo (aéreo): quer tirar a pele e fugir dela.
Tratamento (para os pais, cujos problemas geralmente são espelhados pelos filhos): a mãe deve se conscientizar de sua (possível) recusa interior; ir ao encontro da criança com bastante contato corporal (amamentar), mas também observar o ponto em que ela talvez esteja se sentindo muito cobrada (emocional ou corporalmente); proporcionar todo o contato que for possível nas superfícies da pele e proporcioná-lo também com outras peles, com o ar, vento, sol, água e terra, areia (terapia da urina).
Remissão: oferecer contato à criança e a si mesma(o).
Cobertura do princípio original: Saturno-Vênus.

Crupe ver Asfixia

D

Daltonismo (Acromatopsia)
Plano corporal: Olhos (Exame, visão, espelho da alma).
Plano sintomático: Cegueira para a diversidade e o colorido da vida: nada aparece em cores alegres; vê-se tudo na cor cinzenta; tentativa de nivelar as diferenças; no caso de cegueira às cores vermelha e verde: as cores do crescimento (vermelho = força do início, energia sem mais nem menos); verde = natureza, esperança) não se consegue diferenciar essas cores; o vermelho (energia do reino humano) e o verde (energia do reino vegetal) são cores complementares, que precisam uma da outra e se completam – incapacidade de diferenciar esses dois reinos; deixar de perceber a diferença entre a estimulação (vermelho) e a tranqüilização (verde).
Tratamento: reconhecer a *monotonia* da própria percepção; o risco de reconhecer uma vida descolorida; não conseguir desviar-se das reais tarefas pessoais devido ao colorido da vida; aprender a ver todas as cores como matizes da mesma cor; passar conscientemente pelo cinza(tristeza); reconhecer as cores do mundo como irradiação da que falta (a toda cor falta a cor complementar para a totalidade, que se expressa pelo branco); tratamento especial para a cegueira ao vermelho e ao verde: aprender a ver a energia e o crescimento como uma unidade; aprender a ver nos pólos opostos das cores complementares, vermelho e verde, uma e a mesma força básica, e reconhecer como uma precisa da outra; não se enganar/não deixar-se prender pela ilusão do jogo de cores: meditação sobre a atração da fotografia em preto e branco.
Remissão: reconhecer em todos os momentos a unidade que está por trás da polaridade; reconhecer a unidade na profundidade do todo.
Cobertura do princípio original: Sol/Lua-Saturno.

Dança de São Guido ver Dança de São Vito

Dança de São Vito (coréia)
Plano corporal: partes superiores dos gânglios basais (pontos nodais de comunicação local), sistema nervoso (serviço noticioso).
Plano sintomático: distúrbio herdado do metabolismo neurotransmissor, que irrompe entre os trinta e os cinqüenta anos e no final conduz à ruína do cérebro (tendência progressiva → Demência); ímpetos de movimento tresloucados, impressionantes, desregrados e subitamente demolidores; torceduras ao modo de vermes, aos quais os pacientes estão entregues: prestar-se a um quadro deplorável ("po-

bre verme"); sobretudo os movimentos realizados pelas mãos e pés, que remetem a *mudras* nas danças do templo (grego: *chorea*, dança): "executar uma dança infernal"; ímpetos de movimento, adormecimento da musculatura: fuga de sua própria determinação; fome de viver: tempo de ímpeto e arrebatamento não-vividos.

Tratamento: aceitar a impossibilidade de se esquivar do próprio destino e usar o tempo que lhe é oferecido; aprender a reconhecer e aceitar a espada de Dâmocles; ocupação com a determinação e com a liberdade; estudo da herança familiar; converter o religioso "Seja feita a Tua vontade" em prática; praticar a *uppekha* (serenidade); orientar-se para o centro da vida; integrar as danças rituais e estáticas na vida (somente durante o cantar e dançar estáticos os pacientes estão livres de dor); agitar-se juntamente com a exigência de dançar pela vida, celebrar o momento, convertê-lo em ação.

Remissão: dançar conscientemente a dança da vida segundo as regras do momento em questão.

Cobertura do princípio original: Urano-Saturno.

Datilogripose ver Deformação dos dedos das mãos e dos pés

Debilidade (oligofrenia; demência em baixo grau)

Plano corporal: cérebro (comunicação, logística).

Plano sintomático: estupidez intelectual, geralmente para compensar uma grande profundidade de sentimentos e riqueza de emocionalidade.

Tratamento (para os pais e assistentes): aceitar a limitação intelectual que o destino reservou ao paciente (destino: cura destinada) e aprender a valorizar outros centros gravitacionais de desenvolvimento (viver a partir da esfera do sentimento; ocupar-se com suas próprias necessidades emocionais; limitar-se de boa vontade a tarefas simples).

Remissão: introduzir-se nos domínios ancestrais e originais do ser humano e do cérebro; viver de maneira sentimental; realizar coisas simples e essenciais com amor, em vez de fazê-lo com entendimento.

Cobertura do princípio original: Lua-Sol em vez de Mercúrio-Saturno.

Dedo em baqueta ver Problemas com as mãos

Defeito no septo (insuficiência congênita do coração com defeitos nos septos atrial e/ou ventricular)

Plano corporal: coração (sede do amor, da alma, do sentimento, centro energético), septos atrial e ventricular (limiar entre este lado e o além em nosso centro).

Plano sintomático: ausência de uma separação verdadeira do coração em esquerdo e direito: entrada na polaridade com o coração *pela metade*; a unidade (sobre a morte ameaçadora) permanece quase perfeita; ter um buraco no coração: ter um defeito bem no seu centro, insuficiência do(s) coração(ções).

Tratamento: o fechamento cirúrgico do buraco no coração impele a pessoa para a polaridade, isto é, para a discussão; realizar a abertura do coração no plano anímico; abrir o coração no sentido figurado, para que com isso se possa permanecer fechado em seu centro no plano físico.

Remissão: aspirar à unidade no plano figurado: ser um com o todo; tornar-se um coração e uma alma com todos os seres sensíveis e com toda a criação.

Cobertura do princípio original: Sol-Saturno.

Defeito no septo cardíaco

Plano corporal: coração (sede do amor, da alma, do sentimento, centro energético), septo cardíaco (limiar entre este lado e o do além em nosso próprio centro).

Plano sintomático: o passo necessário para a polaridade não se realiza; o coração, quando no ventre materno, não chega a se dividir nas duas câmaras: a unidade permanece sempre próxima (permanente proximidade da morte); ficar na dependência de um estágio de desenvolvimento anterior, não querer se libertar da unidade/do estado paradisíaco do ventre materno; dificuldades na acomodação à polaridade; deixar de dar o passo de entrada na dualidade; o ater-se firmemente ao comprovado torna-se um obstáculo à vida.

Tratamento: reconciliar-se com o passado, para então desprender-se dele; aprender a expandir-se para além das coisas que se guardou do passado; tornar-se consciente das obrigações e necessidades do mundo polarizado e aceitá-las; aprender com a situação de obstrução (usar a doença como caminho): viver mais calmamente, orientando-se mais para os passos interiores do que para as realizações exteriores, etc.; aceitar o individualismo (do coração) num sentido positivo.

Remissão: manter sempre a unidade como objetivo último da consciência; desligar-se conscientemente do paraíso, tendo para si o regresso como uma certeza.

Cobertura do princípio original: Sol-Urano.

Deficiência imunológica (ver também Inflamação, Alergia)

Plano corporal: sistema imunológico (defesa).

Plano sintomático: sistema imunológico sobrecarregado no plano consciente; abre o corpo para os (diferentes) bacilos em vez de deixar-se excitar na consciência: exagero do fechar-se em si, que a todos diz "não"; incapacidade de abrir-se interiormente; o estar sobrecarregado por combater (alguma coisa).

Tratamento: aprender a posicionar-se como barreira, no plano corporal, contra os inimigos da vida: medidas de enrijecimento e intensificação (desde "tratamento hidroterápico kneippista" até "riso interior"); o amor como ato de deixar entrar; abrir fronteiras (o ego) para o tu; tornar-se um.

Remissão: amor universal; sinceridade da alma no terreno da força; sinceridade onde a defesa é possível (na consciência) e onde é necessária (no corpo).

Cobertura do princípio original: Marte-Netuno-(Saturno).

Deformação da coluna vertebral (escoliose; ver também Dores nas costas)

Plano corporal: coluna vertebral (apoio e dinâmica, retidão).

Plano sintomático: desvio do meio (centro) num domínio central: recuar do pólo feminino (esquerdo) para o masculino (direito); expandir-se para fora de um pólo da realidade; itinerários acidentados no que diz respeito ao eixo da vida; querer serpentear pela vida, esquivar-se da retidão, querer contornar obstáculos; entortar-se para alguma coisa.

Tratamento: apresentar-se para o lado preferido, remi-lo e redimi-lo; descobrir sua tendência para itinerários acidentados e tê-la diante dos olhos; torcer conscientemente os itinerários acidentados e seguir por desvios (oportunos) (descarregar as costas, o que aliás sempre se gosta de fazer); aprender a contornar obstáculos: encontrar um caminho flexível para o centro; tornar-se consciente da tendência geral para a compensação.

Remissão: adaptação flexível às necessidades da vida; sentir-se em casa em se tratando de vias retas e tortas; balanço interno em torno de seu próprio eixo vital.

Cobertura do princípio original: Saturno-Urano.

Deformação do septo nasal

Plano corporal: nariz (poder, orgulho, sexualidade).

Plano sintomático: um lado é prejudicado em função do lado contrário; unilateralidade congênita na vida, pela acentua-

ção seja da metade esquerda feminina, seja da metade direita masculina: funcionar melhor de um lado (receber mais ar, [energia vital, *prana*]); fluxo unilateral do intercâmbio e da comunicação.
Tratamento: se possível, envolver-se com o lado preferido (na respiração); preterir o outro; refletir sobre seus lados fortes e fiar-se neles.
Remissão: A partir da força que cresce de um pólo e nele se resolve, fazer o pólo oposto participar da vida: pôr-se novamente em ordem.
Cobertura do princípio original: Marte-Saturno/Urano.

Deformação dos dedos das mãos e dos pés
Plano corporal: dedos das mãos (pegar o jeito do mundo), dedos dos pés (apoio).
Plano sintomático: desenvolver mãos e pés em garra: manifestação de cobiça e desejo: de posses, em caso de necessidade; de busca de apoio, em caso de ausência de apoio.
Tratamento/Remissão: reconhecer a situação fundamental e zelar pela satisfação das necessidades; proporcionar para si apoio (reserva) interior e exterior.
Cobertura do princípio original: Mercúrio-Plutão.

Deformações ver Malformações/Deficiências

Degeneração adiposa do coração (adiposidade do coração)
Plano corporal: coração (sede do amor, da alma, do sentimento, centro energético).
Plano sintomático: não reconhecer o peso de seu centro e seus temas vitais centrais; o peso salienta-se desajeitadamente, indo ao encontro do centro; coração embalado em algodão, bem isolado; (gordura, o melhor isolante térmico e contra choques): cobertura contra o *stress* da vida.

Tratamento: conceder conscientemente mais peso ao coração; reconhecer o peso (importância) dos temas centrais do coração; levar entusiasmo ao coração; tornar-se rico e generoso no sentido figurado, anímico (em vez de acumular gordura no corpo); aprender a proteger e defender seu coração no sentido figurado e resguardá-lo de ameaças perigosas com medidas conscientes; isolamento no sentido de um retirada para o que lhe é próprio e essencial.
Remissão: fazer de seu próprio centro um lugar seguro.
Cobertura do princípio original: Sol-Júpiter.

Degeneração do coração (miodegeneração cardíaca)
Plano corporal: coração (sede do amor, da alma, do sentimento, centro energético).
Plano sintomático: o tecido específico do coração é substituído por um tecido inferior: quase não é trabalhado, limitando-se a reservar o lugar na vida, sem preenchê-lo; renúncia do centro da vida; as forças do coração estão esgotadas; enfraquecimento do conflito da força de oposição no segundo plano.
Tratamento: resultar do centro; afirmar sem (grandes) pretensões o seu lugar nesta vida; tornar-se consciente da transformação das centrais vencidas (metamorfose); preparar-se para abandonar pela última vez a matéria anímica.
Remissão: amar e sentir sem considerar normas ou fronteiras; preparação para a abertura e para o regresso ao lugar da alma.
Cobertura do princípio original: Sol-Urano.

Deglutição exagerada de ar ver Aerofagia

Delírio
Plano corporal: cérebro (comunicação, logística) como base da consciência.

Plano sintomático: quebra do muro de separação entre a consciência diurna e as próprias camadas profundas, por exemplo, por envenenamento e por influência de drogas: temas não-vividos são impelidos de maneira incontrolável, pelo intelecto, à consciência; a manifestação das sombras/do mais profundo lado obscuro, do que há muito vinha sendo mantido sob estrito controle.

Tratamento: exercícios que ponham em questão o muro de separação do inconsciente: aprender a olhar voluntariamente para dentro dos novos mundos (da consciência); encontrar o acesso ao reino das sombras; tomar por verdadeiros e importantes sonhos e medos não-vividos; conduzir uma discussão com eles de modo controlável; uma terapia de sombras consciente, que invade com cautela a camada protetora entre os planos psíquicos conscientes e inconscientes, para avançar nos domínios profundos e com isso deixar que os conteúdos sombrios sejam gradualmente liberados.

Remissão: fazer uso consciente da entrada e saída para o reino das sombras; integração das sombras no sentido do caminho de individuação junguiano ou da terapia da reencarnação: conhecimento de si mesmo; abraçar conscientemente a realidade de nosso "mundo real".

Cobertura do princípio original: Netuno-Plutão.

Delirium tremens ver Delirio, Alcoolismo

Demência (ver também Mal de Alzheimer)

Plano corporal: cérebro (comunicação, logística).

Plano sintomático: o grande esquecimento: o imediato é logo esquecido, o mais distante é esquecido mais lentamente; a central vem abaixo; enquanto o intelecto desaparece rapidamente, capacidades emocionais e de sentimento são mantidas por mais tempo; se há uma renúncia a toda a responsabilidade (fuga), por outro lado também é preciso renunciar a considerar que se está em condição de percebê-la.

Tratamento: renunciar à busca, prosseguindo como vinha fazendo até então; deixar para mais tarde o cotidiano, para se dedicar a uma atualização do passado; estão em jogo nada mais do que as grandes conexões, as estruturas da vida; bagatelas devem ser ignoradas (esquecidas): tudo o que é contingencial passará (as formas relativas à mundanidade), mas o essencial (o desenvolvimento anímico) dura para sempre; pergunta: "de que tenho sido culpado em minha vida?"; deixar para trás o intelecto e a razão, tomar por verdadeiro e importante o mundo por detrás do visível; chamar novamente a responsabilidade para a sucessão das gerações; em vez de fuga, retorno consciente à antiga participação; exame de consciência, regresso.

Remissão: executar no plano anímico-espiritual o que se mantém limitado ao cérebro pela demência: "aquele que não chegar ao reino dos céus como uma criança, de maneira alguma entrará nele"; indeferir espiritualmente, ser compreensivo em vez de simplório.

Cobertura do princípio original: Mercúrio-Netuno.

Dependência de drogas entorpecentes ver Dependência química

Dependência química (ver também Vícios)

Plano corporal: com particular freqüência o cérebro (comunicação, logística) e o fígado (vida, valorização, *religio*).

Plano sintomático: vício — fuga — busca: busca de poder parar antes do tempo, ou seja, de fuga, afobar-se num plano artificial; projeção do alvo último da unidade em algo mais facilmente acessível; perigosa busca de abreviar o caminho; busca de

se fazer leve; incorporação do postiço, do que não pode ser satisfeito a longo prazo; enganar-se no caminho para o alvo; falta de tolerância para com a frustração (não ter aprendido a assimilar os fracassos e a lidar com as rejeições); medo de novas experiências; comodismo em demasia (preguiça), elevada pretensão de passar bem, a atitude para com a vida é de infantil a pueril, pouco anseio pela cura (da alma).
Tratamento: fazer-se consciente de sua tendência para inadmissíveis recaídas; tomar parte em exercícios espirituais de busca: busca de visão, exercícios de meditação zen, etc.; exercícios para definição do próprio objetivo da vida; adquirir tolerância em relação a frustrações, por exemplo, pela psicoterapia: reconhecer que só mesmo o que se consegue pelo trabalho tem um caráter transformador (o dito popular: "o trabalho enobrece o homem"); adentrar de tal maneira o medo dos processos terapêuticos que ele se faça amplidão e coragem; aprender a posicionar-se em vez de fugir e acovardar-se; reconhecer que são necessários os maiores sacrifícios para realizar o mais alto objetivo (unidade); aprender a novamente reconhecer o verdadeiro objetivo nos estados acessíveis pelo consumo de drogas; levar adiante a desilusão: reconhecer o mundo das aparências (da embriaguez das drogas) tal como ele é; descobrir tendências regressivas (querer ter algo sem pagar o seu preço); reanimar a motivação original que o levou ao consumo das drogas (ânsia pelo *ser um* e pelo sentimento de unidade).
Remissão: compreender a vida como uma viagem, ser novamente como aquele que busca; descobrir a unidade como objetivo último: praticar a meditação e a religião como caminho para esse objetivo.
Cobertura do princípio original: Netuno.

Depressão

Plano corporal: todos os planos corporais podem ser afetados conjuntamente, por exemplo, no caso da depressão mascarada.
Plano sintomático: agressividade/energia vital reprimida que — orientada contra si mesmo — traz à luz uma tendência para o → Suicídio; tristeza reprimida; fuga da pressão (depressão no sentido de descompressão); incapacidade de viver e morrer; forma não-resolvida da inversão para o caminho da vida; bloqueio entre ira e tristeza; medo de responsabilidades; forma não-resolvida de se ocupar com a morte (intenções suicidas); descontração no plano errado (corpóreo): a força muscular diminui, pois os músculos não mais comportam tônus algum; obstrução, devido ao esmorecimento da peristalse intestinal; impotência, pois também a sexualidade vive da construção de uma tensão; respiração superficial e baixo rendimento cardíaco, já que também nesses planos centrais a admissão da polaridade se faz sentir.
Tratamento: atacar com força e insistência seus próprios muros de proteção (orientar o fogo do autoconhecimento contra si mesmo); retirar-se da pressão do cotidiano, a fim de encontrar tempo para o essencial (contemplação, *medi*tação: o retorno consciente ao meio/centro da vida); medidas de retorno consciente no sentido de uma retirada libertadora em direção ao centro da mandala da vida; adentrar o medo até encontrar a vastidão do conhecimento em meio à maior estreiteza; aprender a responder às exigências (desafios) do destino; ocupar-se com a própria mortalidade (do corpo) com vistas à imortalidade da alma: "assim, se não morres, antes que morras te tornarás pernicioso para sempre" (Ângelo Silésio); livro dos mortos tibetano/egípcio, a *Ars moriendi* da Idade Média; discussão consciente com o drama e com a tragédia clássica; acordar para as próprias necessidades depois de uma vital exteriorização da vida; terapia

pragmática: jejum de sono (passar uma noite em claro para dispor de outra forma o ritmo sono-vigília); discussão consciente tanto com a tristeza reprimida como com a ira reprimida.
Remissão: reconciliação com o ritmo da vida: por um lado, com a ruína, morte e tristeza e, por outro, com o renascimento e com a alegria de viver; encontrar a luz na escuridão.
Cobertura do princípio original: Lua-Saturno (morte)/Netuno (fuga)/Plutão (pressão).

Depressão involutiva (ver também Depressão, Alterações climatéricas)
Plano sintomático: estagnação espiritual depois de passar pelo meio da vida; deixar de encaminhar espiritual e animicamente a volta, o retorno, à segunda metade da vida: o corpo tem de ser socorrido, e a involução empreende-se com força; menosprezar as oportunidades de regresso e conversão voluntários para o meio da vida; ocupar-se pouco com o objetivo da vida, com a redenção na morte.
Tratamento: deter-se por um tempo no meio da vida: novo sentido com relação ao caminho da vida e sua orientação; posicionar o aspecto do retorno e do exame de consciência no ponto médio; ocupação e reconciliação com a solução da vida, com o desprendimento na morte; reconhecer a transitoriedade da matéria e com isso também a do corpo.
Remissão: sujeitar-se voluntariamente ao padrão da vida, à mandala, e seguir o caminho arquetípico assinalado.
Cobertura do princípio original: Saturno.

Depressão pós-parto/psicose da amamentação
Plano corporal: tornar-se subjugado pela realidade; abandono da vida que se assinala, tendência de fuga; ao amamentar de acordo com a vontade da criança, o ritmo do sono da mãe pode ser interrompido a cada duas horas, de forma que nunca chega ao sono dos sonhos: os quadros e vozes interiores que com isso deixam de ser assimilados tornam-se sempre mais poderosos, insinuando-se na consciência diurna: → Alucinações ópticas e acústicas.
Tratamento: criar espaço (de consciência) para si, para lá se recolher à vontade; reconciliar-se com o papel de mãe e com a responsabilidade que lhe é devida; entregar-se conscientemente à morte dos hábitos antigos; tornar outras realidades conscientemente mais abertas; cuidar de ter períodos de sono mais longos, sem cortes (→ Cólica dos três meses) ou entregar-se conscientemente à expansão do estar desperto, tomá-lo como exercício espiritual.
Remissão: reconciliação com os novos tempos e tarefas: entrega à nova situação de vida; disposição para o crescimento interior: crescer de mulher para mãe.
Cobertura do princípio original: Netuno-Lua.

Dermatite (inflamação da pele)
Plano corporal: pele (delimitação, contato, carinho).
Plano sintomático: conflito de limites externos; discussões no âmbito do contato.
Tratamento: defender corajosa e aberta(ofensiva)mente as fronteiras (por meio de nosografias que levem ao inchaço e espessamento da pele); abrir as fronteiras corajosa e aberta(ofensiva)mente (mediante nosografias que conduzam a fissuras, → Rágades e outras aberturas da pele).
Remissão: luta aberta pela defesa de fronteiras ou sua abertura; *salvar sua pele* com êxito.
Cobertura do princípio original: Vênus-Marte/Saturno.

Dermatomicoses (Micose da unha, Micose do pé; ver também Candidíase)
Plano corporal: pele (delimitação, contato, carinho).
Plano sintomático: não obstante os escudos de proteção constituídos de invólu-

cros ácidos, as próprias demarcações de fronteiras vêm postar-se diante da pessoa com tropas estranhas (estrangeiras), espalhadas e insolentes: estar muito fraco, defender sua pele (em caso de baixa imunidade, por exemplo, em decorrência da → Aids ou por terapias de longa duração à base de antibióticos); tudo o que não vive pode se tornar presa da invasão fúngica (fungos são saprófitos, isto é, alimentam-se de matéria orgânica em decomposição).
Tratamento: em vez de se defender, abrir as fronteiras no âmbito anímico-espiritual; em vez de se deixar receber pelo elemento estranho, ceder-lhe espaço e apropriar-se dele; entregar-se às relações, mas também saber respeitar os seus limites; conduzir discussão sobre o tema parasitismo; deixar de aproveitar o que lhe é próprio e conseqüentemente deixar de empregá-lo, ou seja, abrir domínios atrofiados e sem vida para impulsos vitais vindos de fora; na calma superfície exterior, entrar em contato com temas excitantes e discuti-los corajosa e aberta(ofensiva)mente; exercícios concretos: conhecer o estranho de um modo estranho; entrar em contato com o estranho e discuti-lo de maneira crítica, aberta (ofensiva); poder transformar estruturas vitais; tornar-se consciente da possibilidade de escolha: ou alimentar os fungos com gêneros alimentícios *mortos*, ou alimentar a si mesmo com gêneros *vivos*.
Remissão: deixar que impulsos e formas estranhas de vida se aproximem de suas fronteiras, conhecer, aceitar e integrá-los à sua própria vida; deixar entrar também outras visões do mundo; o seu próprio terreno vivo (da consciência) sem zonas mortas.
Cobertura do princípio original: Vênus/Saturno (pele)-Plutão (fungos).

Descolamento da retina (*Ablatio retinae;* ver também Cegueira)
Plano corporal: olhos (vista, discernimento, espelho da alma), retina (chapa fotográfica do olho).
Plano sintomático: 60% dos casos devido a → Miopia, 35% relacionados à idade, 5% à perda do cristalino; raios, véus e visão sombreada como arautos de uma perda parcial da visão: indicações verdadeiras visualizadas no plano anímico tornam-se corporalmente tão claras que não se consegue mais voltar a abarcá-las visualmente; mostram que algo "não está batendo" com a percepção do mundo; declínio da visão: deixar de perceber a realidade como um todo; tornar-se cego para parte do mundo exterior; tendência à perda total da visão (cegueira).
Tratamento: aprender a perceber no sentido figurado, tornar-se unilateral: orientar seu olhar para o essencial, concentrar-se em si e na visão, reduzir-se e limitar-se conscientemente; aprender a olhar para dentro.
Remissão: posicionar imagens interiores junto das/sobre as exteriores; orientação interior, discernimento.
Cobertura do princípio original: Sol/Lua-Urano.

Descolamento prematuro da placenta (ver também Complicações no nascimento)
Plano corporal: na mãe: querer livrar-se da criança de modo precipitado e com riscos para a vida de ambas; na criança: o lançar-se para fora prematuro e ameaçador da vida; para ambas: depender de ajuda (cirúrgica) externa.
Tratamento: familiarizar-se com o papel de mãe, para suportá-lo até o fim; verificar sua disposição de dar a vida a uma criança, de modo inconscientemente ambivalente ou por tendências opostas; para a mãe e a criança depois de adulta: aceitar prontamente uma ajuda externa e reconhecer quanto ela é necessária.
Remissão: aguardar paciente e humildemente o instante de tempo certo; fazer voluntariamente o que deve ser feito (responsabilidade: capacidade de responder aos desafios da vida).

Cobertura do princípio original: Lua-Urano.

Deslocamento da vértebra cervical

Plano corporal: atlas (placa giratória do farol), vértebra cervical (torcicolo, mobilidade do pescoço).

Plano sintomático: a coisa capital está "fora dos quadros"; o mirante não se deixa mais manobrar livremente (livre de dor): oposição a mudanças de orientação; Atlas não consegue mais fazer jus à sua tarefa, a de carregar a abóbada celeste (pessoal) sobre os ombros sem dor; o peso na cabeça não é mais suportável: fronteiras dolorosas são atravessadas; em caso de torceduras freqüentes: manobras giratórias inconscientes/oportunistas, "torcicolo"; apaixonar-se: "alguém deve ter virado a cabeça dele(a)".

Tratamento: trazer as coisas de volta "aos quadros"; posicionar corretamente as coisas mais importantes e superiores; aderir a uma orientação, em vez de executar prolongadas manobras giratórias; tornar-se consciente das exigências da cabeça; uma vez que só mesmo sob dores lhe é possível manter a cabeça (sempre) erguida, baixá-la de vez em quando, concedendo-se (pausas para) descansar; deixar-se ajeitar a cabeça; abandonar voluntariamente caminhos experimentados: seguir uma nova orientação, por exemplo, deixar que a cabeça vire de modo afetuoso; em caso de torcicolo: encontrar as legítimas mobilidade e capacidade de adaptação.

Remissão: endireitar novamente as coisas, em vez de se deixar distorcer em sua coluna vertebral; estar sempre encaixado por sua própria força.

Cobertura do princípio original: Vênus/Saturno-Urano.

Desmaio (por exemplo, em → Epilepsia, → Pressão baixa → Debilidade [da circulação])

Plano corporal: cérebro (comunicação, logística).

Plano sintomático: fuga da responsabilidade, manobra para deixar passar; sumir; nenhuma disposição de enfrentar uma situação/problema.

Tratamento: liberar conscientemente as pretensões de força; avançar nas profundezas de outras dimensões.

Remissão: depositar o poder em mãos superiores: "seja feita a Tua vontade".

Cobertura do princípio original: Netuno.

Diabetes açucarado ver Melitúria

Diabetes insípido

Plano corporal: rins (equilíbrio, parceria), órgão de segregação da urina (canais condutores).

Plano sintomático: impossibilidade de os rins concentrarem a urina: a energia vital (urina não-concentrada, chegando quase à diluição da água) é perdida em grandes quantidades; sede/ânsia das coisas da alma (água da vida) em alto grau.

Tratamento: interpretar e esclarecer as doenças e suas respectivas problemáticas fundamentais (rins: equilíbrio, parceria); deixar sair o anímico: deixar sair e fluir energia no âmbito das relações; acolher de modo muito mais anímico.

Remissão: intercâmbio intensivo com o anímico, liberando o corpo desse assunto.

Cobertura do princípio original: Lua-Mercúrio.

Diafragmatocele (hérnia diafragmática; ver também Refluxofagite, Hérnia)

Plano corporal: diafragma (fronteira).

Plano sintomático: não há mais uma separação higiênica entre as metades do corpo superior e masculina e inferior e feminina; hérnia entre os âmbitos polares; repressão da *anima* e a decorrente usurpação do pólo feminino reprimido; deixar, já no estômago, que o incorporado siga de volta para o esôfago; permitir retrocessos.

Tratamento: deixar que se interpenetrem o superior e o inferior, o masculino e o feminino, para que o corpo fique livre dessa tarefa; conferir à *anima* uma livre possibilidade de desdobramento e espaço suficiente, de forma que o corpo não tenha de encenar seu estreitamento e repressão com uma ação prejudicial de libertação (hérnia diafragmática); abrir-se para regressões conscientes.
Remissão: ligação entre o superior e o inferior, entre o *animus* e a *anima*.
Cobertura do princípio original: Mercúrio-Urano.

Diarréia (ver também Diarréia de viagem)
Plano corporal: intestino delgado (análise, elaboração), intestino grosso (inconsciente, submundo).
Plano sintomático: excesso de análise (de detalhes) e de crítica, em tudo objetar alguma coisa sem querer admitir nada (disenteria intestinal volumosa); deixar impressões não-digeridas cair de fora a fora; por medo do pequeno lugar sossegado, "deixar as coisas seguirem seu rumo"; o sal da vida e o fluxo anímico da água são sacrificados para não se acolher o que se havia pretendido; medo existencial, "borrar-se", "fazer nas calças de tanto medo", medo da vida; falta de flexibilidade (perda de líquido); inútil querer segurar; comportamento de recaída para a primeira infância: "estar sujando", ser espaçoso e distante como uma criança; purificação, deixar cair o peso morto (lavagem intestinal).
Tratamento: submeter-se também à própria mania de criticar da crítica; jejuar; deixar de acolher espontânea e conscientemente tudo o que for material; aprender a considerar as coisas de modo imparcial e por vezes deixar passar sem examiná-las; desenvolver uma disposição para o sacrifício, aprendendo a dar e presentear voluntariamente; comparecer junto à profundidade do medo, transformando-o então em amplidão e abertura perante a existência; dar espaço para a sua criança interior no plano da consciência; abrir mão de pretensões e provas de coragem (o soltar-se pelo mundo afora [feito diarréia] do andarilho); expandir-se, ser flexível, deixar acontecer; ser honesto e reconhecer a pressão sob a qual se está.
Remissão: deixar acontecer o que tem de acontecer; praticar a *uppekha* (serenidade): *não ligar* para o resultado; encontrar clareza e estruturação, descobrir o próprio núcleo essencial.
Cobertura do princípio original: Mercúrio (intestino delgado)-Plutão (intestino grosso)-Urano (diarréia).

Diarréia de viagem (ver também Diarréia)
Plano corporal: intestino (análise, assimilação).
Plano sintomático: ocupação e forçamento nervosos: impossibilidade de receber e assimilar coisas; medo da abertura para o mundo: "sujar-se de medo"; a pessoa se sente realmente fazendo "aquilo que ninguém pode fazer por ela", onde é cada um por si e pode-se ficar em paz; desejo de paz/regeneração em vez de conquista; a abertura/o ser enérgico em excesso ("aquele que se despe do medo de aprender") volta-se para fora como atitude, o que na realidade (anímica) já há muito se temia.
Tratamento: abandonar planos de altos vôos e projetos ambiciosos; reconhecer que não se pode registrar e assimilar coisa alguma; voltar-se para a sua solidão e retornar a si com toda a calma: ser sincero consigo mesmo: descobrir o pantomimeiro que há em si mesmo.
Remissão: propor-se a ficar em casa (sem divisões) e assar pequenos pãezinhos; começar a praticar o *bhoga* (comer o mundo) muito lentamente — dependendo de sua própria velocidade em digerir — e controlar o seu *sujar-se* ante o mundo e a vida.
Cobertura do princípio original: Mercúrio-Urano.

Diarréia tropical ver Celíaca

Diátese hemorrágica (tendência à hemorragia)
Plano corporal: sangue (força vital).
Plano sintomático: perda da vitalidade, cansaço, moleza.
Tratamento: fazer sacrifícios; exercícios de desprendimento, deixar acontecer, descontração profunda; exercícios que harmonizem o fluxo vital, como o Tai-Chi e o Qigong.
Remissão: dar conscientemente a própria força vital; abandonar as pretensões egóicas.
Cobertura do princípio original: Marte-Netuno.

Difteria (doença infecciosa típica que nos últimos tempos tem grassado novamente)
Plano corporal: sobretudo na região da garganta (incorporação, anel de defesa) e amígdalas (policiamento); sobre as toxinas, ver também problemas do coração (→ Miocardite), da corrente sangüínea (→ Colapso) e do sistema nervoso (→ Paralisia).
Plano sintomático: guerra pela porta de entrada para o interior do corpo; por causa da dor, não mais poder/querer ingerir (saburra altamente inflamada no pescoço e na garganta); perigo de a luta se expandir para o coração: miocardite, luta pelo coração; para os nervos: paralisias, greve no setor das comunicações; risco de insuficiência da corrente sangüínea: deixar de tomar parte na circulação da vida; risco de fechar-se para sempre (morte por asfixia) à polaridade (à vida neste mundo polar).
Tratamento: mostrar disposição para a luta em torno da zona de admissão: "o que deve entrar em minha vida e o que não deve"; tornar-se consciente de como o ingerir pode provocar dores e de que já se ingeriu o suficiente e nada mais se quer ("não posso/não quero mais": verificação e pedido de socorro por parte das crianças); admitir a luta pelas oportunidades do coração; defender ofensivamente as zonas de comunicação e contato; conflito ativo com a polaridade.
Remissão: conduzir corajosamente a luta pela vida, ousar discussões em torno da esfera de admissão.
Cobertura do princípio original: Marte-Vênus.

Dilatação das paredes arteriais/do septo cardíaco ver Aneurisma

Dilatação/ectasia dos capilares sangüíneos
Plano corporal: vasos sangüíneos (via de transporte da força vital), tecido conjuntivo (ligação, consistência, compromisso).
Plano sintomático: vulnerabilidade, sensibilidade, melindre e/ou facilidade de se impressionar; desejo de impecabilidade, de firmeza, ao mesmo tempo em que a integridade, até então sua marca registrada, fica contrariada por "pequenos defeitos inofensivos".
Tratamento: intensificar a impressionabilidade: exercícios meditativos de vigilância; esclarecer por meio de quais estruturas a pessoa gostaria preferencialmente de vir à luz: num sentido figurado, deixar a força vital mais próxima da superfície; ocupar-se dos desejos de impecabilidade no plano da consciência.
Remissão: aceitar pequenos erros como pertencentes ao mundo polarizado.
Cobertura do princípio original: Mercúrio/Vênus-Urano.

Diminuição da sensibilidade à dor (Hipestesia: sensibilidade retraída; hipalgesia: baixa sensibilidade à dor; analgesia: nenhuma sensação de dor; anestesia: nenhuma sensação de dor, perda da sensibilidade)
Plano corporal: pele (delimitação, contato, carinho).
Plano sintomático: retração da sensibilidade à dor até sua total ausência (anes-

tesia); insensibilidade com tendência à apatia: nada consegue movê-lo ou tocá-lo; reações insensíveis até a completa rigidez de reações; ocultar-se em seu próprio interior, entrincheirar-se: experimentar todas as antenas exteriores, retirar-se para a sua concha, esconder-se em seu casco de tartaruga.
Tratamento: um consciente não se deixar desviar do equilíbrio/da calma interior; retirada consciente para dentro de si; sobriedade consigo mesmo.
Remissão: permanecer em si, centrado e vivendo calmamente, tendo no exterior uma testemunha desinteressada; atitude oriental do "agir não agindo".
Cobertura do princípio original: Saturno/Vênus-Netuno.

Diminuição do sentido da audição (Hipacusia; ver também Surdez senil, Surdez)
Plano corporal: ouvidos (obediência).
Plano sintomático: o mundo exterior desaparece acusticamente pouco a pouco: em pessoas idosas é sinal de tendências não-resolvidas como inflexibilidade e intransigência: não querer ouvir (e ver) mais nada; o corpo faz o que a pessoa deixa de fazer: retrai-se dos negócios do dia; forma malresolvida de retirada para o próprio mundo; perda da capacidade de adaptação e da flexibilidade; a disposição para escutar está em baixa; não mais (poder) dar ouvidos a ninguém; o mundo exterior torna-se sem importância; a pessoa fica menos acessível, distanciando-se inconscientemente.
Tratamento: reconhecer (valorizar) a exigência do destino, afastar-se do mundo exterior e voltar-se para o mundo interior; cessar de escutar para fora e obedecer; aprender a confiar na voz interior.
Remissão: escutar a sua própria voz interior e obedecê-la.
Cobertura do princípio original: Saturno-Saturno.

Diminuição ou perda de visão de um olho (ou dos dois) (ver Hemianopsia)

Disbiose (desproporção entre bactérias úteis e patológicas no intestino)
Plano corporal: intestino (inconsciente, submundo).
Plano sintomático: perturbação (destruição) da vida em conjunto (simbiose) do intestino com suas culturas de bactérias naturais, sobretudo em decorrência de terapia à base de antibióticos: → Problemas digestivos, → Flatulência/gases, → Diarréia.
Tratamento: em vez de travar uma batalha contra os habitantes do intestino grosso fazendo uso de antibióticos, ganhar terreno com as armas da luz (da consciência) sobre os temas obscuros do próprio submundo; reconciliação das forças em conflito no reino das sombras: psicoterapia; alimentação consciente e reconstrução ativa de um meio intestinal natural; condução simbiótica.
Remissão: estar em harmonia com as outras formas de vida que animam este corpo (microcosmo) e esta terra (macrocosmo).
Cobertura do princípio original: Plutão.

Discromatopsia (acromatopsia)
Plano corporal: olhos (vista, discernimento, espelho da alma).
Plano sintomático: cegueira para a variedade e colorido da vida: nada se parece com a alegria das cores; ver tudo cinza no cinza; busca nivelar as diferenças; no caso da cegueira para vermelho e verde: não conseguir diferenciar as cores de expansão (vermelho: força do começo, energia pura e simples; verde: natureza, esperança); vermelho (energia do reino humano) e verde (energia do reino vegetal) são cores complementares — incapacidade de distinguir entre esses dois reinos; desconhecimento da diferença entre o estímulo (vermelho) e o descanso (verde).

Tratamento: reconhecer a *monotonia* da própria percepção; reconhecer o perigo de uma vida sem cores; não permitir que a atenção se desvie da verdadeira tarefa pelo colorido da vida; aprender a tudo descortinar como sendo suas nuanças; atravessar conscientemente o cinzento; as cores do mundo como expressão de um reconhecer deficiente (a cada cor falta a sua cor complementar, que se expressa no branco); em especial para a cegueira em relação ao vermelho e ao verde: aprender a ver energia e expansão como unidade; aprender a ver, no pólo oposto às cores complementares, vermelho e verde como uma única e mesma força fundamental e reconhecer como necessitam um(a) do(a) outro(a); não se deixar seduzir/apanhar pelo jogo das cores de Maya: meditação sobre a sensação da fotografia em preto-e-branco.
Remissão: reconhecer em qualquer tempo a unidade atrás da polaridade; reconhecer a unidade na profundidade de todas as coisas.
Cobertura do princípio original: Sol/Lua-Saturno.

Disenteria ver Disenteria amebiana

Disenteria amebiana (ver também Diarréia)
Plano corporal: mucosa (fronteira interna, barreira) do intestino (inconsciente, submundo).
Plano sintomático: mobilização geral (febril) do corpo contra os inimigos infiltrados no submundo (bactérias do gênero *Shigella*, produtoras da disenteria bacilar); medo: "sujar-se", "corredeira", "afitamento", "fazer nas calças" (de medo); suar frio (defecações freqüentes contendo sangue e muco): perder a água e o sal da vida; fuga para a impotência (colapso da circulação).
Tratamento: aceitar a luta extenuante e abrangente pelo reino das sombras de maneira corajosa e com todos os meios que se tiver à disposição; deixar-se provocar pelos temas das sombras, em vez de abrir o submundo para os agentes provocadores; reconhecer sua própria estreiteza/seu próprio medo e trabalhá-los de maneira conseqüente e concentrada; renunciar às coisas existenciais e importantes para a vida; aprender a dar até o abandono de si; de livre e espontânea vontade, pôr a força abaixo.
Remissão: conquistar e iluminar de fora a fora o reino das sombras com as tochas da consciência; converter o medo em conseqüência e disciplina; realizar a entrega até as últimas conseqüências; pôr-se aos pés do mundo; depositar toda a força em mãos superiores; confiar-se (a elas).
Cobertura do princípio original: Plutão.

Disfagia (dificuldade na deglutição; ver também Acalasia)
Plano corporal: garganta (incorporação, defesa).
Plano sintomático: no terreno de um obstáculo à passagem pelo esôfago ou — o que muitas vezes ocorre em primeiro lugar — pela alma; recusa inconsciente de acolher (impressões materiais); engasgar-se: "comer as palavras".
Tratamento: aprender a não engolir tudo, fechar-se conscientemente para algumas coisas, dar as costas ao que não é bem-vindo.
Remissão: trilhar por caminhos outros e não-convencionais no que diz respeito à digestão e assimilação do mundo.
Cobertura do princípio original: Vênus-Urano.

Disfasia (Dificuldade no falar ocasionada, por exemplo, pelo → Mal de Alzheimer)
Plano corporal: cérebro (comunicação, logística).
Plano sintomático: desorientação, perder o fio da meada; *não ter mais nada a dizer*; deixar de vibrar no mesmo ritmo que as outras pessoas.

Tratamento: desligar-se das estruturas e regras tradicionais; por livre e espontânea vontade renunciar a todos os poderes; adaptar-se ao próprio ritmo.
Remissão: intuição interior em vez de orientação externa.
Cobertura do princípio original: Mercúrio-Netuno.

Disfunção erétil
Plano corporal: órgãos sexuais (sexualidade, polaridade, reprodução).
Plano sintomático: medo da morte: orgasmo, perda do controle; medo da própria masculinidade e agressividade; incapacidade de fazer boa figura; medo do desempenho; falhar ante a pressão pelo desempenho: medo "de não conseguir uma ereção", de ser um *bola murcha* que nega fogo; medo da devoração feminina (medo da castração segundo Freud); medo de ser aprisionado (vaginismo: muita conversa por quase nada, o medo diz respeito a pouca coisa tanto no plano corporal como no social); manter-se firme (ser prisioneiro do) no intelecto; acovardar-se, *recolher a espada e se retrair*; desistir, *amolecer* (no conflito da guerra dos sexos); vingar-se da parceira: não ser homem para ela, não a satisfazer; elevar irracionalmente a parceira e, como se ela fosse uma Madona, não querer maculá-la; ter a sexualidade como algo sujo: não querer esconder seu orgulhoso cetro na caverna escura; complexo de Édipo: não querer ser infiel à própria mãe; falta de criatividade: não poder prestar nenhum testemunho de si; falta de confiança em si e no futuro; busca freqüente de uma compensação exterior; desejo de ser um *grande homem*, pois o *pequeno* ele não consegue fazer crescer.
Tratamento: reconhecer que a força do homem precisa ter como base a feminina (calma e descontração interior, situação de tom parassimpático, levam à circulação sangüínea no órgão sexual); exercícios de desprendimento: meditação, deixar-se cair na água (feminino-anímica); familiarizar-se com seus próprios lados suaves e femininos para poder novamente posicionar as forças masculinas; conhecer e aprender a amar a própria força fálica: saber que o homem nem sempre *tem* de poder e *pode* poder; aprender a se entregar ao feminino: exercícios na água, *samadhi-tank*; no pólo oposto: dedicação à própria força fálica, ocupação com o próprio corpo (esportes, yoga, etc.); deixar que o reprimido se torne visível; interromper o intelecto, fintá-lo; atenção com relação à compensação: salta aos olhos como tantos "potentes" homens de negócios padecem de problemas com a potência na cama, mostram sua potência ao mundo todo porque não podem mostrá-la a suas mulheres; o poder na sociedade é aqui compensado pela impotência física (esse tipo de poder socialmente engendrado é perigoso para os próprios homens afetados e para a sociedade, já que são continuamente postos à prova).
Remissão: alegria com seu próprio lado feminino, desenvolvimento da força masculina e desfrute de ambos.
Cobertura do princípio original: Marte-Saturno.

Dispepsia fermentativa (ver também Diarréia, Flatulência/gases)
Plano corporal: intestino grosso (inconsciente, submundo), reto (submundo).
Plano sintomático: distúrbios na digestão de carboidratos conduzem à fermentação no intestino grosso; caminho típico de formação: uma recusa à agressão conduz a uma dieta vegetariana (não querer fazer nenhum animal sofrer), mas uma dieta vegetariana integral, no entanto, deve demandar uma ação particularmente boa e agressiva das armas da boca (dentes), caso contrário teremos pedaços não-digeridos no intestino grosso, que se torna o caldeirão da bruxa para milhares de habitantes dos infernos, que só querem saber de fazer sopa: fermentação e a cor-

respondente formação de gases (com mau cheiro); diarréia fermentativa espumante: espumar (de raiva) por uma agressividade (reprimida); "fazer nas calças", "sujar-se de medo"; não conseguir digerir as coisas doces (carboidrato: açúcar), senão deixando estragar a matéria inflamável do submundo; ser obrigado a baixar as calças.
Tratamento: discussão com o próprio problema da agressão; chegar a decisões: mastigar ou cheirar mal (pela emissão de gases); reconhecer o próprio medo e ir até o seu fundamento, onde se pode vaguear na amplidão; travar relações de maneira aberta (ostensiva) com o lado doce da vida.
Remissão: reconhecer a agressão como força fundamental e travar relações conscientes com o seu pólo oposto, que é Vênus (gozo); ser sincero consigo mesmo no que diz respeito às forças agressivas.
Cobertura do princípio original: Marte-Plutão.

Dispepsia por interrupção do aleitamento materno (problemas digestivos decorrentes da súbita suspensão da amamentação)
Plano corporal: ala digestiva (*bhoga*: comer e digerir o mundo), abdômen (sensação, instinto, gozo, centro).
Plano sintomático: o lactente pode não digerir, assimilar, aceitar a (abrupta) separação do peito materno, rebelião contra o abdômen.
Tratamento (para a mãe): reconhecer na contração do abdômen da criança a própria tendência para a convulsão e o combate; (re)conhecer e admitir através da criança a redução de sua própria liberdade; abandonar opiniões e programas preconcebidos; acomodar-se à situação individual; reconciliar o preservar-se (maternidade) com o parir (abandonar).
Remissão: o acompanhamento cuidadoso do lactente até o próximo estágio de independência conduz a mãe e a criança a uma maior independência.

Cobertura do princípio original: Lua-Urano.

Dispnéia (ocorrendo, por exemplo, com uma bronquite ou inflamação pulmonar)
Plano corporal: caminhos da respiração (intercâmbio), pulmões (contato, comunicação, liberdade).
Plano sintomático: estar separado da polaridade; "respirar com dificuldade".
Tratamento: reconhecer que o que faz alguém *perder o fôlego é aquilo que lhe toma o ar* (da respiração); perguntar a si mesmo onde se é exigente demais; exercícios de respiração: praticar o tomar, dar e deixar acontecer; exercícios com respiração integrada; praticar o intercâmbio no plano anímico-espiritual; exercitar a polaridade: movimentar-se conscientemente no quadro das próprias possibilidades.
Remissão: dispor de intercâmbio e comunicação suficientes; limitação ao essencial na perspectiva energética, tornar-se econômico com (a própria) energia, aproveitá-la melhor; se a respiração estiver suspensa, sentir a proximidade da transcendência.
Cobertura do princípio original: Mercúrio-Saturno.

Disritmia do coração (ver também Extra-sístole, Taquicardia)
Plano corporal: coração (sede do amor, da alma, do sentimento, centro energético).
Plano sintomático: quebra na ordenação da vida/do coração, descarrilamento da proporção normal; a pessoa não confia em si mesma, deixa-se "enlouquecer" pelas emoções; só querer ouvir a cabeça; orientar-se em demasia pelo entendimento e pelas normas; dar pouco lugar às emoções; não vibrar no próprio ritmo.
Tratamento: proporcionar uma quebra na ordenação habitual; sempre voltar a voluntariamente sair da proporção da vida normal; de vez em quando, jogar cons-

ciente e loucamente, dançar fora da marca, ultrapassar os limites (não dispensar um carnaval e coisas assim); aprender a "ouvir o coração" juntamente com a cabeça: ceder espaço voluntariamente às emoções e sentimentos e confrontá-los com comportamentos normatizados.
Remissão: permitir-se sair da calma por emoções e sentimentos; abertura para invasões irracionais de sentimento; buscar o próprio ritmo e viver independentemente de todas as normas.
Cobertura do princípio original: Sol-Urano.

Distensão (ver também Cãibras)
Plano corporal: musculatura (motor, força), articulações (mobilidade, articulação).
Plano sintomático: dis-tensão: falsa tensão (distonia): *esforço* exagerado: *fazer*-se de muito forte; a rigidez mostra a camisa-de-força em que se vive.
Tratamento/Remissão: esforços no lugar certo e no tempo certo; descobrir o jogo da polaridade entre tensão e distensão e reconhecer a relação mútua de ambos os pólos.
Cobertura do princípio original: Marte-Saturno.

Distensão abdominal aguda (ver também Abdômen flácido, Obesidade)
Plano corporal: abdômen (sensação, instinto, gozo, centro).
Plano sintomático: dignidade inflada; importância (peso) inflada (o); meios de alimentação falsos em vez de meios saudáveis *de vida*; pré-digestão na boca insuficiente, pouca mastigação: hora do laço (da caça) em vez de hora da refeição; disbiose (desarmonia) no intestino, que é um dos fundamentos da vida humana (segundo F. X. Mayr, a morte situa-se no intestino, o que em todo caso é incontestavelmente simbólico; intestino grosso: reino da morte no corpo).
Tratamento: soltar vapor; desenvolver um peso no plano figurado; ao comer, converter a segurança de sobrevivência em segurança de vida; digerir a vida desde o começo; mastigar bem; zelar pela harmonia com seus próprios poderes anímicos obscuros.
Remissão: ocupar o espaço necessário para seu desenvolvimento interior; encontrar plenitude na realização; reconciliação com as sombras.
Cobertura do princípio original: Lua-Júpiter.

Distensão do ombro (chegando até a anquilose; ver também Síndrome braço-umbreal)
Plano corporal: ombros (capacidade de carregar, postura).
Plano sintomático: em posição de imobilidade, uma das articulações de maior mobilidade ameaça anquilosar-se rapidamente e revelar sua própria rigidez; sobrecarga por tensão e distensão: arrastar consigo contra a sua vontade algo interiormente recusado; endurecimento por esforço excessivo; medo (proteger/esconder a cabeça entre os ombros; retrair a cabeça).
Tratamento: tornar-se consciente dos encargos, tarefas ou obrigações não apreciados; identificar cargas/fardos opressivos e carregados contra a vontade; sacudir o in*suport*ável; reconhecer como tais as coisas que originalmente se carregavam nos ombros por livre e espontânea vontade e que no entanto foram se tornando cargas (encargos): esclarecer sinceramente o quanto se é capaz de carregar; privilegiar uma deposição completa do que não se está carregando de maneira confortável, mas sob tensão.
Remissão: libertação de cargas pressionantes; desenvolver ombros fortes; conseguir apoiar-se nos outros.
Cobertura do princípio original: Mercúrio-Saturno.

Distonia neurovegetativa (diagnóstico embaraçoso para o médico; ver também Simpaticotonia, Hipertonia)

Plano corporal: sistema nervoso visceral (nervos: serviço noticioso).
Plano sintomático: distensão vegetativa: alteração do equilíbrio natural entre energias simpaticotônicas (masculinas) e parassimpaticotônicas (femininas) em favor das masculinas e ativas, que agitam o organismo; forçá-lo completamente numa tensão prolongada e numa sucessão incontável de sintomas.
Tratamento/Remissão: encontrar o centro, ou seja, a compensação entre o arrojar-se para a frente masculino e as forças regeneradoras femininas.
Cobertura do princípio original: Mercúrio.

Distúrbio degenerativo do periodonte ver Periodontite

Distúrbios da menstruação (ver também Amenorréia)
Plano corporal: órgãos sexuais (sexualidade, polaridade, reprodução).
Plano sintomático: não estar reconciliada com sua própria feminilidade, vivenciar doloroso do ser mulher; é freqüente a transmissão da problemática da mãe para a filha: o tema tem antecedentes (transmissão hereditária anímica); problemas sexuais: carência na capacidade de se dar; registro doloroso do período menstrual por desejos infantis insatisfeitos; período menstrual retardado ou prolongado com base no medo da fertilidade e da sexualidade; instrumento de poder; possibilidade de fuga.
Tratamento: adotar o princípio do Tai-Chi: ritmo, "morrer para vir a ser", amor e morte; aceitar sua feminilidade; abraçar a oportunidade de ser mulher; sacrifício (de sangue) para sua própria tarefa; compreender a menstruação como tempo de repouso e de interdição, como ritual de purificação; aprender a aceitar as *regras* como necessárias à vida.
Remissão: reconciliação com seu próprio papel sexual e com o ritmo vital que lhe é inerente.

Cobertura do princípio original: Lua-Saturno/Urano/Netuno/Plutão (de acordo com o tema).

Distúrbios de ciclo ver Distúrbios da menstruação

Distúrbios do equilíbrio (ver também Doença de Ménière, Cinetoses)
Plano corporal: órgão do equilíbrio no ouvido interno (associado à manutenção do equilíbrio e da postura).
Plano sintomático: informações diferentes e contraditórias podem reunir-se na central; por exemplo, nos enjôos e sua correspondente *tontura/vertigem*: os olhos sinalizam calma, o órgão do equilíbrio, movimentos agitados; experimentar um terreno oscilante; não estar consciente de sua própria condição; enganar-se a respeito de sua própria capacidade de adaptação; não se sentir em seu próprio elemento; movimentos rápidos demais para a própria consciência; não poder confiar em seus olhos; estar fora do equilíbrio, desunião, *hesitar* entre duas decisões; a vertigem é a mãe de todas as quedas, e a queda é o trauma original da humanidade (pecado original); o prazer na vertigem e em ter vertigens: com o pecado original, as pessoas passaram a se vestir pela primeira vez (no duplo sentido da palavra: com folhas de parreira e sexualmente); dançar valsas e divertir-se nas festas populares constituem vertigens atraentes; (ter) vertigens: demonstrar algo para si.
Tratamento: trazer informações sobre concordância, por exemplo, no caso dos enjôos: ir até o convés do navio e perceber conscientemente o movimento das águas ou fechar os olhos e excluir a fonte dos erros; confiar no solo oscilante e vibrar junto com ele; abrir-se conscientemente para o elemento estranho e entregar-se a ele; ajustar-se à velocidade e, correlativamente, estrangular a própria velocidade de assimilação; deixar-se produzir a

partir do equilíbrio (aparente), confiar na própria realidade dada, encontrar novo equilíbrio em nível realista e chegar a decisões; desenvolver uma visão interna da situação (e uma orientação para a situação).
Remissão: entregar-se à situação.
Cobertura do princípio original: Vênus-Netuno.

Distúrbios na circulação sangüínea do cérebro (esclerose cerebral; ver também Arteriosclerose)
Plano corporal: cérebro (comunicação, logística).
Plano sintomático: antigo desmantelamento em estágio adiantado, com sintomas típicos como esquecimento, dificuldade de concentração, declínio no rendimento, vertigem, dores de cabeça: amolecimento do cérebro, risco de → Apoplexia e → Demência; abastecimento deficiente da central com energia vital; "cimentação" parcial ou total do fluxo da vida para a central, resultado: bloqueio; risco de isolamento do poder condutor e realizações falhas no geral, que podem afetar todos os domínios da vida; prioritariamente afetadas são a memória e a capacidade de discernimento; perda da capacidade de realização no âmbito intelectual (masculino); o pólo feminino que durante uma (meia) vida ficou para trás pode ser ativado mais adequadamente, pois as quedas aí são em geral menores: com freqüência, resta quase só o arquetipicamente feminino.
Tratamento: concentração nas necessidades essenciais no tocante à energia; limitação da central ao necessário: permitir uma maior ativação do coração e do estômago (ao modo de uma doação), para os quais o destino ainda não bloqueou a energia; divisão, desde rigorosa até necessária, da própria energia para os níveis mais altos: reduzir o desperdício de energia; reconhecer o isolamento da central e a execução unilateral de seu trabalho; reduzir voluntariamente o trabalho de memorizar e anotar em favor da percepção da totalidade e das relações lúdicas com as capacidades da central; antes que de um modo ou de outro não reste mais nada, dedicar-se voluntariamente ao feminino arquetípico: promover a brandura e a capacidade de adaptação; recorrer ao interior.
Remissão: encontrar soluções que economizem energia (vital); viver para o princípio "mais elevado em primeiro lugar" e reconhecer que o centro gravitacional quer passar do cérebro para o coração e o estômago; tomar de assalto o (sentimento) realmente importante e essencial no lugar da presunção (do intelecto): descobrir e viver o princípio feminino; preparação para os mundos transcendentais.
Cobertura do princípio original: Mercúrio-Saturno.

Distúrbios vasculares (ver também Arteriosclerose, Infarto do miocárdio, Claudicação intermitente, Problemas vasculares (em decorrência do fumo) nos membros inferiores)
Plano corporal: vasos sangüíneos arteriais (vias de transporte da força vital).
Plano sintomático: carências de ordem parcial ou geral no abastecimento dos tecidos devido à arteriosclerose ou outras doenças vasculares, estrangulamento de órgãos ou regiões dependentes: as dores nas regiões subabastecidas são como gritos de socorro dos tecidos; na arteriosclerose: "cimentação" do fluxo de energia vital, endurecimento no fluxo da vida.
Tratamento: redução do consumo de energia, divisão rigorosa da própria energia, concentração no essencial do ponto de vista energético; aprender a pedir socorro quando lhe falta algo essencial à vida; aprender a reconhecer que em muitos domínios o essencial vem logo atrás.
Remissão: viver de forma energeticamente econômica e modesta; verdadeira eficiência, concentração no importante e essencial; poder aceitar socorro.

Cobertura do princípio original: Marte-Saturno.

Diverticulite (Inflamação aguda do divertículo; daí em diante → Diverticulose)

Plano corporal: intestino grosso (inconsciente, submundo).
Plano sintomático: na base do reter e acumular do inconsciente sobrevêm muitos pequenos conflitos na região do divertículo (divertículo de Hamster) do intestino.
Tratamento: discussão aberta (ofensiva) e corajosa do conteúdo inconsciente (de forma combativa, trazer para dentro do reino das sombras, chegando até os pontos obscuros mais afastados, a disposição para o confronto); perguntar-se sobre o que se está a carregar no divertículo (divertículo de Hamster).
Remissão: disposição ofensiva (aberta) para a luta no que diz respeito às suas próprias reservas obscuras.
Cobertura do princípio original: Marte-Plutão.

Diverticulose (presença de divertículos múltiplos no intestino)

Plano corporal: intestino grosso (inconsciente, submundo).
Plano sintomático: pequeno acúmulo de fezes nos cantos escuros; divertículo, depósito de lixo tóxico: necessidade de certeza, de parcimônia; estreiteza, desejo inconfessado por reservas estagnadas; na base do reter e acumular do inconsciente podem sobrevir muitos pequenos conflitos na região do divertículo → Diverticulite.
Tratamento: permitir-se mais reservas sob as reservas supérfluas, como por exemplo fibras na nutrição; pôr algo de lado na própria casa ou no banco, em vez de fazer do intestino um esconderijo; debate ofensivo (aberto) e corajoso em torno do conteúdo inconsciente (observar nos cantos obscuros do inconsciente): arrumar o próprio porão — o interior numa visão psicoterapêutica, o exterior num ritual.

Remissão: fazer justiça às próprias necessidades de certeza e de poupança em seus devidos planos; encontrar certeza em outros planos, por exemplo, no sentimento do próprio valor.
Cobertura do princípio original: Plutão-Vênus.

Divertículo da bexiga (sinuosidade saciforme da bexiga)

Plano corporal: bexiga (segurar e liberar pressão).
Plano sintomático: depósito adicional, que contém o lixo do lixo (da alma) e o retém, causando muitas vezes conflitos (inflamatórios) em torno desses resíduos (urina).
Tratamento: tornar-se consciente dos arquivos anímicos escondidos e das gavetas de segredos, classificando seu conteúdo ofensiva e criticamente; ousar uma discussão em torno de resíduos da alma há muito retidos.
Remissão: abrir novos espaços no âmbito da alma; limpeza corajosa da bacia receptadora.
Cobertura do princípio original: Plutão-Lua.

Doença causada pelo vento quente das montanhas (ver também Sensibilidade às mudanças climáticas)

Plano corporal: todo o organismo pode ser afetado.
Plano sintomático: mudanças de pressão entre massas de ar da atmosfera desencadeiam uma variedade de sintomas; dores de cabeça: querer combater mudanças na cabeça; irritabilidade excessiva, enjôos: sentir-se como que *enojado*, reagir a mudanças com repugnância; cansaço, abatimento: mudanças recebem a resignação como resposta; desprazer coletivo: novos desenvolvimentos provocam a passividade; depressões até chegar à tendência para o → Suicídio: desânimo.
Tratamento: em vez de lutar contra as mudanças das condições (climáticas),

recebê-las como desafios mentais; deixar-se incitar por estímulos exteriores; tratar das mudanças com força de vontade em vez de fazê-lo com repugnância; sair na ofensiva e apresentar-se ao novo, em vez de se deixar dominar; desenvolver confiança em si mesmo e força interior para poder se contrapor aberta(ofensiva)mente a essa base de mudanças das condições climáticas interiores e exteriores, segundo o mote: "não há tempo ruim, apenas roupas impróprias e orientações inadequadas"; tornar-se sensível a mudanças de disposição coletivas.
Remissão: de maneira aberta, fazer frente às mudanças climáticas: as alterações do clima simbolizando o entender-se bem com o fluxo da vida em permanente mudança; o "Tudo flui" (Heráclito) como maneira de perceber e aceitar a lei universal: transformar a passividade da atitude fundamental representada pelo "tudo está bem quando nada muda" na atitude do "ainda bem que algo aconteceu, e o progresso pode assim seguir seu caminho".
Cobertura do princípio original: Urano, Netuno, Plutão.

Doença de Addison ([em parte] insuficiência do córtex da cápsula supra-renal; a nosografia de J. F. Kennedy, que nitidamente compensava o aparecimento dos sintomas atuando como ídolo das mulheres, e também com o seu lema: "Não pergunte o que a nação pode fazer por você; pergunte o que você pode fazer pela nação")
Plano corporal: córtex da cápsula supra-renal (cápsula supra-renal: central para a regulação do *stress*, controle da água e da vida sexual).
Plano sintomático: carência dos hormônios (substâncias mensageiras) cortisona e aldosterona, bem como do hormônio sexual: sede da alma (água); não ter nenhuma fome de vida (falta de apetite) e ficar sem (peso) importância (perda de peso); "sujar-se": ter medo (diarréia); impotência (fraqueza); hiperpigmentação da pele e mucosa: simular vitalidade.
Tratamento: ocupar-se com o anímico; prescindir em vez de incorporar: renunciar ao poder (peso); concentração sobre o essencial; exercícios de entrega; observar temas referentes aos lados obscuros e às sombras, que fornecem ou demandam força.
Remissão: integrar o pólo feminino; entrega como tema de vida.
Cobertura de princípio original: Lua-Saturno-Marte.

Doença de Basedow (ver também Hipertiroidismo)
Plano corporal: glândula tireóide (desenvolvimento, amadurecimento), pescoço (incorporação, ligação, comunicação).
Plano sintomático: globos oculares exageradamente salientes (exoftalmia): toda a íris se torna visível, emprestando aos olhos a expressão de cobiça, como se quisessem saltar das órbitas; olhos pedunculares: cobiça de vida, curiosidade, espanto ("arregalar os olhos"); medo de perder alguma coisa: olhos arregalados de susto, como se tivessem contemplado o pavor; contínua e elevada prontidão de alarme ("de olhos arregalados"), medo reprimido da morte: o bócio (pescoço grosso) denuncia o tema; não obter o suficiente para o pescoço: ímpeto de crescimento e desenvolvimento; pulso em desabalada pressa, com as correspondentes batidas do coração: perseguição, medo, fuga; inquietação e irritabilidade: pretensão à atividade, exigência excessiva; conflito de autoridade; negação de si mesmo; apertos são temerosamente evitados; perda de peso: consumir-se por alguma coisa; tremor: medo geral da vida; a freqüente queda de cabelo demonstra o sacrifício da liberdade, da força, do poder e da irradiação.
Tratamento: aprender a olhar para além, para a possibilidade das coisas: aprender a apanhar o que se precisa; transpor a ati-

vidade para o movimento (interno); entusiasmar-se com os temas quentes; atirar-se à vida, viver/vivenciar de maneira intensa; ficar completamente absorvido por seu trabalho e nele ser solícito; transformar o medo da vida em tratamento concentrado dos temas acumulados; descobrir o tema com que se lida; tornar conscientes seus desejos de crescimento e expansão; confrontar-se com o seu pavor interior: reconhecer seu pânico em relação à vida, encontrar Pã e sair da luta vitorioso; fazer um sacrifício pela missão que move seu coração e seu caminhar.
Remissão: ousar entrar no tema pelo qual o seu coração palpita e lhe saltam os olhos.
Cobertura do princípio original: Mercúrio-Marte.

Doença de Bechterew
Plano corporal: coluna vertebral (sustentação e mobilidade, retidão).
Plano sintomático: o próprio eixo se ossifica como um bastão de bambu: recusa inconsciente do pólo feminino (disco vertebral) e, com isso, da mobilidade e da flexibilidade; petrificação do centro; impulso do ego encarnado; firmeza e rigidez encarnadas; ser empurrado com o nariz, por mais rígido e inflexível que se esteja; ser pressionado com a cabeça em direção à terra.
Tratamento: mostrar mais conseqüência e aprumo diante de si mesmo; fazer-se consciente de quanto o pólo feminino passa para um segundo plano e de quanta inflexibilidade decorre daí; conquistar o autêntico caráter retilíneo da alma; conseqüência e estabilidade com relação ao próprio eixo vital: por exemplo, buscar para si um lugar estável, onde se possa fincar a "estaca da morte" e chegar ao interior; buscar apoio e o firme ponto central da vida; trazer a autêntica liberdade para a vida interior; firmeza e sinceridade internas diante de si mesmo e dos outros; fortalecer-se nas costas: confessar o próprio impulso do ego; não se deixar desviar do centro; ajustar-se conscientemente à Mãe Terra, voltar-se para ela espontaneamente.
Remissão: permanecer retilínea e perpendicularmente diante de si mesmo; cultivar a modéstia e a limitação de si mesmo.
Cobertura do princípio original: Saturno-Saturno.

Doença de Biermer ver Anemia perniciosa

Doença de Crohn (ileíte terminal; inflamação do intestino)
Plano corporal: intestino/íleo (comparação, análise, assimilação).
Plano sintomático: conflito intumescedor e latente no âmbito do aproveitamento de reservas do intestino; trilhar por um desvio (inconsciente); criar apertos; sentir-se posto para escanteio, não entrar em ação; padrão simbiótico de ligação; estar vedado para o exterior; pouca consciência de si.
Tratamento: ocupar-se consciente e aberta(ofensiva)mente com o tema das reservas secretas e da manutenção das reservas de emergência; desenvolver uma disposição para desvios (espirituais): limitar-se conscientemente ao essencial; dar uma forma mais crítica e estreita à abertura para aquilo que se deixa tomar e entrar, escolher melhor; organizar contatos externos confiáveis; estabelecer ligações, ser solícito, buscar e usar novas vias de comunicação.
Remissão: seguir os caminhos da assimilação, e com isso também aceitá-los e superá-los.
Cobertura do princípio original: Mercúrio-Marte.

Doença de Cushing (envenenamento por cortisona)
Plano corporal: todo o organismo pode ser afetado.
Plano sintomático: falsas prioridades (identificar o problema fundamental, por exemplo, a superdosagem de cortisona,

tumor do córtex supra-renal); ultrapassagem das medidas: hipertrofia do tecido adiposo, extremidades secas devido ao hiperdimensionamento do corpo; cara de lua cheia com bochechas (cara de anjinho); força ilusória: pescoço de búfalo; estranhamento da personalidade, transformações na alma (euforia causada pela cortisona).

Tratamento: concentrar-se no próprio meio; fortalecer o próprio centro; inclinar-se para uma saúde efetiva a partir de sua própria força (médico interior); melhorar a disposição a partir de si mesmo por meio de atividades que tomem de assalto o problema.

Remissão: a força do próprio centro: a calma do centro, da qual provém a força.

Cobertura do princípio original: Lua-Júpiter-Netuno.

Doença de Hodgkin (linfogranulomatose; ver também Câncer)

Plano corporal: sistema de gânglios linfáticos (defesa).

Plano sintomático: crescimento selvagem e tumoroso na central de defesa; tamanho é o afastamento da orientação de desenvolvimento que lhe é própria no que diz respeito à defesa que o corpo proporciona ao tema uma expressão; o crescimento anímico-espiritual esteve bloqueado por tanto tempo que ele agora irrompe de modo agressivo, desordenado e brutal, permitindo que a energia não-vivenciada se expresse no palco do corpo; o câncer desenvolve corporalmente no âmbito da defesa o que seria necessário no âmbito análogo da consciência.

Tratamento: abrir-se no âmbito de defesa de suas próprias representações selvagens e fantasias ousadas, deixando-as crescer e prosperar de modo selvagem e descontrolado; aprender a defender-se de modo criativo e engajado, sem fronteira e sem respeito; reconquistar antigos sonhos de sua própria vida bem como sua própria disposição para o ataque, tornando a vivenciá-los e a transpô-los de maneira decidida; não ter mais nada a perder e empreender corajosamente a própria vida; posicionar todas as forças a serviço do novo programa no sentido de uma mobilização geral (surtos febris); deixar-se desafiar, atacar e provocar as fronteiras (comichão); viver arranhado; expandir os âmbitos da filosofia de vida e da *religio* e deixar que cresçam em significado (inchaço do fígado); da mesma forma, intensificar a regeneração da força vital (inchaço do baço); considerar as medidas mencionadas no verbete → Câncer: sendo uma nosografia que afeta todo o organismo, é preciso preveni-lo em todas as frentes.

Remissão: descobrir o amor sem fronteiras, não se importar com normas estabelecidas por si mesmo ou por outrem, atacar e defender compromissadamente sua própria e mais elevada das leis; reconhecer a necessidade de passar do nível corporal, e por isso mesmo perigoso à vida, para o nível anímico-espiritual, desafiador, mas que nos salva a vida, apostando então num crescimento expansivo da perspectiva da coragem, da *religio* e de uma renovação da força vital.

Cobertura do princípio original: Marte-Plutão.

Doença de Jakob-Creutzfeld

(na verdade, uma variante humana da demência bovina [EEB = encefalopatia espongiforme bovina])

Plano corporal: cérebro (comunicação, logística), sistema nervoso central (serviço noticioso).

Plano sintomático: transporte pela própria albumina do corpo, que com relação a seu planejamento altera-se de modo insignificante, liga-se a células nervosas do cérebro e impõe esse seu planejamento: atrofia de células nervosas, o cérebro fica poroso; transporte de cérebro para cérebro (operações, transplantes); o trânsito do organismo bovino para o do homem ainda não está explicado, mas é possível (nessa cadeia importa observar: contágio me-

diante o consumo, por parte do gado bovino, de carne contaminada de ovelhas); o cérebro fica perfurado como uma esponja, manifestando sedimentação (placas), e finalmente enrugando-se: morte em coma; ausência de sono: não ter mais descanso, não poder mais "relaxar"; dores de cabeça: "sentir a cabeça estourar", não ter mais alívio na cabeça; sensação motora de queda: obstrução de todos os passos e movimentos futuros; lacunas de pensamento até a queda total: desistir de toda a responsabilidade; insensibilidade nas extremidades, de dentro para fora; oscilações da voz; acessos de agressividade até a depressão; ser presa das próprias emoções não controladas; → Alucinações com tendências paranóicas: loucura, não mais funcionar em conexão com este mundo, ser atormentado pelas próprias imagens; nosografias como espelho dessa sociedade no que diz respeito a seu trato com os animais.
Tratamento (por parte da família e da sociedade, já que para o paciente a nosografia conduz inevitavelmente à morte): acompanhamento e preparação consciente para a morte; reconhecer sua co-responsabilidade diante da criação, com todos os seus seres vivos; impedir futuras desumanidades no que diz respeito à utilização/exploração dos animais; divisar a falta de sensibilidade de nosso tempo para com os seres dependentes, como os animais; desistir da alienação mental de nossa visão moderna de mundo (ilusão de praticidade em que, entre outras coisas, a avidez pelo lucro substitui a dieta vegetariana dos bois por ovelhas mortas; reconhecer que juntamente com a carne dos animais de matadouro ingerimos o *stress* e a agressividade a que são submetidos por ocasião do embate que os conduz à morte; imaginar o sofrimento das criaturas atormentadas a serviço dos propósitos humanos; discussão sobre a morte em si.
Remissão: consciência da responsabilidade para com o mundo e os seres vivos.

Cobertura do princípio original: Plutão-Mercúrio.

Doença de Ménière (ver também Distúrbios do equilíbrio, Surdez)
Plano corporal: ouvidos (obediência).
Plano sintomático: cair em solo oscilante: insegurança com relação à base da vida; não estar mais certo de sua vida; iludir-se com alguma coisa relacionada ao próprio fundamento da vida; sentir o chão sumir debaixo de seus pés; pôr em questão a firmeza, atrever-se a alturas vertiginosas.
Tratamento: abrir-se para os jogos de mudanças da vida; questionar voluntariamente seus próprios pontos de vista, contemplar as assim chamadas certezas da vida como aparências; dar voluntariamente apoio (material); erguer-se na vida sobre as duas pernas, percebendo os movimentos incessantes destas últimas.
Remissão: ser sincero diante de si mesmo e de sua vida; juntar o sonho de sua vida e a realidade; dançar a dança da vida: alçar o "Tudo flui" à condição de divisa.
Cobertura do princípio original: Vênus/Saturno (ouvidos)-Netuno (vertigens).

Doença de Recklinghausen ver Osteodistrofia fibrosa generalizada

Doença de Scheuermann (Epifisite vertebral dolorosa da adolescência, ver também Dores nas costas)
Plano corporal: coluna vertebral (apoio e dinâmica), costas (esforço, retidão).
Plano sintomático: o tecido do disco vertebral rompe-se no platô final do corpo vertebrado, deformando-o e conduzindo-o finalmente a insistentes → Dores nas costas; postura protegida sem flexibilidade: estar entorpecido na humilhação; a má postura interior torna-se externamente visível (com a cabeça pendendo para uma orientação obstinada, "de pescoço duro"); problemas com a retidão: aparecem sobretudo na adolescência, fase em que os impulsos em geral têm mais força, sem a possibilidade de uma válvula de escape.

Tratamento: auxiliar na interpenetração de elementos femininos e masculinos como espinha dorsal e apoio da vida: permitir à energia feminina penetrar no âmbito masculino e fecundá-lo; concentrar-se numa postura sobretudo humilde; deixar afluírem forças como redenção da rigidez na posição de humildade.
Remissão: humildade.
Cobertura do princípio original: Saturno.

Doença maníaco-depressiva
Plano sintomático: oscilações na disposição, que vão desde o júbilo celestial até a aflição pela morte; oscilações motoras, que vão desde uma enorme aceleração até uma lentidão anormal; 1. mania: insônia, vigília exagerada, enorme vivacidade espiritual; alegria infundada (para quem vê de fora); fluxo de idéias e ímpeto verborrágico que vão até esforços missionários; desmedida superestimação de si próprio: achar-se o maior/o melhor; 2. → Depressão: incapacidade de reagir a impulsos externos, ânsia pela morte, sentimento de inferioridade.
Tratamento: o direito à existência dos extremos, ou seja, reconhecer a polaridade e, a partir de sua vivência, partir em busca do centro; converter a alegria agitada e ruidosa em serenidade da alma; a partir do fluxo de idéias e do ímpeto verborrágico, conservar a coragem para idéias de fôlego e a capacidade de uma conversa entusiasmada; a partir da desmedida superestimação de si próprio (na verdade uma sobrevalorização do ego), perceber suas verdadeiras possibilidades de alcançar a unidade, o centro e a si mesmo; jubilar-se até o céu, realizar o céu (o reino celestial de Deus) em si; a partir da depressão, partilhar a capacidade de se envolver com a morte e ocupar-se dela muito tempo antes que ela o leve; exercícios de ligação com a terra na fase masculina (aprender a aterrissar): executar trabalhos manuais simples, jardinagem, suar diariamente por esforço próprio, etc.; exercícios espirituais que têm o centro como objetivo: desenho da mandala e meditação com a mandala, Tai-Chi, Qigong, oleiro junto ao torno rotatório, Hatha yoga.
Remissão: homeopaticamente: permitir grande amplitude de oscilação, por exemplo, encontrando um ritmo de vida (intenso) que torne possível a ligação entre ambos os pólos (extremos); reconciliação de ambos os extremos de oscilação, integração de ambas as almas no (próprio) peito, onde a cada qual se faz justiça; alopaticamente, no pólo oposto: encontrar seu centro, descansar em si, com os pés fincados na Mãe Terra, alçar a cabeça ao pai que está no céu (norma de vida indiana); progredir dos extremos ("seja quente ou frio, pois o morno eu vomitarei") para o centro ("a qualquer um que te ferir na face direita, volta-lhe também a outra"): desenvolver-se da primeira citação de Cristo para a segunda, que requer de uma pessoa que ela esteja tão tranqüila em seu centro que não poderá ser abalada por ataques externos.
Cobertura do princípio original: Plutão (os extremos).

Doença(s) advinda(s) do trabalho
Plano corporal: todas as partes do corpo podem ser afetadas.
Plano sintomático: diferentes sintomas, de acordo com a profissão.
Tratamento: perguntar-se o que se está dando para a profissão e o que dela se recebe; o que lhe falta nesse trabalho.
Remissão: obedecer internamente ao chamado que anuncia a vocação e dele fazer sua profissão.
Cobertura do princípio original: princípios originais tão diversos quanto as regiões do corpo.

Doenças congênitas
Plano corporal: o organismo inteiro pode ser afetado.
Simbologia: dentro de uma mesma família, sempre é apresentada a mesma tarefa

de aprendizado; destino em família, *karma* em família: fortalecer a tradição e/ou alçar o padrão dos antepassados a um nível redimido.
Tratamento: reconciliar-se com a história da família, assumir seu lugar e papel, e a partir daí realizar o melhor; crescer interiormente na execução da tarefa, e então, se possível, crescer também exteriormente (na maioria das vezes tem-se um desenvolvimento profícuo como rebelião relacionada ao perigo de cair no pólo contrário).
Remissão: inserir-se na cadeia dos antepassados e tomar para si a tarefa tradicional com vistas a seu resgate e remissão.
Cobertura do princípio original: Plutão-Saturno.

Doenças crônicas (ver também Inflamação)
Plano corporal: todo o organismo pode ser afetado.
Plano sintomático: energia comprometida, não-liquidada; conflito prolongado: nem propriamente guerra, nem propriamente paz (→ Inflamação), compromisso incerto e morno; guerra fria; covardia; medo das conseqüências do manipular e medo da responsabilidade; medo de buscar a decisão; falta de coragem e força para uma decisão: estagnação, guerra de atitudes; medo de um sacrifício ligado à decisão; recusa prolongada em aprender; freqüente fenômeno antigo que aparece quando as sombras permanecem um longo tempo sem serem trabalhadas: situação de perda de esperança (já não há esperança de salvação/cura, por isso o azedume freqüente, chegando à maldade [e ao ódio] como expressão da energia das sombras).
Tratamento: conservar energia no sentido figurado, economizar (governar a casa); viver sob fogo cruzado, resistir, deixar acontecer em termos de zazen; buscar prontamente o conflito: encontrar o meio, fazendo justiça a ambos os lados; abandonar os trilhos da vida experimentados no passado; cortar as coisas, aprender a suportá-las; evitar reações habituais, pois elas conduzem a uma eternização do conflito (*actio, reactio*); dar o primeiro passo para fora do círculo diabólico em que consiste o hábito; suportar a estreiteza da situação, estendê-la até seu ponto máximo; aceitar/acolher no pólo oposto também o que se deve resolver mais tarde: tomar decisões acertadas (desembaraçar a espada da bainha); transformar energia potencial em cinética e vice-versa (pôr em movimento uma situação encalhada; acalmar um nervosismo): jogar com a energia; assumir responsabilidade: encontrar respostas; criar empatias, pois o outro lado também tem razão (de seu ponto de vista); descobrir o local da estagnação e empreender enérgicas tentativas de reanimação.
Remissão: assumir responsabilidade pelas próprias decisões; encontrar o meio; a harmonia como estranho compromisso entre guerra e paz (a rainha harmonia como filha de Vênus, deusa do amor, e de Marte, deus da guerra); busca conseqüente e assídua do caminho (do meio); ajustar não ajustando: ajustar recusando os frutos do ajuste, para romper com a estagnação, mas sem fazer o pêndulo pender para um dos pólos; conhecimento de que grandes vitórias guiam grandes guerras e de que a quietude proporciona a calma interior; integrar primeiramente um dos pólos, depois, o outro; tornar-se são, tornar-se consciente; perseverança no plano anímico-espiritual em detrimento do plano corporal.
Cobertura do princípio original: Saturno-Marte.

Doenças da infância (ver também Inflamação, Erupção de pele)
Plano corporal: diferentes órgãos estão envolvidos, mas sobretudo a pele (delimitação, contato, carinho).
Plano sintomático: muitas doenças infantis, como o → Sarampo, a → Escarlatina e a → Rubéola, manifestam-se na pele, onde simbolicamente irrompe algo de novo, anunciando um passo de desenvol-

vimento; as doenças da infância são moléstias infecciosas, e portanto conflitos pelos quais a criança é desafiada em seus saltos de maturidade, ou seja, de desenvolvimento; as próprias fronteiras são postas em questão a partir de dentro e finalmente rompidas; às vezes as crianças querem ser deixadas em paz e ficar na escuridão, enquanto o próprio tema se encontra na escuridão; então, quando a temática irrompe, a erupção batendo na pele, o pior (renovado) já passou; tensão/incerteza ante o próximo passo.

Tratamento (para pais e filhos): aceitar que novos começos na vida quase sempre vêm acompanhados de crises (perigos, oportunidades, decisões), que pedem para ser dominadas; defrontar-se abertamente com novos desenvolvimentos; pôr as próprias fronteiras voluntariamente em questão; experimentar a alegria do contato com relação a novos espaços de experiência e planos de vivência; estar pronto para o conflito e conscientemente levar em conta discussões nas (superfícies das) fronteiras, discussões essas que são imprescindíveis para o crescimento.

Remissão: empreender passos corajosos e conscientes (também mediante dores e conflitos) na nova terra; reagir aberta (ofensiva)mente contra o próprio progresso interior.

Cobertura do princípio original: Lua-Marte.

Doenças das vias respiratórias/infecção gripal (ver também Asma bronquial, Resfriados, Gripe)

Plano corporal: nariz (poder, orgulho, sexualidade), garganta/faringe (incorporação, defesa), laringe (divisão), traquéia (intercâmbio), pulmões (contato, comunicação, liberdade).

Plano sintomático: fechar-se para o exterior (nariz congestionado, pescoço duro, voz saburrosa, ouvidos bloqueados, olhos avermelhados, brônquios com tendência a se fechar); aparência de agressividade ante o mundo exterior (tossir, assoar-se, espirrar); desordem da vivacidade, do ritmo, da tensão/distensão, intercâmbio.

Tratamento: aprender a vedar-se para o exterior; criar o próprio lugar, manter o meio ambiente a distância ("não chegue perto de mim!"); defender ostensivamente o seu espaço vital ("cuspir" como sinônimo de lançar/proferir injúrias, afrontas, calúnias, "espinafrar").

Remissão: defender as próprias necessidades; erguer fronteiras quando for o caso; fazendo uso do poder, assegurar seu espaço vital.

Cobertura do princípio original: Mercúrio-Saturno, Marte (tossir), Urano (espirrar).

Doenças de auto-imunidade/ doenças de agressividade contra si mesmo (ver também Lupo erimatoso, Alergia, Colite ulcerativa)

Plano corporal: sistema imunológico (defesa); articulações (formas da artrite reumatóide); intestino grosso (colite ulcerativa); glândula tireóide; fígado; pele (→ lupo erimatoso); vasos sangüíneos (vasculite); sangue (anemia hemolítica).

Plano sintomático: as próprias estruturas são atacadas com violência de dentro para fora; a força imunológica é direcionada contra a sua própria estrutura em vez de ser orientada para fora, contra inimigos externos: tornar-se inimigo de si mesmo; corroer-se a si próprio ante o não-vivido e pela agressividade que é impelida para fora; expressão da mais forte repressão.

Tratamento: pôr voluntariamente em questão as próprias estruturas; deixar-se excitar mais e de maneira mais intensiva: conduzir a batalha para um plano mais elevado; ocupar-se consigo próprio de maneira combativa — e com isso aliviar o sistema imunológico; autocontrole em vez de repressão; exercícios por debaixo da pele; arranhar o verniz (no exterior) e pôr em questão as estruturas de vida até então experimentadas; o jejum como possibilidade de voltar-se para o essencial.

Doenças de viagem 162

Remissão: corajosa revisão das próprias concepções/estruturas de vida e seu reestruturar ofensivo.
Cobertura do princípio original: Plutão-Marte.

Doenças de viagem ver Cinetoses, Distúrbios do equilíbrio

Doenças do estômago (peso no estômago, enjôo estomacal e todos os estágios prévios de irritação e inflamação até o abscesso)
Plano corporal: estômago (sensação, capacidade de absorção).
Plano sintomático: engolir a raiva: "corroer-se de ódio"; não vivenciar a agressividade: "ser amargo"; busca de digerir sentimentos engolidos: a agressividade (acidez) cai no vazio; carência de capacidade de lidar conscientemente com a agressividade e de solucionar problemas/conflitos de maneira responsável; o excesso de acidez estomacal atua como sensação de pressão e impedimento à recepção de novas impressões: falta de apetite; nostalgia pelo paraíso infantil livre de conflitos: ansiar pela alimentação em papa do bebê (dieta estomacal), não querer ingerir nenhum bocado sólido, recusa de uma *dieta vegetariana* (*comida crua*); permanecer aquele recém-nascido que inspira cuidados, permanecer em atitude infantil, fixação oral-agressiva, pretensão de ser mimado e de receber cuidados sem contrapartida; viver e comer livre de desafios e estímulos.
Tratamento: tornar-se consciente de sentimentos e da saudade da proteção materna/do paraíso infantil, bem como do desejo de amor e de receber cuidados; conscientemente trabalhar os conflitos e assimilar impressões; renunciar à fachada de independência, à ambição e ao poder de imposição; vivenciar uma ambição agressiva; destruir o próprio ninho; receber e também dar o amor não pelo estômago, mas sobretudo pelo coração e pelos órgãos sexuais.

Remissão: destruir o antigo ninho para poder construir o seu próprio.
Cobertura do princípio original: Lua-Saturno-Marte.

Doenças do fígado (a indicação aqui toma como exemplo a hepatite; ver também Icterícia, Fígado adiposo, Cirrose hepática)
Plano corporal: fígado (vida, avaliação, retroligação)
Plano sintomático: conflito inconsciente com relação aos temas da cosmovisão, *religio* e avaliação: real descuido desses temas; luta agressiva e de forças pela medida certa; problemas de avaliação do que é útil e nocivo/tóxico; imoderação na recepção; desejos de expansão excedidos, ideais elevados demais, grandes fantasias; perda de energia e potência como corretivo para um excesso; melancolia e depressão.
Tratamento: discussão consciente e aberta (ofensiva) sobre filosofia, espiritualidade e questionamento do sentido; revisão crítica do que se tem por medida certa; distinguir conscientemente o que lhe é salutar e o que é nocivo; reconhecer que a dose faz o veneno (Paracelso); expansão nos âmbitos da filosofia e da religião em vez de se expandir no fígado; ocupação espiritual com coisas da cosmovisão em vez de ocupar-se com as bebidas espirituais (o *"In vino veritas"* não basta); exigir mais de si no plano anímico-espiritual e com isso aliviar o estômago e o fígado; limitar-se ao esgotamento das energias (sexuais e gerais); aprender limitação e restrição apropriadas; chegar à paz e encontrar a paz em si; dar à vida a orientação correta, encontrar um objetivo, uma orientação para o que lhe é próprio; pôr-se ofensivamente em combate pela justiça — diante de si mesmo e dos outros.
Remissão: vida (fígado) na medida (bitola) certa; confiar.
Cobertura do princípio original: Júpiter-Marte.

Doenças fúngicas ver Candidíase, Dermatomicoses, Pitiríase, Infecção fúngica (de pele) nas mãos, Infecção fúngica (de pele) nos pés

Doenças venéreas (ver também Gonorréia, Sífilis, Candidíase, Dermatomicoses, Aids, Herpes genital)
Plano corporal: todas as regiões do corpo podem ser afetadas, mas a porta de entrada do problema é mesmo a região dos órgãos sexuais (sexualidade, polaridade, reprodução).
Plano sintomático: grupo de nosografias visto de maneira particularmente negativa, sendo que aqui não se deveria jamais pautar pelos valores, mas sim pelas interpretações; a propósito, pensando estaticamente, toda a vida pode ser vista como uma doença em curso, contagiosa por contato sexual, que conduz inevitavelmente à morte; ao contrário do verdadeiro sentido biológico da relação sexual, o verter do sêmen (espermatozóides) transmite outros microbiozinhos que ativam uma vida completamente diferente; risco nas relações sexuais com múltiplos parceiros: a biologia parece facciosamente recompensar a fidelidade; conflitos (inconscientes) em torno da sexualidade teórica e aplicada: sentimento de culpa com relação às orientações sexuais; sentimento de culpa relacionado ao sexo, tendendo a se castigar pelas escapadelas: fazer (a si mesmo e ao parceiro) perder o gosto pelas escapadelas.
Tratamento: reconhecer a sexualidade como parte integrante de uma vida plena; se estiver dissociada do espírito anímico, tende a integrar a vida em carência seguindo outros caminhos; deixar-se excitar como em êxtase; em vez de se abrir para agentes provocadores, abrir as próprias fronteiras para o parceiro e para o êxtase erótico, proteger-se com higiene nos assuntos que envolvem o sexo; tornar-se consciente de que o menor conflito e a menor falta de higiene no âmbito sexual — este que simboliza a ocupação com a polaridade — podem dar margem a todas as possibilidades e mesmo a complicações sérias; livrar o âmbito sexual de avaliações negativas e aprender a reconhecê-lo e desfrutá-lo como garantia de sobrevivência da humanidade e como reino do prazer; aprender a escolher: a afinada escolha do parceiro resolve o problema, que não resulta senão de *se ter chegado junto a alguém*; com a chama da sexualidade, incendiar a própria alma; permitir que todo o ser seja tomado pelo êxtase do fogo.
Remissão: juntar forma e conteúdo: o amor sexual em conexão com o anímico-espiritual conduz a fortes ligações e previne o risco da maneira mais eficiente; domínio do problema referente ao trato com a polaridade e à conversão do conhecimento correspondente na práxis vital; descobrir na sexualidade (Tantra yoga) forças profundas que se estendam por todos os planos da existência.
Cobertura do princípio original: Vênus-Plutão.

Dor de ouvido (ver também Inflamação do ouvido médio)
Plano corporal: ouvidos (obediência).
Plano sintomático: conflito agressivo que se inflama junto aos temas do ouvir, escutar e obedecer; ocorre geralmente em crianças, na idade em que têm de aprender a obedecer: "se não quer ouvir, então vai sentir"; dor de ouvido que começa de repente: grito de socorro do órgão auditivo; febre: mobilização geral das forças defensivas do corpo; surdez: não querer ouvir nem obedecer: "não posso mais nem ouvir"; ruptura do tímpano com derramamento de pus: descarga da pressão excessiva na caixa do tímpano; falta de disposição para escutar os outros, "para dar ouvidos a alguém"; desequilíbrio entre os pólos do egocentrismo e da humildade.
Tratamento (para os pais, cujos problemas geralmente são espelhados pelos filhos): conduzir discussões abertas e ostensivas em torno dos temas ouvir, obedecer; lançar todas as forças anímicas disponíveis

na luta pela obediência; aprender a obedecer; a própria voz interior, mas também as vozes exteriores; promover o fechamento dos ouvidos ao exterior em favor de um voltar-se para o interior; promover rupturas em novos espaços de consciência; conquistar o meio-termo entre a autoafirmação e a acomodação.
Remissão: ouvir vozes exteriores e interiores e poder obedecê-las.
Cobertura do princípio original: Saturno-Marte.

Dor fantasma
Plano sintomático: membros perdidos, bem como dentes, que continuam a doer embora não existam mais fisicamente; as estruturas continuam a existir na consciência, e sua imagem não é apagada no plano astral: gritos de socorro de uma situação de perda/de choque não-assimilada.
Tratamento/Remissão: acompanhar conscientemente a experiência da perda ainda uma vez (operações sob anestesia geral também podem ser tornadas conscientes com as técnicas da terapia da reencarnação), para poder realmente liberar o membro.
Cobertura do princípio original: Netuno/Marte.

Dor na espinha ver Dores nas costas

Dores (ver também Dor fantasma)
Plano corporal: onde quer que haja nervos sensíveis (serviço noticioso), a dor é possível.
Plano sintomático: coação para o perceber e o sentir; sistema defensivo do corpo; o tecido clama pelo socorro da circulação sangüínea ou de uma descarga: dor por inflamação de contatos agressivos; dor por ferimento de lesões físicas; dores nos nervos por vias de realização oprimidas e estreitas; dores anímicas de uma alma atormentada.
Tratamento/Remissão: reagir à percepção da dor tão depressa quanto possível; responder aos gritos de socorro; tomar o conflito agressivo no tecido, com o qual a dor já foi uma vez apenas deslocada, como motivo para corajosas discussões no plano anímico-espiritual, cabendo, em todo caso, ao plano anímico a melhor oportunidade de dar cabo do tema; tomar as dores causadas por ferimentos como pretexto para aceitar os ferimentos paralelamente originados na alma; tirar proveito das dores nervosas para vir em socorro de impulsos e informações reprimidas; fazer justiça às dores anímicas em seu plano, por exemplo, pelo voltar-se a âmbitos anímicos subabastecidos, descarga de partes da alma oprimidas e sobrecarregadas, doação a partes lesadas da alma, apoio a regiões da alma em combate; paixão em vez de doloroso padecimento.
Cobertura do princípio original: Marte-Lua.

Dores de cabeça/dores de cabeça por tensão (ver também Enxaqueca)
Plano corporal: cabeça (capital do corpo).
Plano sintomático: 1. situação de pressão alta, ou seja, excessiva: acentuação do pólo superior, masculino; sobrecarga da cabeça, o coração é relegado a um segundo plano; separação do pólo inferior/corpo; falta de ligação (*religio*) com suas próprias raízes; proteção do ego, "estar com a cabeça zunindo" (de idéias e pensamentos); força de vontade e de imposição; pretensão de poder, "dar com a cabeça na parede"; autovalorização excessiva: "pôr algo na cabeça", "deixar subir à cabeça"; a dor como prevenção contra pensamentos errados: "minha cabeça vai explodir", "parece que a cabeça vai estourar" (depois da bebedeira); competição acirrada, exigir-se demais: ambição, pretensão de perfeição; é crítica a situação de ascensão. 2. Situação de pressão baixa, ou seja, inferior: pensamento difuso, não compreender: bloqueio; iludir-se quanto a alguma coisa: vertigem.

Tratamento: 1. em vez de procurar a solução, encontrá-la; tornar-se consciente do pólo masculino; tornar a perceber a pressão sob a qual se está e sob a qual se pensa; aprender a descortinar o ego em seus limites e desejos; reconhecer o pensamento de "dar sempre o máximo de si" como sem saída; aprender a se valorizar realmente, em detrimento de uma supervalorização no sentido de enaltecimento do ego; evitar a unilateralidade mediante a inclusão do pólo feminino; abandono da estreiteza do "eu quero", da ambição, do "ser cabeçudo" e da obstinação, depois do que essas qualidades são descortinadas; refletir sobre suas próprias raízes (pólo inferior/pés); descarregar a cabeça: permitir que se desenvolvam fantasias e pensamentos lúdicos.
2. buscar soluções ativas.
Remissão: harmonia entre as pretensões da cabeça, do coração e do estômago; impor-se também nos palcos não-intelectuais.
Cobertura do princípio original: Marte.

Dores musculares
Plano corporal: musculatura (motor, força) do aparelho locomotor.
Plano sintomático: pela acumulação de matéria escretada do metabolismo, resultam dolorosos sintomas de fadiga no âmbito *motor*; dolorosos sinais de ter passado das medidas com um tipo de trabalho num âmbito motor subexercitado; tendência para exercícios excessivos.
Tratamento: levar em conta o abismo entre sua pretensão e suas capacidades e possibilidades; continuar a mover-se para estimular a circulação e promover o transporte de substâncias excretadas: continuar a se exercitar (com moderação!); responder ao grito de socorro do tecido muscular com uma doação positiva, e doação para um músculo significa movimento: passivamente por meio de banhos quentes e compressas quentes, e ativamente por meio de novos desafios físicos, como esportes.

Remissão: manter-se em movimento nos planos espiritual, anímico e muscular.
Cobertura do princípio original: Marte.

Dores na deglutição ver Dores no pescoço, Inflamação das amígdalas

Dores nas costas (ver também Problemas de postura)
Plano corporal: costas (esforço, retidão), coluna vertebral (apoio e dinâmica, retidão).
Plano sintomático: as atitudes interior e exterior não correspondem entre si; protestar, pois aqui a atitude e o reino das sombras não têm permissão para serem vividos; compensações a posturas honestas mas não apreciadas provocam dores persistentes, caso em que pretendem manter-se permanentemente à custa do dispêndio de energia: não-retidão ("corcova"); arquear-se; não conseguir se endireitar por si mesmo; ter problemas para firmar-se sobre as próprias pernas; curvar-se de desgosto: desgostos não assimilados abatem-se sobre a postura; estar sob a pressão de cargas existenciais (problemas com os discos vertebrais); o pólo feminino (o disco vertebral flexível) na coluna vertebral, que é o eixo vital, encontra-se achatado entre dois corpos vertebrais (masculinos); dores nas regiões das vértebras cervicais e torácicas: grito de socorro por apoio (subsídio) emocional; dores na região das vértebras lombares: grito de socorro por apoio (subsídio) existencial (material); distensões nas costas: mantém-se a livre expressão de si mesmo; a sua própria força não encontra apoio algum.
Tratamento: descobrir e reconhecer a não-retidão inconsciente (também diante de si mesmo); ceder ao defeito de postura original e honesto e, levando-o a termo, trabalhar numa sincera retidão; verificar a afinação dos esforços que pesam nas costas; aliviar as costas de fardos tornados supérfluos, ao menos tornar conscientes outros fardos inconscientemente carregados; converter distensões em tensões e

ações conscientes; exercícios de Tai-Chi para a cultura do movimento.
Remissão: firmar-se consigo mesmo e com sua postura interior consciente.
Cobertura do princípio original: Saturno.

Dores no coração ver Problemas cardíacos

Dores no pescoço (ver também Resfriados, Amigdalite, Gripe)
Plano corporal: pescoço (incorporação, ligação, comunicação).
Plano sintomático: a passagem para dentro é disputada; tumulto no policiamento (amígdalas) que vigia a porta estreita; o ingerir é doloroso, sendo então recusado: não querer mais aceitar (*ingerir*) qualquer coisa; aquele que engole em seco (que aceita tudo) começa a lutar.
Tratamento: defender combativamente o caminho em seu próprio interior; em luta, recusar-se a aceitar certas coisas; perceber a dor ao ingerir coisas e verdades desagradáveis e transformá-la em força de combate; questionar-se sobre o que não se quer mais ingerir.
Remissão: acautelar-se e não ingerir mais qualquer coisa de maneira pouco crítica; recusar-se.
Cobertura do princípio original: Vênus-Marte.

Dormência dos músculos ver Atonia

E

Eclampsia (tendência a convulsões gravídicas, gestose tardia; ver também Gestose, Hipertonia)
Plano corporal: musculatura (motor, força), rins (equilíbrio, parceria).
Plano sintomático: fortes ataques convulsivos (combativos) no final da gravidez (cãibras tônico-clônicas da musculatura esquelética); pressão alta da mãe (→ Hipertonia); o essencial é perdido na parceria (perda de albumina com a urina); em vez de ganhar peso em importância, ganha-se peso de um modo radical; fugir da responsabilidade (ausência de consciência); risco de esquivar-se de tudo, até mesmo da criança (risco de vida para a mãe e para a criança).
Tratamento: ousar o grande combate pelo nascimento; comparecer à nova fase da vida e submeter-se a todos os esforços necessários; perceber a pressão que pesa sobre alguém; reconhecer como alguém na parceria *salva a sua pele*; ficar consciente de sua importância para a vida da criança; recolher-se, e fazê-lo completamente para si mesma e para o existir da criança: dar prioridade à gravidez (comer e beber de maneira saudável).
Remissão: enfeixamento de todas as forças, concentração no essencial e pelo essencial; experiências de unidade (entre a mãe e a criança).
Cobertura do princípio original: Lua-Plutão.

Ectopia inguinal do testículo ver Criptorquia

Eczema
Plano corporal: superfície da pele (delimitação, contato, carinho).
Plano sintomático: algo reprimido no interior luta para se externar e se lança para a superfície; abrir a própria fronteira a partir de dentro (violentamente); o interior quer vir à tona, estar à luz da consciência; intimidar e atrair alguém ao mesmo tempo.
Tratamento: em sentido figurado, voltar o interior para fora; manifestar os próprios desejos e impulsos; tornar permeáveis (de dentro para fora) as próprias fronteiras.
Remissão: estar consciente de sua agressividade e proporcionar-lhe válvulas de escape (em sentido figurado, *arrebentar* e *defender-se* [*salvar sua pele*]).
Cobertura do princípio original: Saturno/Vênus-Marte.

Eczema (ver também Erupção de pele)
Plano corporal: pele (delimitação, contato, carinho).
Plano sintomático: algo interior rompe a fronteira para o exterior; o até então retido e reprimido ataca as fronteiras da repressão para chegar à visibilidade (na consciência): defesa amedrontada de um conflito na iminência de se externar, ou seja, de fronteiras ofensivamente novas; lesão da integridade a partir de dentro; a manifestação de uma pele pura e limpa é desfigurada pelo impuro.
Tratamento: deixar aflorar o interno, o inferior; abrir voluntariamente a fronteira para assuntos até então reprimidos; deixar-se impelir da repressão à abertura; preparar-se e armar-se contra lesões vindas de dentro, por exemplo, por meio de um conhecimento ascendente; ficar ferido no âmbito do sensível.
Remissão: assuntos impuros, obscuros e internos são trabalhados quando se permite que brotem, sendo iluminados pela luz da consciência.
Cobertura do princípio original: Saturno/Vênus-Marte.

Eczema anal (ver também Eczema, Erupção de pele)
Plano corporal: pele (delimitação, contato, carinho), ânus/reto (entrada e saída para o submundo).
Plano sintomático: algo obscuro rompe a fronteira para fora num âmbito espinhoso; o até então reservado e reprimido ataca a fronteira da repressão, para garantir a segurança (na consciência): defesa amedrontada de um conflito anal ou obscuro (inconsciente ou oculto) na iminência de se externar; violação de dentro para fora da integridade no âmbito anal; a expressão da pele pura e honesta faz-se desfigurada pelo impuro; insignificância da situação corporal: comportamento impuro no próprio saguão; tapar (isolar) a energia anímica (secreta) na zona de saída para o submundo; manter permanentemente uma saída leve e úmida para os fundos; medo reprimido, pressão pela busca de uma alternativa: "ter o traseiro aberto".
Tratamento: deixar aflorar o interior, o inferior; abrir voluntariamente a fronteira para temas referentes ao ânus e até então reprimidos; permitir que o supostamente impuro atravesse a fronteira da consciência, confrontá-lo e aceitá-lo; preparar-se para as lesões que se formam de dentro para fora, por exemplo, mediante um conhecimento ascendente; sentir-se ferido no domínio do sensível; deixar bem claro o que se quer ver pelas costas, sem permitir que venha à luz; terapia pragmática: tratamento com a própria urina (à região dos detritos, as águas residuais); dar atenção à região anal e oferecer-lhe uma doação.
Remissão: figurar até para si mesmo o lado obscuro (a saída traseira torna-se mais limpa devido à abertura no domínio anímico-espiritual para os temas obscuros e aparentemente impuros); deixar brotar temas obscuros anais e iluminá-los com a luz da consciência.
Cobertura do princípio original: Plutão.

Eczema no canal auditivo (ver também Eczema, Erupção de pele)
Plano corporal: canal auditivo externo (pavilhão, estetoscópio).
Plano sintomático: erupção prurígena na região de entrada do órgão auditivo; algo provoca-lhe um prurido no ouvir; algo obscuro e desagradável, embora interessante, rompe a fronteira para ser ouvido; exteriorização agressiva (erupção) no âmbito do obedecer.
Tratamento: em vez de longamente roçar como broca no ouvido, fazê-lo na profundidade da inconsciência; dedicar-se a ouvir interiormente: o que você quer aí fora, na escuridão? o que o faz coçar com tanta insistência?; cuidar do canal auditivo e de ouvir (em primeiro lugar, por exemplo, pingar regularmente a própria urina).
Remissão: abertura para mensagens das profundezas (em geral classificadas como desagradáveis).

Edema

Cobertura do princípio original: Vênus-Saturno.

Edema (hidropisia; ver também formação de ascite na Cirrose hepática, Pé forçado)

Plano corporal: tecido conjuntivo (ligação, consistência, compromisso).
Plano sintomático: acúmulo de água nos tecidos, sobretudo das pernas e pés: acúmulo de elemento anímico na região interior; acentuação do pólo feminino inferior em razão de sua importância/seu peso.
Tratamento: reter (guardar) o elemento anímico e conduzi-lo às regiões femininas; reparar quais regiões se tem como as mais necessitadas para irrigá-las, ou seja, animá-las; dar crédito e importância à metade inferior do corpo.
Remissão: no sentido figurado, ocupação e reconciliação com o feminino, com o anímico; guardar o corpo da inundação da água da alma.
Cobertura do princípio original: Lua.

Edema celulítico dos membros inferiores (ver também Edema)

Plano corporal: pés (firmeza, enraizamento).
Plano sintomático: a água (alma) acumulada leva consigo o próprio ponto de vista; a água puxa alguém para baixo, para o âmbito feminino e inferior; tem-se os pés como duas âncoras, que mais impedem o movimento e progresso do que os promovem.
Tratamento: deixar afluir aspectos anímicos à sua própria posição e ponto de vista; ocupar-se voluntariamente com o âmbito feminino e inferior; chegar a uma maior calma interior; encontrar pontos de vista e posições firmes; ler o mito de Édipo (pés inchados).
Remissão: descobrir o próprio campo de tarefas e lá criar raízes; reflexão; chegar também à parte feminina e inferior de seu próprio ser.
Cobertura do princípio original: Netuno.

Edema cerebral (ver também Edema)

Plano corporal: cérebro (comunicação, logística).
Plano sintomático: armazenamento no cérebro, isto é, entre as estruturas do cérebro: nas questões centrais do plano físico, o elemento anímico exige o espaço e seu direito; inchaço cerebral: o mundo dos pensamentos (intelecto) está por demais inchado; crescente pressão cerebral: a cabeça parece arrebentar; dor de cabeça, pressão excessiva, atordoamento indo até a turvação da consciência e a impotência; quebra de jejum: é um "enojar-se" permanente, não poder mais aprovar e acolher, (querer) dar tudo de si; pupilas estancadas: revelam a pressão sob a qual a central se encontra, mas também a visão perturbada e rígida.
Tratamento (depois de tratar alopaticamente, no plano corporal, a pressão que ameaça a vida): reconhecer que o elemento anímico (aguado), que até então não chegara a ser produzido nos processos de pensamento, esgota-se apenas no nível corpóreo e bloqueia a vida; dar primazia ao anímico em detrimento do intelectual; abandono consciente em vez de acolhimento; tornar-se consciente da pressão sob a qual se está.
Remissão: entrega em vez de busca, exercer controle; dar espaço para a alma em vez de só alimentar o intelecto.
Cobertura do princípio original: Mercúrio-Plutão.

Edema de Quincke (edema angioneurótico; ver também Alergia)

Plano corporal: pele (delimitação, contato, carinho), sobretudo do rosto (cartão de visita, individualidade, observação).
Plano sintomático: o vermelho (de raiva ou de vergonha) sobe-lhe às faces e aí permanece; rosto em chamas (marca de queimadura); cara de monstro (inchada): as sombras se refletem no espelho (comparar com *O Retrato de Dorian Gray*, de

Oscar Wilde); cabeça-de-medusa: amedrontar e intimidar, devorar; agressividade reprimida (Alergia): a face queima (devido à desonestidade, esbofeteamento simbólico); inflar em vez de protestar; algo fica escrito na cara (de alguém mau) (o que porém não se quer aceitar).
Tratamento/Remissão: reconciliar-se com seus outros lados (obscuros); tornar-se consciente das sombras em vez de obrigar o corpo a vivenciá-las; fazer cara feia para coisas feias.
Cobertura do princípio original: Plutão.

Edema estrumoso (ou asfixiante) simétrico das pernas
(eritrocianose das pernas)
Plano corporal: perna (mobilidade, progresso, firmeza).
Plano sintomático: congestionamento da água anímica retida no nível mais inferior, no âmbito das pernas: lentidão e peso ("dromedário"), o contrário do ideal de elegante robustez: sobretudo na gravidez, quando o centro gravitacional da vida precisa ser transferido para baixo, para o pólo feminino; ficar no toco: movimento e progresso fazem-se obstruídos, ou seja, inertes; o elemento anímico (água) reúne-se no âmbito inferior e dirige a atenção às próprias raízes.
Tratamento: transferir o seu centro de gravidade para o pólo feminino inferior: encontrar a cobertura da terra; certificar-se de seu ponto fixo: adquirir firmeza, por exemplo, nas discussões, em vez de "sentir o chão sumir sob os pés"; condescender na medida da sensibilidade; ocupar-se com os problemas enraizados; deixar que orientações anímicas enterrem-se profundamente; dedicação da alma (ser obrigado a lançar-se para além); pôr as pernas para cima nos sentidos concreto e figurado.
Remissão: consciência e calma; descobrir um verdadeiro campo de trabalho anímico nos domínios do enraizamento; encontrar sua base mais profunda, lançar âncora: aportar (no casamento?).

Cobertura do princípio original: Lua-Plutão.

Edema pulmonar (ver também Edema)
Plano corporal: pulmões (contato, comunicação, liberdade).
Plano sintomático: transbordamento da água (da alma) do sistema vascular no espaço de intercâmbio e comunicação dos alvéolos pulmonares; o elemento ar (pensamento) é reprimido pelo elemento água (da alma): a leveza dos pensamentos é sufocada pelo acúmulo de sentimentos; afogar-se na própria água da alma.
Tratamento: libertar o anímico das vias estreitas e previamente estabelecidas e enviá-lo aos caminhos da comunicação; deixar que sentimentos penetrem nos mundos do pensamento; abrir o âmbito de intercâmbio para o anímico; mergulhar conscientemente em seus próprios mundos anímicos.
Remissão: pôr em relação um com o outro os mundos anímico-aquosos e aerointelectuais, fazendo-os convergir para um intercâmbio.
Cobertura do princípio original: Mercúrio-Lua.

Ejaculação precoce
(derramamento prematuro de esperma, em geral antes mesmo de o pênis ser introduzido na vagina; freqüentemente relacionada à Enurese, ocorrida na infância)
Plano corporal: pênis (prazer, poder).
Plano sintomático: o assunto é a impaciência: querer muita coisa muito rapidamente; estar superexcitado e sob pressão; deixar-se sucumbir a uma grande pressão muito rapidamente; a precipitação impede que a parceira alcance o prazer, deixa de proporcionar o orgasmo para ela e para si mesmo (vivência da unidade); agressividade oculta dirigida à mulher e vingança inconsciente contra ela; medo de falhar, que conduz à falha.
Tratamento: proporcionar à própria criatividade um impulso anterior e mais

rápido; praticar esbanjamento em outros domínios; aprender a dar e presentear sem especulações quanto ao sucesso e à recompensa: desenvolver generosidade e liberalidade; apresentar um projeto criativo; soltar o charme; fazer com que a impaciência e a agressividade invadam e atravessem conscientemente o medo e a estreiteza, bem como a fantasia; descuidar dos prazeres do coração; no pólo oposto: aprender o controle no sentido de idéia tântrica, mas só depois que o prazer livre e sem reservas estiver sendo desfrutado.
Remissão: deixar-se excitar pelas próprias possibilidades criativas e poder empregá-las a qualquer momento; deixar crescer um entusiasmo por muitas áreas da vida e uma excitação interior.
Cobertura do princípio original: Marte-Urano.

Elefantíase (espessamento da pele por acúmulos linfáticos no tecido subcutâneo, sobretudo nos membros; aspecto do pólo oposto, hipertrofia do tecido adiposo do tronco por excesso de cortisona)
Plano corporal: tecido subcutâneo (proteção, isolamento).
Plano sintomático: aparência como a de um elefante: comportamento pesado e desastrado, movimentos indolentes, locomoção obstruída; problemas para se mostrar livre de entraves; obrigação de se manter revestido.
Tratamento: construir um forte muro de proteção para fora, adquirir uma *pele espessa*: não deixar mais que as coisas se aproximem tanto de si; aprender a cobrir-se; decompor a própria sensibilidade; não deixar mais que tudo vá *para debaixo da pele*; aprender a defender-se verbalmente; assumir uma imagem aparentemente forte: aprender a difundir força e poder; no passo do elefantinho (engordar); ganhar peso/importância; braços fortes querem abraçar o mundo; pernas fortes querem conquistá-lo; abordar tais assuntos no sentido figurado: conquistar o mundo (particularmente freqüente em mulheres na menopausa).
Remissão: preencher o espaço que lhe cabe (por exemplo, desempenhar o papel de mãe); proporcionar importância à sua própria personalidade; encontrar calma e serenidade em si mesmo (e atrás da espessa couraça de pele).
Cobertura do princípio original: Lua-Júpiter.

Embolia (por exemplo Embolia pulmonar, embolia cerebral)
Plano corporal: sangue (força vital), vasos sangüíneos (meio de transporte da força vital).
Plano sintomático: fortalecimento do que está desgarrado, solidificação do fluido; a vitalidade que resvala para o local do congestionamento é fortalecida, tornando-se material bloqueador: entupimento de um canal de energia vital; bloqueio da (corrente da) vida; distúrbios da corrente sangüínea em áreas dependentes.
Tratamento: fortalecer algo que se encontra na corrente da vida e tirá-lo dela, constituindo a partir daí algo que permanece: dar-se mais tempo; diminuir o ritmo da vida, interromper o abastecimento de energia tradicional do órgão (afetado pela embolia)/do tema vital; cuidar dessas regiões de um modo novo e com maior atenção (por exemplo, depois da apoplexia cerebral [embolia cerebral] tornar a conhecer, de forma inteiramente nova, o lado então paralisado do corpo — de modo semelhante ao que deve ocorrer no que diz respeito à circulação sangüínea do hemisfério cerebral contrário ao que foi afetado).
Remissão: fluxo vital; materialização de idéias e planos.
Cobertura do princípio original: Marte-Saturno.

Embolia gordurosa (ver também Embolia)

Plano corporal: sangue (força vital), vasos sangüíneos (vias de transporte da força vital).
Plano sintomático: gotículas de gordura passam por uma influência traumática (quebra dos ossos, grande lesão abdominal) na circulação sangüínea, onde tratam de provocar obstrução (interpretar o trauma que serve de base): a gordura como símbolo do excesso e das reservas conduz a um obstáculo ao abastecimento de energia; excesso em planos inadequados; ressentir-se das próprias reservas; bloqueio de um dos canais de energia vital; impedimento à (corrente da) vida; distúrbios no abastecimento (na circulação sangüínea) em regiões dependentes.
Tratamento: tomar consciência do papel (problemático) das próprias reservas e do excesso; dar-se mais tempo; diminuir o ritmo da vida, interromper o tratamento habitual dos temas (órgãos) da vida (afetados pela embolia) e produzi-lo em novo nível; zelar por esses temas/regiões de modo novo e mais atento, por exemplo, depois da apoplexia cerebral (embolia cerebral), tornar a conhecer todo o lado paralisado do corpo — da mesma forma como a circulação do hemisfério cerebral oposto ao afetado tem de se realizar de modo inteiramente novo.
Remissão: ficar travado pelo próprio aumento conseguido no ritmo da vida; fluxo vital acalmado e criativo.
Cobertura do princípio original: Saturno-Júpiter.

Embolia pulmonar (complicação pulmonar pela trombose nas veias dos membros inferiores; ver também Embolia, Trombose, Coágulo sangüíneo)

Plano corporal: pulmões (contato, comunicação, liberdade).
Plano sintomático: a vitalidade que havia sido interrompida em alguma parte na terra do corpo fortalece-se e torna-se material de bloqueio no âmbito da comunicação (pulmões): a energia vital fortalecida e paralisada ameaça a comunicação e o sistema de intercâmbio; interrupção da circulação e da respiração nas regiões dependentes dos pulmões (infarto pulmonar): não resta nenhum fluxo de energia, nem intercâmbio anímico algum; sacrificá-los; ameaça de vida pelo bloqueio do importante sistema da polaridade.
Tratamento: urgente (alopático): ativar novamente o fluxo de energia, dissolver o bloqueio, garantir o intercâmbio (troca de gases); de longo prazo (homeopático): retardar a corrente de energia vital, reduzir os volumes de intercâmbio; sacrificar consciente e voluntariamente a parte da comunicação e do intercâmbio; perceber a ameaça à vida quando o corpo é impelido para a encenação do tema; abastecer com energia o modo tradicional de comunicação e intercâmbio; interromper; encontrar formas conscientes de intercâmbio; sacrificar conscientemente os planos de comunicação e de contato; tratar de modo novo, e com maior atenção, o âmbito dos contatos.
Remissão: dar-se mais tempo; diminuir o tempo de vida, conceder-se tranqüilidade; novas formas de intercâmbio.
Cobertura do princípio original: Mercúrio-Saturno.

Encanecer

Plano corporal: cabelos (liberdade, vitalidade).
Plano sintomático: resignação, retração: assustar-se, medo da morte, pavor; a variedade de cores da vida desbota-se sob o véu cinzento que iguala quase todas as pessoas; horríveis pesadelos sugerem experiência; a sabedoria das cabeças brancas.
Tratamento: retirada consciente em direção ao descanso; aprender a se despir do medo (diante da última e importante passagem da vida) e, com isso, perdê-lo definitivamente; transformar o lado noturno da vida; viver as experiências que permanecem abertas.
Remissão: envelhecer em sabedoria: transmutar o saber em sabedoria.

Cobertura do princípio original: Saturno.

Encefalite (cerebrite; ver também Meningite)
Plano corporal: cérebro (comunicação, logística).
Plano sintomático: luta pelo centro, discussão agressiva em torno da central (de distribuição); ser ou não ser.
Tratamento: tratar do regulamento de sua vida de modo aberto (ofensivo) e corajoso; aceitar a luta pela sobrevivência e decidi-la fazendo uso de todos os meios; deixar-se excitar no centro; defrontar-se corajosamente com provocações que venham de encontro ao nervo da vida.
Remissão: embrenhar-se nas lutas pela totalidade; abrir corajosamente as próprias fronteiras da consciência para idéias revolucionárias e ocupar-se delas de maneira crítica.
Cobertura do princípio original: Mercúrio-Marte.

Endangite ver Problemas vasculares (em decorrência do fumo) nos membros inferiores

Endocardite (inflamação do endocárdio [membrana que forra internamente o coração])
Plano corporal: coração (sede do amor, da alma, do sentimento, centro energético).
Plano sintomático: conflito não-controlado dentro do coração; luta agressiva pelo centro da vida: ficar desperto em função de solavancos; *acalmar um coração* em vez de acalmar as dores no coração.
Tratamento: regular conscientemente as oportunidades do coração e resolver conflitos; apresentar-se aberta (ofensiva) e corajosamente à luta pelo próprio centro; acordar para os temas do coração e dar-lhes atenção.
Remissão: com coragem, travar a luta decisiva em seu próprio centro (coração de leão).

Cobertura do princípio original: Sol-Marte.

Endometriose (a mucosa do útero [endométrio] presente fora de sua região natural de expansão, por exemplo, em caso de tumor benigno em forma de câncer na vagina, nas trompas, na bexiga ou simplesmente na cavidade abdominal)
Plano corporal: mucosa do útero (útero: fertilidade, proteção; mucosa: fronteira interna, barreira).
Plano sintomático: feminilidade (inconsciente) no lugar errado; o seu ritmo é imposto a âmbitos problemáticos (evento cíclico acontecendo onde ele não é cabível); os fenômenos secundários da feminilidade no plano errado são incontroláveis (a eliminação de resíduos oriundos da mudança rítmica da mucosa uterina só é possível mediante cirurgia); feminilidade *enlouquecida* (atividades tipicamente femininas em lugares impróprios) põem em jogo o pólo oposto (a medicina cirúrgica do homem de ação como forma de manifestação tipicamente masculina); dores ao circular revelam conflitos nesse domínio; infertilidade como principal conseqüência: a feminilidade num plano inconveniente conduz a um bloqueio da fertilidade feminina original.
Tratamento: levar a feminilidade a outros planos, insólitos; estender o próprio ritmo a âmbitos de vida mais amplos; problematizar e considerar os efeitos secundários de sua própria força feminina; aceitar que a acentuação de um pólo sempre força o pólo oposto do plano.
Remissão: novos espaços de desenvolvimento para a própria feminilidade.
Cobertura do princípio original: Lua-Urano/Júpiter.

Endometrite (Inflamação da mucosa do útero [endométrio])
Plano corporal: mucosa do útero (útero: fertilidade, abrigo; mucosa: fronteira interna, barreira).

Plano sintomático: eventual continuação de um corpo estranho em espiral; conflito pelo ninho de seu próprio filho; discussão agressiva sobre a própria base da fertilidade.
Tratamento: lutar aberta(ofensiva)mente pela base para a própria criatividade; cuidar de proporcionar o ninho para o próprio filho.
Remissão: fertilidade.
Cobertura do princípio original: Lua-Marte.

Endurecimento ver Esclerose; ***da pele*** ver Esclerodermia; ***muscular*** ver Miogelose.

Endurecimento das articulações ver Anquilose

Enfisema pulmonar
Plano corporal: comunicação (contato, comunicação, liberdade), tórax (sentimento do eu, personalidade).
Plano sintomático: inchaço no âmbito da comunicação à custa de um intercâmbio verdadeiro (esclarecer e interpretar o problema fundamental como sendo a Asma ou a Bronquite): a função respiratória é cortada, para que o ar não seja expirado totalmente; o coração (direito) é danificado; poder artificial devido ao tórax inchado, que se dilata de dentro para fora pela vesícula dos pulmões: por detrás da pretensão de força, a impotência se faz visível; superacentuação do fazer entrar (do dar) em detrimento do liberar: coagulação (tórax de barril), que não permite nem flexibilidade nem abertura para a energia vital (respiração); pessoas inchadas necessitam controladamente "encher o peito para falar".
Tratamento: ampliar o âmbito de comunicação e de contato de dentro para fora; dilatar sua esfera de poder e de influência a partir de sua própria força; zelar por intercâmbios mais conseqüentes e estruturados; reconhecer, por trás das dimensões aparentes, a reserva e a limitação ocultas na comunicação; valorizar sua própria impotência e aceitá-la como ponto de partida e tarefa; reconhecer os riscos para o coração e para o âmbito do sentimento, esgotados pela comunicação limitada e pelo intercâmbio obstruído; aprender a tomar parte em vez de dilatar-se; reconhecer a comunicação como uma oportunidade de dois pólos, em que para cada receber há o correspondente dar; aceitar mais o anímico, para aliviar o corpo da problemática do receber; no plano anímico, dar menos e ficar com mais, para facilitar aos pulmões a dissolução da problemática.
Remissão: descobrir os pulmões como asas; voar sobre o pensamento aparente e sobre a leveza de uma comunicação equilibrada; harmonia entre dar e receber.
Cobertura do princípio original: Mercúrio-Júpiter.

Engasgar-se
Plano corporal: pescoço (incorporação, ligação, comunicação), esôfago (intercâmbio).
Plano sintomático: contratempo; o modo de assimilar o mundo é marcado por mal-entendidos e equívocos: "engolir alguma coisa" – quando se acredita em alguma coisa difícil de acreditar, dita deliberadamente para enganar ou esconder a verdade, iludir-se, compreender algo de forma errada; tender a confundir planos; busca ingênua de espiritualizar a matéria; ânsia de impregnar a matéria com espírito e trazê-la a um contato maior com o elemento ar; querer se converter novamente em espírito puro: morte.
Tratamento: experimentar caminhos não-habituais e criativos, seguir por novos caminhos; aprender a assimilar o mundo com espírito e humor; impregnar com espírito o que se recebe e assimila.
Remissão: intensificar o jogo com os planos de um modo criativo; passar de um plano para o outro e com isso saber o que se está fazendo.
Cobertura do princípio original: Urano.

Enjôos marítimos ver Cinetoses, Distúrbios do equilíbrio

Enterite/Enterite por salmonela ver Inflamação do intestino

Enxaqueca (hemicrania [dor que incide em uma das metades da cabeça]; ver também Dores de cabeça)
Plano corporal: cabeça (capital do corpo).
Plano sintomático: dor de cabeça em um dos lados: um dos lados da realidade dói e grita dolorosamente por ajuda; unilateralidade do pensar e do sentir; devido à fixação em posições unilaterais, estar aprisionado num círculo vicioso: o desespero mostra a discrepância entre cabeça e consciência (a partir de uma visão psicanalítica) reação à ofensa ao narcisismo (da mulher), isto é, à ofensa ao sentimento de seu próprio valor feminino; a imposição (do primeiro impulso) faz a cabeça estourar; mãos frias (como sinal de reserva ante a comunicação, freqüentemente conduzem, em caso de aquecimento, a acessos de enxaqueca): enxaqueca como recibo por tão prolongado fechamento e como descarga de uma tensão acumulada; conflito entre o impulso e o pensar, o pensar devendo substituir o agir; busca freqüente de vivenciar a sexualidade na cabeça, o acesso de enxaqueca igualando-se em evolução ao orgasmo: a cabeça torna-se a porção inferior do corpo, orgasmo na cabeça; as aparições de luz no campo de visão, segundo Oliver Sacks, só podem ser reconhecidas como luz elevada e espiritual se a luz inferior da sexualidade estiver resolvida (ver as visões de enxaqueca de Hildegard von Bingen).
Tratamento: reconciliar-se na cabeça com o sexual e então devolvê-lo a seu lugar; conhecer e aprender a amar suas próprias profundezas; conquistar o submundo sexual: juntar as funções de impulso e pensamentos: ligar pensamento e ação; empreender corajosamente o primeiro passo nos novos domínios; chegar a decisões (tirar a espada da bainha), ou seja, impô-las;
conduzir o que subiu à cabeça de volta a seu lugar; aprender a dizer "não" com sinceridade em vez de usar a enxaqueca como desculpa.
Remissão: juntar os hemisférios direito (sentir) e esquerdo (pensar) do cérebro; fazer do "um só lado" (a sensação de ser apenas metade de uma pessoa) uma totalidade (duas metades compõem uma esfera, algo redondo): aceitar ambos os lados do ser humano (luz e sombras); encontrar luz na escuridão (Hildegard von Bingen); reconciliação com a própria sexualidade e com seu lugar no andar inferior do corpo.
Cobertura do princípio original: Marte-Vênus-Urano.

Epicondilite ver Braço/cotovelo de tenista

Epidemias
Plano corporal: no indivíduo, todas as partes do corpo podem ser afetadas; espelho para a consciência do coletivo.
Plano sintomático: epidemias são limitadas em tempo e lugar, ao passo que as pandemias alastram-se por um ou mais continentes: destinos de massas, em que muitas pessoas se confrontam com o mesmo padrão de tarefas, mas a reação permanece amplamente individual; também podem ser consideradas epidemias modernas as epidemias radioativas de diferentes regiões, casos em que obviamente não se trata de uma infecção no sentido clássico, mas o que propositadamente se pretende evocar aqui é um destino de massas.
Tratamento: o coletivo em padrões de destino semelhantes revela tarefas típicas de seu tempo: assim como a pneumonia teve seu período de explosão, e antes dela a cólera e a peste, em nossos dias são a → Aids e as Irradiações radioativas que estão no centro do problema.
Remissão: às tarefas tornadas claras nas nosografias deve-se fazer jus de maneira primitivo-original; uma remissão essencial

para a nosografia ameaçadora (→ câncer, Aids, irradiações) do pólo feminino não-resolvido seria a metamorfose, a transformação radical, ou seja, a metanóia, o arrependimento como mudança de mentalidade.
Cobertura do princípio original: Plutão.

Epididimite (Inflamação dos testículos)
Plano corporal: testículos (fertilidade, maturidade).
Plano sintomático: guerra no armazém do sêmen; luta pela fertilidade masculina; em caso de conflito inconsciente prolongado (inflamação crônica), risco de infertilidade.
Tratamento: ocupar-se consciente e ofensivamente com a temática da procriação, da constituição da família, da reprodução; lutar internamente por uma masculinidade madura.
Remissão: ter a coragem de criar o novo (nova vida) e satisfazer todos os requisitos necessários para isso.
Cobertura do princípio original: Lua-Marte.

Epifisite vertebral dolorosa da adolescência ver Doença de Scheuermann

Epífora ver Corrimento anormal de lágrima

Epilepsia
Plano corporal: cérebro (comunicação, logística), nervos (serviço noticioso).
Plano sintomático: descarga de fortes tensões internas (elétricas); todas as seguranças rompem-se ao mesmo tempo num grande acesso (grande sinal) — comparável a um terremoto ou ao tratamento por choques elétricos na medicina; o acúmulo interno descarrega-se em ondas espasmódicas de combate: *estar completamente fora de si*; explodir: o ataque a uma fortaleza sitiada, tal como sua queda (o paciente fica insolente); a energia que aflui hiperfortalecida é expelida no corpo em ondas espasmódicas, daí o cansaço profundo (o corpo restabelece-se da vivência da corrente de alta tensão); da hipertensão resultam perdas consideráveis e prolongadas na direção da rede elétrica, isto é, nervosa; morder a língua: encarniçamento; espumar pela boca: espumar de raiva e devido à sobrecarga; luta (desigual) entre dois mundos; quebra de represa, que põe em movimento as sombras/partes essenciais que se encontravam retidas; ao modo de um acesso, ruptura de poderosas forças sobrenaturais/do outro mundo: violação por uma força superior; a epilepsia já foi também denominada *Morbus sacer* (doença sagrada), pois os pacientes parecem estar sob a influência de um poder superior, o que se tinha por possessão; ruptura do acontecer estático no mundo cotidiano, anunciada por uma aura (era assim que Dostoiévski descrevia seus ataques epilépticos, que ele não perdia por nada neste mundo): forte demais para a alma, fugindo de sua salvação (paralelo com a Bíblia, em que a visão direta de Deus pelos homens é descrita como sendo excessivamente poderosa); busca não-resolvida, *deixar-se ir* e cair (mania de cair).
Tratamento: deixar sair e esgotar as tensões; deixar-se cair; abandonar-se totalmente; terapia respiratória intensiva até as correspondentes descargas; descargas orgásticas (por exemplo, no sentido de intensos orgasmos); inclinar-se para experiências culminantes (de pico); ficar consciente das zonas de lusco-fusco, do inter-reinos entre os diferentes níveis de consciência; conceder para si os elos entre os mundos; acolher voluntariamente o contato com outros lados/mundos (algo no sentido do desenvolvimento de acessos intermediários ao domínio transcendente); aceitar a tarefa de trabalhador fronteiriço entre mundos.
Remissão: manter firme a consciência na passagem para o domínio transcendente; ser íntimo do outro lado.

Cobertura do princípio original: Urano.

Epitelioma (carcinoma não-metástico, mas tendendo a retroagir após cirurgia; ver também Câncer, Câncer de pele)

Plano corporal: somente no âmbito da cabeça (capital do corpo), sobretudo na face (cartão de visita, individualidade, percepção).

Plano sintomático: excesso de irradiação solar (raios ultravioleta) conduz a um espessamento de calosidade (Queratose) e mais tarde (freqüentemente) ao epitelioma: a desfiguração do rosto; toda a tendência para o (acometimento por) câncer, só que menos maligno, sem proliferar no restante do corpo, limitado ao rosto: corroer-se por emoções, sensações e sentimentos não-vividos; modificações ulcerosas nas feições até se chegar a uma máscara de horror.

Tratamento: pôr em jogo mais luz interior e menos luz exterior; conflito com a própria individualidade (→ Câncer); atacar a própria (falsa) máscara, para com isso encontrar e aceitar a autêntica expressão das sombras; expressar no rosto emoções e sentimentos, sobretudo aqueles de estampa sombria ("está estampado na cara": no paciente vítima de epitelioma nada está estampado na cara, até que aparece tudo de uma vez).

Remissão: ter o sol no coração; atualização das sombras até as profundezas da alma; corajosa e ofensiva expressão de si mesmo.

Cobertura do princípio original: Plutão-Vênus.

Erisipela

Plano corporal: pele (delimitação, contato, carinho).

Plano sintomático: gangrena superficial da pele instigada por estreptococos e que se expande para as vias linfáticas (traços vermelhos e suspeita de envenenamento do sangue): discussão agressiva sobre a própria pele, conflito em torno das fronteiras e do contato com o exterior; a nosografia mostra como as fronteiras externas estão em perigo e como é doloroso o contato nas regiões afetadas; linha nítida de demarcação entre a região de luta e a saudável; a região da guerra incha-se dolorosamente para o exterior, afetando ainda o tecido celular subcutâneo; a mobilização geral das defesas do corpo, com temperaturas superiores a quarenta graus, freqüentemente não consegue deter em nada o prosseguimento da nosografia (sinônimos: mal-da-praia, maldita, espira; na verdade, para subforma amenizada); quando o campo de batalha alastra-se para os órgãos internos, é uma ameaça à vida.

Tratamento: mobilizar todas as forças para a discussão, a fim de mantê-las no domínio exterior; deixar-se irritar e permitir que as irritações passem para debaixo da pele, em vez de abrir sua camada mais exterior para os agentes provocadores; conduzir uma discussão agressiva e não entregar o corpo a uma guerra material.

Remissão: abrir voluntariamente as fronteiras exteriores e acolher discussões junto à superfície de contato com impulsos de vida estranhos; disposição para conflitos profundos e para uma força de integração (anímico-espiritual) a fim de proteger melhor o corpo em sua necessária integridade e delimitação.

Cobertura do princípio original: Vênus/Saturno-Marte.

Erisipela da face (ver também Herpes-zoster)

Plano corporal: rosto (cartão de visitas, individualidade, observação).

Plano sintomático: o conflito longamente reprimido torna-se visível e perceptível, explosão de uma bomba relógio; enorme oposição a um âmbito vital central torna-se distinta do espelho da face: "está na cara"; por muito tempo, algo se passa por debaixo da pele, ou seja, nos nervos; medo do irromper, do rebentar e do arrancar; ira flamejante e sagrada (*Ignis sacer*); estar

marcado (ser distinto) — sinal de Caim a prazo; desabrochar de uma rosa, autodesdobramento em plano não-resolvido; no corar, uma relação com a vergonha (a longo prazo).
Tratamento: deixar vir o reprimido para a superfície e para a luz; de acordo com a parte do rosto que for afetada, ocupar-se com energias obscuras femininas (à esquerda) ou masculinas (à direita); não mais expressar o não-dito *de maneira velada*, mas fazê-lo sem rodeios; fazer florescer o seu próprio e verdadeiro ser, deixá-lo desabrochar de maneira enigmática e profunda; aprender a aderir a seus desejos e fantasias eróticas.
Remissão: franqueza e ausência de rodeios; fazer aflorar o cerne do próprio ser.
Cobertura do princípio original: Vênus-Marte.

Eritema pérnio
Plano corporal: pele (delimitação, contato, carinho).
Plano sintomático: inflamação crônica local com fenômenos degenerativos causados pelo frio extremo: expor o órgão de limite e de contato a resfriamento crônico; conflito de longa duração com tendência a degenerar; risco de desenvolvimento de abscessos crônicos.
Tratamento: dedicar-se positivamente à própria pele; apreciá-la como proteção, mas também sentir a obrigação de protegê-la; preocupar-se com sua superfície delimitadora, com dedicação, cuidar dela com (energia) vital (medidas estimulantes da circulação sangüínea).
Remissão: vestir-se com roupas quentes ao sair no frio: proteger-se a tempo contra as hostilidades emocionais.
Princípio original: Saturno.

Eritrodermia (ver também Rubor)
Plano corporal: pele (delimitação, contato, carinho).
Plano sintomático: vermelhidão acentuada numa extensa superfície da pele (a base pode estar na → Leucemia ou secundariamente na → Psoríase, isto é, num → Eczema): a pele faz-se um *lenço vermelho*, uma superfície de sensações; mostrar-se quente ao contato; comichão intensa provoca a necessidade de coçar (abertura violenta da fronteira da pele); formação de escamas nas superfícies afetadas: a superfície da pele em formação caniçosa torna a fronteira permeável.
Tratamento: consentir nas sensações de pele; abrir as próprias fronteiras a partir de fora e deixar que se torne porosa; dar sinais visíveis de muito longe, sinais que ao mesmo tempo advertem (semáforo vermelho) e fascinam (lanterna vermelha).
Remissão: dar atenção a suas próprias fronteiras com o mundo; ativá-las, abri-las e torná-las sensíveis/porosas.
Cobertura do princípio original: Vênus-Marte.

Eructação ácida (Arroto)
Plano corporal: estômago (sensação, capacidade de absorção), esôfago (condução do alimento).
Plano sintomático: expressão de oposição encoberta ao ingerido; pressionar para cima sentimentos ingeridos, mas não digeridos; a acidez eleva-se e quer chegar à expressão; agressividade oculta: "bufar", "liberar pressão"; qualidades ácidas ou azedas expressam figurativamente o aborrecimento: "ter uma cara azeda"/"ser uma pessoa azeda"; sobretudo a incapacidade de articular-se adequadamente; estar com alguém/alguma coisa "pelo pescoço".
Tratamento: praticar o modo de expressão proveniente da própria profundidade e corporeidade: admitir sentimentos de relutância e de zanga; externar agressividades, deixar vir à tona o reprimido; aprender a bufar; libertar-se do opressivo, aborrecer-se conscientemente.
Remissão: dar livre curso a seus sentimentos estomacais, deixar o abdômen falar e operar para fora.
Cobertura do princípio original: Lua-Marte.

Erupção de pele (ver também Acne juvenil, Eczema, Prurido)

Plano corporal: pele (delimitação, contato, carinho).
Plano sintomático: defesa temerosa contra um conflito na iminência de se externar, ou seja, contra o novo que abre fronteiras: o retido/reprimido pretende romper as fronteiras do subsolo para chegar à certeza (consciência): fronteiras são questionadas pelas energias subterrâneas; aquilo que irrompe denuncia tendências freqüentemente sujas e obscuras, isto é, aspectos sombrios.
Tratamento: ocupar-se conscientemente dos conflitos fronteiriços: arrebentar no sentido figurado; deixar que o longamente reprimido ascenda à consciência, conferindo-lhe reconhecimento; por livre e espontânea vontade, situar o subjacente nas fronteiras e normas que lhe são próprias, isto é, nas fronteiras e normas de que se apropriou; perceber e dar importância às sombras: o que é impelido para cima e arrebenta?
Remissão: abrir de fronteiras por livre e espontânea vontade, libertação do inconsciente de dentro para fora.
Cobertura do princípio original: Vênus/Saturno(pele)-Marte(erupção).

Erupção medicamentosa (ver também Alergia)
Plano corporal: pele (delimitação, contato, carinho).
Plano sintomático: rejeição ofensiva e inconsciente da matéria em questão.
Tratamento: "recusar", defender-se conscientemente dessa forma de tratamento.
Remissão: reação defensiva violenta e corajosa no âmbito verbal em detrimento do corporal (como, por exemplo, dizer "não", mesmo a algo que venha da autoridade, como de um médico).
Cobertura do princípio original: Saturno-Marte.

Escabiose
Plano corporal: pele (delimitação, contato, carinho).
Plano sintomático: há algo de vivo circulando debaixo da pele, que irrita (coça), sobretudo durante a noite: o *Sarcoptes scabiei* cava seus caminhos caracteristicamente serpenteantes diretamente sob a pele, os quais assumem uma coloração escura por causa de seus excrementos; ao "passear" deixa para trás pequenas bolhas, que causam forte coceira sobretudo à noite; aspecto e sensação de falta de higiene: estar marcado pelo rastro ("de fezes") do "cravo"; hoje em dia é um freqüente desencadeador de pânico, de acessos de higiene; sensação de vergonha com relação à impressão de sujeira; sensação "que corrói" (estar ofendido e indisposto); sensação de infiltração, não estar mais "sozinho em casa" (o que de resto nunca estamos).
Tratamento: deixar-se estimular também pela falta de higiene que aparece (sobretudo à noite); aceitar as irritações como desafios; permitir que o vivo entre em você e sob a sua pele, deixar para trás, na alma, o farejar com nitidez; aprender a dividir (participar); experimentar criticamente a própria sensação de limpeza na perspectiva da vida (do vivo); entrar em contato com o que vai por debaixo da pele.
Remissão: encontrar abertamente o vivo até em suas formas pequenas e aparentemente de menor valor; viva e deixe viver.
Cobertura do princípio original: Vênus/Saturno (pele)-Plutão (cravos, parasitas).

Escarlatina (ver também Erupção de pele, Doenças da infância)
Plano corporal: pele (delimitação, contato, carinho).
Plano sintomático: garganta vermelha e inflamada com amígdalas inchadas e gânglios linfáticos no pescoço: um grave conflito inflama-se na porta de entrada para o mundo interno do corpo; dores no pescoço e ao deglutir: ter ingerido o suficiente, a continuidade do ingerir provoca dores; vomitar: sentir-se "com nojo", querer livrar-se de algo; língua de framboesa e *erupção* vermelho-escarlate (incontáveis pontos vermelhos) no corpo: agressões descarregam-se corporalmente; risco de

alastramento das discussões inflamadas para os seios paranasais ("estar com o nariz cheio, entupido"/estar de saco cheio), articulações (problemas com as articulações), rins (problemas de relacionamento e harmonia), meninges (problema de regulação central); febre reumática como complicação decorrente: batalha defensiva geral, em cujo decorrer as articulações são afetadas, aparecendo falhas na portinhola do coração ("a escarlatina faz vazar água para as articulações e ataca o coração").
Tratamento (para os pais, cujos problemas são geralmente espelhados pelos filhos): subsidiar novos impulsos em torno do deixar entrar; fazer uma doação que facilite a ingestão de *bocados sólidos* e promova o abandono de antigos padrões e modos de vida; adaptar-se ao novo tempo e sintonizar-se com ele: deixar as energias novas e não-habituais irromperem e rebentarem; animar-se para vencer a luta, que vocifera externamente na pele e internamente na alma; prestar atenção também aos cenários da guerra: criar maior tolerância a frustrações; promover a articulação e deixar que se desenvolva; manter diante dos olhos as necessidades de relação e harmonia; trabalhar as perguntas centrais do regulamento da vida; promover o desenvolvimento da agressividade como um estímulo a uma vida corajosa, que aprecia desafios e proporciona um pensar agressivo.
Remissão: defrontar-se abertamente com as novas partes da vida; deixar irromper o ainda não-habitual; tomar de assalto corajosamente os passos de desenvolvimento acumulados.
Cobertura do princípio original: Marte-Urano.

Escara ver Úlcera de decúbito

Esclerodermia (endurecimento da pele)
Plano corporal: pele (delimitação, contato, carinho), mucosa (fronteira interna, barreira).

Plano sintomático: endurecimento da pele e do tecido conjuntivo: endurecimento das fronteiras; fechar-se para o interior e para o exterior; baixar cancelas; atrofia e definhamento da pele e do tecido subcutâneo: ficar apertado demais na própria pele (o "sair de si" poderia ser "sair de sua pele"); o corpo mostra o estreitamento e a limitação do espaço vital na perspectiva figurada, da qual os pacientes não têm consciência.
Tratamento: delimitação consciente com relação ao exterior; fortalecimento da proteção contra influências externas: redução do contato direto com o exterior; adquirir uma grossa muralha; recolher as antenas, reduzir as fronteiras e superfícies de intercâmbio; partir para dentro e descobrir o mundo interior; reconhecer conscientemente sua própria estreiteza e limitação, e aceitá-las.
Remissão: retirada para conquistar o pólo oposto a partir do mundo interior: expandir-se da plataforma segura para as fronteiras e abrir-se para o mundo; tornar-se um consigo mesmo, para a partir daí voltar a poder se abrir.
Cobertura do princípio original: Vênus/Saturno-Saturno.

Esclerose (endurecimento)
Plano corporal: diferentes regiões do organismo podem ser afetadas.
Plano sintomático: endurecimento, por exemplo, dos vasos (Arteriosclerose), da pele (Esclerodermia), da neuróglia no sistema nervoso central (Esclerose múltipla).
Tratamento/Remissão: zelar pela concentração, limitação, formação de estrutura e claridade.
Cobertura do princípio original: Saturno.

Esclerose cerebral ver Distúrbios na circulação sangüínea do cérebro

Esclerose coronária (esclerose do vaso coronário; ver também Angina de peito e Infarto do miocárdio como decorrências)

Plano corporal: coração (sede do amor, da alma, do sentimento, centro energético)
Plano sintomático: fornecer alimento (energia, substância) de menos ao coração, estrangulá-lo por contração ou por "sedimentação" do direcionamento, das vias de abastecimento de energia; estreiteza, medo (angina): situação de aperto; grito de socorro do lado esquerdo/feminino; esclerose do lado feminino, que fica em segundo plano; (em)pedra(mento) no peito, *coração petrificado*, coração que morre de fome; mesquinhez, obstrução, bloqueio; coagulação/congestionamento (obstinação) no fluxo das sensações (do coração); sobrevalorização das forças do eu e da dominância das forças do querer; pessoas que tendem para a dominância/realização; medo da crítica e do insucesso: sacrifício das forças do eu e dos desejos de poder; espasmo e força em torno das oportunidades do coração: espasmos (mortais) de um coração já estrangulado (por infarto).
Tratamento: tornar-se consciente da carência de abastecimento (estrangulamento) do coração com energia (vital), tornar-se consciente do tempo e da doação; conceder-se a calma, sintonizar sua vida com o coração e suas necessidades, prestar atenção à voz do coração, ouvir seu coração, escutar, obedecer à sua voz (a suas emoções ternas); ouvir os gritos de socorro do coração a partir dos gritos de dor do tecido faminto (por algum donativo, abastecimento); *coração amolecido,* que chora; aprender a liberar o acúmulo (de sentimento); deixar de ter o coração de pedra: deixar fluir as emoções, liberando-as; ocupar-se com o medo e com a estreiteza do ego e reconhecer que ele ocupa o primeiro lugar na vida, até mesmo antes dos assuntos do coração; reconhecer as sensações de medo e de ódio; tornar-se conseqüente e duro consigo mesmo (com o ego e suas pretensões); encontrar seu próprio ponto de vista; concentrar-se em seu próprio centro e em sua essência (no essencial) da vida; deixar entrar o silêncio interior antes do silêncio tumular; reconhecer e aceitar suas próprias fraquezas e vulnerabilidades.
Remissão: concentração no coração: mover o próprio coração para o ponto médio da vida (ou da morte), para gravitar em torno do centro, dançar a dança em torno do centro; reconhecer o medo fundamental de se perder, e que "só" é preciso perder o ego para chegar ao centro; abertura para as necessidades do coração; humildade e concentração no essencial.
Cobertura do princípio original: Sol-Saturno.

Esclerose múltipla (ver também Paralisia, Distúrbios do equilíbrio, Visão dupla, Cistite)

Plano corporal: nervos (serviço noticioso).
Plano sintomático: a esclerose múltipla se dá no âmbito da comunicação; agressividade voltada contra si mesmo: "eu contra mim"; ausência de consideração para com suas próprias necessidades; ser muito duro consigo mesmo; medo enorme de perder o controle, que faz com que as coisas escapem e a pessoa não consiga mais segurar o fio em sua mão; tendência para o controle e para o tráfico de influências: desejo de planejar tudo de antemão, na concomitante carência de desafios adequados; máximas e concepções morais defasadas, pontos de vista rígidos; perfeccionismo; tendência a pôr a culpa em si mesmo; tendência à hibridez (presunção): querer enquadrar (forçar) o mundo às próprias idéias, freqüentemente intransigentes: ir por um caminho que na maioria das vezes não é o seu e lhe cai mal; cumprir com suas obrigações para com os outros antes que eles se manifestem e se dêem conta das suas próprias; na paralisia das pernas: a pessoa está atada a suas obrigações, sem querer saber de nada; não escapar, mas também não acompanhar; na paralisia dos braços: não poder mais se defender, não pegar o jeito das coisas; bloqueio da atividade no plano nervoso; problemas de visão: conflito inflamado em torno da sinceridade, não poder/querer mais enxergar; imagens du-

plas: medir-se com duas espécies de medida; → Distúrbios do equilíbrio, vertigens: estar sobre terreno oscilante; cansaço: querer relaxar, recusa em tomar parte na vida; → Cistite: conflito com o liberar; contenção de sua própria torrente anímica; não poder/querer sentir: recusa do pólo feminino.

Tratamento: reconhecer a rigidez para consigo mesmo e para com os outros e, em conseqüência disso, transformar-se; identificar a rigidez, a obstinação, a intransigência, o encarniçamento na própria vida; descobrir a firmeza do ponto de vista moral como entorpecimento encalhado; reconhecer que a perfeição a Deus pertence; desenvolver uma abertura para seus próprios erros; reconhecer seu próprio caminho como o mais difícil, mas o único vantajoso; lutar pela própria linha, pela sua retidão (diante de si mesmo); voltar o olhar para dentro de si: visão interior e discernimento; reconhecer (dar valor a) ambos os lados da polaridade como tendo os mesmos direitos; aprender a conviver com (vivenciar) a mobilidade fluida da realidade: "*panta rhei*" (tudo flui); permitir-se um descanso: exterior e interior; descansar em vez de intensificar e arrefecer; aprender a soltar aberta (ofensiva)mente; aprender a se reconciliar com a parte feminina, seus sentimentos e sensações; ceder e deixar acontecer, enfatizar o pólo feminino; aceitar suas dolorosas fraquezas; deixar o rio (de lágrimas) correr.

Remissão: tarefa de perfeccionismo e controle; render-se no sentido positivo (a seu destino); aceitar os acontecimentos em seu sobe-e-desce rítmico (oscilações) e o seu próprio nadar (no mar da vida); colocar-se sob a lei (Saturno) da vida: "seja feita a Tua vontade", em vez de exercer controle sobre tudo e todos; consciência voltada para o lugar original da humanidade, *religio*.

Cobertura do princípio original: Mercúrio (sistema nervoso)-Netuno (quedas)-Saturno (endurecimento).

Escoliose ver Deformação da coluna vertebral

Escorbuto (carência de vitamina C)
Plano corporal: sangue (força vital), gengiva (confiança original), pele (delimitação, contato, carinho), mucosa (fronteira interna, barreira), ossos (estabilidade, firmeza), articulações (mobilidade, articulação).
Plano sintomático: hemorragias (fuga da força vital), iniciando-se o mais das vezes na gengiva (confiança original), na mucosa (fronteiras internas), nas articulações, até as dolorosas mudanças de estrutura dos ossos (estabilidade, firmeza); hoje aparece somente em suas formas brandas, como decorrência de uma alimentação deficiente (falta de frutas e legumes frescos).
Tratamento (pressupõe doses de vitamina C): cuidar para que se tome para si suficiente energia vital fresca de uma alimentação à base de vegetais; deixar fluir sua própria energia vital nas regiões fronteiriças internas e externas, na mobilidade, na articulação e no âmbito das estruturas; modificar a estrutura que lhe oferece sustentação, mesmo sob dores.
Remissão: animação da região saturnina (fronteiras e estruturas) na própria vida.
Cobertura do princípio original: Saturno.

Espasmo
Plano corporal: musculatura esquelética (motor, força).
Plano sintomático: crescimento da tensão no aparelho locomotor (musculatura), movimentos desastrados e difíceis de controlar: fica-se sob prolongada tensão; a tração excessiva (estiramento) mostra a vontade excessiva: querer demais e nada conseguir, ou seja, conseguir o contrário do que se quer.
Tratamento/Remissão: reconhecer a tensão e a concentração nos planos da consciência, para aliviar o corpo; tornar-se consciente das disposições prolongadas para a ação e para a luta e convertê-las na perspectiva figurada; transformar a tensão corporal em esforço interior.

Cobertura do princípio original: Marte-Plutão.

Espasmos estomacais

Plano corporal: estômago (sensação, instinto, gozo, centro).
Plano sintomático: modo encarniçado, experiências, impressões, digerir o mundo.
Tratamento: aproximar-se consciente, corajoso, ofensivo, enérgico, combativo da assimilação de impressões; aceitar os bocados difíceis de digerir como provocações que se pode fomentar; reconhecer o estômago como central, entre sentimentos (puros?) do coração e interesses instintivos (animalescos?) do baixo-ventre.
Remissão: digerir o mundo (hindu: *bhoga*, comer o mundo), isto é, digerir todos os frutos do *karma* (estar conscientemente pronto para colher o que se semeou); viver a partir do estômago.
Cobertura do princípio original: Mercúrio-Plutão.

Espasmos febris (sobretudo em crianças; ver também Febre)

Plano corporal: musculatura esquelética (motor, força).
Plano sintomático: mobilização geral contraída, tensa e pouco natural no combate a uma invasão estrangeira; exagerar no combate a uma solução que dê cabo da febre; em estado febril, não perceber mais a tensa expectativa; lutar pela vida com esforço encarniçado.
Tratamento: mobilizar todas as forças na luta pela decisão (crise); aproximar-se das coisas com tensa disposição para a luta; recuar o intelecto e lançar todas as forças para a luta.
Remissão: apresentar-se corajosa e valentemente para o combate e lutar pela sua (sobre)vida.
Cobertura do princípio original: Marte-Urano.

Esplenite

Plano corporal: pele ([forma mais freqüente de esplenite] delimitação, contato, carinho), pulmões (contato, comunicação, liberdade), intestino (assimilação de impressões materiais).
Plano sintomático: a partir de uma pústula junto ao local de entrada do agente causador, desenvolve-se um carbúnculo purulento; a nosografia estende-se para além daí, sendo quase sempre mortal; febre, inchaço dos gânglios linfáticos: mobilização geral e batalhas de defesa locais; processo inflamatório diluidor de sangue: luta agressiva de vida ou morte, que se inflama junto à fronteira externa.
Tratamento: apresentar-se com toda a força à luta pela própria vida; salvar a própria fronteira (pele) com todos os meios até sangrar; se for o caso, preparar-se para a passagem para o além.
Remissão: defender corajosa e aberta (ofensiva)mente sua própria pele; reconciliação com a própria mortalidade.
Cobertura do princípio original: Marte-Saturno/Vênus (pele), Marte-Mercúrio (pulmões, intestino).

Espondilite (inflamação da coluna vertebral; ver também Doença de Bechterew, Dores nas costas, Inflamação)

Plano corporal: coluna vertebral (apoio e dinâmica, retidão), costas (esforço).
Plano sintomático: inflamação do corpo vertebral (esclarecer e interpretar a situação que lhe está na base): luta agressiva pela retidão, pelo eixo da vida, ou seja, por seu componente masculino.
Tratamento: conduzir uma luta aberta (ofensiva) pelos fundamentos de sua própria retidão; aderir a si próprio, permanecer fiel a si mesmo.
Remissão: ficar na vertical.
Cobertura do princípio original: Saturno-Marte.

Espora no calcanhar

Plano corporal: calcanhar (ponto fraco).
Plano sintomático: *protuberância* (óssea) dolorida no ponto em que se pisa com o pé no chão; freqüentemente, cansaço insuportável devido à pressão ao pisar: su-

cumbir sob pressão no âmbito de sua própria perspectiva; desgaste aparente no ponto ferido do calcanhar.
Tratamento: o sintoma obriga a não pisar com muita força no nível físico (pisar leve): fincar um "pé leve" e estar suspenso pela vida, em vez de bater com os pés no chão; aprender a arrombar ofensivamente com os pés também quando sob pressão; se assim tiver de ser, deixar que se expanda a própria estrutura também sob dores; afirmar-se sob pressão; firmar-se novamente em si mesmo e progredir; reconhecer e confessar seu calcanhar-de-aquiles (ponto fraco).
Remissão: expansão no domínio de seu próprio ponto fraco, ou seja, do ponto de vista direito ou esquerdo.
Cobertura do princípio original: Netuno-Júpiter-Saturno.

Esquizofrenia (ver também Hebefrenia)
Plano sintomático: distúrbios nas relações sociais em pessoas com uma inteligência freqüentemente acima da média; → Alucinações, distração, falta de lógica, transposição de idéias da perspectiva das pessoas ditas normais; cisão e dispersão do pensamento, do sentir e do agir tendo como medida o habitual e o normal; a ilusão de perseguição é freqüente e até faz sentido do ponto de vista do paciente, uma vez que ele de fato é perseguido e encarcerado pelos normais, seja por encarceramento físico nos institutos destinados a esse fim, seja pela prisão química interior dos medicamentos; os distúrbios acompanhados falam de uma fuga de nosso mundo normal para um mundo das sombras que nos parece irreal, sendo contudo vivenciado pelos pacientes de maneira opressiva e real; segundo Joseph Campbell, o colapso esquizofrênico constitui "uma viagem conduzida para dentro e de volta, a fim de recuperar algo que lhe falta ou reconquistar algo perdido, pondo-se, desse modo, a vida novamente em ordem".

Tratamento (também para os familiares de pacientes): criar acesso ao mundo das vivências do paciente; reconhecer a separação da realidade em dois lados, a que estamos todos submetidos pela polaridade, como base do desenvolvimento esquizofrênico; conhecer e aprender a aceitar o reino das sombras como companheiro de viagem.
Remissão: poder diferenciar entre o mundo das sombras e a realidade e aprender a mantê-los separados.
Cobertura do princípio original: Urano-Netuno.

Esteatorréia (defecação gordurosa por insuficiência pancreática; ver também Problemas digestivos)
Plano corporal: pâncreas (análise agressiva, digestão dos açúcares).
Plano sintomático: brilhar num plano profundo e suspeito; impedir a recepção do suntuoso, abundante, maduro, impedir a admissão do "viçoso".
Tratamento: tornar-se consciente de seu problema com o supérfluo, luxuoso, gorduroso e abundante; afastar-se da abundância até o problema ser esclarecido, e então, a longo prazo, reconciliar-se com ele.
Remissão: fechar com a paz jupiteriana e reconhecer que o supérfluo e o luxuoso, e sobretudo a pergunta pelo sentido da vida, pertencem igualmente à vida.
Cobertura do princípio original: Plutão-Júpiter.

Estenose da aorta (estreitamento congênito ou adquirido da aorta)
Plano corporal: coração (sede do amor, da alma, do sentimento, centro energético), aorta (via principal da corrente da vida).
Plano sintomático: constrição na própria saída da aorta, fazendo que o organismo inteiro fique em estado de carência de abastecimento (→ Istmostenose aórtica que atinge somente a parte inferior do corpo); o coração trabalha contra uma forte oposição, a válvula de segregação

permanece fechada: enorme pressão no coração, menor pressão (sangüínea) no corpo; conseqüências para o coração: hipertrofia do lado esquerdo a desencadear desde → Angina de peito até → Infarto do miocárdio; conseqüências para o corpo: → Diminuição da pressão sangüínea, tonturas, desmaios por excesso de esforço; conseqüências no conjunto: carência de retenção (de alimentos) por parte do corpo e do coração; nenhuma pressão (sangüínea) na vida; o plano do sentimento do coração e a corrente de energia vital ameaçam esgotar-se; vida limitada.
Tratamento: ficar consciente de sua unilateralidade; reduzir drasticamente as próprias necessidades e aprender a contentar-se com pouco.
Remissão: dar preferência aos temas anímico-espirituais da vida em detrimento dos corporais; objetivo final no pólo oposto: incrementar também a região inferior do corpo (pólo feminino) mediante uma intervenção cirúrgica (aorta artificial); manter em fluxo a corrente da vida.
Cobertura do princípio original: Saturno-Sol.

Estenose pulmonar
Plano corporal: coração (sede do amor, da alma, do sentimento, centro energético); pulmões (contato, comunicação, liberdade).
Plano sintomático: falta de abertura para a corrente da vida na direção do intercâmbio energético; estreitamento/obstrução da energia vital; abastecimento deficiente dos pulmões, e com isso do corpo, com força vital renovada (*prana*); refluxo de energia no centro do coração: hipertrofia do coração direito, com risco de insuficiência do coração.
Tratamento: reduzir o intercâmbio e o dispêndio de energia nos outros planos, por exemplo, no âmbito econômico e social, para aliviar o corpo dessa tarefa; deixar fluir a corrente vital de maneira concentrada e consciente; aprender a viver com pouco, a resignar-se; concentração da energia vital nos temas cardíacos.

Remissão: viver conscientemente num melhor aproveitamento da energia vital.
Cobertura do princípio original: Sol/Mercúrio-Saturno.

Estenose tricúspide adquirida
Plano corporal: coração (sede do amor, da alma, do sentimento, centro energético).
Plano sintomático: em vez de o próprio centro se abrir suficientemente para a corrente vital, ele parcialmente a repele.
Tratamento: austeridade ao lidar com as energias vitais, sábia limitação ao essencial; buscar silêncio e solidão, calar-se; colocar-se a pergunta do sentido da vida (*religio*).
Remissão: realizar o meio-termo entre reserva e abertura; tornar-se mais esclarecido e maduro nos assuntos do coração.
Cobertura do princípio original: Sol-Saturno.

Esterilidade
Plano corporal: órgãos sexuais (sexualidade, polaridade, reprodução).
Plano sintomático: 1. socialmente considerando: registros das últimas quatro décadas revelam a queda pela metade da quantidade de espermatozóides (de 100 milhões para 50 milhões por centímetro cúbico) em decorrência do *stress* e de cargas (tóxicas) do meio ambiente; juntamente com a diminuição na quantidade, involução semelhante aparece na qualidade (maior número de espermatozóides imóveis e malformados): suave extermínio; quanto mais rica a nação, mais grave é o retrocesso na fertilidade (as substâncias tóxicas do meio ambiente denunciam-se tanto nos folículos como no fluxo espermático).
2. com referência à pessoa afetada: a defesa inconsciente impede que se deixe entrar uma alma, ou seja, numa alma; métodos de defesa: sobrecarga de trabalho, relacionada a uma falta de energia vital; inundação pelo *stress*, que em todo caso obstrui a sensibilidade; temores profundamente inconscientes tornando-o de tal modo estreito que nenhuma alma pas-

sa pelo desfiladeiro; muitos redemoinhos para um efeito reduzido: esforço *infrutífero*; descoberta de motivação ilegítima (busca de "amarrar" o parceiro por um filho); medo de compromisso e responsabilidade; o plano (fixação) de vida excessivamente experimentado e rígido parece intimidar as almas; recusá-lo como doador de vida; incapacidade de procriação: não estar em condições de dar seu testemunho à vida; não estar pronto para acolher.
Tratamento: 1. Reconhecer sua própria situação com relação à exigência excessiva na perspectiva anímica e ecológica; a fertilidade é eliminada; tanto quantitativa como qualitativamente, ela desce a ladeira com as nações industrializadas; é preferível fazer recuar de um desenvolvimento que faz adoecer do que, mais amplamente, fazer recuar toda a comunidade.
2. Tornar a motivação clara para si: na verdade, a decisão de ter uma criança deveria vir somente quando se estivesse pronto e grato para acolher cada filho, com o respectivo trabalho que traz cada um deles; esclarecer prioridades, o que vem primeiro e tem primazia: o desejo por um filho, o trabalho/carreira, ou o planejamento de vida?
Remissão: 1. Ao final e no plano figurado, resignar-se (encontrar idéias, soluções para os problemas que o pressionam no campo ecológico e da saúde: "menos é mais").
2. Fazer-se disposto em conformidade com o "Seja feita a Tua vontade"; estar aberto para o fato de que recebemos o que desejamos, ou então guardar algo mais importante, que talvez apenas não possamos ainda alcançar; conscientizar-se por si mesmo, em lugar de buscar a felicidade através de um filho.
Cobertura do princípio original: Lua-Saturno/Plutão.

Estiramento (ver também Cãibras)
Plano corporal: musculatura (motor, força), articulações (mobilidade, articulação).
Plano sintomático: dis-tensão, falsa tensão (distonia), *esforço* exagerado: *fazer*-se de muito forte; a rigidez mostra a camisa-de-força em que se vive.
Tratamento/Remissão: esforços no lugar certo e no tempo certo; descobrir o jogo da polaridade entre tensão e distensão e reconhecer a relação mútua de ambos os pólos.
Cobertura do princípio original: Marte-Saturno.

Estomatite (ver também Aftas)
Plano corporal: região da língua e da mucosa bucal (mucosa: fronteira interna, delimitação; boca: recepção, expressão, maioridade).
Plano sintomático: pequenos abscessos inflamados que conduzem a necroses brancas (circunscrição dos tecidos atrofiados) e supuram: conflito muito doloroso no âmbito do sabor; compromisso frouxo, que vai de encontro à pureza e à aptidão da saliva; salivação: a água lhe corre junto na boca e atraiçoa o prazer (inconsciente) no furioso conflito; febre: revela a disposição do corpo na mobilização geral para a batalha pela boca e pela maioridade.
Tratamento: muitas e pequenas discussões ofensivas conduzem ao tema do sabor e da escolha do que comer (por exemplo, após o jejum); perguntar-se o que é bom para si; defender-se ofensivamente contra o que não lhe é salutar; combater o compromisso frouxo com a questão da qualidade e da consciência; mobilizar todas as suas forças nessa luta aberta (ofensiva) pela própria boca (maioridade).
Remissão: escolher consciente e criticamente as coisas a que dará entrada.
Cobertura do princípio original: Lua-Marte.

Estrabismo (Monoftalmia funcional: as imagens do olho divergente são reprimidas)
Plano corporal: olhos (vista, discernimento, espelho da alma).
Plano sintomático: dificuldade em dar uma orientação à vida, olhar desorientado; excluir um pólo (as imagens do olho

estrábico são filtradas pelo cérebro, e assim deixam de contribuir para a formação de imagens, evitando a visão dupla); ver a realidade com um olho apenas; tem sua origem freqüentemente nos períodos de fraqueza da infância (nosografias graves): as crianças não podem mais abarcar as imagens e percepções vivenciadas, retraindo-se para um só pólo; visão unilateral: não há mais como manter os dois lados da realidade (da polaridade), as contradições tornaram-se insuportáveis; ausência de metade do campo de visão; não querer/poder perceber realmente: o mundo torna-se raso; visão de mundo bidimensional: discernir de maneira não-resolvida; incapacidade de apreciar o afastamento, de reconhecer a profundidade das coisas: mundo raso sem passagens profundas; um leve estrabismo pode se tornar um atrativo: revela certa fraqueza na percepção do mundo e, com isso, uma necessidade de ajuda (tida freqüentemente pelas mulheres como um atrativo nos homens).

Tratamento: tornar-se consciente das tendências de seu próprio ser; compreender os problemas relacionados com encontrar orientação; dedicar-se com intensidade ao lado visível (masculino ou feminino), até que a temática seja resolvida; desenvolver-se a partir do reconhecimento da limitação com que uma dimensão da visão desenvolve uma compreensão das dimensões mais profundas numa *perspectiva* figurada; compensar o olho que lhe falta, a dimensão que lhe falta, pelas realizações da consciência, para a partir daí aprender a descobrir a profundidade da realidade e desenvolver perspectivas; aprender a assumir sua necessidade de ajuda; mostrar abertamente que (ainda) lhe falta alguma coisa para chegar à perfeição; aprender a limitar-se (a uma metade da realidade).

Remissão: aprender a descobrir *Maya* como reflexo raso da verdadeira realidade; aprender a reconhecer a unidade por detrás do mundo das dualidades polarizadas; deixar crescer a verdadeira unidade a partir da visão unilateral; desenvolver a simplicidade na perspectiva da unidade.

Cobertura do princípio original: Sol/Lua-Urano.

Estreitamento do prepúcio ver Fimose

Estreitamento do ureter

Plano corporal: ureter (canal condutor das águas residuais).

Plano sintomático: passagem estreita no sistema de águas residuais ou de escoamento (esclarecer e interpretar o problema fundamental) conduz ao refluxo dos detritos anímicos nos rins (equilíbrio, parceria); obstrução no âmbito de escoamento do lixo da alma.

Tratamento: travar relações defensivas com os detritos da alma, passá-los em revista (por exemplo, no relacionamento) com o questionamento se ele é realmente supérfluo; tratar lentamente da eliminação de resíduos e do abandono de temas anímicos.

Remissão: dar-se tempo para lidar com temas anímicos elaborados; deixar que se façam sentir ainda mais cedo.

Cobertura do princípio original: Lua-Saturno.

Estreitamento do vaso coronariano cardíaco ver Angina de peito

Estruma ver Bócio

Excesso de peso ver Obesidade

Excesso na produção de leite ver Hipergalactia

Excitação anormal do olfato ver Hiperosmia

Exostose ver Cisto sinovial

Exsicação (ressecamento; perigo sobretudo para as crianças)

Plano corporal: o organismo inteiro é afetado, cada célula perde água.
Plano sintomático: perda de água (alma) por todas as células: a energia vital torna-se portadora (engrossamento do sangue); esmorecem as forças do coração; a superfície (pele) fica enrugada, *parece envelhecida*: vontade inconsciente de se esquivar?
Tratamento: alopatia com urgência: tomar consciência de seu próprio estado de enxugamento e ressecamento; tomar mais alma (água) para si; beber; a longo prazo, homeopaticamente: em certa medida, fazer recuar o anímico em favor de reflexões enxutas e insípidas; deixar fluir calmamente o fluxo da vida; adiar as emoções: comportar-se de maneira adulta e madura; desenvolver um caráter seco com um olhar voltado ao essencial.
Remissão: só quando a água vai embora é possível conhecer o fundamento (um navio vai até a doca seca para ser reparado): perfurar para chegar ao essencial, ser sóbrio.
Cobertura do princípio original: Saturno.

Extra-sístole
Plano corporal: coração (sede do amor, da alma, do sentimento, centro energético).
Plano sintomático: o próprio centro está descompassado; estar entupido: incapacidade de se submeter a uma idéia superior; teimosia com as coisas centrais.
Tratamento: sair conscientemente do papel prescrito e fazer reivindicações centrais à peculiaridade e originalidade; desistir do trotar habitual e atrever-se a algo novo; vivenciar a individualidade; ultrapassar os limites, dançar fora da marca, idéias "tresloucadas", vivenciar acessos criativos.
Remissão: encontrar seu ritmo próprio (particular); ser à sua própria maneira.
Cobertura do princípio original: Sol-Urano.

F

Faringite ver Dores no pescoço, Inflamação

Febre (ver também Inflamação)
Plano corporal: afeta todo o organismo.
Plano sintomático: ser fogo e chamas no plano corporal em vez de na consciência (febre de paixão); mobilização geral (dos exércitos) do corpo na luta contra a invasão de penetras estranhos (bactérias, vírus): o conflito generalizado, que envolve todo o ser; a cada grau de febre eleva-se em mais que o dobro sua intensidade de luta (com a correspondente elevação da taxa de metabolismo); estar na expectativa/tensão febril de uma solução contra a febre; em vez de ferver de raiva, estufar-se com o próprio calor interno; escaldar problemas (aborrecidos); marca de saudável força defensiva, sintoma pior seria a incapacidade de ficar febril; febre alta na infância (em ligação com as correspondentes → Doenças infantis) revela uma satisfação do conflito no plano corporal a princípio ainda incipiente (no plano anímico apresentam-se assim, entre outras coisas, a fase da teimosia, os acessos de raiva, o prazer pela aventura, a audácia e a curiosidade infantis).
Tratamento: discussão aberta (ofensiva) com os conflitos espirituais; treinar a disposição para o combate no plano da consciência (presença de espírito nas respostas verbais, língua rápida e afiada, argumentos imbatíveis, oratória fulminante, etc.); alimentar o fogo do entusiasmo, do mesmo modo como na febre de amar/trabalhar/fazer negócios.
Remissão: tomar decisões: tirar a espada da bainha e desferir o golpe; meter-se (em discussões); apresentar-se para a batalha (da vida).
Cobertura do princípio original: Marte.

Febre do feno (ver também Alergia)
Plano corporal: nariz (poder, orgulho, sexualidade), pulmões (contato, comuni-

cação, liberdade), brônquios (canais de ligação entre o mundo interior e o exterior).
Plano sintomático: medo da sexualidade, instinto, fertilidade, amor; defesa desse âmbito da vida por meio de luta perigosa contra representantes desses temas, como o pólen das flores (semente [sêmen] masculina[o] de plantas) e outras sementes (capim, feno); fechar-se agressivamente para esses símbolos: incha-se o nariz, incham-se os brônquios; medo da força potencial, de testemunhar a vida; acúmulo de agressividade, liberada na primeira oportunidade (que for simbolicamente conveniente); sistema defensivo composto por alta artilharia, armado até os dentes com armas dirigíveis (anticorpos) contra os símbolos da fertilidade.
Tratamento: reconhecer a estreiteza e defesa (inconscientes) perante o domínio erótico-sexual; reconhecer nos pólos os representantes dos temas receados; aprender a reconhecer e apreciar a agressividade como uma das forças fundamentais da vida; tornar-se consciente das próprias limitações e superá-las em vida; orientar o próprio acúmulo de agressividade para propósitos lucrativos; contemplar a sua própria alta artilharia e aprender a ver a própria agressividade (contida); descobrir a sexualidade não-vivida ou mortificada e atacar o tema novamente; acolher aberta (ofensiva)mente a luta pelo próprio prazer e capacidade de amar.
Cobertura do princípio original: Marte-Saturno/Plutão/Netuno.

Febre glandular de Pfeiffer ver Mononucleose

Febre intermitente ver Malária

Febre puerperal
Plano corporal: afeta todo o organismo.
Plano sintomático: infecção que se manifesta após o término da gravidez (ou aborto) com uma septicemia (que geralmente tem sua origem com os médicos, pelas intervenções sem esterilização): conflito no parto que ameaça a vida.
Tratamento: envolver-se em uma luta de vida ou morte no que diz respeito à nova situação: resolver corajosa e aberta (ofensiva)mente, e também no âmbito anímico-espiritual, um conflito ameaçador em torno do novo papel, para aliviar o corpo.
Remissão: a mulher deve travar discussões existenciais depois do nascimento, momento em que todos querem poupá-la, antes que o corpo as assuma por si próprio.
Cobertura do princípio original: Lua-Marte.

Febre tifóide
Plano corporal: ala digestiva (*bhoga*: comer e digerir o mundo).
Plano sintomático: passando por dores no pescoço e na cabeça, a febre eleva-se até quarenta graus, dores abdominais com alternância entre diarréia e prisão de ventre, estados de fraqueza até a incapacidade de falar; as complicações são hemorragias e perfurações intestinais, meningite e psicoses: no submundo, luta pelo intestino, pela digestão dos alimentos e da vida; a febre indica a mobilização geral de sua própria defesa; a alternância entre diarréia e prisão de ventre denotam os medos alternadamente profundos; as hemorragias e perfurações no intestino remetem à luta de sangue e às provas decisivas por que passa a zona digestiva.
Tratamento: conduzir um conflito pela assimilação e digestão da vida, que é maciço e exige toda a força; envolver-se voluntariamente com seus próprios medos; dar sua energia vital em luta e também não temer provas decisivas.
Remissão: envolver-se em uma discussão no submundo e pelo submundo, que é o reino das sombras; reconciliar-se com seu próprio lado obscuro, de modo que ele não possa lhe fazer nada pelas costas.
Cobertura do princípio original: Plutão-Marte.

Feocromocitoma (supra-renaloma hipertensivo ou hipernefroma medular; ver também Hipertensão)
Plano corporal: cápsula/glândula suprarenal (central para regulagem do *stress*, da economia de água e da vida sexual).
Plano sintomático: por ser um tumor rico na produção de adrenalina e noradrenalina, provoca crises de hipertensão arterial: passar por fases de extrema pressão; posteriormente, passagem para uma contínua pressão alta: não sair mais da situação de pressão.
Tratamento: de maneira voluntária, e sob forte pressão, pôr-se em luta pelo tema decisivo (para a vida); descobrir que problema, que sempre volta a pressionar fortemente sem ser resolvido de fato, corresponde simbolicamente ao tumor.
Remissão: posicionar-se para a grande luta e esclarecer o problema que está na base.
Cobertura do princípio original: Marte-Júpiter/Plutão.

Fervor-do-sangue ver Urticária

Fetichismo
Plano sintomático: excitação sexual por contato com partes do corpo e objetos (por exemplo, sapatos vermelhos, roupas íntimas); estreitamento do resgate da excitação sexual; o domínio erótico-sexual é cunhado num desencadeador atípico; separação entre forma (sexualidade) e conteúdo (amor); medo das pessoas, já os objetos parecem inofensivos.
Tratamento: retorno consciente (psicoterapêutico) ao local e momento de saída do estreitamento do canal de excitação e do novo vivenciar das lembranças cunhadas; esclarecer, entender e com isso reconciliar-se com sua simbologia; meditar sobre o significado dos fetiches no sentido espiritual; expandir novamente a capacidade de excitação aos órgãos sexuais secundários e primários.
Remissão: reconhecer, ter diante dos olhos e perseguir o alvo do caminho da vida e de toda a encantadora criação de Deus.
Cobertura do princípio original: Urano-Vênus.

Fibromatose (excrescência tumorosa do tecido conjuntivo de diferentes órgãos)
Plano corporal: o organismo inteiro pode ser afetado.
Plano sintomático: desalojamento do essencial pelo não-essencial (aumento do tecido conjuntivo mediante o deslocamento do tecido do órgão específico); a criadagem assume o poder (tumor transbordante das células de ligação por encolhimento das que são especialistas: funcionários públicos); há risco devido à queda do assunto (órgão) correspondente.
Tratamento: instilar mais significado no plano dos órgãos secundários, não-essenciais; cuidar dos tons intermediários, ficar às voltas com os pormenores; levar a sério os compromissos, aprender a apreciar o atrelado e obrigatório; apresentar compromisso de realização.
Remissão: conhecimento de que corpo e vida compõem-se essencialmente de muitas pequenas coisas e passos, considerando o seguinte: "o alvo é o caminho".
Cobertura do princípio original: Mercúrio-Júpiter, Saturno.

Fígado adiposo
Plano corporal: fígado (vida, valoração, *religio*), tecido adiposo (abundância, reserva).
Plano sintomático: expansão devido às altas exigências na assimilação do excesso (o mais das vezes, bebidas espirituais); no começo, um crescimento razoável, logo porém se tornando apenas uma massa gordurosa, havendo perda de função; avaliação errônea do que é útil ou nocivo/venenoso; imoderação na recepção: o armazenamento — na verdade uma tarefa secundária do fígado — aqui vem exceder a sua capacidade e todas as outras funções dominantes; o desejo de expansão é excedido, bem como os ideais elevados

demais e as grandes fantasias; perda de energia e de potência como corretivo para algo excessivo: desleixo com assuntos ideológicos.
Tratamento: expansão nos domínios da filosofia e da religião em vez de expandir-se no plano da vida; conflito espiritual com coisas ideológicas e não com bebidas espirituais ("*In vino veritas*" não basta); exagerar no plano anímico-espiritual; encontrar planos resolvidos de armazenamento: até mesmo o saldo da conta bancária confere-lhe mais segurança do que o fígado; ser mais econômico no esgotamento das energias (também as sexuais).
Cobertura do princípio original: Júpiter-Júpiter.

Fimose (aperto do prepúcio contra o pênis)
Plano corporal: prepúcio (cortina que protege a ponta-de-lança).
Plano sintomático: estreitamento do prepúcio, habitualmente congênito, por vezes resultante de inflamações crônicas, fazendo que ele fique impossibilitado de pôr a glande a descoberto: não querer perder o escudo protetor da infância; não poder/querer mostrar a ponta da masculinidade; não querer bancar sua própria masculinidade; envergonhar-se de sua sexualidade e prazer; dificuldade para bancar-se como homem e revelar a "jóia da força masculina"; dificuldade para tirar a espada da bainha e tomar decisões.
Tratamento: em algumas culturas, circuncisão como ritual da puberdade, pela qual a glande fica livre como símbolo da força masculina despregada para sempre; entre nós, realiza-se mecanicamente a abertura ou, se necessário, a operação (a circuncisão realizada antes da puberdade e sem um contexto ritualístico não leva o menino a tornar-se homem, mas ainda assim possibilita um passo nessa direção); tornar-se consciente do estreitamento no âmbito masculino e sexual e eliminá-lo em todos os planos antes que ele se torne ainda mais incômodo para a higienização da glande; criar coragem para mostrar e demonstrar sua masculinidade; tornar-se um bom amante (um amante por mais tempo), uma vez que a glande, então descoberta pela circuncisão, fica menos sensível (vantagem para a parceira e, nessas condições, desvantagem para o homem); se a correção for adiada, há risco de um futuro câncer no pênis, por impossibilidade de higienizá-lo adequadamente (não há registro de câncer no pênis em circuncidados).
Remissão: tornar-se consciente do aperto dado de antemão ou resultante do conflito no âmbito de sua própria masculinidade, expandir-se para esses domínios e ocupar o espaço de que se precisa para se tornar um homem adulto (deixar o pênis assumir proporções e postura masculinas).
Cobertura do princípio original: Marte/Lua-Saturno.

Fissura do maxilar ver Fissuras da face

Fissuras anais
Plano corporal: reto (entrada e saída para o submundo), pele (delimitação, contato, carinho).
Plano sintomático: laceramento e fenda da mucosa anal (esclarecer e interpretar a situação fundamental; obstipação): "arreganhar o traseiro", incomodar-se em demasia ou dar-se muito trabalho; ter de eliminar os maus pedaços, machucar-se com isso; saída traseira esfolada: comportamento impuro no próprio saguão; sangrar na região traseira: perda de força vital (oferecer sangue em sacrifício).
Tratamento: ocupar-se com a questão sobre para quem ou para o que se quer escancarar o traseiro; eliminar os pedaços grandes do reino das sombras, de preferência no sentido figurado; deixar claro pelo que é que se paga tão caro nas costas; intervir vigorosamente em favor de outrem.

Remissão: saída traseira mais limpa e clara devido à franqueza para com o plano anímico-espiritual em relação aos temas obscuros e aparentemente impuros.
Cobertura do princípio original: Plutão.

Fissuras da face (lábio leporino, quilognatopalatósquize)
Plano corporal: rosto (cartão de visita, individualidade, observação).
Plano sintomático: mais freqüente como fissura labial lateral (lábio leporino), quando não fissura intermediária entre o lábio e o palato; um defeito bem no meio do rosto: estar marcado, mas também ser distinto; em todo caso, ser *outsider* e fora dos padrões; trabalho que o destino traz consigo, que anseia por uma solução; dificuldade de se tornar uma personalidade fechada por causa da fissura labial aberta; problemas para amadurecer, uma vez que a boca não se deixa fechar completamente e, estando aberta, causa problemas.
Tratamento: aceitar sua particularidade e aceitar-se conscientemente como marcado (tornado diferente) pelo destino (por exemplo, fissura encontrada muito freqüentemente em xamãs); depois do fechamento do defeito físico por uma cirurgia, inclinar-se para o fechamento anímico do defeito no âmbito da sensualidade; exercitar questões relativas à maioridade: prática verbal, salvar sua pele; assumir responsabilidade por si mesmo onde houver oportunidade para isso.
Remissão: reconciliação com as tarefas do destino traçado (da distinção); fazer de si algo especial: a transformação possível apenas para si mesmo.
Cobertura do princípio original: Saturno-Urano.

Fissuras na pele ver Rágades

Fissuras palatinas ver Fissuras da face

Fístula (ligação entre diferentes órgãos côncavos ou caminhos para o exterior, envolvendo também um tubo colocado artificialmente [fístula estomacal para a nutrição, fístula intestinal como saída artificial])
Plano corporal: diferentes órgãos podem ser afetados.
Plano sintomático: buscar remédios alternativos, desvios e atalhos; superatuação perigosa; busca reparadora mal dirigida; busca de melhora que não traz nenhuma vantagem; reparo na criação (do corpo), o primeiro (o reparo) pondo em risco o segundo (o corpo); risco de descuidar de assuntos estimulantes (provocantes) em domínios onde nunca foram ouvidos ou tornados perigosos.
Tratamento: buscar remédios alternativos no âmbito anímico-espiritual; trilhar caminhos novos e pouco convencionais; transportar temas de variados caminhos para outros domínios; ousar melhorias, mas examinar sua qualidade; conduzir corajosamente e por novos caminhos o conflito em torno do liberar e assim resolvê-lo.
Remissão: novos caminhos para a eliminação de resíduos; caminhos pouco convencionais para o liberar; melhorias criativas e novas orientações.
Cobertura do princípio original: Mercúrio-Urano.

Fístula intestinal (ligação indevida do intestino com a superfície do corpo ou com algum outro órgão côncavo)
Plano corporal: intestino (assimilação de impressões materiais).
Plano sintomático: assuntos relativos às sombras em desvios ou caminhos errados; conteúdos sombrios impelem caminhos problemáticos, insólitos e espetaculares para a luz da consciência, e com isso corre-se o risco de guerras e conflitos; contrair ligações perigosas no submundo; buscar atalhos perigosos (caminhos de fuga).
Tratamento: integração das sombras em vez de buscar evitá-las (caminhos de fuga): trazer as sombras para a luz de modo inu-

sitado e criativo; conceber caminhos de assimilação das sombras; de maneira corajosa e ofensiva, também buscar atalhos (em vez de proceder a rodeios); procurar por assuntos sombrios também em domínios completamente inesperados.
Remissão: reconciliação com os domínios obscuros da própria existência mediante a compreensão de suas manifestações individuais.
Cobertura do princípio original: Plutão-Urano-Mercúrio.

Fístula na bexiga
Plano corporal: bexiga (segurar e liberar pressão), intestino (assimilação de impressões materiais), vagina (entrega, prazer).
Plano sintomático: 1. fístulas internas: ligação entre bexiga e intestino ou bexiga e vagina; 2. fístulas externas: águas residuais buscam outras saídas, diretas; passagem de temas estimulantes (agentes provocadores) para o âmbito sexual, isto é, da digestão; ligação entre os caminhos das águas residuais e a eliminação do lixo, isto é, vagina: detritos anímicos em rodeios e desvios, rotas de fuga tornando-se caminhos errados.
Tratamento: buscar remédios alternativos anímicos para se livrar de todos os assuntos antigos e ultrapassados; resolver corajosamente os conflitos que envolvem o liberar; abandonar caminhos previamente oferecidos para a eliminação de águas residuais anímicas.
Remissão: estabelecer ligações, utilizar caminhos novos e não-convencionais de liberação; permitir e promover a mistura de âmbitos anímicos até então separados.
Cobertura do princípio original: Urano/Netuno-Mercúrio.

Flatulência/gases (ver também Distensão abdominal aguda)
Plano corporal: intestino grosso (inconsciente, submundo), reto (submundo).
Plano sintomático: geralmente no campo da flora intestinal destruída (fonte: antibióticos [contra a vida], *fast-food*, etc.);

agressividade no desencaminhar-se: "há algo de podre no reino da Dinamarca", "não fede nem cheira"; vapor em vez de energia construtiva; valiosa energia desaparece pela porta dos fundos; carência de força de integração anímica; ter de incorporar coisas que não foram recebidas, mas fedem.
Tratamento: liberar pressão no tempo certo; aprender a aparentar agressividade, ser "invocado", o contrário do que "não fede nem cheira"; mostrar não ser o caso de que determinada pessoa não lhe fede nem cheira e de como você pode feder e cheirar com relação a isso: desenvolver coragem para um confronto direto.
Remissão: aprender a comer e digerir o mundo (hindu: praticar o *bhoga*); assimilar de modo imediato e em seu devido tempo.
Cobertura do princípio original: Plutão.

Flebite ver Trombose

Flebotrombose da pelve (ver também Trombose, Edema estrumoso [ou asfixiante] simétrico das pernas [eritrocianose das pernas])
Plano corporal: pelve (fundamento da vida, caixa de ressonância), pernas (mobilidade, progresso, firmeza).
Plano sintomático: coagulação e derramamento da energia vital: o fluxo vital é (dolorosamente) deficiente; risco de embolia pulmonar (impedimento de comunicações importantes para a vida); o retorno da energia vital para o centro (fonte da juventude) está bloqueado; no transporte de volta da energia reside algo transversal: pouco ou nada dar em troca pelo que se gastou — no âmbito esquerdo feminino ou no âmbito direito masculino; fluxo vital interrompido na região da pelve/perna (freqüentemente associado a uma prolongada imobilidade e a pílulas hormonais); acúmulo na perna: acentuação das extremidades inferiores e do pólo corporal inferior (feminino); dolorosas dificuldades com a perna, que está lenta e pesada de-

vido à água anímica represada e retida mais abaixo; grito de socorro da perna afetada, pela eliminação de resíduos acumulados; impedimento de movimento e desenvolvimento: repouso obrigatório.
Tratamento: concentrar-se em sua vitalidade; retardar espontaneamente o fluxo vital e conduzir o navio da vida por águas mais tranqüilas; ressaltar espontaneamente o dar perante o receber; ao feminino em questão conceder mais donativos e vigilância (peso); encontrar (na tranqüilidade) o seu centro gravitacional, atacar as coisas com tranqüilidade interior; deixar-se cair e arriscar seguindo a medida da sensibilidade.
Remissão: reconciliação e harmonização dos pólos dar e receber; consciência em forma de uma corrente mais tranqüila da energia vital, para que se descubra o verdadeiro centro gravitacional de sua missão; esgotar-se no que se refere ao gozo (sem segundas intenções); no pólo oposto: levar em conta a volta às origens.
Cobertura do princípio original: Lua-Saturno.

Flegmão (inflamação expandida do tecido conjuntivo)
Plano corporal: tecido conjuntivo (ligação, consistência, compromisso).
Plano sintomático: expande-se na maioria das vezes na fenda do tecido, trazendo com isso o risco de uma septicemia generalizada: conflito que se aprofunda, tendendo à cronicidade no plano das ligações e compromissos interiores, que se amplia corrosivamente nas fendas distantes do corpo e contém em si o perigo de um envenenamento transbordante e ameaçador.
Tratamento: decidir guerras pelas armas até em seus planos profundos e envolver-se em grandes batalhas, que transportam para cima muito da matéria do conflito, destroçando alguma que seja de porcelana (sucata de guerra em forma de pus);

intervir e pôr um termo à ameaça antes que seja tarde.
Remissão: para proteger sua vida, não temer nem mesmo os mais profundos conflitos.
Cobertura do princípio original: Marte.

Fibrilação atrial/ventricular
Plano corporal: coração (sede do amor, da alma, do sentimento, centro energético).
Plano sintomático: no campo das lesões tóxicas do coração (glicosido cardíaco), → Infarto do miocárdio, → Embolia pulmonar, acidentes da corrente, etc.: o coração está confuso, estar totalmente confuso quanto aos assuntos do coração; os impulsos que dizem respeito ao centro da vida movem-se em círculo; muitos redemoinhos no coração sem resultado; caos absoluto com relação a informações no centro da vida — o estado de se fazer um com o (sobre)viver é compatível apenas por um breve período; ondulação e agitação do coração, que não encontra seu caminho (sua pulsação): o centro se revolta (luta de morte); a batida do coração em todas as ocasiões chama o coração à consciência; medo de atacar temas decisivos que gravitem em torno do amor.
Tratamento: deixar-se eventualmente confundir com corações quentes; deixar-se girar em torno do coração e seguir seu caminho torto e ilógico; dar-se ao caos (subjacente) do sentimento; descobrir o que está por trás do sentimento; no plano alopático e salvador de vida: acordar para a vida; dominar fortemente o medo da morte; chegar a decisões que restaurem a hierarquia do coração (a desfibrilação médica desapossa todos os centros para proporcionar novamente a força ao primeiro [o gânglio sinoidal]; reencontrar o caminho de volta à hierarquia: em primeiro lugar o mais alto, isto é, descobrir a verdadeira ordem que subjaz ao visível; unir-se no centro de impulso num objetivo (de primazia do coração), ou seja, decidir-se pela vida.

Remissão: reconhecer e aceitar a hierarquia como domínio do sagrado; decidir-se pelo mais alto em primeiro lugar.
Cobertura do princípio original: Sol-Netuno (caos).

Flebite (tromboflebite: ver também Trombose, Varizes nas pernas)

Plano corporal: tecido conjuntivo (ligação, consistência, compromisso), vasos sangüíneos (vias de transporte da força vital).
Plano sintomático: discussão agressiva, conflito violentamente doloroso em torno do congestionamento no regresso da energia vital; sobrecarga no sistema transportador de energia; mobilidade reduzida: estar atolado, encalhado, entalado; não-vida em corpo vivo.
Tratamento: lutar pelo resgate da energia vital; querer ter de volta o que se havia dado definitivamente; aceitar o repouso obrigatório, para se ocupar com a dor, que prepara o congestionamento de energia em seu próprio sistema.
Remissão: resolver os conflitos resultantes do congestionamento e retardo da corrente de energia vital.
Cobertura do princípio original: Vênus/Marte-Saturno.

Fobias (ver também Medo, Agorafobia, Claustrofobia, Neurose do coração, Medo de câncer, Nictofobia)

Plano sintomático: experiências provenientes de tempos completamente outros e suas respectivas atitudes ameaçam o presente: lapsos de tempo como no caso da Neurose; estados de pânico crônicos, cuja base irreal é muitas vezes conhecida do paciente, que porém não consegue dominá-los devido aos componentes simbólicos inabarcáveis, dentre eles:
1. Carcinofobia (medo de câncer; medo do caráter devorador da doença): conhecer e aprender a aceitar o devorador em seu próprio ser; conhecer as deusas das trevas, Hécate e Kali.
2. Medo de altura (medo de cair): encontrar em si e aceitar o medo arquetípico da queda do Paraíso.
3. Medo de animais: reconhecê-los, assim como as tarefas de aprendizado que neles se encontram; reconhecer na cobra o seu próprio ser cobra (sedução na polaridade, tentação); cair na teia de seu próprio modo de teia (cair na armadilha, temer a luta campal, afirmar outras); reconhecer no cão (no lobo) sua própria agressividade inconsciente (latir agressivo, arreganhar dos dentes); reconhecer nos ratos (símbolos de imundície e sujeira) tendências impuras (transmissão da peste); reconhecer nos camundongos a rapidez de um raio, o incontrolável, o aconchego erótico, o que invade por toda a parte, bem como o ladrão parasita (que vive de mesas e provisões alheias).
4. Eritrofobia (medo do enrubescer): aceitar sua própria vergonha e, por outro lado, seu apetite sexual; reconhecer seus próprios sentimentos de inferioridade e sua dependência da opinião de outras pessoas.
Tratamento (em conjunto): encontrar e aceitar o que lhe causa medo no seu próprio ser; corrigir o lapso em que se deixa claro a que outros lados pertence a experiência tida por ruim; terapia da reencarnação.
Remissão: reconciliar-se com esses elementos da alma e liberar para outros domínios a energia aqui comprometida.
Cobertura do princípio original: Saturno (a estreiteza do medo em geral)-Plutão.

Foco (inflamação [crônica])

Plano corporal: quase todo o organismo pode ser afetado.
Plano sintomático: conflito tornado crônico, em geral com inchaço; energias vinculadas (de maneira belicosa), situação não liqüidada, conflito prolongado; nem verdadeira guerra, nem verdadeira paz: compromisso frouxo e morno; a carência de energia obstrui uma verdadeira solu-

ção; medo das conseqüências de seus atos e da responsabilidade; medo, ou seja, ausência de coragem e força para chegar a uma decisão: estagnação, guerra de posições; medo dos sacrifícios vinculados a uma decisão; recusa em aprender lições já há muito acumuladas.

Tratamento: descobrir local e tema do conflito; conduzir a energia da consciência para esse local/tema; solução homeopática de longo prazo: viver sob fogo cruzado, agüentar firme, fiar-se em alguma coisa, dar um tempo; zazen; buscar o centro, justiça seja feita a ambos os lados; suportar a estreiteza da situação, até que ela se estenda a seu ponto alto; solução alopática de curto prazo; chegar a decisões (tirar a espada da bainha); converter energia retida (potencial) em energia viva (cinética) e o inverso (pôr a situação em movimento; acalmar os nervos: jogar com energias; ter vontade de atravessar as próprias fronteiras ou recolher-se completamente; estar honestamente em conflito e chegar a decisões conseqüentes.

Remissão: caminho homeopático: assumir *responsabilidades;* encontrar respostas; desenvolver a simpatia, pois há também o outro lado (de seu ponto de vista); encontrar o meio: a harmonia como compromisso bem-sucedido entre a guerra e a paz (a deusa harmonia como filha da deusa do amor, Vênus, e do deus da guerra, Marte); busca conseqüente e persistente pelo caminho do meio; agir não agindo: agir renunciando aos frutos do agir, para acabar com a estagnação, mas sem fazer com que o pêndulo se incline para o outro pólo; conhecimento de que grandes vitórias conduzem a grandes guerras e de que a quietude conduz a uma calma interior; integração primeiramente de um, depois do outro pólo; estar curado, tornar-se consciente; disposição para a reconciliação, disposição para um verdadeiro compromisso ("a qualquer que te ferir na face direita, volta-lhe também a outra"); caminho alopático: discussões e debates quentes ("Seja quente ou frio, pois o morno eu vomitarei").

Cobertura do princípio original: Saturno-Marte.

Foliculite (bolhas; ver também Acne juvenil)

Plano corporal: couro cabeludo e aberturas das glândulas sebáceas da pele (delimitação, contato, carinho).

Plano sintomático: algo se passa por debaixo da pele, e o local se intumesce; na profundidade do conflito deflagrado faz-se uma saída para a consciência (ar), pela qual ele irrompe para cima, para a visibilidade; desenvolvimento vulcânico: na superfície (da pele) torna-se visível o que na profundidade misturou-se em tensão e carga, aguardando para ser despejado e evadido; ruptura de uma mensagem (simbólica) na fronteira (pele).

Tratamento: por livre e espontânea vontade, dar uma atenção adicional a assuntos que lhe entraram sob a pele e não foram assimilados; ceder a assuntos que vêm de baixo, sendo impelidos para cima; fazer frente a derramamentos e evasões de energias interiores e promovê-los; questionar normas; possibilitar contatos; providenciar intercâmbio.

Remissão: proporcionar a ruptura; deixar as próprias fronteiras para trás.

Cobertura do princípio original: Marte-Urano (evasão)/Netuno (fuga)/Plutão (vulcão).

Formas particulares de queda de cabelo

(**Plano sintomático** de **Tratamento**)
1. Queda de cabelo em forma de círculo (*Alopecia areata*): estar em profunda e inconsciente aflição e desgosto (por exemplo, pela perda prematura de um irmão; *arrancar-se os cabelos* de tanta dor), estar de luto conscientemente, recuperar o ritual do luto; num âmbito delimitado, desligar-se de estruturas sobreviventes.

2. Queda de cabelo no homem tomando forma semelhante à de uma coroa de monge: abrir-se para esferas mais altas.
3. Entradas: abrir-se para aspectos filosóficos e coisas do espírito.
4. Testa alta: abrir espaço para os mundos espirituais, trazer o aspecto espiritual da própria vida para o primeiro plano.

Fotodermatoses (actinodermatites)

Plano corporal: pele (delimitação, contato, carinho).

Plano sintomático: reagir à radiante luz do sol ou ao sol a pino com maturidade e formação de bolhas; experimentar a claridade, o lado luminoso da realidade, o pólo masculino (inconsciente) como perigoso e combatê-los em suas próprias superfícies fronteiriças e de contato (pólo oposto: a lua como arquétipo feminino); febre e sensação de estar doente: mobilização geral contra a lua e sua simbologia; temer a própria luz interior: pessoas que tendem a tomar o pior de si (sombras luminosas): as próprias sombras defendem-se contra a simbologia da luz.

Tratamento: ocupar-se criticamente de seu lado luminoso; fazer frente aberta (ofensiva)mente a suas próprias aparências luminosas e verificar se tudo o que reluz é realmente luz; reconciliar-se com ambos os lados da própria alma: a aceitação da sombra também faz com que a luz possa ser mais bem suportada.

Remissão: conhecimento de seus próprios lados luminosos e, com isso, aceitação mais fácil dos componentes anímicos obscuros.

Cobertura do princípio original: Saturno/Vênus (pele)-Sol.

Fraqueza da cápsula do ombro ver Luxação do braço

Fraqueza do tecido conjuntivo

(ver também Hemorragia, Pressão baixa, Varizes nas pernas, Trombose, Bolsas lacrimais)

Plano corporal: tecido conjuntivo (ligação, consistência, compromisso).

Plano sintomático: falta de consistência, tendência à flexibilidade, falta de elasticidade interior; vida em gotas; vulnerabilidade, guardar rancor (manchas roxas) ao menor golpe; falta de capacidade de fixação e de ligação; a confiança está baixa e facultativa; dificuldade em dar forma às tarefas anímico-espirituais; atitude de sacrifício; desejo de facilitar algo para alguém pondo-se a si próprio em situação difícil.

Tratamento: aprender a fluir conscientemente com a corrente da vida; flexibilidade consciente: Tai-Chi; para o processo interno, inserir de fora uma energia vital que havia sido poupada; estabelecer uma sensibilidade construtiva (por exemplo, como educador intuitivo e compreensivo, terapeuta, etc.); transpor conscientemente o *"panta rhei"* (tudo flui), permanecer em movimento e desenvolvimento; atacar tarefas interiores com abnegação e dedicação; sacrificar-se em vez de se dar em sacrifício.

Remissão: dedicação, abrir-se; encontrar orientação e estrutura próprias; ter a suavidade nos sentimentos, não nos tecidos; no pólo oposto: ligação e consistência interna; dar consistência a tudo aquilo de que se pende e se puxa.

Cobertura do princípio original: Lua/Vênus-Netuno.

Fratura (da base) do crânio (ver também Acidentes, Acidentes de trabalho/acidentes domésticos, Acidentes de trânsito)

Plano corporal: cabeça (capital do corpo).

Plano sintomático: o partir dos ossos do crânio devido à aplicação de violência extrema do exterior: ruptura na capital do corpo; ameaça à vida pelas lesões internas que acompanham as externas e pela freqüente e penetrante elevação da pressão interna do crânio; em sua base acha-se o local de saída de muitos nervos cerebrais e vasos: risco para a comunicação e para o abastecimento.

Tratamento: manter-se aberto no plano mais alto (de orientação) para todos os impulsos externos; ficar inteiramente na expectativa da dureza da realidade; de boa vontade, deixar que se deteriorem antigas estruturas do pensamento e da ação.
Remissão: quebrar a cabeça, de preferência ao buscar soluções para problemas perigosos.
Cobertura do princípio original: Marte/Saturno-Urano.

Fratura (ver também Acidentes, Acidentes de trabalho/acidentes domésticos, Acidentes de trânsito)
Plano corporal: ossos (estabilidade, firmeza).
Plano sintomático: sossego obrigatório; interrupção da continuidade; não reparar/desencontrar-se do fim de um desenvolvimento; interrupção do antigo; interrupção de um caminho que estava marcado por alta atividade e movimento; superextensão, exagero; o arrombar de algo solidificado, inflexibilidade, busca de insurreição.
Tratamento: conceder-se voluntariamente o sossego; interromper a rotina monótona do caminho da vida; preparar-se conscientemente para o fim de um desenvolvimento; desenvolver a disposição de romper com o antigo; cuidar para que as energias gastas permaneçam sob controle; aprender a se curvar oportuna e voluntariamente e a atender a suas necessidades; proceder a uma nova orientação: proporcionar uma ruptura ao novo; insurgir-se contra as normas firmemente estruturadas e quebrá-las.
Remissão: ousar na vida e considerá-la um desafio, trazer uma alteração ao trilho da vida firmemente encaixado.
Cobertura do princípio original: Saturno-Urano.

Fratura de costela
Plano corporal: tórax (sentimento do eu, personalidade), costelas (segurança, proteção, adaptação).
Plano sintomático: reação à situação que o aperta, que lhe interessa particularmente: busca-se forçar com violência a abertura que lhe foi recusada; tentativa de abrir o espaço do coração com violência de fora para dentro e proporcionar liberdade aos pulmões; ruptura por forças externas do órgão mais central no cesto mais bem protegido.
Tratamento: já que ele se deixa arrombar, abrir o espaço peitoral preferencialmente de dentro para fora; dar ao coração e às asas dos pulmões toda a liberdade interna que eles possam transformar; abrir-se interiormente também para choques e estímulos externos.
Remissão: ousar ser flexível e relacionar-se sinceramente; empreender vôos pelo agitar das asas do pensamento, mobilidade altamente emocional.
Cobertura do princípio original: Saturno-Urano.

Fratura do braço
Plano corporal: braço (força, vigor, poder).
Plano sintomático: a indicação orienta-se segundo o braço que sofreu o acidente e pelo modo como o acidente aconteceu: relação violenta com o mundo; não mais conseguir agarrar a vida, e tampouco recebê-la; rebelião.
Tratamento: interromper o padrão de vida em vigor: arriscar a vida e tomá-la por um desafio, trazer uma mudança à vida; criatividade no plano espiritual em vez de no plano corporal: em vez de forçar o corpo a proporcionar articulações que nunca existiram, proporcionar uma mobilidade tranqüila, no sentido figurado, para um âmbito em que até agora não era costume ter nenhuma.
Remissão: mobilidade; capacidade de articulação.
Cobertura do princípio original: Urano-Marte, Mercúrio.

Fratura do colo da coxa

Plano corporal: ossos (estabilidade, firmeza).

Plano sintomático: soberba: "a idade não impede a bobeira"; ignorar a idade/o cansaço: ultrapassar as fronteiras naturais (da idade); saltos por demais brutais e ousados; andar por caminhos perigosamente jovens: continuar sempre orientado para o progresso no sentido exterior; demolição de forma e atitude rígida.

Tratamento: pisar de maneira mais leve e calma: assumir como mote a "pressa com descontração"; criar uma distância da movimentada (jovem) vida exterior; aceitar sua situação (de vida); parar de se exceder; orientar-se pelo padrão de vida e aceitar a mandala como correspondente a suas tarefas: seguir seu caminho como avó ou como avô com a dignidade e com a calma da idade; esgotar as "loucuras" dos idosos tolos na perspectiva anímico-espiritual, descarregar o âmbito motor; saltos animicamente amplos sobre covas fundas em vez de sobrecarga.

Remissão: converter a soberba em humildade; a partir da calma, pôr-se em seu próprio caminho com atenção e modéstia (ante a criação) em vez de ficar "ciganeando"; consciência posta no essencial.

Cobertura do princípio original: Júpiter (coxa)/Saturno (ossos)-Urano (fratura).

Fratura do tornozelo

Plano corporal: ossos, articulação tibiotarsiana (base para o salto).

Plano sintomático: ao trocar ou torcer o pé, a parte externa do tornozelo se parte ou lasca: o salto no cótilo (acetábulo); o salto na articulação tibiotarsiana faz aterrissar duramente e impede outros saltos: liga-se ao chão/à Mãe Terra; os pacientes não estão mais em salto, mas muito bem posicionados; o progresso suave é posto em questão pela primeira vez.

Tratamento: atenção sobre onde se põe o pé; deixar-se colocar (em seu devido lugar); encaixar-se mais; lançar raízes, aprender a permanecer.

Remissão: dar sossego; dar um tempo aos sentidos, de modo que não se possa prosseguir com nada que seja externo, e sim somente com algo interior.

Cobertura do princípio original: Urano-Saturno.

Fratura do vômer

Plano corporal: nariz (poder, orgulho, sexualidade).

Plano sintomático: atrever-se (pôr o nariz) demais, alerta direto: "tornar-se um com seu nariz"; terapia da curiosidade (indiscrição) e da necessidade de meter o nariz em tudo; o impulso para a frente é refreado; achar-se num terreno (numa prática) errado(a).

Tratamento: acatar advertências; cuidar daquilo que lhe diz respeito; praticar a discrição.

Remissão: reagir a advertências com uma correção de curso do caminho seguido na vida.

Cobertura do princípio original: Marte-Saturno/Urano.

Fratura em galho verde (ver Fratura)

Plano corporal: ossos (estabilidade, firmeza).

Plano sintomático: infrações inócuas (fraturas ósseas incompletas, na maioria das vezes em crianças); rompimento do caminho de vida que, até então, vinha sendo marcado pela mais alta atividade e movimentação; dobra/dobradura/quebra no curso da vida; mudança na estrutura; rompimento de uma solidificação; mudança de norma; firmeza; busca de flexibilidade; hiperextensão e desenvolvimento exagerado; calma obrigatória, antes que o desenvolvimento possa prosseguir.

Tratamento: interromper o desenvolvimento de até então; pôr termo ao caminho; acalmar-se; "trocar os pés pelas mãos"; ultrapassar fronteiras anímico-espirituais; nova orientação, proporcionar uma ruptura ao novo.

Remissão: viver de maneira ousada, tomando a vida por um desafio; trazer alternância ao encaixe firme do trilho da vida.
Cobertura do princípio original: Saturno-Urano.

Fratura por excesso de esforço

Plano corporal: ponto de ligação de ossos (estabilidade, firmeza) e tendões (cordões dos quais tudo pende).
Plano sintomático: superexigência de mobilidade do aparelho locomotor; um movimento por demais agressivo e repentino arranca os tendões do local onde estão cimentados.
Tratamento: investigar as próprias capacidades de expressão com maior força e energia até o limite e para além dele; investigar até que ponto é razoável exceder-se ou ir além das próprias possibilidades.
Remissão: reconciliação com as próprias possibilidades de articulação e expressão; ajustar-se ao quadro das próprias possibilidades.
Cobertura do princípio original: Marte-Saturno, Júpiter-Saturno (imoderação do movimento).

Frieira ver Eritema pérnio

Frigidez

Plano corporal: órgãos sexuais (sexualidade, polaridade, reprodução).
Plano sintomático: boicotar a principal região de prazer ou apenas não a despertar (a Bela Adormecida, que espera eternamente o príncipe que deve acordá-la com um beijo); o sexo a deixa fria e travada (pressionada); abrir-se para o sexual (representações negativas da sexualidade devido a más experiências, como, por exemplo, o estupro); falta de calor e do clima de úmida mucosidade da fertilidade e do gozo; secar-se na medida mesma do gozo; não concordar (nem ao parceiro) gozar; medo de seus instintos e descontrole (feminino); em vez de escorregadia lascívia, sóbria secura: nada flui no que diz respeito a isso, tudo pressiona e provoca dores na região; política masculina em meio à terra de linhagem feminina (deserto em vez de pântano, Saturno em vez de Lua); medo da morte: orgasmo, perda do controle; medo da própria feminilidade, prazer e ânimo selvagem, medo de uma masculinidade ameaçadoramente agressiva; medo da entrega e do abandonar-se, do êxtase; permanecer firme no eu/ego: desejo de dominação; medo da realização; recusar a competitividade: medo de não ser a amante fantástica, de ser comparada com outra; perseverar no (estar presa ao) intelecto; esquivar-se do papel feminino; a sexualidade é rejeitada como algo sujo: desviar a água da gruta; problema edipiano: não querer ser infiel ao próprio pai; compensação: ser uma mulher de sucesso na carreira em vez de se tornar uma mulher em todos os sentidos; castigar a si e ao parceiro com a situação seca e dolorosa (por exemplo, para descompassadas ou exageradas, a situação é de desejos inconvenientes; sobretudo entre as mulheres que durante muito tempo simularam para o parceiro ou por vezes para si próprias, que foram forçadas ou forçaram-se à sexualidade); não estar ainda pronta para uma sexualidade madura (em mulheres jovens ou nem tão jovens que ainda não deram o passo para ser mulher).
Tratamento: compreender e aceitar a feminilidade do seu ser: descobrir o modo sóbrio de pensar, o humor seco e os argumentos práticos — sem os depreciar — como correspondentes ao pólo masculino; reconhecer a atmosfera suave, fluida e prenhe de sentimentos como pertencentes ao próprio pólo feminino; recuar e recusar consciente e enfaticamente o que não diverte ninguém: encontrar-se e descobrir para si as próprias necessidades; ser conscientemente fria e prudente nos planos em que isso faça mais sentido do que no âmbito sexual: ficar sóbria e seca em

certos âmbitos da vida; no pólo oposto: exercícios para se soltar, meditação; exercícios de se deixar cair na água (anímico-espiritual), classificar o prazer como importante para a (sobre)vida; em vez de se desviar da água, aprender a desfrutá-la; ordenar os pólos: deixar vir o Yin (feminino) e o Yang (masculino) para seus respectivos lugares de acordo com seus direitos; reconhecer a serenidade (alegria) como virtude; conceder-se pensamentos obscenos e fantasias; reconhecer o êxtase como direito vital, que nos compete desde os sentimentos extático-oceânicos no ventre materno até a vivência orgástica da música, do esporte ou da sexualidade; familiarizar-se com a própria força masculina, para assim também poder encontrar o lado suave e feminino; conhecer e inserir a força de imposição masculina: saber e dar a entender aberta(ofensiva)mente que a mulher não precisa estar sempre à disposição; descobrir o "não" na sexualidade e poder dizer "sim", nas situações apropriadas, com todo o corpo e o coração; deixar que o reprimido se torne visível; interromper, desligar o intelecto superior; aprender a desempenhar o orgasmo (por amor a si mesma) até que de fato aconteça algum; ocupar-se com a morte como forma última de abnegação e tarefa do ego; no pólo contrário: descongelar a geladeira como ritual consciente (Milton Erickson).
Remissão: recusa do eu pelo orgasmo como exercício preparatório para a grande e definitiva renúncia e o grande orgasmo com a criação (consciência cósmica).
Cobertura do princípio original: Vênus-Saturno-Plutão.

Fumo (ver também Vícios, Câncer no pulmão, Câncer)
Plano corporal: pulmões (contato, comunicação, liberdade), vasos sangüíneos (vias de transporte da força vital).
Plano sintomático: elevação geral dos riscos para praticamente todos os tipos de câncer; substituto para comunicação e liberdade legítimas; ânsia por aventura e pelo mundo vasto e grande; o cigarro como fiel da balança social; busca de apoio, vivacidade, atividade; problemas com o oral, com o venusiano; distúrbios no contato e no gozo ("paquerar" com o cigarrinho na mão); fome de gozo e embriaguez; fuga de inquietantes situações de contato: esfumar-se, enevoar-se; medo, incerteza, bloqueio; esconder-se em seu íntimo; válvula de escape para o nervosismo e para a pressão interior (papel dos cigarros na morte); vulcão, que solta fumaça mas não explode; agressividade (soltar vapor); agressividade contra si mesmo, crônico estado de guerra (bronquite); o ato de fumar como descarga para compensar uma inconfessada pretensão de poder: o resmungão, o contrário do "não fede nem cheira"; fenômeno do tempo de revolução; na puberdade: afirmação de si mesmo; construção de uma imagem artificial do ser adulto; falsa (representada) maioridade; a pretensão à emancipação não dá em nada; "muita fumaça (e barulho) por nada"; recompensa a si mesmo, satisfação consigo próprio: desonestidade, superestimação de si mesmo: "iludir alguém com a fumaça azul", "fumar muito para nada", "som e fumaça".
Tratamento: reconhecer o problema de comunicação e assimilá-lo; descobrir outras possibilidades de encontrar apoio; apoiar-se (agarrar-se) nas pessoas em vez de numa haste em chamas; envolver-se realmente com a vida; viver você mesmo, com coragem, o que se vê simulado nos comerciais de marcas de cigarro; descobrir o gozo para além do fumo; descobrir o cigarro como instrumento de fuga e abrir-se para caminhos de retirada menos perigosos; buscar outros caminhos, soltar fumaça; reconhecer a agressividade e produzi-la na necessária discussão com o meio ambiente; emancipar-se de um modo redentor e aproximar-se sorrateiramente das transições iminentes; o jejum como acesso à saída; descortinar em vez de enevoar, aprender a ver o véu do vapor azul; cons-

cientemente criar espaço para sonhos e para alçar vôos.
Remissão: dar crédito e importância a suas próprias necessidades vivenciadas no fumar e buscar caminhos de satisfação que o façam feliz.
Cobertura do princípio original: Vênus-Mercúrio-Marte.

Furúnculos (folículos pilosos nas profundezas da pele; carbúnculo: furúnculo com vários focos ou vários furúnculos em contato entre si; ver também Foliculite)
Plano corporal: pele (delimitação, contato, carinho).
Plano sintomático: um assunto carregado de conflitos foi (profundamente) *para debaixo da pele* de alguém, sem ser trabalhado, e ameaça explodir (no caso de um carbúnculo: assunto complexo): conflito deflagrado nas profundezas (por exemplo, um medo contido) ganha acesso à consciência (ar) e é impelido para cima, para a visibilidade; desenvolvimento vulcânico: na superfície (da pele) irrompe o que nas profundezas está misturado: rompimento, erupção, descarga de mensagem (simbólica) na fronteira (pele).
Tratamento: deixar-se excitar até as profundezas por temas estimulantes: de maneira voluntária e ofensiva, dar atenção a assuntos profundamente assentados e não-assimilados; deixar o caminho livre para assuntos interessantes que se projetam para cima; *desafiar* de maneira aberta (ofensiva) as descargas e erupções de energias internas; abrir as fronteiras (da consciência); questionar normas; possibilitar contato; cultivar um intercâmbio corajoso.
Remissão: conseguir realizar rupturas; expandir-se de modo ofensivo e corajoso sobre as próprias fronteiras.
Cobertura do princípio original: Marte-Urano, Netuno, Plutão.

Gaguejar
Plano corporal: boca (recepção, expressão, maioridade), pescoço (incorporação, ligação, comunicação), língua (expressão, fala, arma).
Plano sintomático: busca frustrada de controle sobre a fala, sobre o que tem permissão de subir do subconsciente para a consciência; obstruir o fluxo para poder controlá-lo melhor; não poder dizer livremente o que lhe vem à cabeça; mover a linha da cintura para a altura do pescoço, ou seja, da sexualidade para a cabeça; bloqueio no centro intelectual da fala, onde a linguagem do hemisfério feminino (por exemplo, no transe) e o canto são em geral plenamente possíveis; busca inconsciente de encontrar consideração, de pôr-se no ponto central e exercer poder: é preciso ouvir — como que cativado, muito tenso e na maioria das vezes aflito; ninguém pode ousar interrompê-lo (aproveitamento da obstrução da pulsação contra os fracos); nas crianças: medo de deixar sair algo que congestiona; ficar sob pressão; incerteza; querer dizer muito e muito rapidamente.
Tratamento: ocupar-se dos conteúdos inconscientes e reconciliar-se para dissolver o medo que, caso contrário, será emanado; criar coragem para enunciar os pensamentos que lhe sobem: aprender a professar seus próprios pensamentos e a confiar nas imagens de pensamento do hemisfério direito; reconhecer seus desejos de poder e controle sobre os outros e encontrar caminhos redimidos para realizá-los; aprender outros caminhos de controle dos pensamentos e da linguagem: por exemplo, deter-se com mais freqüência, repetir internamente os pensamentos antes de externá-los e refletir sobre eles, em vez de abandoná-los às ferramentas da fala; querer ser compreendido, querer se comunicar; ocupar-se em encontrar o entendimento; tornar-se seguro de si: viver como

que em transe, quando, como ao cantar, as palavras fluem quase sempre sem problemas.
Remissão: conversar de modo cativante (freqüentemente, e às escondidas, os gagos são alvo de brincadeiras); da tensão, receber alegria, para então poder novamente liberar a primeira, por exemplo, no fluir da linguagem; abrir-se com o fluxo da vida e a partir dele ir buscar a força; entregar-se também ao fluxo da linguagem.
Cobertura do princípio original: Mercúrio-Saturno/Urano.

Gangrena (morte de tecido, que se desfaz ao decompor a si próprio; ver também Obstrução dos vasos, que é o problema fundamental)
Plano corporal: finais das extremidades (mobilidade, atividade), intestino (assimilação de impressões materiais), pulmões (contato, comunicação, liberdade), céu da boca (boca: receptividade, expressão, maioridade).
Plano sintomático: a vida retira-se do plano corporal, tal como a consciência já se havia subtraído aos domínios temáticos. 1. Gangrena seca: ressecamento (mumificação); ressecamento em vida (mumificar); 2. gangrena úmida por decomposição bacteriana: putrefação em vida; desintegração fétida do próprio organismo.
Tratamento: renunciar conscientemente a certos temas que deixaram de ser atuais e retirar-se desses domínios; deixá-los morrer internamente (por exemplo, o tema do desenvolvimento, no caso de os pés serem afetados), reservar a energia vital remanescente para os temas essenciais e centrais (por exemplo, o coração [os assuntos do coração]); questão: "o que está estragado em minha vida?"
Remissão: calma interior; reconciliação: conhecimento de que tudo sobre a terra é passageiro; morrer para viver.
Cobertura do princípio original: Plutão-Saturno.

Gangrena gasosa
Plano corporal: pele/tecido subcutâneo (delimitação, contato, carinho).
Plano sintomático: guerra secundária: nos campos de batalha subsistentes (feridas abertas) irrompe a verdadeira agressão mortal; na batalha, gases venenosos desenvolvidos no próprio organismo realizam seu trabalho de negação; septicemia: inundação de todo o sistema com (venenos) bactérias; risco de ruptura das estruturas centrais de abastecimento: ruína da circulação; conflito em torno da vida e da morte: elevada taxa de mortalidade.
Tratamento: cautela com cenas de batalhas ainda não-organizadas, assimiladas e esclarecidas; ter diante dos olhos os derivados tóxicos das discussões belicosas; de maneira corajosa e aberta, rever e tratar feridas ainda não curadas; aprender a lidar com os efeitos colaterais tóxicos das discussões; deixar-se afetar pela totalidade desses efeitos, que facilmente podem se tornar essenciais.
Remissão: envolver-se corajosamente em discussões vitais e conduzidas por todos os meios.
Cobertura do princípio original: Marte-Netuno.

Gastrenterite (inflamação simultânea das mucosas do estômago e dos intestinos; ver também Diarréia)
Plano corporal: estômago (sentimento, capacidade de absorção), intestino (assimilação de impressões materiais).
Plano sintomático: estragar seu estômago: tomar para si alguma coisa falsa (contendo bactérias ou salmonela); sintomática do medo: diarréia ("fazer nas calças" [de medo]).
Tratamento/Remissão: em vez de ingerir agentes perigosos, atualizar e digerir temas explosivos.
Cobertura do princípio original: Lua-Mercúrio-Marte.

Gastrite (inflamação/irritação da mucosa gástrica; ver também Doenças do estômago)
Plano corporal: estômago (sensação, capacidade de absorção), mucosa (fronteira interna, barreira).
Plano sintomático: 1. irritação; alma ferida, desejo regressivo de proteção, ofender-se facilmente; fixação oral: jardim das delícias; tornar-se aborrecido para os outros por melindrar-se com facilidade e pela necessidade de proteção; areia (desgosto) na engrenagem; 2. inflamação: luta e guerra até sangrar em certa região em que deveriam reinar a proteção e a harmonia; conflito entre a benevolente disposição para a recepção e a defesa agressiva (contra alguma coisa que lhe dá nojo); dirigir suas próprias forças agressivas (ácidas) contra si mesmo: "ser amargo", "algo lhe dá desgosto"; ingerir emoções ("pobre-diabo"), em vez de as deixar sair; (latim: *e-movere*, mover-se para fora); não poder avaliar suas próprias fraquezas e sobrecarregar-se (comida muito condimentada, *stress* excessivo, etc.).
Tratamento: manifestar seu aborrecimento no lugar certo, inserir a agressividade conscientemente, permitir que as emoções se elevem e se expressem; reduzir a inclinação exagerada para a proteção, revogar o desejo de ser mimado, tornar-se independente da pretensão de receber cuidados; deixar os trapos voarem para os planos apropriados; por um lado, aprender a defender-se contra o ingerido que lhe dá nojo; por outro, encontrar proteção e dedicação no lugar certo (desenvolver-se, fora do ninho materno, em seu próprio ninho); reconhecer sua tendência à destruição; aprender a lidar e viver com suas emoções.
Remissão: passos para um plano mais puro e mais adulto.
Cobertura do princípio original: Lua-Marte.

Gengivite (inflamação da gengiva; ver também Inflamação)
Plano corporal: dentes (agressividade, vitalidade), gengiva (confiança original).
Plano sintomático: conflito no âmbito que, na maioria das vezes, carece de confiança original; falta de coragem *para quebrar nozes duras* ou se defender; falta de apoio: agressividade *carente de apoio*; falta de vitalidade, também no terreno de uma alimentação pobre em vitalidade (morta).
Tratamento: proporcionar confiança (em si mesmo), recobrar a confiança original; zelar pela regeneração de suas próprias forças; construir um ninho para as armas da boca; direcionar cuidados e nutrição não só às armas, mas também à sua base (por exemplo, massageá-la diariamente); criar um fundamento para a vitalidade (por exemplo, também com uma alimentação rica em substâncias vitais e vitaminas).
Remissão: confiança (original); experiências de unidade (meditação, exercícios espirituais).
Cobertura do princípio original: Lua-Marte.

Gestose (denominação abreviada de toxemia gravídica: formação de uma aparência [de envenenamento] na gravidez devido a problemas oriundos da nova orientação da situação [hormonal]; ver também Edema, Hipertonia, Glomerulonefrite)
Plano corporal: afeta todo o organismo.
Plano sintomático: rejeição inconsciente da gravidez; luta contra a gravidez em diferentes planos (pré-eclampsia: Eclampsia; hepatoses: Doenças do fígado); incapacidade de se acomodar à nova situação.
Tratamento: orientação para a gravidez e para a maternidade: ritual para o tornar-se mulher; aprender a pensar e planejar por dois, mas sem comer por dois: controlar o aumento de peso (doze quilos como medida de referência); ganhar peso só em sentido figurado (na parceria e na sociedade); conversas com o nascituro (com a voz interior); procurar tornar-se mãe de família, constituir uma família e encontrar uma segurança social.

Remissão: reconciliação com a nova situação (de vida), com o ser mulher e com o tornar-se mãe.
Cobertura do princípio original: Lua-Urano.

Gigantismo
(crescimento de gigante; sua definição para a medicina acadêmica, embora [devido ao estirão] já há muito ultrapassada, aponta para uma altura superior a 1,80 metro nas mulheres e 1,90 metro nos homens; ver também Nanismo como pólo oposto)
Plano corporal: o corpo é afetado em toda a sua extensão.
Plano sintomático: a secreção do hormônio de crescimento, aumentando em decorrência de um tumor no lóbulo frontal da hipófise, conduz a um maior crescimento em altura (entretanto, há muitas pessoas cuja altura acima de 1,90 metro certamente não se deve a nenhum tumor); sobressair-se pelo tamanho, destacar-se onde quer que se vá, ser sempre o maior; sentimento de ser grande demais para este mundo (tudo é muito pequeno; dificuldades em achar roupas e sapatos).
Tratamento: desenvolver uma grandeza interior também para fora; destacar-se também no sentido figurado (juntar forma e conteúdo); relacionar-se já com o próximo grande (transcendente) mundo.
Remissão: ser proporcional (também interiormente) ao seu tamanho (exterior); preencher completamente o grande corpo anímico-espiritual.
Cobertura do princípio original: Júpiter.

Ginecomastia
(desenvolvimento de glândulas mamárias femininas no homem, ocorrendo geralmente na meia-idade)
Plano corporal: peito (sentimento do eu, personalidade); glândulas mamárias (maternidade, feminilidade).
Plano sintomático: 1. falso: por pura e simples sedimentação de gordura; 2. verdadeiro: crescimento do tecido das glândulas mamárias; desenvolvimento corporal feminino em vez de desenvolvimento anímico-espiritual na orientação da *anima*; hábitos efeminados, amolecimento no plano corporal, e não na consciência.
Tratamento: permitir a expansão do pólo feminino da consciência; ocupar-se com tarefas nutritivas; alimentar crianças (espirituais) no sentido figurado.
Remissão: florescimento da parte feminina da própria alma.
Cobertura do princípio original: Lua.

Glaucoma
Plano corporal: olhos (visão, discernimento, espelho da alma).
Plano sintomático: visão dolorosa sob forte pressão (geralmente em decorrência de abalos emocionais no passado); visão encoberta, olhar encoberto; a circulação de água em compartimentos está obstruída: escassez de intercâmbio anímico no plano mais profundo; pressão de lágrimas não-choradas; olhar rígido, como de uma máscara: perspectiva obstinada, ver o mundo com antolhos; perde-se a visão geral e a visão grande-angular: a própria visão (de mundo) está sob pressão; risco de cegueira em decorrência de um acesso de glaucoma não-tratado: sucumbir à pressão.
Tratamento: olhar com insistência (para dentro?, falecer); tornar o próprio (modo de) olhar mais maleável e tolerante; intensificar o intercâmbio anímico, por exemplo, tomando contato com conteúdos de sentimento armazenados (como a tristeza); perceber a pressão das lágrimas não-choradas e ceder a elas, abrir fronteiras e válvulas anímicas, liberar pressão; concentrar o olhar no essencial, subtrair o não-essencial; ter bem diante dos olhos eventuais opositores; olhar direto, reto e intenso; reduzir sua visão geral do mundo objetivo em favor de uma visão mais profunda; analisar a pressão sob a qual se encontra sua própria visão de mundo e considerar suas conseqüências; defrontar-se com o perigo da cegueira mediante a visão interior voluntária.

Remissão: informar-se sobre sua própria profundidade; olhar de máscara dirigido à profundidade; vislumbrar o mundo; desenvolver sua visão de mundo; manter-se informado sobre os planos transcendentes.
Cobertura do princípio original: Sol/Lua-Plutão.

Glomerulonefrite (nefrite, inflamação dos glomérulos de Malpighi)
Plano corporal: rins (equilíbrio, parceria).
Plano sintomático: conflito que em geral se eleva a partir da bexiga (segurar e liberar pressão), estendendo-se, no interior dos rins, da pelve renal até o tecido renal específico (glomérulos); temas excitantes também podem se elevar (por exemplo, em forma de estreptococos) do reino inferior das sombras até o âmbito superior da parceria e da compensação dos contrastes; em caso de glomerulonefrite aguda (conflito nos glomérulos junto aos filtros) sobrevêm irritações também na região da faringe (conflito nas amígdalas: luta pelo engolir), nos seios paranasais (ter o nariz cronicamente entupido), abscessos dentários (conflito agressivo) ou escarlatina (luta acalorada por ocasião de uma crise de desenvolvimento); mobilização geral do maquinário de guerra próprio do corpo (febre alta) e de todas as comoventes batalhas (calafrios) em torno dos temas da compensação de contrastes internos; parceria; dificuldades em liberar o anímico (a necessidade de urinar torna-se obstruída e dolorosa); substâncias importantes (para estabelecimento de parceria) e temas igualmente importantes perdem-se nas correntes residuais (anímicas) (perda de albumina com a urina); negar a diferenciação e distinção no sistema de filtração: temas/assuntos importantes não são mais reconhecidos como tais, perdendo-se (na guerra nos glomérulos o sistema de filtração é afetado); perigo de que a (aparente) harmonia exterior transforme-se *nitida*mente em desarmonia; desafio para que se ponha em desarmonia também no exterior (discussão, conflito), para alcançar uma autêntica harmonia; risco de transição para uma → Insuficiência renal [crônica].
Tratamento: permitir voluntariamente que os temas das sombras ascendam ao âmbito da compensação dos contrários e da parceria, para que sejam trabalhados (coletivamente) de maneira crítica e confrontando-os uns com os outros; tornar-se consciente do quão facilmente conflitos não-resolvidos penetram no âmbito da parceria, onde causam problemas, a partir de outros âmbitos (tema: incorporação e deglutição na região da faringe; agressividades no subsolo, frustrações crônicas [sinusite] ou crises de desenvolvimento); pôr todas as forças em discussão, mesmo com o risco de sacudi-las desde seu fundamento; largar e deixar escapar também coisas e temas importantes, para com isso aliviar o corpo e poder reter a albumina (sumamente) importante para a vida; os poros do filtro (da consciência) são alargados, e nada mais é retido (de volta) para si: aprender a dar e a receber; compreender que se perdem temas importantes para a vida em razão desse conflito, sendo o caso também de os liberar: reconhecer o poder explosivo da temática da compensação dos contrários e da defesa (conservação) do meio-termo, e tornar-se consciente de que a própria vida corre perigo.
Remissão: harmonia verdadeira (levar os contrários a uma compensação); ocupar-se aberta(ofensiva)mente dos temas que devem ser mantidos em jogo na parceria, liberando outros: dar e receber; ocupar-se de maneira ofensiva e corajosa da compensação dos contrários, trabalhando-a, sabendo que desequilíbrios momentâneos são inevitáveis; posicionar o recuo das projeções no ponto central.
Cobertura do princípio original: Vênus-Marte.

Glossite (inflamação da língua)
Plano corporal: língua (expressão, fala, arma).

Plano sintomático: conflito inflamado no âmbito da expressão, do gosto; freqüentemente causada pelas misturas metálicas dos consultórios dentários (cargas [elétricas] na boca); discussões relativas ao gosto: "algo não está caindo bem" sem que se reconheça; a língua torna-se o palco do corpo, para dar (um) espaço a esse tema.
Tratamento: ocupar-se criticamente (de seu próprio) gosto; atacar aberta (ofensiva) e combativamente a questão do gosto; cuidar combativamente para que se faça justiça a seu próprio gosto: problemas lingüísticos com uma língua afiada e desembaraçada e argumentos contundentes.
Remissão: assumir seu próprio gosto e lutar por ele (para impô-lo); encontrar e estabelecer seu próprio (plano) lingüístico.
Cobertura do princípio original: Vênus/Mercúrio-Marte.

Gonorréia (a segunda mais freqüente e a mais antiga das doenças venéreas, ver também Doenças venéreas)
Plano corporal: surgindo a partir da zona genital (sexualidade, polaridade, reprodução), a gonorréia não tratada pode afetar muitas regiões do corpo.
Plano sintomático: intenso conflito alastrando-se a partir da região sexual: corrimento (supurativo, a partir dos testículos ou da vagina) transporta para fora a sucata de guerra; o liberar de resíduos anímicos é vivenciado como desafio palpitante: irritação e queimação ao liberar água (sobretudo nos homens; nas mulheres ocorre de maneira quase assintomática); tendência à expansão do conflito flamejante deflagrado primeiramente na zona genital: estende-se à vagina, útero, trompas e próstata; mais tarde atinge também as articulações (mobilidade, articulação), o pericárdio (parede de proteção), a pleura (revestimento torácico), músculos (aparelho locomotor); muitas vezes, o conflito chega a impedir uma gravidez posterior (esterilidade nas mulheres devido ao entupimento das trompas de Falópio).

Tratamento/Remissão: ver Doenças venéreas.
Cobertura do princípio original: Vênus-Plutão.

Gosto ruim na boca
Plano corporal: boca (recepção, expressão, maioridade), língua (expressão, fala, arma).
Plano sintomático: "gosto de cabo de guarda-chuva na boca", "cara de quem comeu e não gostou", azedou; simular um gosto bom, orientar-se o tempo todo por um gosto estranho.
Tratamento: reconhecer o gosto das coisas que se tem de engolir; aprender a viver com seu próprio gosto "ruim" e empreender alguma coisa no sentido de um desenvolvimento do gosto; professar o seu gosto, mesmo que ele possa parecer ruim aos outros.
Remissão: segurança de gosto.
Cobertura do princípio original: Vênus.

Gota
Plano corporal: primeiro as pequenas articulações (mobilidade, articulação), depois as grandes.
Plano sintomático: distúrbio na eliminação de ácido (úrico): problema da remoção do lixo em região agressiva; hiperacidez da terra do corpo (hiperuricemia: excesso de ácido úrico, energia agressiva na corrente da vida); conflito doloroso no âmbito do pequeno escopo do movimento, sobrepondo-se mais tarde à mobilidade total; armazenamento de energia de luta, ácida e fortalecida, na região da articulação: a articulação, devido à energia de combate em curso, torna-se dolorosamente frustrada; problemas não-resolvidos lançam-se pontual e dolorosamente para baixo (nodosidade gotosa: tofo); nós não-resolvidos compostos de urato impelem-se dolorosamente em direção à consciência; o ácido (úrico) no sistema de abastecimento de energia lança-se aos pontos fracos mais abaixo, e desse modo se remete à consciência; bloqueio de toda ati-

vidade muscular: o progresso fica impedido e é aniquilado; incapacidade de trazer o pólo masculino (ácido) para um plano redimido (manter-se em solução): em geral, autoritarismo em vez de masculinidade, raiva em vez de força (antes: "doença dos homens").
Tratamento: reserva consciente de produtos residuais agressivos no decorrer do dia, ainda por assimilar: precisamente o que aborrece deve ser digerido; conversão consciente da energia agressiva: presença de espírito, prontidão para a discussão, exteriorização vital do que tiver a ver consigo; trazer o pólo masculino à própria essência para uma solução/salvação; coragem de trazer o conflito do estreito âmbito doméstico para um ambiente mais amplo (por exemplo, afogar-se no copo de vinho ou de cerveja de todas as noites); sentir-se conscientemente obstruído na mobilidade por seus conflitos não-vivenciados, para ainda poder lidar com isso; fortalecer e resolver aberta(ofensiva)mente problemas agressivos em pontos específicos; providenciar maior movimentação interna numa calma exterior forçada, digladiar-se com os próprios nós não-vividos, não-exteriorizados e não-resolvidos; exame de consciência, em vez de hospedar-se em cada hotel que apareça.
Remissão: progresso interior; desenvolvimento interior; ocupar-se com coragem dos conflitos interiores, articulando-os de maneira combativa (conduzir a guerra santa e salutar com o próprio ego).
Cobertura do princípio original: Júpiter-Marte/Saturno.

Granuloma na raiz do dente
(foco purulento na base do dente; ver também Inflamação)
Plano corporal: dentes (agressividade, vitalidade), maxilar (depósito de armas).
Plano sintomático: conflito, barril de pólvora, que impele à explosão.
Tratamento: sentir-se no dente, forma inacabada; tratamento da raiz, arrancar a coroa, o dente: castração da agressividade, e isso quer dizer fantasmagorias.
Remissão: deixar virem à luz as forças vitais mais profundas.
Cobertura do princípio original: Marte-Marte.

Granulomatose linfática ver Doença de Hodgkin

Gravidez extra-uterina
Plano corporal: na maioria das vezes, trompas de Falópio (fertilidade, primeiro resvalamento da vida), raramente ovários (fertilidade), muito raramente cavidade abdominal (abrigo).
Plano sintomático: em geral uma decorrência da ligação das trompas na juventude (Adnexite); problemas na juventude como lastro da fase da maternidade; o óvulo instala-se cedo demais; impaciência na viagem e no engravidar, não se dar (para o óvulo) tempo suficiente; fertilidade no lugar errado (fora do útero, sendo que o previsto era dentro dele): criatividade malconduzida, dupla ligação; por um lado querer ficar grávida, por outro não querer proporcionar o espaço vital para a criança; não dar oportunidade para a criança (a nova vida) e para si mesma; perigo de, na gravidez, sangrar no plano errado; no caso de gravidez nas trompas, perigo de rompimento interno (do tubo); indica-se ajuda externa (quando não há saída espontânea, muitas vezes a cirurgia é inevitável).
Tratamento: rasgar-se (internamente) por sua vontade (de suas crianças); no pólo oposto: aprender a ser paciente com respeito aos próprios desejos infantis; esperar pelo momento certo e pelo lugar certo (parceiro certo?); oposição inconsciente com relação ao esclarecimento da gravidez; produzir frutos originais: fertilidade excepcional no sentido figurado, fertilidade espiritual em planos não-habituais; deixar fluir força vital a um assunto relacionado ao coração; aprender a ajudar-se a fazê-lo; aceitar ajuda.

Remissão: esperar pelo momento certo: seguir por seu caminho, próprio e também excepcionalmente criativo; deixar fluir toda a energia do coração para uma "criança" (criatividade); receber crianças de outros planos (no sentido figurado).
Cobertura do princípio original: Urano-Lua.

Gravidez psicológica (pseudogravidez; rara em nossos dias, devido às pesquisas com ultra-som realizadas prematuramente e aos testes de gravidez)

Plano corporal: útero (fertilidade, proteção), abdômen (sensação, instinto, gozo, centro), órgãos sexuais (sexualidade, polaridade, reprodução).
Plano sintomático: conflito entre um desejo de maternidade extremamente forte e o medo inconsciente de assumir responsabilidade, ou seja, conflito entre a sexualidade e a maternidade; inflar-se sem conteúdo; dar-se ares de gravidez, sem ter de agüentar as conseqüências; gravidez como possibilidade de exercer poder; conservar as aparências (de uma gravidez): conflito entre a aparência e a realidade.
Tratamento: aprender as respostas do ser mulher, captar a responsabilidade inerente a seu papel sexual; esclarecer o seu próprio trauma de nascimento, caso o medo seja do nascimento e impeça uma gravidez verdadeira; reconciliação com o sexual como base natural da gravidez; se perdurar uma discrepância de avaliação entre o sexo sujo e a maternidade desejada por Deus, trabalhar o tema para encontrar uma orientação natural; refletir sobre formas desenvolvidas para o exercício do poder feminino.
Remissão: ocupar-se do ser mulher em toda a sua profundidade.
Cobertura do princípio original: Lua-Netuno.

Gravidez tubária ver Gravidez extra-uterina

Gretas na ponta dos dedos
Plano corporal: dedos (pegar o mundo de jeito).
Plano sintomático: (sangrentas) Rágades na ponta dos dedos: conflitos sempre novamente irrompidos no âmbito do sentir na ponta dos dedos e sensibilidade no trato com o meio que o cerca; a falta de sensibilidade na ponta dos dedos conduz a dores persistentes na vida diária.
Tratamento: ceder espaço para debates a ser vencidos na consciência e no dia-a-dia; resolver conflitos no trato com o mundo; apresentar-se a experiências dolorosas no sentido figurado e deixar que se curem antigas feridas: conceder a calma, deixar (a casa) em paz.
Remissão: sensação na ponta dos dedos, sensibilidade.
Cobertura do princípio original: Mercúrio-Marte.

Gripe (ver também Doenças das vias respiratórias, Resfriados)

Plano corporal: cabeça (capital do corpo), nariz (poder, orgulho, sexualidade), pescoço (incorporação, ligação, comunicação), pulmões (contato, comunicação, liberdade), musculatura (motor, força).
Plano sintomático: sua situação de vida deixa-o impassível e frio; fechar-se e não querer mais se aquecer por nada: resfriado; *pegar/apanhar* o agente provocador (o vírus da gripe), apropriado para a representação do drama; fechar a porta dos sentidos: "estar com o nariz entupido"; deixar o pescoço inchar; retirar-se da situação de crise do dia-a-dia: construir diques de lenços de papel, erguer ambientes doentios; manter pessoas e situações a distância: "não chegue perto de mim, estou gripado"; excesso de trabalho, desejo de fuga; o ver e ouvir se esvaem: "nada mais querer ouvir nem ver, só querer ficar na cama com o cobertor até a cabeça"; recusa em prosseguir com seus contatos sociais: "não querer engolir (deixar entrar) mais nada" (a inflamação das amíg-

dalas bloqueia agressivamente a passagem); atitude defensiva: "tossir algo em alguém"; sentimento como de pancadaria e gritaria: sentir-se quebrado e rouquidão; limitação da comunicação: nariz entupido, garganta entupida, brônquios tendendo a entupir-se até o bloqueio das trocas (de gases), por ocasião da Inflamação do pulmão (conflito de comunicação no nível mais profundo), para a qual, porém, entram em ação os agentes provocadores específicos (em geral bactérias); ser percorrido por calafrios próprios à luta defensiva (calafrios); esforços de purificação no plano corporal.

Tratamento: reconhecer seu desinteresse e falta de entusiasmo por sua situação de vida; fechar-se para o exterior, estabelecer fronteiras, reservar para si o espaço interior; retirar-se voluntariamente das atividades exteriores e, de maneira ativa, manter exigências exteriores a distância; opor-se ofensivamente à prática de influências, deixar bem claro que não se está mais disposto a agüentar (engolir) a situação (as condições atuais); desabafar; defender-se de maneira aberta, ofensiva e agressiva: o tossir como liberação da agressividade; criar espaço para si; configurar para si os desafios/a luta, fazer jus ativamente ao sentir-se quebrado e à rouquidão; recusar todo e qualquer intercâmbio posterior do modo como vinha acontecendo até agora; deixar-se tomar pelo calafrio da luta para melhorar sua situação de vida; vivenciar a sensibilidade; *liquidar* situações nada claras.

Remissão: estar em fluxo; liquidar problemas encalhados; submeter-se às condições climáticas (as grandes epidemias de gripe no outono e no inverno pedem repouso, ao qual nos recusamos, embora o tempo esteja a aconselhar claramente o sono de inverno).

Cobertura do princípio original: Marte-Netuno.

Gripe gastrointestinal (enterite)
ver Colite

H

Hallux valgus (formação em "X" do dedão do pé devido ao Metatarsus varus primus)
Plano corporal: dedos dos pés (apoio), pés (firmeza, enraizamento).
Plano sintomático: dedão do pé formando uma cruz com os demais dedos por ter sido pressionado durante muito tempo pela curvatura do metatarso, ou joanete: desvio da linha reta, obstrução do curso do processo; na maioria das vezes devido a sapatos de formato muito estreito e pontudo: as raízes — e com isso o próprio enraizamento — ficam obstruídas
Tratamento: tornar-se consciente do espaço vital limitado de suas próprias raízes; viver sobre pés pequenos e limitar-se conscientemente; aprender a descobrir seus próprios truques sinuosos e sujos; aceitar seus próprios desvios das normas: trilhar conscientemente caminhos inusitados.
Remissão: no pólo oposto: arranjar espaço para suas raízes; proporcionar melhores condições para em todo caso lançar raízes e sentir-se bem; disposição para o enraizamento, para poder crescer até o céu.
Cobertura do princípio original: Netuno-Urano.

Hebefrenia ("demência precoce")
Plano sintomático: variação maligna da Esquizofrenia, que se inicia com a puberdade, podendo evoluir sem todas as loucas idéias e ilusões dos sentidos para uma gradual perda da personalidade; padrão de comportamento tolo, que não se pode levar a sério: *clown*, joão-bobo, cânone de disposição indo desde o bom inquietante até uma disposição ameaçadora; para os familiares: *a insuportável leveza do ser*; o padrão de comportamento atua também de forma petulante, engraçadinha, prazer insaciável por um padrão de comportamento bobo, tolice que não tem mais fim, macaquices; são tomados freqüentemente

por acessos ridículos de pseudo-espirituosidade, fluxo de idéias terrivelmente atrevidas de pressa embriagante e genial rapidez; desperdício da vida com bobagens; gracinhas e observações escarnecedoras disfarçam por algum tempo a derrocada do centro da vida; durante muito tempo, e muitas vezes durante todo o tempo, depender dos padrões de comportamento infantil.

Tratamento: abandonar prematura e conscientemente padrões de educação e desenvolver coragem para assumir a própria identidade; encontrar o caminho do tornar-se adulto (ritual da puberdade); reconhecer tudo em seu próprio coração, visando à supremacia das partes da alma em conflito ("minha razão diz que não, mas meu coração diz que sim"); consentir em ser diferente e mais espontâneo, tranqüilo e despreocupado; ocupar-se dos próprios acessos geniais e preparar-se para um forte ritmo de vida e flexibilidade; elaborar, no devido tempo, exercícios para encontrar seu centro na vida: Tai-Chi como filosofia de vida, isto é, deixar todo movimento partir do centro; buscar contato consciente com o próprio centro; danças de redemoinho dos dervixes, dançar valsas como prática do centramento; oleiros junto ao torno rotatório: estando no centro do vaso, entrar em contato com o próprio centro; como pólo oposto, exercícios de ligação com a terra: alimentação reforçada, vida ligada à terra, trabalho corporal.

Remissão: suportar a própria leveza do ser e, além disso, ter a disciplina necessária para levar a efeito/realizar disposições geniais.

Cobertura do princípio original: Lua-Urano.

Heliose ver Insolação

Helmintismo (ver também Teníase, Verminose)

Plano corporal: a ala digestiva (*bhoga*: comer e digerir o mundo), zona em que, na maioria das vezes, os vermes vivem podendo também emigrar para outros domínios, como, por exemplo, o fígado.

Plano sintomático: mesmo quando considerados clinicamente inofensivos, como no caso de algumas verminoses infantis, permanecem simbolicamente como de alto risco, pois o submundo salta do reino das sombras (comparar com o mito da hidra de Lerna): obsessão no plano corporal; algo não faz sentido, mas prossegue de maneira errada (as substâncias nutritivas vão para as tênias, como exemplo de seguir concretamente pelo canal errado): "aqui tem coisa"; sentir a impureza: estar contaminado internamente ("pobre verme"); estar bichado; medo de ser devorado internamente: "a lombriga o corrói e devora", "roer-se por dentro" (de rancor ou azedume e como se tivesse uma lombriga a fazê-lo); alimentar os comensais, ter hóspedes não convidados e ser obrigado a sustentá-los; o aproveitamento é sacrificado; os vermes lançam-se sobre os corpos que estão (quase) mortos (causam rebuliço de preferência também no intestino, o reino dos mortos do corpo); a lombriga como uma cobrinha inofensiva.

Tratamento: tema da higiene: manter separados os planos superior e inferior; de modo anímico-espiritual, lidar com os habitantes (temas) do reino das sombras, para com isso aliviar o corpo; sobre a temática do órgão afetado, discernir o que não faz sentido e onde o verme se esconde; alimentar seres (animais) consigo conscientemente; convidar hóspedes; tornar-se mecenas; nas crianças: aprender a compartilhar; esclarecer o tema do aproveitar e do ser aproveitado; observar os comensais; reconciliar-se com a morte e seus sinais; limitar-se conscientemente, jejuar (matar os comensais de fome também fisicamente); cuidado com o que se recebe no "pescoço errado" (que pode ser a traquéia ou o esôfago); fazer com que as energias voltem conscientemente.

Remissão: permitir que outros vivam na sua companhia, cultivar o amor ao próxi-

mo; desenvolver um sentimento pelas necessidades próprias e para as de outros modos de vida; reconciliação com o próprio mundo das sombras: tomar de assalto a própria luta com o dragão (a mítica hidra de Lerna).
Cobertura do princípio original: Plutão.

Hemangioma (tumor benigno dos vasos sangüíneos, acometendo na maioria das vezes crianças de pouca idade; em geral, é de reversão espontânea, mas pode permanecer pela vida inteira)
Plano corporal: todo o corpo pode ser afetado.
Plano sintomático: a força vital concentrada no plano corpóreo é firmada; congestionamento da vitalidade, força vital exuberante que não tem lugar no plano da consciência; ganhar uma marca/distinção, caso a hemorragia venha a tornar-se exposta (marca de Caim).
Tratamento (para adultos e crianças): exercícios de vitalidade, para atrair energia vital à superfície; conduzir a vitalidade por caminhos insólitos: aceitar a marca/distinção e apresentar-se para a tarefa.
Remissão: energia vital plena de vivacidade; aderir à própria força vital; tornar transparente o duplo sentido de trazer uma marca/distinção.
Cobertura do princípio original: Marte-Sol.

Hematêmese (vômito de sangue; em caso de Úlcera no estômago [sanguinolenta] ou de Varizes no esôfago)
Plano corporal: estômago (sensação, capacidade de absorção), esôfago (condução do alimento).
Plano sintomático: (os sintomas básicos indicam prioritariamente: escarrar seiva (energia) vital: irrupção de feridas internas; perder vitalidade; pagar por alguma coisa com seu sangue ("suar sangue").
Tratamento: desenvolver uma disposição para o sacrifício; aprender a fazer contas que permanecem abertas.
Remissão: sacrificar a energia vital para resolver um problema.
Cobertura do princípio original: Marte-Netuno/Urano.

Hematoma (ver também Fraqueza do tecido conjuntivo, Hemorragia)
Plano corporal: pele (delimitação, contato, carinho), tecido conjuntivo (ligação, consistência, compromisso).
Plano sintomático: experimentar um leve embate; pensamentos indecentes tornam-se visíveis no corpo; ocorrência de trabalho pesado de impressão (no plano do corpo, em vez de ocorrer no plano da consciência); ser rancoroso, ficar lembrando por muito tempo golpes/embates.
Tratamento: deixar-se impressionar, excitar e chocar; inserir a própria sensibilidade em planos redimidos; treinar o pensamento, para poder perceber melhor os estímulos; no pólo oposto: ir voluntariamente em vez de precisar ser empurrado; tomar a iniciativa em vez de sempre esperar por golpes vindos de fora.
Remissão: sensitividade; sensibilidade, impressionabilidade no plano anímico.
Cobertura do princípio original: Marte-Netuno.

Hematúria (sangue na urina)
Plano corporal: rins (equilíbrio, parceria), vias urinárias (canais condutores de águas residuais).
Plano sintomático: a força vital/vitalidade é perdida com as águas residuais (anímicas) (esclarecer e interpretar o problema fundamental).
Tratamento: trato generoso com a vitalidade da alma; guiar a força vital no fluxo anímico e fluir com ele, isto é, soltar-se.
Remissão: deixar escoar sua força vital.
Cobertura do princípio original: Marte-Lua.

Hemeralopia (cegueira noturna)
Plano corporal: olhos (vista, discernimento, espelho da alma), bastonetes da retina (chapa fotográfica do olho).

Plano sintomático: não conseguir se orientar na escuridão; perder a vista já com o crepúsculo; perigo ao anoitecer, tempo de aventura; desamparo no reino das sombras; falta de adaptação à metade feminina do dia; não se está consciente da cegueira para essa metade da realidade.
Tratamento: reconhecer as dificuldades com o lado escuro do dia (com a metade feminina da realidade); voltar-se para os lados claros da luz, vivendo-a e desfrutando-a intensamente; deixar a noite voltar a ser a noite (as atividades na escuridão, quando não se enxerga, são perigosas); terapia das sombras do pólo oposto (nesse caso, alopática): aprender a enxergar na escuridão, iluminar o reino das sombras em toda a sua extensão.
Remissão: a coragem de conferir verdade e importância a seus (próprios) lados obscuros.

Hemianopsia (cegueira de um só olho)
Plano corporal: olhos (visão, discernimento, espelho da alma), quiasma óptico (dos nervos condutores dos estímulos luminosos).
Plano sintomático: 1. hemianopsia homônima (na metade direita ou esquerda do rosto; os dois olhos são afetados pela lesão dos nervos ópticos logo em seguida ao quiasma, que é o cruzamento dos nervos ópticos): o lado feminino ou o masculino da realidade não pode mais ser percebido enquanto o outro lado permanece intacto; 2. hemianopsia heterônima como visão de antolhos (os domínios externos, a periferia do campo de visão não é registrada devido a processos junto ao quiasma): levar a vida com antolhos, seguir uma bitola estreita; 3. forma rara de hemianopsia heterônima (processos em que ambos os lados são envolvidos pela sela túrcica e os filamentos exteriores moldam os nervos ópticos, responsáveis pelo âmbito central do campo de visão): o centro das coisas não pode mais ser percebido, perda do centro, incapacidade de se concentrar.
Tratamento/Remissão: 1. resgatar o lado remanescente da realidade com suas tarefas e, a partir daí, recuperar o pólo oposto, a visão de mundo de ambos os lados; concentrar-se nos interesses remanescentes centrais e, a partir do conhecimento do essencial, ampliar gradativamente o horizonte; 3. ser menos orientado para a chegada, aproximar-se mais espontaneamente das coisas da vida, libertar-se de pensamentos de eficiência, "o mundo como objetivo" como tarefa de aprendizado.
Cobertura do princípio original: Sol/Lua-Saturno.

Hemicrania ver Enxaqueca

Hemiplegia ver Apoplexia

Hemofilia (herdada das mulheres, mas presente quase exclusivamente nos homens; ver também propensão à hemorragia, doenças hereditárias)
Plano corporal: sangue (força vital).
Plano sintomático: carência hereditária de cromossomos X, responsáveis pelas possibilidades de estabilização da energia vital: risco de sangramento; a energia vital esvai-se pelos motivos mais ínfimos: risco de perder a vitalidade, cansaço, moleza; sangramentos externos, mas também, perigosamente, internos (por exemplo, hemorragia numa articulação; Hemartrose: um movimento violento pode ser suficiente para desencadeá-la; sangramento da gengiva: a agressividade aloja-se de maneira irritável e perigosa); ter de relacionar-se de maneira particularmente perigosa com a seiva vital: a própria vitalidade deve ser controlada passo a passo e levada com rédea curta; transfusões sangüíneas correspondem a uma vitalidade emprestada, que só vale para o curto prazo; tarefa vital: evitar toda agressividade e toda lesão (não precisar ajustar contas com o princípio marciano no plano físico); estando sob a espada de Dâmocles, vivenciar uma morte prematura e ter de reconhe-

cer o essencial no plano não-físico; ter de sangrar (pagar) por uma história herdada.
Tratamento: valorizar a herança do passado e atualizá-la interiormente; aprender a deixar fluir generosamente a própria força vital e a presentear energia (força, dinheiro, tempo, etc.): exercícios de desprendimento; aprender a aceitar ajuda; aceitar que se é instruído pelo que vem de fora; reconhecer-se ferido no plano da alma; exercícios de vigilância (por exemplo, zazen, *vipassana*); exercícios de renúncia à violência: praticar a mansidão ("Bem-aventurados os mansos, porque deles é o reino dos céus"); aprender a apreciar conscientemente o valor do tempo e da energia vital: meditação sobre o princípio do "morrer para vir a ser"; sacrificar-se espontaneamente, antes de ser obrigado a isso; transferir a vida para o plano figurado, já que todo o físico é ameaçador.
Remissão: desprendimento da pretensão do ego; reconhecer o presente da vida como especial, isto é: atenção a (toda a) vida; reconciliação com a incerteza de nosso devir e com a certeza da morte (Livro dos Mortos Tibetano/Egípcio).
Cobertura do princípio original: Marte/Saturno-Plutão.

Hemoglobina fria (espécie de "alergia fria")
Plano corporal: sistema vascular (meio de transporte da força vital).
Plano sintomático: a assim chamada aglutinina (anticorpo) fria enfraquece os glóbulos vermelhos do sangue pelas baixas temperaturas e libera sua tinta (hemoglobina); hemólise: desfaz-se a seiva vital; risco de embolias até a parada dos rins e a morte; a pele, que é limpa, mostra a coloração azul e a perda de vitalidade; o frio deixa o sangue se desintegrar: medo do frio.
Tratamento: evitar o frio físico e anímico; cuidar para que se permaneça tanto externa como internamente numa temperatura boa e quente; em caso de uma invasão de frio e de um tempo de congelamento da alma, lutar pela sua vida até sangrar; estar consciente de todos os mecanismos de parceria para uma situação de frio em detrimento do risco de paralisação do fluxo da vida.
Remissão: viver a partir do entusiasmo; ser fogo e chama para os próprios temas da vida; inflamar-se em suas idéias, viver e amar com o coração quente; estar quente para a vida e arder ante o prazer de viver.
Cobertura do princípio original: Marte-Saturno.

Hemoptise (súbito esvaziamento devido à expectoração de grandes quantidades de sangue por um dos orifícios corporais, como o ânus, a vagina ou a boca)
Plano corporal: problema fundamental no intestino (assimilação de impressões materiais), útero (fertilidade, proteção), pulmões (contato, comunicação, liberdade), esôfago (condução do alimento).
Plano sintomático: arriscar sua seiva vital; perder, em torrente, uma grande quantidade de energia vital; grave ameaça à vida, em decorrência da perda de vitalidade: sacrifício de sangue: acontecimento que faz temer a morte.
Tratamento: usar sua vitalidade num projeto surpreendente; transformar sem reservas grandes quantidades de energia; fazer-se, num rompante, uma surpresa; discussão em torno da perda definitiva da força vital.
Remissão: realizar o insólito com sua força vital; reconciliação com o próprio caráter mortal; aceitar a morte como última estação da vida.
Cobertura do princípio original: Urano-Marte.

Hemorragia (ver também Hematoma, Fraqueza do tecido conjuntivo)
Plano corporal: tecido conjuntivo (ligação, consistência, compromisso), vasos sangüíneos (vias de transporte da força vital).

Plano sintomático: vítima de agressão; interrupção do fluxo de vitalidade; falha em um dos canais da energia vital; não reparar nos golpes do destino: pequenos golpes e empurrões no plano do corpo; sair de si ao menor golpe; ser facilmente impressionável, ficar com facilidade melindrado e rancoroso.

Tratamento: abrir-se para golpes vindos de fora; permitir a entrada de impulsos externos e seus efeitos; corajosos exercícios de aceitar e introjetar; Tai-Chi, Aikidô, artes marciais; precisar de golpes vindos de fora para deter-se em seu interior e chegar à consciência: deixar-se impressionar (tanto no sentido positivo como no negativo).

Remissão: deter-se por um momento no fluxo da vida; sensibilidade e suscetibilidade.

Cobertura do princípio original: Marte-Netuno.

Hemorragia cerebral ver Apoplexia

Hemorragia nasal (epistaxe)

Plano corporal: nariz (poder, orgulho, sexualidade).

Plano sintomático (para os pais, cujos problemas geralmente são espelhados pelos filhos): a energia vital corre pelo nariz de maneira visível (inofensiva, mas impressionante para pais e filhos); as crianças mostram simbólica e inconscientemente a ameaça e o perigo em que se encontram, em que dão em sacrifício sua própria seiva vital; com o sacrifício de sangue visível a todos, os pacientes sinalizam como a coisa vai mal com eles; elevação momentânea da pressão, quando *o sangue lhes sobe à cabeça*: deixar escorrer a pressão (excessiva).

Tratamento: terapia direcionada: deitar a cabeça para trás com toda a calma; aplicar na nuca um lenço molhado com água fria; cuidar para que o sangue não suba com freqüência à cabeça da criança (o que também acontece durante o sono); no sentido figurado, botar para fora a força vital por meio das válvulas de escape (as aberturas): enfatizar o corpo (por exemplo, por meio do esporte e de jogos) em vez de posicionar-se apenas no plano espiritual; todas as atividades corporais, que atuam enrijecendo, servem antes de mais nada para mandar a seiva vital à musculatura corporal, e em segundo lugar atuam favoravelmente às constituições em geral mais fracas dos pacientes; por isso, cuidar para que as crianças não desperdicem sua energia vital: pequenos seres sensíveis do tipo homeopático *fósforo* tendem a sangrar pelo nariz e, com isso, a sobrecarregar-se (espiritualmente).

Remissão: reconciliar-se com a ameaça à (uma) vida (aberta).

Cobertura do princípio original: Marte-Marte.

Hemorróidas (internas [na fronteira da mucosa], invisíveis ou externamente visíveis: ver também Trombose)

Plano corporal: reto (submundo), ânus (saída do submundo), vasos sangüíneos (vias de transporte da força vital).

Plano sintomático: atinge de 60% a 80% da população adulta; fraqueza do tecido conjuntivo como principal fundamento, havendo fatores agindo já como pressão inconsciente, que fogem a seu controle (por exemplo, a gravidez) e conduzem à erupção; modos de vida há muito sedimentados contribuem para agravar a situação (imobilidade, não avançar), → Obesidade, → Obstrução (crônica) dos vasos; a energia vital se escoa (sangramento); a água da vida infiltra-se da parte traseira (umedecimento); irritação na saída traseira (coceira); vitalidade represada: a força vital (sangue) fica paralisada, coagula-se e torna-se obstáculo ou tampão da saída traseira; sentar sobre seus problemas em vez de resolvê-los: atrelar, ou seja, estuporar alguma coisa; energia desperdiçada, covardia: conflito sangrento para a rendição; mecanismo de bloqueio da saída traseira:

os tiros saem pela culatra, não conseguir se impor; apertar (o traseiro), *retrair a cauda*; conflito de autoridade sob o cinturão; traição no próprio âmbito da vida; em caso de hemorróidas sanguinolentas: *suar sangue*, a seiva vital escapa por trás, a energia dissipa-se por trás em vez de ser aproveitada na frente.

Tratamento: tornar-se consciente do acúmulo de energia vital, perceber os tumores sobre os quais se senta e ficar consciente da pressão sob a qual se está; com relação à própria vitalidade, reconhecer a reserva, o esconder algo; guardar energia para si e lutar por ela; resolver conscientemente o conflito em torno da reserva de energia vital; questionar criticamente os bloqueios nas saídas traseiras; deixar novamente fluir energia (antes, a cirurgia mais fazia instigar os tumores); erguer-se, insurgir-se em favor de sua própria questão e pôr-se na vertical; observar para quem se está "arreganhando o traseiro"; liberar as pressões identificadas, dissolver tumores.

Remissão: reter a vitalidade necessária; no pólo oposto: a vitalidade fluindo livremente.

Cobertura do princípio original: Plutão.

Hepatite ver Doenças do fígado

Hermafroditismo (o verdadeiro hermafrodita é extremamente raro; nos casos mais freqüentes, de pseudo-hermafroditismo, os órgãos sexuais secundários e primários não se apresentam conjugados)

Plano corporal: todo o organismo, sobretudo os órgãos sexuais (sexualidade, polaridade, reprodução).

Plano sintomático: as glândulas da geração de um e os aspectos sexuais secundários de outro sexo deixam a pessoa entre a cruz e a espada; a (própria) natureza simula exteriormente o sexo secundário, que subjaz ao modo de um anexo; no curso da vida, a pessoa tenderá a se desenvolver sempre mais na direção de seu sexo interior.

Tratamento: vivenciar em si mesmo ambos os lados da existência humana e a cada qual proporcionar o que lhe é de direito; reconciliar Yin e Yang, o feminino e o masculino um com o outro: resolver sua tarefa durante toda uma vida, tarefa essa que normalmente tem seu poder agressivo reforçado com a mudança.

Remissão: consumar na consciência o casamento químico entre o feminino e o masculino.

Cobertura do princípio original: Urano.

Hérnia (ver também Hérnia inguinal, Hérnia umbilical e Diafragmatocele)

Plano corporal: virilha (sentimento, instinto, gozo, centro), abdômen (sensação, instinto, gozo, centro).

Plano sintomático: concorrência entre domínios: descuido das relações de fronteira e propriedade, onde não há vencedores; estabelecer relações falsas e não apropriadas; retirar-se de fronteiras razoáveis, em vez de manter uma fidelidade in*quebra*ntável por princípio; ter enfrentado temas difíceis demais, ter se excedido; perigo de estrangulamento do órgão estranho violado, guerra por usurpações repentinas; invasões pelos pontos fracos (na criminalística como no organismo).

Tratamento: transpor fronteiras entre domínios separados; possibilitar rupturas em espaços insólitos; ruptura com o tradicional e convencional; não se importar com o estabelecimento de fronteiras, possibilitar intercâmbio: aprender a ocupar espaço, mas atentar para a usurpação; atacar temas de peso; examinar-se muito (anímico-espiritualmente); trabalhar intensivamente temas que estão começando a aparecer; descobrir domínios em que valha a pena se exceder; respeitar suas próprias fragilidades e pontos fracos (virilha, umbigo, orifícios do diafragma).

Remissão: intercâmbio espiritual mais intenso no que diz respeito a transpor fronteiras: trilhar novos caminhos no domínio anímico-espiritual e deixar irromper os conhecimentos adquiridos; ligar mental-

mente temas próximos; contrair ligações aparentemente impossíveis; julgar-se capaz de estabelecer um compromisso anímico-espiritual com alguém.
Cobertura do princípio original: Urano-Mercúrio/Vênus/Lua (de acordo com o local da hérnia).

Hérnia incisural (ver também Hérnia, Hérnia umbilical)
Plano corporal: onde quer que lesões tenham deixado cicatrizes.
Plano sintomático: (recente) *abertura de uma ferida antiga*; um fechamento interior faz com que a ferida cicatrize; voltar a sentir uma pressão constante por detrás da cicatriz, pois essa não se expandiu; estar sob pressão em decorrência de problemas antigos, que já eram urgentes na época da lesão.
Tratamento: tornar claro para si o quão pouco se está resolvido com relação às suas feridas (ser rancoroso?); reconsiderar antigas feridas e seguir novo caminho para promover-se; voltar-se conscientemente para experiências antigas, para assimilar *o que permanece em aberto*; tornar-se consciente da pressão (anímica) por detrás da cicatriz e ceder a ela; conscientizar-se de feridas antigas não suficientemente curadas e de feridas interiores que jamais se curam completamente.
Remissão: andar por novos caminhos para resolver antigos temas de maneira definitiva.
Cobertura do princípio original: Saturno-Urano.

Hérnia inguinal (ver também Hérnia)
Plano corporal: abdômen (sensação, instinto, capacidade de absorção, centro), virilha (vulnerabilidade).
Plano sintomático: ser arrogante; lidar com temas difíceis, ter-se assumido, *produzir* muito, exigir demais de si: não poder suportar tudo isso; ser mais terno do que aceito: ignorar seus próprios pontos fracos; resvalar para o caminho errado;

poderes arcaicos de sensação pressionam na esfera sexual; concorrência entre dois domínios: descuidar-se das relações de fronteira e de propriedade, onde não há vencedores; risco de estrangular os órgãos envolvidos; conflito agressivo, guerra por ocasião de uma súbita usurpação.
Tratamento: lidar com temas que têm peso no sentido figurado; propor (anímico-espiritualmente) muitas coisas; aprender a avaliar de maneira realista suas próprias possibilidades de suportar; aprender a calcular seus próprios pontos fracos (limites); examinar os próprios caminhos no âmbito remoto dos movimentos, das sensações e dos esforços sexuais; transpor limites no sentido figurado: chegando a ligar domínios separados, para vantagens de ambos os lados; não se importar com o surgimento de fronteiras, possibilitar intercâmbio; trabalhar temas novos e emergentes (que adentram) intensiva e aberta (ofensiva)mente; ousar aproximar-se de pesos (espirituais); ser generoso e aberto.
Remissão: cultivar um intercâmbio espiritual sem fronteiras; ligar intelectualmente temas próximos; estabelecer ligações corajosas; julgar-se capaz de um compromisso anímico-espiritual com alguém.
Cobertura do princípio original: Vênus-Marte.

Hérnia umbilical (ver também Hérnia)
Plano corporal: abdômen (sensação, instinto, gozo, centro).
Plano sintomático: arrebentar a primeira ferida do ser humano;
1. Nos recém-nascidos: querer ultrapassar suas próprias fronteiras; organizar pressão contra antigas portas para o mundo; tendência para a regressão.
2. Nos adultos: cair sob pressão dos mundos arcaicos dos sentimentos; não poder satisfazer suas necessidades básicas; refúgio que se busca nos bons e velhos tempos.
Tratamento: farejar lá para trás, no começo; considerar caminhos elevados; dei-

xar-se recair conscientemente em antigos âmbitos de experiência e assimilar o que ainda está em aberto; fazer-se consciente da pressão dos mundos arcaicos dos sentimentos e ceder a ela.
Remissão: seguir por novos caminhos, inaugurar novos espaços para si e com isso recorrer a antigas experiências, seguir o instinto.
Cobertura do princípio original: Lua-Urano.

Herpes febril ver Herpes labial

Herpes genital
Plano corporal: região genital (sexualidade), lábios vaginais (entrada do tesouro).
Plano sintomático: (pressão) conflito (inconsciente) inflama-se no âmbito sexual; medo de infecção, sensação de nojo; sentimentos de vergonha e de culpa (por causa de uma escapadela); autopunição (por relações sexuais extraconjugais): marcar-se ou deixar-se marcar com a obrigação de definir sua posição; orientações incrustadas com relação à sexualidade; superego repreensivo; ambivalência entre prazer e sentimento de culpa: o fogo contido borbulha; obstrução do prazer e de relações sexuais subseqüentes (dores, contágio); desejos "sujos" e inconfessados lhe sobrevêm aos lábios (vaginais).
Tratamento: abrir-se para experiências tensas no âmbito sexual, nas quais se elevam até mesmo elementos das sombras, e esses têm permissão para atravessar as fronteiras da consciência; ocupar-se das necessidades palpitantes: no domínio da luz o fogo se inflama; investigar o próprio domínio das sombras; conhecer as próprias zonas tabus; reconhecer e trabalhar as próprias representações inconscientes da higiene nos diferentes planos; respeitar a necessidade de perdoar; amar-se ardentemente em vez de desenvolver bolhas ardentes.
Remissão: abertura no âmbito sexual para novas experiências; atravessar as próprias fronteiras e avançar até o domínio das sombras.
Cobertura do princípio original: Vênus-Saturno/Plutão.

Herpes labial
Plano corporal: boca (receptividade, expressão, maioridade), lábios (sensualidade).
Plano sintomático: conflito no âmbito da sensualidade: lábios incham-se e revelam a inconsciente tendência a uma sensualidade transbordante (prazer inconfesso); sensação de nojo, defesa contra beijos e intimidades: advertência contra parceiros potenciais por meio de intimidação e repulsa; mensagem ambivalente: "veja meus lábios inchados, mas não me toque"; horror ante o próprio insondável; o não dito e o não passível de ser dito aparecem como um selo sobre seus lábios: balões de herpes em vez de balões de fala (incham-lhe os lábios); medo do muco/pântano original: alguma coisa quer sair, diante da qual ele(a) se apavora; pensamentos impuros chegam fisicamente, em vez de verbalmente, aos lábios; desfiguração como fingimento; medo de contágio: castigo por causa de seus pensamentos "impuros"; ficar febril por alguma coisa, estressar-se (com direito a *espumar pela boca*); fraqueza defensiva: não poder defender suficientemente sua pele; arriscar seus lábios: trazer coisas impertinentes e insinuantes aos próprios lábios; ira reprimida e inarticulada, os referidos horrores provocando bolhas.
Tratamento: deixar a intimidade irromper em doses no próprio ser; deixar os próprios temas das sombras ascenderem à consciência; conhecer seus próprios desejos obscuros; aceitar a sensualidade em vez de desfigurá-la; trazer aos lábios coisas não ditas, arriscar um lábio: gracinhas cortantes e temas quentes; reduzir a defesa contra os assim chamados desejos impuros; em vez de se pôr em defesa no plano da alma, fazê-lo no plano corporal.

Remissão: de maneira corajosa, também trazer aos lábios temas quentes e ousados; deixar desabrochar a própria sensualidade.
Cobertura do princípio original: Vênus/Saturno-Mercúrio-Plutão.

Herpes-zoster (ver também Erisipela da face)

Plano corporal: estômago (sensação, instinto, capacidade de absorção, centro).
Plano sintomático: conflito fronteiriço longamente represado descarrega-se de maneira agressiva e dolorosa; o paciente é levado a gritar, tão dolorosa é a erupção: descarregam-se gritos há muito reprimidos; algo já se passava há algum tempo sob a pele e nos nervos, irrompendo agora — num período de fraqueza — para o exterior; arrebenta-se ativamente uma resistência de dentro para fora; o desabrochar de rosas da superfície da pele para fora: era preciso mais do que sua essência para que elas florescessem (para que se fizessem ver); impulsos longamente reprimidos impulsionam o sangue para a pele de maneira singular: conflito (de amor) não vivido no órgão de contato da pele; sentimentos ardentes (amor, ciúme, vingança) como que desabrocham na pele (comparação com o mito do rio flamejante Létis e o vestido ardente, de urtiga, feito por Medéia); o sintoma traz honestidade: o paciente não agüenta nenhum contato, está hipersensível; temática freqüente da sujeira e da deformação (proximidade do amor ardente e de apetites impuros).
Tratamento: partida; abertura combativa das próprias fronteiras para energias ofensivas internas na iminência de uma irrupção; dar espaço para as próprias forças internas longamente reprimidas, mesmo quando isso possa ser difícil e doloroso; desabrochar, ocupar espaço e expressar algo não dito; *manifestar-se* sem rodeios; extrair energia da sinceridade.
Remissão: pôr em liberdade forças não expressas e reprimidas; comprazer-se em suas próprias criações, enfeitar-se com seu próprio sangue; gozar a abertura das próprias fronteiras.
Cobertura do princípio original: Vênus-Marte.

Hidrocefalia (cabeça-d'água)

Plano corporal: cérebro (comunicação, logística).
Plano sintomático: pela expansão dos espaços líquidos da alma no interior do cérebro tem-se o afundamento da substância cerebral e a dilatação do crânio (esclarecer os problemas fundamentais — tumores, produção anormal de líquido cefalorraquiano): o aumento da cabeça como símbolo de poder e influência (ser "a cabeça" de alguma coisa); o cérebro reduzido e limitado como freio intelectual; o intelecto (âmbito cerebral) está sob a pressão da alma.
Tratamento: no correr da vida a partir daí; arranjar lugar para a alma no reino da sede do governo, da central de comando; deixar que a cabeça de dimensões ânimicas expandidas ultrapasse seus limites, cause impacto; em seu próprio ser, adiar os interesses intelectuais em favor das necessidades da alma.
Remissão: ligação do anímico com o intelectual pelos sentimentos e pela razão sob o comando da alma.
Cobertura do princípio original: Lua-Mercúrio.

Hidrocele (acúmulo de líquido na túnica visceral do testículo ou ao longo do canal espermático)

Plano corporal: testículos (fertilidade, criatividade).
Plano sintomático: o anímico segue com muita pressa no âmbito da reprodução e da criatividade; ao introduzir-se o fluxo anímico, os testículos incham: invasão líqüida limitada no campo da masculinidade; pretensão enorme e exagerada no âmbito da criação.
Tratamento: deixar fluir voluntariamente a energia da alma no terreno da criatividade e da sexualidade; dar consciente-

mente mais espaço para os temas da masculinidade, da reprodução e da criatividade.
Remissão: ligar a alma à masculinidade, o sexo a sentimentos amorosos e anímicos.
Cobertura do princípio original: Lua-Marte.

Hidropisia ver Edema

Hidropisia estomacal (hidropisia [da cavidade]; por doença cardiocirculatória, dos pulmões, rins, fígado ou câncer).
Plano corporal: cavidade abdominal (abrigo) e partes do corpo adjuntas.
Plano sintomático: acúmulo de água: acúmulo anímico; a participação anímica solta-se da corrente sangüínea (força vital) e abandona-se; pouco poder anímico; fornecimento do alimento da energia vital perante o centro do sentimento (coração) e o centro dos sentidos (fígado); o anímico deixa a corrente da vida e não mais toma parte nela, mas antes a esconde; funções centrais com o hidropericárdio, o trabalho digestivo com os ácidos clássicos na cavidade torácica, a respiração com o hidrotórax.
Tratamento: considerar o anímico, dar-lhe importância e permitir que se torne fértil; dar um tempo para o impulso da alma.
Remissão: dar espaço aos temas anímicos; permitir sentimentos (estomacais), fazer-se perceptível; no pólo oposto: manter a força da alma em fluxo.
Cobertura do princípio original: Lua.

Hipacusia (diminuição do sentido da audição; ver também Surdez senil, Surdez)
Plano corporal: ouvidos (obediência).
Plano sintomático: o mundo exterior retira-se-lhe acusticamente pouco a pouco; em pessoas idosas é sinal de tendências não-resolvidas, como inflexibilidade e intransigência: não querer ouvir (e ver) mais nada; o corpo faz o que a pessoa deixa de fazer: retira-se dos assuntos do dia-a-dia; forma não-resolvida de retirada para o próprio mundo; perda da capacidade de adaptação e da flexibilidade; a disposição para escutar está em baixa; não mais (poder) dar ouvidos a ninguém; o mundo exterior torna-se sem importância; a pessoa fica menos acessível, distanciando-se inconscientemente.
Tratamento: reconhecer (valorizar) a exigência do destino: afastar-se do mundo exterior e voltar-se para o mundo interior; cessar de escutar exteriormente e obedecer; aprender a confiar na voz interior.
Remissão: escutar a própria voz interior e obedecê-la.
Cobertura do princípio original: Saturno-Saturno.

Hiperacidez ver Acidez

Hiperacusia (hipersensibilidade acústica, acuidade auditiva nervosa)
Plano corporal: ouvidos/audição (obediência).
Plano sintomático: reagir a ruídos de maneira subitamente hipersensível; sentir-se incomodado pelos menores ruídos.
Tratamento: aprender a confiar em suas percepções; indicação, ouvir com acuidade, espreitar, escutar e obedecer; no pólo oposto: fazer-se (sonoramente) alto e gritar de maneira insuportável.
Remissão: escutar e obedecer (a própria voz interior ou conselhos exteriores); na gravidez: com a voz interior, comunicar-se com a criança antes mesmo de seu nascimento.
Cobertura do princípio original: Netuno-Lua.

Hiperalgesia
Plano corporal: pele (delimitação, contato, carinho).
Plano sintomático: hipersensibilidade da pele à dor: atrair a atenção; alta suscetibilidade, fácil excitabilidade.
Tratamento: tratar as respectivas zonas de hipersensibilidade da perspectiva das regiões dos órgãos internos corresponden-

tes (fenômenos das zonas de reflexo); converter a suscetibilidade e a excitabilidade em sensibilidade.
Remissão: vigilância para os sinais que vêm de dentro: espreitar a voz interior e trazer suas mensagens para fora.
Cobertura do princípio original: Saturno/Vênus-Lua.

Hiperatividade em crianças ver Hipercinesia

Hiperceratose ver Ceratose, Acantose

Hipercinesia (ímpeto psicogênico de movimento, "crianças hiperativas")
Plano corporal: musculatura esquelética (motor, força).
Plano sintomático: o excesso de movimento e a intranqüilidade da alma desabrocham corporalmente; tempo de ímpeto e arrebatamento no plano corporal.
Tratamento: procurar esgotar o corpo (esporte, trabalho); tornar-se consciente da agitação e do fluir irregular da alma.
Remissão: produzir um movimento interior para aliviar o corpo.
Cobertura do princípio original: Marte-Urano.

Hipercolesterinemia (alta porcentagem de colesterina; problema que está em sua base: alto nível de *stress*, que pode provocar desde uma oscilação na pressão arterial até lesões internas nas paredes vasculares)
Plano corporal: artérias (vias de energia), colesterina (material de ligação e de condensação do corpo).
Plano sintomático: busca de proteção, de cobrir todas as fendas, de vedar-se, para fechar-se e manter-se denso; vias de energia sobrecarregadas de construções arquitetônicas e colônias de reparação: a corrente de energia vital transporta grande quantidade de material de condensação e de ligação; risco de circulação estreitada (redução do lume das artérias), congestionamento (fechamento de vasos) e infarto (colapso no abastecimento).
Tratamento: na estrutura da alma, procurar e adensar locais permeáveis; proteger o envoltório dos nervos contra a sobrecarga e proteger a alma contra o subabastecimento; transferir conflitos relativos ao *stress* diário pela sobrevivência do plano corporal para o anímico-espiritual (por exemplo, exercícios de expressão verbal em vez de permanentes exercícios de pressão e descompressão no sistema arterial); indagar-se onde, quando e por que sempre se fica tão estreito; no sentido figurado, estar armado para todos os casos/acidentes; tornar consciente a diminuição no abastecimento de energia no sentido figurado (algo tem de estar por trás do surgimento do trânsito pesado e da velocidade tresloucada – por exemplo, o coração); conhecer os próprios pontos fracos (feridas): dar um tempo para que as feridas cicatrizem; desenvolver nervos fortes (como fios de arame); tornar supérfluo o transporte de materiais de ligação por meio de medidas preventivas: o longo tempo de vida visível na elevada pressão da vida – reduzi-lo mediante a calma na circulação (estreitamento artificial).
Remissão: a energia flui no tempo certo e com toda a tranqüilidade nos domínios decisivos (assuntos *do coração*, desenvolvimento interior [pernas], visão universal [cérebro]).
Cobertura do princípio original: Marte-Saturno.

Hiperfunção do córtex da cápsula supra-renal ver Doença de Cushing

Hipergalactia (excesso na produção de leite)
Plano corporal: glândulas mamárias femininas (maternidade, alimentação).
Plano sintomático: produção de leite em grandes proporções; vontade exagerada de nutrir (como uma supercompensação

a uma carência na alimentação anímica?); sobrecarregar com comida em vez de fazê-lo com doação de si mesma (superproteção no plano da alimentação).
Tratamento: oferecer alimentação anímica suficiente; voltar-se conscientemente para a criança, tornar-se consciente de sua própria necessidade anormal de comida e rever sua própria história de vida: "estou satisfeita ou dá para comer mais um pouquinho?"; evitar (física e animicamente) empanturrar-se.
Remissão: alimentar a alma, o espírito e o corpo e cuidar da ordem.
Cobertura do princípio original: Lua-Júpiter.

Hiperidrose (transpiração exagerada; transpiração dos pés, transpiração das mãos)
Plano corporal: pele (delimitação, contato, ternura).
Plano sintomático: contínuo transpirar de medo; suar água (e sangue), estar permanentemente banhado de suor; mãos frias molhadas de suor, que revelam pouca disposição para o contato e cujo cumprimento não é quente nem vem do coração; pés (que suam) frios: medo fundamental, falta de enraizamento; suar: sangrar, perder todo o sangue, perder força vital; suar ante o esforço: sobrecarregar-se de modo permanente e inconsciente; suar de calor: estar continuamente (inconscientemente) quente (por alguma coisa); contínua busca de purificação do corpo a partir de todos os poros; perda de fluxo anímico.
Tratamento: no suar frio: ficar consciente do medo; no suar quente: trazer o calor interior e a carga sexual à consciência; verificar sinais de esforço excessivo e sentir conscientemente o incômodo.
Remissão: envolver-se de modo tão profundo com o próprio medo original que ele a partir daí se faça amplidão.
Cobertura do princípio original: Saturno (aperto, estreiteza)-Marte (calor).

Hipermastia (aumento anormal de um ou de ambos os seios)
Plano corporal: seios (maternidade, nutrição, proteção, prazer).
Plano sintomático: acentuação excessiva do aspecto nutritivo e feminino do corpo; possivelmente como compensação de um déficit correspondente na consciência; ação de sinalizar para o homem, sobretudo no que diz respeito aos problemas maternos; grandes seios resgatam altas esperanças de abastecimento, de segurança e de um tornar substancioso; associações a um grande coração e às correspondentes generosidade e liberdade de residir: "varanda imponente", que no sutiã acentua-se ainda mais, chegando a convidar para que se acheguem à janela, "leiteria".
Tratamento: reconhecer que se está fazendo um sinal e aprendendo a se posicionar para isso: aceitar a situação com relação ao presente da (própria) natureza e aprender a lidar com ela.
Remissão: ser "senhora" da situação e estabelecer conscientemente a própria ação; vivenciar-se conscientemente como felizarda.
Cobertura do princípio original: Júpiter-Lua.

Hipermetropia (ver também Presbiopia)
Plano corporal: olhos (vista, discernimento, espelho da alma).
Plano sintomático: perturbação com o avançar dos anos; o ponto da visão nítida se afasta, pondo-se a distância: abranger com a vista o que está perto e mais além, conseguindo manter a amplidão e com isso a possibilidade de uma visão geral; manter distância das ninharias do dia-a-dia; paralela e demonstrativamente nessa direção: esquecimento dos acontecimentos recentes, ao passo que os antigos se mantêm preservados.
Tratamento: proporcionar-se uma visão geral, vaguear distante, encontrar perspectivas de vida; deixar para trás o que está próximo e zelar pela grande ligação da

vida; dirigir a concentração, o olhar para o horizonte da vida (ampliar o horizonte); criar uma distância da própria vida, ordenar os acontecimentos importantes no padrão global e a partir daí desenvolver sabedoria (de vida).
Remissão: clara perspicácia e visão de conjunto sobre as estações essenciais do caminho da vida; reconhecer o chão da vida, encontrar o fio de Ariadne no labirinto de sua própria vida; pessoas idosas (perspicazes) devem tomar distância da própria vida, assim como as jovens (de visão curta) são intimadas a assistir aos acontecimentos que lhe estão mais próximos.
Cobertura do princípio original: Sol/Lua-Júpiter/Urano.

Hiperosmia (excitação anormal do olfato)
Plano corporal: nariz (poder, orgulho, sexualidade).
Plano sintomático: relação com tempos antigos; sentir as coisas pelo cheiro (por exemplo, o caminho mais seguro para a boa alimentação); torna-se mais agudo na gravidez e em outras situações: proteger melhor a si e a sua guarda consciente pelo faro; remeter-se drasticamente àquilo que "cheira mal".
Tratamento: aprender a perceber, de maneira consciente, a seguir os instintos; remontar aos antigos planos de orientação, lembrar-se da herança humana; examinar se é capaz de cheirar alguém (ampla capacidade de testemunhar, como de achá-lo atraente por seu aspecto).
Remissão: o bom nariz, em que se pode confiar, atuante na escolha de pessoas e alimentos, bem como para farejar o perigo, é levado a sério; na gravidez: farejar os perigos para si e para o bebê no tempo certo.
Cobertura do princípio original: Plutão (ligação com os instintos ancestrais).

Hipersecção gastrintestinal ver **Gastrenterite**

Hipersensibilidade à dor ver Hiperalgesia

Hipersensibilidade acústica ver Hiperacusia

Hipertireoidismo (hiperfunção da glândula tireóide)
Plano corporal: glândula tireóide (desenvolvimento, maturação); pescoço (incorporação, ligação, comunicação).
Plano sintomático: ímpeto de crescimento e desenvolvimento, sentir calor quando se trata de alargar e desenvolver (ser alérgico ao aperto no pescoço), apetite de vida quase insaciável; ambição ardente: pretensões de realização exageradas; excesso de exigência; fome de viver, medo de perder alguma coisa; prevenção continuamente elevada; conflito de autoridade; negação de si mesmo; frustração de desejos infantis de dependência; situações de aperto são temerosamente evitadas; discrição de sentimentos; opressão; medo reprimido da morte.
Tratamento: tornar-se consciente dos desejos de crescimento e expansão, em parte inconscientes, para transformá-los: dar uma arrancada na vida, mexer-se por conta própria; estar desperto para aproveitar a ocasião; ousar na luta pelo cume, notificar a luta (pela concorrência) às autoridades; aprender a responder por si e por suas ambiciosas pretensões; reconhecer a contradição entre o medo da morte e a enorme disposição para a vida; psicoterapia; confrontar sonhos de altos vôos com a realidade; dissolver nódulos anímicos que separam o que está em cima do que está embaixo; reconhecer o pânico de viver, cruzar com Pã e vencer a batalha.
Remissão: chegar a decisões de vida independentes; apresentar-se à plenitude da vida com todas as suas possibilidades; deixar entrar na luta pela vida a energia que se acalma na nosografia.
Cobertura do princípio original: Mercúrio-Marte/Urano.

Hipertensão (Pressão alta)
Plano corporal: sangue (força vital), vasos sangüíneos (via de transporte da força vital).

Plano sintomático: pressão sangüínea: energia, corrente sangüínea, resistência das paredes dos vasos, fenômeno; estar sob pressão e excitação prolongadas: "ser pressionado"; viver permanentemente à beira de um conflito, sem apresentar uma solução; não assumir; contínua situação de provação e disposição defensiva; situação básica repleta de tensão pela expectativa e pela excitação interior; conflito de autoridade não-controlado; hostilidade reprimida; fuga para a atividade exterior, desvio; agressividade obstruída; domínio do próprio corpo; bloqueio de atividade no plano do funcionamento corporal; busca de tudo controlar; problemas de comunicação; emitir em vez de compartilhar, as respostas saindo como de uma metralhadora; inclinação para a contradição.
1. Pressão sangüínea vermelha: sentir-se insubstituível, querer imiscuir-se em tudo; embusteiro, seu lema é "se não fosse eu, as coisas não saíam"; 2. pressão alta pálida: controle sobre-humano; luta permanente pela vida travada como que dentro de uma gaiola (os vasos); por detrás da fachada, pessoas tensas e fatigadas; 3. pressão alta crônica: (vias de) comunicação paralisadas.
Tratamento: em vez de manter uma pressão prolongada, buscar o conflito decisivo; pôr toda a sua força numa solução ofensiva; constituir e atacar o problema da autoridade; fazer inimigos; ajustar a atividade em função de uma batalha decisiva; vida ofensivamente corajosa; controle das próprias emoções, visando empregá-las (para não ficar com a consciência pesada); descontração depois de uma discussão; *cuidar* da comunicação: a rapidez da resposta pronta no momento certo, em vez de se limitar a escutar; reconhecer a sabedoria do dito popular "a palavra é prata, o silêncio é ouro"; tomar o ar (inspirar) conscientemente e desprender-se pelo expirar; reconhecer seu desejo depois de tê-lo aprovado.
1. Reconhecer a fúria de sua própria movimentação; soltar a pressão (no lugar certo); 2. descobrir sua própria repressão, e então novamente trazer pressão externa, para finalmente soltá-la no ponto mais decisivo; 3. deixar falar o coração.
Remissão: conhecimento da própria força; fazer-se presente à discussão em curso; pôr novamente em movimento, mediante pressão, uma situação de impasse; concentração no ponto essencial (em geral os assuntos do coração); olhar para o interior, para as próprias questões do coração, em vez de projetar-se para fora; em outros planos, expandir-se para além de si mesmo.
Cobertura do princípio original: Marte-Saturno.

Hipertricose (pêlos por todo o corpo, pelugem masculina, homem-macaco; ver também Queda de cabelo, como pólo contrário)
Plano corporal: pele (delimitação, contato, ternura), pêlos do corpo (força animal).
Plano sintomático: pêlos por todo o corpo: "esse é parente do macaco"; recaída em suas raízes históricas; síndrome da virilidade: masculinização exagerada, que lhe empresta um aspecto perigosamente animal; a lembrança de sua própria história e origem resgata uma recusa profunda: transformar o ambiente num espelho da sua sombra.
Tratamento: reconciliar-se com sua própria origem animal, reconhecer e aceitar a animalidade em seu ser; seguir os rastros e instintos profundos, aprender a percebê-los e valorizá-los; aprender a confrontar-se com o que lhe mete medo; tornar-se um homem (por inteiro) no plano da consciência.
Remissão: solução consciente do tema da masculinidade.
Cobertura do princípio original: Marte.

Hipertrofia do coração (Coração de atleta)
Plano corporal: 1. hipertrofia concêntrica (freqüentemente tem origem na práti-

ca de esportes, é relativamente inofensiva e até mesmo saudável, contanto que em grau leve) e 2. hipertrofia excêntrica (o lado esquerdo ou o direito aumenta de forma unilateral, o que remonta a problemas vasculares ou de válvulas e pode se tornar uma ameaça); (super)exigência do coração físico; crescer para além das fronteiras (físicas).
Tratamento: exigir do coração e promovê-lo na perspectiva anímica; permitir que ele se expanda no sentido figurado; expandir o coração e abri-lo para a vida com suas reivindicações; dar peso maior ao coração com seus temas; satisfazer o problema fundamental da hipertrofia excêntrica: por exemplo, esclarecer Hipertonia ou falhas de válvulas (Insuficiência da válvula cardíaca/tricuspidal) e ocupar-se de seu significado.
Remissão: magnanimidade e domínio de si.
Cobertura do princípio original: Sol-Júpiter.

Hiperventilação (busca de cura do organismo; em geral incompreendida, pela medicina acadêmica, como sintoma de doença; contudo, nas terapias, é empregada como meio de expansão da consciência)
Plano corporal: pulmões (contato, comunicação, liberdade).
Plano sintomático: o organismo é inundado com energia vital (oxigênio, *prana*) e perde material indesejado (dióxido de carbono) em excesso; em meio a essa situação sobrecarregada, vêm à luz todas as impurezas possíveis, o que obstrui o próprio desenvolvimento; o padrão materno pode se manifestar, mas também se evidenciam problemas sexuais ou os relacionados com o reter; descarregam-se a frieza, a tristeza não-vivida e a alegria; devido a um intercâmbio, ou a uma respiração excessivamente longa (sobrecarga de *prana*, energia vital), podem surgir contrações: aperto, medo; tomada de atitude embrionária, caso o trauma do nascimento não tenha sido trabalhado, sendo nessa oportunidade impelido para cima; busca de libertação do organismo a partir de uma situação de aperto ou medo; fazer excesso de vento (para nada?).
Tratamento: continuar a respirar e aprofundar o processo, até que no mais profundo ponto do medo (o maior sentimento de estreiteza no corpo) aconteça a libertação, o rompimento na amplidão; ativar a própria luta pela libertação do medo original (que freqüentemente corresponde ao aperto original por ocasião do nascimento); inundar-se com energia (respiratória), para então fazer flutuar para fora o bloqueio de energia (passagem estreita); deixar-se conduzir por um vendaval na profundidade dos próprios problemas (em geral no aperto do trauma do nascimento), passando então à profundidade quando o aperto for consciente o bastante.
Remissão: encontrar a libertação da própria força por meio de um intercâmbio aprofundado com o mundo (respiração aprofundada); deixar soprar um vento fresco na vida; deixar-se embriagar pelo excesso de *prana* (energia vital); perceber a própria ausência de limites e o êxtase; ultrapassar todas as fronteiras pelo vibrar da respiração.
Cobertura do princípio original: Mercúrio-Marte.

Hipestesia ver Diminuição da sensibilidade à dor

Hipocondria (medo de doenças; ver também Neurose do coração)
Plano corporal: problemas de consciência, (hipocôndrio; na verdade, a região cartilaginosa sob as costelas, onde com mais freqüência o não se sentir bem se projeta para dentro)
Plano sintomático: os assim chamados doentes imaginários, nos quais facilmente tudo ocorre por debaixo da pele e das costelas; num contínuo cuidado para com a própria saúde, o corpo é penosa e es-

tritamente observado: tudo sempre gira em torno da própria vida, mas só em torno do físico, não do espiritual; o medo da morte é projetado no corpo, de modo que os pacientes temem morrer pelos mais diferentes sintomas.
Tratamento: dar uma atenção crescente e doar-se aos respectivos temas por detrás dos órgãos observados; preocupar-se com a saúde da perspectiva anímico-espiritual; reconciliar-se com a própria mortalidade: estudo dos diferentes livros dos mortos, mas também de passagens bíblicas relacionadas com a morte; levar a sério a ameaça à vida num sentido amplo: como seres humanos, somos desgraçados e mortais, razão pela qual necessitamos de "um salvador" e sua companhia na descida ao reino dos mortos e das sombras; como doença advinda da profissão, a hipocondria afeta muitos médicos, sendo fomentada pela fixação no estudo do corpo: nesse caso, o próprio tema pode ser trabalhado numa projeção junto ao paciente.
Remissão: conhecimento de que se está de fato doente, mas num sentido mais profundo: falta-lhe a outra metade, as sombras, e isso precisamente da perspectiva anímica; cuidar da integração das sombras com todo o seu medo; reconciliação com a morte.
Cobertura do princípio original: Mercúrio-Saturno.

Hipogalactia (insuficiência na produção de leite; ver também Problemas com a amamentação)
Plano corporal: glândulas mamárias femininas (maternidade, nutrição).
Plano sintomático: a criança recebe pouco, porque a mãe tem pouco (avareza com a alimentação anímica): a mama *não lhe dá nada*; economia de sentimentos, retenção do anímico, sem que a mulher ganhe nada com isso; não cumprir o papel de mãe; a dúvida a respeito de suas capacidades maternas é quase sempre a decorrência, por vezes estando também na origem.

Tratamento: concentrar-se na criança; aprender a tomar para si o necessário (o alimento corporal e anímico) e, em conseqüência disso, continuar a dar; crescer conscientemente no papel de mãe, não renunciar (a si e à criança) (não tão rapidamente) (mesmo mães adotivas podem amamentar em situações favoráveis); aprender a dividir a energia vital: desenvolver uma disposição para o sacrifício.
Remissão: farejar e fomentar conscientemente a corrente da vida; dedicação às suas novas tarefas como mãe e à fonte de vida para o recém-nascido.
Cobertura do princípio original: Lua-Saturno.

Hipoglicemia (taxa de glicose no sangue abaixo do normal)
Plano corporal: metabolismo (equilíbrio flutuante).
Plano sintomático: diminuição da taxa de açúcar no sangue: pouco açúcar e amor na seiva vital, pouco alimento para a vida; o sentimento de vitalidade repousa no açúcar (glicose) da seiva vital; quando falta, surge o pânico; tremor, erupção de suor: medo de ser passado para trás; fome repentina, ao modo de um desejo pela vida (não-vivida): fome de vida e de amor; um pulso apressado quer fazer o paciente e seu coração como se fossem pernas: o coração faz valer seu direito ao amor (glicose).
Tratamento: reconhecer a carência de açúcar e de amor; tornar claro para si que (animicamente) pouco se tem para dar à vida; perseguir a própria estreiteza e o próprio medo até as profundezas, encontrando a amplidão que lhes subjaz; orientar a fome aguda e repentina para objetivos vantajosos; proporcionar ao coração o necessário à vida em termos de doação e amor.
Remissão: perceber e viver a própria vitalidade em movimentos redimidos: *perceber* e desfrutar o açúcar da vida e do amor.

Cobertura do princípio original: Saturno-Vênus/Lua.

Hipotireoidia ver Hipotireoidismo

Hipotireoidismo (hipofunção da glândula tireóide, ver também Mixedema)
Plano corporal: glândula tireóide (desenvolvimento, maturação).
Plano sintomático: estar vedado para o mundo exterior, entrincheirar-se atrás de grossas muralhas (→ Mixedema); falta de enraizamento; tudo o deixa indiferente, fingir-se de morto; falta de interesse pela vida; falta-lhe o doce da vida.
Tratamento: recolher-se a si mesmo, buscar refúgio atrás de grossas muralhas: ousar uma retirada para um situação de vida monástica, meditativa; deixar acontecer conscientemente o que tiver de acontecer; deixar morrer tudo o que for antigo; ocupar-se com a morte.
Remissão: buscar e encontrar dentro de si o sentido da própria vida.
Cobertura do princípio original: Mercúrio-Saturno/Netuno.

Hipotensão (pressão baixa; ver também Debilidade [do tecido conjuntivo])
Plano corporal: sangue (força vital), que não encontra nenhuma resistência por parte das paredes dos vasos sangüíneos (vias de transporte da força vital), que cedem, deixando de comparecer junto à corrente.
Plano sintomático: as fronteiras (as paredes dos vasos) deixam de ser desafiadoras; afastar resistências e desafios; não ir até a fronteira, recolher-se por causa de conflitos; aparente renúncia à potência, negação de responsabilidade; retorno ao inconsciente; fuga na impotência; falha no que diz respeito à firmeza e à franqueza: vertigens; a corrente de energia vital não encontra o caminho de volta para o centro e passa a pender em algum lugar da periferia; medo; pés frios: falta de contato com a terra; mãos frias: não estar interiormente pronto para travar contato com as outras pessoas; atitude de sacrifício: muitas vezes, ter inclinação para viver como caracol, retirando-se para o abrigo de sua casa; ser impelido para o chão, estar sem forças, abatido, impotente; resistência passiva (pela manhã, não conseguir sair da cama); inclinação para a regressão; vida monótona, sem tensão, porém longa, porque muito cuidadosa com o coração; negação da vida (atitude infantil): "papai (o marido) já vai resolver"; tendência freqüente para a depressão e o pessimismo.
Tratamento: autêntica descontração em vez de indolência; ver a própria pequenez e fraqueza diante do milagre da criação; submeter-se (à lei superior) e ceder sem rancor; abdicar conscientemente, em vez de lutar; deixar-se absorver e carregar pela Mãe Terra; aspirar à ligação com a terra, ao enraizamento; erguer os braços para o céu, abrindo mão de responsabilidade e poder ("seja feita a Tua vontade"): exercícios para posterior desenvolvimento da confiança original (exercícios para possibilitar experiências de unidade); elevar o "dar é mais bem-aventurado do que receber" do plano do sangue para o plano da consciência; reconhecer a falta de enraizamento e contato e aceitar o fluxo desconexo dos acontecimentos; dar-se conscientemente em sacrifício, em vez de escapar fisicamente do papel de vítima; regressão no sentido de *religio*: com relação à origem da vida.
Remissão: humildade: capacidade de adaptação, elasticidade, flexibilidade; compaixão (*misericordia*); encontrar seu lugar na vida e criar raízes: entrega à vida.
Cobertura do princípio original: Lua-Saturno.

Hirsutismo (composição pilífera masculina em mulheres; ver também Barba feminina)
Plano corporal: cabelos (liberdade, vitalidade).
Plano sintomático: desfiguração cosmética na orientação masculinizante (aparên-

cia peluda, animal): a porção masculina descuidada, relegada às sombras, quer se sobrepor; a porção masculina da alma (*animus*) expande-se no corpo; quando o *animus* se manifesta logo depois da menopausa, o pólo masculino apresenta-se desse modo corpóreo; padrão masculino de pêlos pubianos: veia inconfessadamente fálico-agressiva no âmbito sexual; barba feminina: desejo de força de vontade e capacidade de imposição; tipo "cabeludo", "ter cabelo nas ventas" (ser de uma coragem extraordinária).

Tratamento: descobrir e desenvolver o pólo masculino; integração do pólo oposto no plano anímico em vez de integrá-lo no plano corporal; aceitar e vivenciar a porção animal da alma (o animal cabeludo); proporcionar um rompimento à própria vontade, dar-se ao respeito, mostrar-se ereto.

Remissão: satisfazer o próprio padrão de vida e pô-lo em concordância com o padrão de vida universal da mandala, que, mais tarde, a partir do meio da vida, prevê a conquista da porção anímica do pólo oposto: o que se passa na consciência não precisa ser encenado no palco do corpo; tornar-se um com o pólo oposto da alma.

Cobertura do princípio original: Marte-Urano.

Hordéolo (terçol)

Plano corporal: olhos (vista, discernimento, espelho da alma).

Plano sintomático: dores para abrir e fechar os olhos: conflito entre olhar em determinada direção e desviar o olhar, como no caso em que se observa ou contempla alguma coisa na direção para a qual, na verdade, não se deveria olhar, ou seja, desviar o olhar quando são requeridos olhos abertos; agressividade no olhar (vista ruim?); conflito entre chorar e estar zangado; o olho tende a inchar e a colar-se durante a noite: "a trave no próprio olho" faz-se visível a todos; lágrimas coalhadas: endurecimento do anímico.

Tratamento: considerar (auto)criticamente o mundo; deixar-se excitar pelo que se vê; desenvolver um modo de ver ofensivo; aprender a manter os olhos abertos, mas poder também conscientemente *fechar um olho*; perceber conscientemente um conflito visível; o olhar deve aprender a resistir.

Remissão: poder mudar o modo de ver; olhar em determinada direção e desviar o olhar no momento certo; perceber (e importar-se com) não só o graveto no olho do próximo, mas também a trave em seu próprio olho.

Cobertura do princípio original: Sol/Lua-Saturno.

Hospitalismo

1. Nas crianças, distúrbios da alma e do corpo por longos períodos de internação.

Plano corporal: diferentes regiões podem ser afetadas.

Plano sintomático: sintomas de desintoxicação com relação à exteriorização de sentimentos, em especial a privação do amor; são característicos, por exemplo, os movimentos de se balançar, com os quais a criança se transporta para o ritmo do berço, para sentir-se e acalmar-se; ocorre com freqüência um compreensível transe (fuga da realidade insuportável); a criança se fere de maneira grave, por exemplo, ao bater com a cabeça na parede, para de algum modo sentir a si mesma e ainda experimentar alguma coisa; implorar por atenção — mesmo que seja agressiva.

Tratamento/Proteção: manter regularmente um contato de confiança com a criança em qualquer circunstância: a mãe deve permanecer na clínica, junto com a criança pequena; promover um contato de confiança entre a equipe hospitalar e as crianças, bem como entre as próprias crianças.

Remissão: manter a situação familiar na clínica ou produzir um ambiente de proteção comparável.

Cobertura do princípio original: Lua-Saturno.

2. Infecções hospitalares provocadas por bacilos particularmente resistentes, devido ao uso freqüente e inadvertido de antibióticos.
Plano corporal: inflamações (conflitos) em diferentes regiões.
Plano sintomático: o hospital faz adoecer; conflitos especificamente hospitalares, cultivados no hospital, fazem inflamar os pontos fracos dos pacientes; discussões inconscientes, que resvalam para o corpo na situação de internação hospitalar.
Tratamento: ocupar-se criticamente com a iniciação clínica e com sua estadia; lutar aberta(ofensiva)mente com a clínica, no que diz respeito a seus representantes, pela sua saúde.
Remissão: lutar pela sua despedida do campo que faz adoecer.
Cobertura do princípio original: Marte-Plutão.

I

Icterícia
Plano corporal: 1. vesícula biliar (agressividade, veneno e fel); 2. pulmão/hepatite (vida, avaliação, *religio*); 3. metabolismo sangüíneo (força vital), por exemplo, em recém-nascidos.
Plano sintomático: 1. acúmulo de energia: escoamento no âmbito de uma energia biliar enigmática, decomposta e besuntada; acumulam-se *veneno e bílis*; 2. carência de força de diferenciação: luta em torno do laboratório do corpo; a medida certa está em perigo: a toxicidade de todo o excesso; 3. rápida desagregação dos portadores da energia vital, caso em que podem ser substituídos e decompostos; amarelo (cor da inveja) no rosto: expressão sem vida, sem vivacidade, sem energia e abatida.
Tratamento: 1. aprender a controlar a energia enigmática do bilioso; 2. ousar discussões agressivas sobre questões de visão de mundo; polemizar corajosamente em torno da filosofia de vida; ocupar-se de maneira crítica com a correta medida pessoal; 3. renovar conscientemente a base da energia vital; deixar a calma entrar e voltar-se para o interior.
Remissão: 1. tanto poder reter a força biliosa como poder deixá-la fluir em caso de necessidade (função da vesícula biliar); relação consciente com essa forma de energia; 2. encontrar o sentido da própria vida e adotar sua medida pessoal; 3. reconhecer e aceitar a eterna mudança da força vital.
Cobertura do princípio original: 1. Plutão-Júpiter; 2. Júpiter-Marte; 3. Saturno-Júpiter.

Íleo ver Obstrução intestinal

Íleo paralítico ver Paralisia intestinal

Ilusões dos sentidos ver Alucinações

Impetigo (pústulas purulentas com prurido sobretudo em crianças, gestantes e parturientes)
Plano corporal: pele (fronteira, contato, ternura).
Plano sintomático: feridas e pústulas purulentas, que pelo *prurido incitam à coceira*, ocorrendo então a incrustação: ação desinfetante do corpo (pus: sucata de guerra); pus (segregar dolorosamente): (símbolo de) sujeira impelida para fora; formação de crosta: comportamentos sujos são revelados; problemas de contato: comichão implacável, abrir as fronteiras e entrar em contato com a própria profundidade; problemas de fronteira: energias não-vividas trilham o caminho das profundezas e impulsionam florescência insignificante para a superfície; a pele repugnante recusa sua função erótica e converte-se no seu contrário, repelindo as pessoas (gestantes e parturientes podem com isso manter o parceiro a distância de um modo discreto e ao mesmo tempo gritante); intimidação pela fraqueza e não pela força: deixar de

ser atraente; no rosto: máscara monstruosa em vez de uma fachada fina (lisa); não poder defender sua cara; o "fazer das tripas coração" o faz definhar; aparência de leproso: expor-se e depor contra si.
Tratamento (como indicação para educadores dos pacientes): viver de maneira estimulante, deixar-se arranhar pelo que a vida lhe oferece; deixar sair e confrontar; abrir as fronteiras (socorrer), prover contatos estimulantes; manter-se conscientemente a distância de quem ou do que não lhe desce; dar atenção aos espaços e oportunidades de retirada.
Remissão: abertura para deslizes estilísticos raros, inusitados e originais, que crescem nas profundezas e anseiam por se tornar conscientes; estar domiciliado na própria pele, sentir-se bem: tocar na tecla da segurança de fronteiras e da necessidade de contato sob a própria direção e para o seu próprio prazer.
Cobertura do princípio original: Saturno/Vênus-Marte.

Impotência ver Disfunção erétil

Inapetência ver Perda de apetite

Incapacidade de ler ver Alexia

Incapacidade de movimento ver Apraxia

Incompatibilidade com o leite materno (ver também Problemas digestivos)
Plano corporal: intestino (análise, assimilação).
Plano sintomático: o problema afeta exclusivamente crianças que se servem do leite como fonte de alimentação (entre os adultos, o leite é via de regra uma bebida para lactantes); rejeição do princípio materno; negação da vida.
Tratamento/Remissão (para as mães de crianças afetadas, cujos filhos freqüentemente refletem os problemas dos adultos): reconciliação com a própria mãe (com o próprio papel de mãe); tornar-se consciente de outros planos, em que as próprias dádivas são rejeitadas; trabalhar o tema da rejeição.
Cobertura do princípio original: Lua-Saturno.

Incompatibilidade entre grupos sangüíneos (Incompatibilidade eritrocitária)
Plano corporal: sangue (força vital), sistema imunológico (defesa).
Plano sintomático: incompatibilidade entre a vitalidade da mãe e a da criança; defesa da mãe contra a criança; não-aceitação da criança em sua especificidade (carne e sangue).
Tratamento: *discussão* anímico-espiritual com a criança; meditação sobre o papel de mãe.
Remissão: aceitar a criança como um ser em si mesmo (ver Khalil Gibran, "Os Filhos" em *O Profeta*); reconciliação com a vitalidade da criança, deixando a sua para mais tarde.
Cobertura do princípio original: Lua-Urano.

Incontinência (perda do controle sobre a rolha de pressão [esfíncter] do corpo)
Plano corporal: esfíncter vesical (bexiga: manter e liberar pressão), músculo anal/esfíncter (ânus: entrada e saída do submundo).
Plano sintomático: não é mais possível manter pressão de nenhuma espécie, tudo se esvazia espontaneamente; a urina (água da vida, alma) transborda, não se deixa (mais) segurar pela fraqueza do músculo do esfíncter da bexiga: a torrente anímica é liberada corporalmente em vez de no sentido figurado; as fezes saem de maneira incontrolável devido ao enfraquecimento do esfíncter: os conteúdos das sombras são liberados espontaneamente no plano corporal em vez de no plano figurado; regressão ao antigo nível da infância (o ciclo se fecha no plano errado): voltam as

fraldas; retorno ao tempo do aprendizado da capacidade de se controlar; vida *sem consistência*; não poder mais se segurar; ter perdido o *apoio (reserva)* no fluxo da vida; depois da mudança: não encontrar mais nenhum apoio (reserva) na vida, a nova perspectiva de vida não lhe dá mais nenhum apoio; agarrar-se a um ultrapassado papel de útero materno; depois de uma gravidez: não ter estabelecido ainda a passagem para um novo estar só (na casa do corpo), buscar apoio anímico (no novo papel de mãe) e ainda não o encontrar; também aqui permanecer dependente do papel do útero.
Tratamento: desistir do controle, aprender a liberar; bexiga: deixar a água da vida fluir livremente; deixar a alma passar por cima/transbordar; fluir novamente, fluir espontaneamente com a água (do rio) da vida; fezes: aprender a largar o material, trazer movimento e fluxo para o reino das sombras.
Remissão: tornar-se novamente como uma criança, que deixa todo o seu decurso sem controle e vive o momento, sem se importar.
Cobertura do princípio original: Lua-Plutão.

Incontinência urinária ver Incontinência

Indigestão (indisposição gástrica; ver também Neurose do estômago)
Plano corporal: estômago (sensação, capacidade de absorção).
Plano sintomático: o estômago ou não gosta de seus convidados, ou não gosta muito: desgosta; não se pode digerir o seu exagero, isto é, de seu estômago; sensação de peso após gula ou orgia; sobrecarga no trabalho; aceitar-se, querer integrar demais, exagerar; muito freqüente em crianças, que ainda não conseguem controlar-se o suficiente e superestimam suas possibilidades, ou ainda nem as conhecem – e quando vierem a se dar conta do problema, se controlarão de má vontade.

Tratamento: considerar qualidade e quantidade para não deixar o estômago de mau humor; aprender a degustar: permitir que as qualidades da deusa Vênus (como a estética, a harmonia e a beleza) governem também à mesa; deslocar a ênfase da quantidade para a qualidade.
Remissão: satisfazer-se, em vez de ficar cheio ou mesmo se render à gula.
Cobertura do princípio original: Lua-Júpiter.

Infantilismo (retraimento físico e espiritual no desenvolvimento)
Plano corporal: órgãos sexuais (sexualidade, polaridade, reprodução).
Plano sintomático: persistir num estágio de desenvolvimento infantil (esclarecer e interpretar o problema fundamental): recusa do desenvolvimento; em vez de tornar-se novamente como uma criança, permanecer como uma criança; ter medo da entrada definitiva na polaridade: a diferenciação entre cérebro e área genital demora a acontecer.
Tratamento/Remissão (para pais/assistentes indiretamente afetados): aceitar a tarefa do destino, viver conforme o indicado e ocupar-se intensivamente com o estágio de desenvolvimento infantil; resgatar o reino da infância: desfrutar a vida aqui e agora.
Cobertura do princípio original: Lua.

Infarto do miocárdio (ver também Hipertonia, Distúrbios na circulação sangüínea, Obstrução dos vasos)
Plano corporal: coração (sede do amor, da alma, do sentimento, centro energético), sangue (força vital).
Plano sintomático: carência no abastecimento do coração com energia vital (sangue): o coração, todo ou em parte, morre de fome; grito/espasmo de morte da parte do coração já estrangulada (estreitamento dos vasos sangüíneos, → Angina de peito); estreitamento, solidificação, obstrução como condição prévia; obstinação/obstrução no fluxo do sentimento (da vida);

sobrevalorização das forças do eu e dominância do querer isolam o fluxo dos sentimentos (do coração); tendência à dominação/realização; medo da crítica e do insucesso; acúmulo de agressividade (agressividade contida) e descarregamento de energia agressiva acumulada (por exemplo, no rompimento da parede do coração); pouca auto-estima; bloqueio da formulação de suas próprias necessidades anímicas; falha na execução de um alto objetivo; isolamento social, solidão: "coração solitário", "coração partido"; o infarto como invasão de sentimentos; insatisfação, nervosismo presente em sua disposição fundamental; crônica atitude de espera, delicadeza concentrada, rigidez; medo de se machucar; incapacidade de uma descontração profunda; o centro do corpo como cidade morta (Necrópolis); cicatriz no coração; algo importante para a vida e altamente vivo é substituído, na medida da necessidade, por materiais relativamente sem vida; despedida da zona do coração, onde nada restará como substituto de menor valor.

Tratamento: tornar-se consciente da carência de abastecimento (estrangulamento) do seu coração no que diz respeito à energia (vital); ouvir o pedido de socorro do coração nos gritos de dor do tecido faminto por uma doação (abastecimento); reconhecer que o ego, com suas exigências, conquistou a primeira posição na vida mesmo diante dos assuntos do coração; tornar-se conseqüente e duro consigo mesmo (com o ego e suas reivindicações); encontrar seu próprio ponto de vista; tornar-se consciente da alternativa, do eixo original escoar-acumular; apresentar-se para a luta em torno do próprio centro: resignar-se (adensar) ou seguir o fluxo; fazer a vida escoar; não ficar com o coração carregado/pesado (cheio de ódio, raiva, desejo de vingança, tristeza, dor); realizar a calma interior diante da calma tumular; reconhecer sua fraqueza e vulnerabilidade; renunciar a todo o exterior em favor de seu centro interior; ante o medo fundamental de se perder, reconhecer e tornar claro para si que o ego é "tudo" o que se tem a perder para se chegar ao centro.

Remissão: tornar o coração consciente do estado de vida (ou de morte); reconhecê-lo como meio e centro do fluxo da vida e abrir-se para suas necessidades; mostrar humildade, concentrar-se no essencial e limitar-se a ele.

Cobertura do princípio original: Sol-Saturno.

Infecção fúngica (de pele) nas mãos

(ver também Infecção fúngica [de pele] nos pés, Dermatomicoses, Candidíase)

Plano corporal: dedos das mãos e pés (garras, agressividade).

Plano sintomático: ser fraco demais para mostrar suas garras e salvar sua pele (fraca posição defensiva); suas próprias forças (garras) são desapropriadas por tropas invasoras; render-se à ação das próprias garras; sobretudo o não-vivido dá-se em sacrifício às invasões (os fungos, saprófitos que são, alimentam-se de matéria orgânica em decomposição).

Tratamento: ficar satisfeito com o compromisso, reduzir o desgaste anímico-espiritual, para aliviar o corpo e aumentar suas defesas; tratar da discussão com impulsos estranhos; deixar o estranho entrar em si; dar espaço para o estranho e apropriar-se dele; abrir domínios não-utilizados, que deixaram de ser notados, sem vida, atrofiados, para impulsos vitais estranhos; não alimentar os fungos com alimentos mortos, mas alimentar a si mesmo com alimentos vivos.

Remissão: pôr para dentro de suas fronteiras impulsos e formas de vida estranhos, conhecê-los e integrá-los na própria vida; vivenciar a longo prazo o próprio terreno (da consciência), voltar a vivenciar domínios mortos.

Cobertura do princípio original: Marte-Plutão.

Infecção fúngica (de pele) nos pés (ver também Dermatomicoses)

Plano corporal: pele (delimitação, contato, carinho), pés (firmeza, enraizamento), dedos dos pés (garras inferiores, agressividade).

Plano sintomático: o contato com a MãeTerra/mulher/mundo não é saudável; um conflito caído no esquecimento para a própria firmeza quer voltar à consciência e ser resolvido; ser fraco demais para defender sua pele (fraca posição de defesa); a própria fixação de fronteiras (pele) e o arsenal de armas (garras) são ocupados pelas tropas invasoras estrangeiras, que ao final acabam por se tornar parasitas; sobretudo o não-vivo é que se faz presa da invasão fúngica (fungos nutrem-se, de maneira saprófita, de matéria orgânica morta).

Tratamento: reduzir a defesa, ou seja, os próprios pontos de vista; tornar alegres os compromissos e cooperações, que cultivam a discussão com impulsos estranhos; deixar entrar o que é estranho para si; abrir espaço para o estranho e torná-lo propriamente seu, em vez de se deixar receber pelo estranho; abrir alguns domínios sem utilidade, que não são mais necessários, sem vida, atrofiados, para o impulso vital exterior; lutar contra pontos de vista nem limpos nem claros, refletir sobre eles com agressividade e revidar em contra-ataque; ingerir uma alimentação viva, que nada possa *dar* aos fungos; acertar conscientemente a escolha diária: nutrir os fungos por meio da alimentação ou a si próprio com meios vitais; esclarecer a pergunta do parasitismo pessoal: "Será que eu também não sugo? Onde?"

Remissão: integração de impulsos e formas de vida vindas de fora: "viva e deixe viver"; o próprio terreno vivo (da consciência).

Cobertura do princípio original: Vênus/Marte-Netuno/Plutão.

Infecção ver Inflamação

Inflamação (infecção; ver também Foco, Período de incubação)

Plano corporal: o organismo inteiro pode ser afetado.

Plano sintomático: inflamação (*itis*): conflito que se tornou material, guerra; a faísca no barril de pólvora, um conflito pode explodir, um conflito adormecido pode novamente se inflamar e arder; "pavio curto", "ver o circo pegar fogo"; algo se desfaz em chamas; há muito material inflamável contribuindo para a explosão; novos desafios e novos impulsos penetram a defesa da fronteira da consciência e atuam de maneira provocadora ("a guerra é a mãe de todas as coisas"); quem não se deixa provocar (excitar) na consciência abre inconscientemente as fronteiras do corpo para agentes provocadores, ou seja, quanto mais forte for a defesa da alma, mais fraca será a do corpo: a pessoa com uma inflamação (infecção) está pouco centrada em sua alma; a moderna inimizade pela vida: o vivo é combatido com antibióticos (*anti*: contra, *bios*: vida).

Tratamento: permitir a descarga do represado; abrir-se para um conflito excitante em vez de fazer do corpo um campo de batalha; ousar discussões, resolver conflitos, chegar a soluções, liberar energias contidas; renunciar à defesa de novos impulsos de consciência, promover a consciência; arriscar uma transformação, sacrificar antigas concepções e hábitos; arriscar saltos de amadurecimento, ou seja, de desenvolvimento.

Remissão: admitir o caráter conflituoso do ser humano, conviver com os conflitos.

Cobertura do princípio original: Marte.

Inflamação da bexiga ver Cistite; da bolsa sinovial ver Bursite; da caixa do tímpano ver Inflamação do ouvido médio (com a qual sempre está relacionada); da conjuntiva (conjuntivite)

Inflamação da córnea (ceratite)
Plano corporal: inflamação do olho (janela da alma, vista, discernimento).
Plano sintomático: conflito em torno do plano mais alto do ver e do reconhecer; discussão no âmbito do modo de ver e, depois disso, a córnea torna a visão freqüentemente turva e limitada; obstrução da visão: deixar de perceber, visão turva.
Tratamento: ocupar-se criticamente com seus próprios modos de ver; estar pronto para lutar pelo conhecimento; reconhecer que se tem problemas sérios com a visão.
Remissão: visão e discernimento; lutar aberta(ofensiva)mente com seus próprios modos de ver.
Cobertura do princípio original: Sol/Lua-Marte.

Inflamação da garganta ver Dores no pescoço; **da glande** ver Balanite; **da íris** ver Irite; **da língua** ver Glossite; **da membrana interna do coração** ver Endocardite; **da mucosa uterina** ver Endometrite; **da pele** ver Dermatite.

Inflamação da pelve renal (pielite)
Plano corporal: pelve renal (funil receptor), rins (equilíbrio, parceria).
Plano sintomático: conflito anímico na base da → Pedra nos rins ou crescente irritação na bexiga (→ Cistite): sombras que afloram (o despejar da bexiga), coagulação e solidificação crônicas de problemas de parceria como motivos desencadeadores.
Tratamento: confrontar-se com problemas de parceria; ocupar-se com temas excitantes, dos quais já se vinha querendo animicamente desembaraçar (bexiga); discutir; aprender a lutar por harmonia e equilíbrio interior.
Remissão: disposição para a luta compromissada com a harmonia da alma; cultivar a greve no âmbito da parceria.
Cobertura do princípio original: Vênus-Marte.

Inflamação da pleura ver Pleurisia

Inflamação da retina ver Retinite; **da uretra** ver Uretrite; **da vagina** ver Colpite.

Inflamação da vesícula biliar (colecistite)
Plano corporal: vesícula biliar (agressividade, veneno e fel).
Plano sintomático: luta ofensiva no âmbito do armazenamento das agressões enigmáticas; a agressividade reprimida e não-vivida quando relegada ao subsolo torna-se mais amarga e tóxica, além de pérfida pelo longo tempo em que esteve resguardada; por ocasião de sua ruptura (corporal), essa forma de agressividade torna-se nitidamente dolorosa; um azedume ofensivo irrompe para fora (do corpo).
Tratamento: reconhecer-se de maneira corajosa como reservatório de agressividades antigas e embotadas; tornar a estabelecer — e fazê-lo de maneira ofensiva — a ligação com a situação que gerou a agressividade.
Remissão: resolver a agressividade represada antes que ela se volte contra o próprio paciente.
Cobertura do princípio original: Plutão-Marte.

Inflamação das amígdalas (ver Amigdalite)

Inflamação das glândulas lacrimais
Plano corporal: glândulas lacrimais (expressão de emoções e sentimentos).
Plano sintomático: conflito pela animação e purificação da córnea; discussão agressiva pela produção do símbolo da dor e da alegria: conflito inconsciente em torno do chorar.
Tratamento: envolver-se corajosa e aberta (ofensiva)mente com a dor e com a alegria.

Remissão: permitir que a energia anímica supérflua em forma de lágrimas lave as janelas da alma.
Cobertura do princípio original: Lua-Marte.

Inflamação das glândulas mamárias ver Mastite; das pálpebras ver Blefarite

Inflamação das veias ver Flebite

Inflamação de bainha do tendão ver Tendossinovite; de divertículo ver Diverticulite; do estômago ver Gastrite; do fígado ver Doenças do fígado.

Inflamação do intestino delgado ver Doença de Crohn; do músculo do coração ver Miocardite

Inflamação do ouvido médio
(otite média)
Plano corporal: ouvidos (obediência).
Plano sintomático: conflito agressivo na mucosa do ouvido médio; dores de ouvido que começam de repente: grito de socorro do aparelho auditivo; calafrios, febre: mobilização geral da defesa; surdez: não querer ouvir/obedecer (a fase por excelência das inflamações do ouvido médio é a infância, que tem muito a ver com esse tema); ruptura do tímpano com derramamento de pus: descarga da pressão excessiva do tímpano.
Tratamento (para os pais, cujos problemas geralmente são espelhados pelos filhos): discussões agressivas e ofensivas em torno do tema ouvir-escutar-obedecer; abrir-se para todas as suas possibilidades: dar ouvidos a alguém ou fechá-los; aprender a ouvir externa e internamente; aprender a obedecer à própria voz e à dos outros; deixar-se sacudir inteira e ordenadamente e lançar todas as suas forças na luta pelo obedecer; aprender a limitar-se de maneira razoável (por exemplo, perante pais e educadores); apoiar o fechamento externo dos ouvidos em favor de um voltar-se para o interior; promover uma ruptura nos novos espaços da consciência.
Remissão: poder ouvir e obedecer vozes interiores e exteriores.
Cobertura do princípio original: Saturno.

Inflamação do pâncreas ver Pancreatite; do reto ver Proctite; dos gânglios linfáticos ver Linfadenite; dos nervos ver Neurite, Glomerulonefrite

Inflamação dos pulmões
Plano corporal: pulmões (contato, comunicação, liberdade).
Plano sintomático: o conflito se inflama junto aos agentes inflamatórios no âmbito da comunicação; discussão combativa entre o contato (abertura) e as autolimitações; discussão agressiva no âmbito do intercâmbio; guerra pelo contato com o mundo.
Tratamento: deixar-se excitar no âmbito da comunicação, em vez de abrir portas e portões para os agentes causadores da inflamação; conduzir discussões abertas (ofensivas) no âmbito do contato, chegando a lutas agressivas, envolvendo-se em guerras a esse respeito; aprender a se ater às posições certas.
Remissão: abertura a estímulos exteriores; dissolução de seus próprios obstáculos à comunicação; encarar os pulmões como o acenar da liberdade e da abertura, que nos possibilitam a liberdade de intercâmbio com todos os seres: com outras pessoas, por meio da comunicação lingüística, construída a partir da corrente respiratória; com os animais e pessoas, devido ao mesmo ar que respiramos; e com as plantas, mediante o ciclo vital em que captamos o oxigênio, produzido por elas, dando-lhes em troca o gás carbônico de que elas necessitam.
Cobertura do princípio original: Mercúrio-Marte.

Inflamação dos seios paranasais ver Sinusite; **dos testículos** ver Epididimite, Orquite; **intestinal** ver Colite ulcerativa;

Inflamação na próstata (Prostatite)
Plano corporal: próstata (guardiã do limiar da segunda metade da vida, abastecimento de esperma). Órgãos sexuais (sexualidade, polaridade, reprodução).
Plano sintomático: provocada por colibacilos ou cocos no caminho da urina: excitações que se alastram a partir do âmbito anal ou uretral; luta em torno da glândula de abastecimento de esperma, estendendo-se muitas vezes aos outros órgãos sexuais, como a vesícula seminal (a assim chamada adnexite do homem); conflito entre as relações sexuais executadas "femininamente" e masculinamente, entre o fracote (*softie*) e o parrudo (macho).
Tratamento: aceitar a discussão e envolver-se com o combate que se tem acumulado: de modo amoroso e anímico-espiritual, abrir-se para novas excitações, como a próstata dos agentes provocadores; reparar na usurpação do âmbito dos detritos e águas residuais; higiene no sentido figurado e cuidadosa separação dos diferentes domínios; envolver-se mais com a própria sexualidade, isto é, renunciar a papéis padronizados, como macho e fracote.
Remissão: apresentar-se corajosa e aberta (ofensiva)mente aos desafios no âmbito da próstata: abastecimento de sêmen (espermatozóides) e preparação do meio de escoamento (escolta).
Cobertura do princípio original: Lua/Marte-Marte.

Inflamação no encéfalo ver Encefalite; **no epicôndilo** ver Epicondilite; **no epidídimo** ver Epididimite; **pleural** ver Pleurisia.

Insolação
Plano corporal: tontura que chega ao delírio, danos cerebrais que incluem sangramento: eximir-se de responsabilidades; a energia vital abandona os caminhos que haviam sido previstos e bloqueia o "trabalho de governo" do cérebro; a influência extrema do elemento fogo no corpo leva à fuga da responsabilidade (insolação); a cabeça, capital e sede do governo (cérebro) do corpo, suspende a função e renuncia a ela; em casos extremos, morte por paralisia do centro de respiração ou por insuficiência cardíaca; o intercâmbio com o mundo polar é suspenso; morte por acentuar-se unilateralmente o elemento ígneo.
Tratamento: em sentido figurado, acionar a energia do fogo solar como entusiasmo, compromisso e alegria do agir em seus extremos até então evitados; conceder pausas ao governo de maneira voluntária e com mais freqüência, muito antes de sobrevir o bloqueio de toda a capital; alopaticamente: aprender a conter-se com o fogo.
Remissão: reconciliação com o elemento ígneo (do Sol).
Cobertura do princípio original: Sol-Júpiter.

Insônia
Plano corporal: na maioria das vezes, problemas de consciência.
Plano sintomático: medo de perder o controle, de entregar-se, de envolver-se com o desconhecido; falta de confiança no pólo feminino; acentuação demasiadamente forte do pólo de pensamento masculino: excesso de energia vital (sangue) no centro (do cérebro), que por isso não tem descanso; identificação demasiado forte com o eu; sono: morte (Tanatos, a morte, é o irmão de Hipnos, o sono); convite para acordar no sentido espiritual (Buda: o desperto).
Tratamento: estar desperto para a noite, o lado feminino de nossas 24 horas diárias;

descobrir o prazer do desapego; abrir-se para as alegrias e gozos do pólo feminino da vida; vivenciar conscientemente a passagem do lado ativo (masculino) para o passivo (feminino) do dia, por exemplo, com um alegre passeio noturno, saudando o crepúsculo; fechar conscientemente o dia (podendo fazê-lo, por exemplo, com a ajuda de um ritual de boa-noite como a oração, escrevendo um diário, pintando mandalas, praticando meditação, etc.); isolar cada dia como uma vida (não levar a sério a idéia de o sono ser o irmão da morte); preocupação com a transitoriedade e com a morte; alopaticamente, no pólo oposto: comutar o hemisfério esquerdo do cérebro pelo direito por meio da meditação, concentração na respiração, mantras. Truques para adormecer tendo como base o que se disse acima:
1. Contar até cem, e novamente de trás para a frente, ou contar carneirinhos, que se imagina estarem no céu, até que, em razão disso, o intelecto seja desligado pela monotonia, podendo-se mergulhar no sono; 2. Método Koan: tentativa de resolver pelo intelecto uma tarefa intelectualmente insolúvel, por exemplo, escutar as palmas de uma só mão (da tradição Rinzaizen); 3. Banhos cada vez mais abrangentes dos pés ou aplicações do método de Kneipp (para atrair o sangue para fora da cabeça); 4. Relações sexuais satisfatórias e fisicamente extenuantes antes de adormecer; 5. Realização de um ritual para adormecer, como, por exemplo, passar em revista os planos imagéticos interiores; meditações dirigidas (instruções para ambos os casos em Dahlke: *Reisen nach Innen*).
Remissão: reconciliação com o lado obscuro do dia e da realidade; aceitar conscientemente as coisas pendentes como tais: abrir mão do perfeccionismo; acordar para a realidade e para a sua própria vida anímica.
Cobertura do princípio original: Netuno.

Insuficiência aórtica (ver também Insuficiência da válvula cardíaca)
Plano corporal: coração (sede do amor, da alma, do sentimento, centro energético).
Plano sintomático: devido à ausência da função de válvula de saída do coração, excesso de trabalho do coração (hipertrofia do lado esquerdo) com dilatação de compartimento (dilatação ventricular) e aumento da pressão sangüínea: esforço excessivo (insuficiência do lado esquerdo); marcar o passo, corrida de resistência em sua posição (mito de Sísifo); dizer sim para tudo; disposição anímica semelhante à da Angina pectoris e Infarto do miocárdio como conseqüências perigosas; depois de cada doação, de imediato um inconveniente tomar de volta; abertura total do fluxo sangüíneo; assustar-se diante da própria força vital impulsiva; problemas de orientação e direcionamento concernentes à energia vital central; deixar a energia vital infiltrar-se de volta no local de seu mais forte impulso.
Tratamento: aprender a dar um tempo para si; reconhecer tendências agressivas; abertura para o plano figurado do coração em detrimento do plano do corpo; aprender a dar sem receber.
Remissão: harmonia entre dar e receber; abertura plena do plano do coração; compensação entre o dizer "sim" e o dizer "não" (para estar realmente aberto, é preciso ser capaz também de dizer "não"); no pólo oposto: dar o apoio necessário à energia vital uma vez posta em movimento, para que ela progrida continuamente.
Cobertura do princípio original: Sol-Netuno.

Insuficiência cardíaca
Plano corporal: coração (sede do amor, da alma, do sentimento, centro energético).
Plano sintomático: o coração não agüenta mais, não pode mais com as reivindicações/demandas; a vontade de viver é le-

vada a sucumbir no coração; inconsciente "eu (meu coração) não quero (quer) mais"; o meio (centro) da vida renuncia; antes do fracasso, uma série de medidas necessárias: expansão, trabalho adicional (aumento da freqüência), armazenamento de água (diminuição do volume de sangue), mobilização das últimas reservas; vir acompanhado do fracasso: refluxo nos pulmões (devido a uma falha freqüente no lado esquerdo do coração) ou no corpo, por falha no lado direito do coração, por exemplo, depois de uma longa crise de → Asma); o anímico (elemento água) acumula-se ao voltar, não podendo mais ser mantido em circulação; em caso de refluxo nos pulmões (→ Edema pulmonar), corre-se o risco de sufocar-se, ou seja, afogar-se no próprio fluxo anímico; recusa com relação ao tema central da vida ou ao salto consciente do caos, fuga; despedir-se da polaridade: em última instância, todo final de vida está ligado a um estado de quietude do coração, pois o coração "não pode mais" nas atuais circunstâncias.

Tratamento: expansão das próprias possibilidades do coração; tornar-se mais amplo para a intensa corrente de energia vital; conhecer o duplo caráter de cada tarefa: posicionar-se para ela, enquanto houver sentido, mas também reconhecer o momento de desistir, entregar-se a seu destino; exercício concreto: terapia do jejum, para dar ao coração físico a oportunidade *de ficar novamente em forma* (isto é, em sua forma tradicional) e de tornar-se mais amplo no sentido figurado.

Remissão: magnanimidade; repousar em seu meio (ficar em casa, consigo mesmo) e, a partir daí, abrir-se e alargar-se (estender-se); dedicar-se à criação e fazer-se um com o todo; encontrar o repouso (último); abnegação: do "seja feita a minha vontade" para o "seja feita a Tua vontade".

Cobertura do princípio original: Sol-Netuno.

Insuficiência cardíaca congênita

Plano corporal: coração (sede do amor, da alma, do sentimento, centro energético).

Plano sintomático: tarefas de vida centrais e herdadas; deficiência no próprio centro: falta-lhe algo central; não se adaptar plenamente à vida no mundo polar: recusa (inconsciente) em tomar parte da vida; querer permanecer em certa medida indeciso (no mundo); depender de ajuda exterior.

Tratamento (para os pais e para as crianças depois de adultas): preparar-se para tarefas antigas e herdadas, ou seja, proporcionar essa orientação à pessoa: ir em busca do que lhe falta no seu centro; estabelecer relações com a vida no mundo dos contrários, sem perder de vista o meio/centro e o verdadeiro significado da vida; reconhecer as necessidades no decorrer da vida: ou o curto-circuito perigoso à vida, ou uma longa via fomentadora da vida em caminhos previamente dados; decidir-se conscientemente pelo mundo; aprender a aceitar ajuda vinda do exterior.

Remissão: inserir-se conscientemente no decorrer da vida com suas necessidades e obrigações; a entrada na unidade só pode resultar da redenção na polaridade; "o que quer que faças, faça-o com todo o coração" (Confúcio).

Cobertura do princípio original: Sol-Saturno/Plutão.

Insuficiência coronária ver Esclerose coronária, Infarto do miocárdio

Insuficiência da válvula cardíaca (Insuficiência da válvula tricúspide; ver também Insuficiência cardíaca congênita)

Plano corporal: coração (sede do amor, da alma, do sentimento, centro energético).

Plano sintomático: trabalho de Sísifo no centro vital; o escoar da corrente da vida não se dá sem retrocessos consideráveis; tendência para a regressão; problemática da retirada; reserva insuficiente na vida; falta de capacidade de distinção; separa-

ções essenciais (da corrente sangüínea) não são possíveis: trabalhos têm de ser executados sem um sentido.
Tratamento: recuo consciente da energia vital; aprender a recolher-se; regressão consciente; abertura também para desenvolver os próprios retrocessos; aprender a "fechar a matraca", a dizer não; perguntar o que falta.
Remissão: aceitar conscientemente a situação de Sísifo como tarefa de vida; reconciliação com a vida que sempre volta.
Cobertura do princípio original: Sol-Saturno.

Insuficiência da válvula mitral
(ver também Insuficiência da válvula cardíaca)
Plano corporal: coração (sede do amor, da alma, do sentimento, centro energético), válvula cardíaca (válvula da corrente da vida e da energia).
Plano sintomático: estreitamento e permeabilidade ao mesmo tempo; trabalho de Sísifo no motor da corrente vital: o avanço da corrente vital se faz com retrocessos consideráveis; tendência para a regressão; problemática da retirada; falta de apoio na vida; *não segurar a portinhola*, ter dificuldade para dizer não.
Tratamento: avanços e recuos propositais na vida: reagir a cada progresso com a consideração correspondente; recuo consciente da energia vital; aprender a se recolher; regressão consciente; desenvolver uma abertura para seus próprios passos regressivos.
Remissão: aceitar conscientemente a situação de Sísifo como tarefa de vida; reconciliar-se com a idéia de que a vida é recorrente.
Cobertura do princípio original: Sol-Saturno.

Insuficiência da válvula tricúspide ver Insuficiência da válvula cardíaca; *do córtex da cápsula supra-renal* ver Doença de Addison; *na produção de leite* ver Hipogalactia.

Insuficiência ovariana
Plano corporal: ovários (fertilidade).
Plano sintomático: subdesenvolvimento da genitália; ausência de uma sexualidade integral; preparação insuficiente dos sinais sexualmente característicos de ordem secundária, como os seios; sofrer perturbações como mulher quanto à imagem que se mostra ao exterior; não querer/poder se tornar um mulher adulta no plano da imagem que se mostra ao exterior; distúrbios do ciclo menstrual por falta de amadurecimento dos folículos: fertilidade obstruída/reprimida.
Tratamento (além da ação reparadora por meios alopáticos, que supre as carências hormonais): preparar-se para a recusa a se tornar uma mulher integral com todas as decorrências sexuais que isso possa ter; aprender a aceitar o seu próprio papel sexual e a aceitar e amar a imagem externamente aparente de uma mulher (em todos os planos); confessar seus problemas com a própria fertilidade e aprender com eles (em todos os planos).
Remissão: princípio homeopático: desenvolver o *animus* (qualidades masculinas da alma); princípio alopático: apreciar-se e aceitar-se como mulher: reconciliação com o ser mulher.
Cobertura do princípio original: Lua-Saturno.

Insuficiência pancreática
Plano corporal: pâncreas (análise agressiva, digestão dos açúcares), intestino delgado (análise, assimilação).
Plano sintomático: abandono da capacidade crítica; renúncia interna da capacidade de fazer as coisas remontarem a seus fundamentos; falta de compreensão dos detalhes.
Tratamento: limitar conscientemente a autocrítica e a crítica a outrem; aprender a desfrutar a superficialidade; acentuar as grandes linhas.
Remissão: encontrar-se confiantemente com a vida.

Cobertura do princípio original: Saturno-Mercúrio/Marte.

Insuficiência renal (o não-funcionamento dos rins até o envenenamento da bexiga [uremia])
Plano corporal: rins (equilíbrio, parceria).
Plano sintomático: fraqueza de realização, cansaço: não poder nem querer mais; perda do apetite e do prazer: deixar de ter prazer pela vida; comichão na pele (uréia): querer abrir as fronteiras para deixar sair o que se tem acumulado internamente; necessidade de respirar: ameaça de se sufocar com os próprios detritos; diarréias: busca de desintoxicação (lavagem intestinal realizada pelo próprio corpo); vômitos insaciáveis: busca de desembaraçar-se do que lhe pesa; desordens nas reservas de água e sal: não mais conseguir manter a água e o sal da vida na correta proporção de um para o outro; uréia acumulada: sofrer com seus próprios detritos; fuga da seiva vital: não poder/querer mais enxergar; da sonolência ao coma: tendência a passar já para o outro lado.
Tratamento: abrir todas as comportas e desintoxicar todos os caminhos possíveis: pele, intestino, estômago (vômitos); reconhecer que não se gosta mais da vida, que não se tem mais prazer nesta vida; reconhecer que outras repressões não levarão a nada (não ter mais paz): render-se no sentido da entrega; no estágio de uremia incipiente; ceder e reconciliar-se com a despedida deste mundo e com sua chegada (em breve) ao outro lado; antes que se continue a dormir, esclarecer em que medida os que ficarem retidos devem lutar por sua própria vida (rins artificiais, transplantes).
Remissão: reconhecer que pelas suas próprias forças não há mais salvação para o corpo; construir sua paz com este mundo, que é deixado para trás, com as pessoas a que se esteve ligado e com Deus.
Cobertura do princípio original: Vênus-Netuno-Plutão.

Intertrigem (estar ferido, assaduras)
Plano corporal: entre superfícies muito próximas (pele: delimitação, contato, carinho): entre os testículos e a coxa, nas axilas e pregas anais, entre as coxas e sob os seios.
Plano sintomático: irritação nas superfícies fronteiriças íntimas; o estreito contato consigo mesmo conduz a ferimentos (anímicos); as superfícies feridas são povoadas por invasores estranhos; umedecimento das superfícies feridas: a água da alma "ensopa" os domínios íntimos.
Tratamento: tornar-se aberto e corajoso no âmbito do contato íntimo; tornar-se sensível e suscetível; deixar o anímico sair para o âmbito íntimo do relacionamento entre as pessoas; acolher voluntariamente novas idéias estranhas ao âmbito íntimo da vida; no pólo oposto: deixar arejar a parceria, manter distância.
Remissão: encontrar o meio-termo entre as diferentes regiões do próprio ser, considerando a proximidade e a distância.
Cobertura do princípio original: Vênus-Saturno.

Intoxicação (se intencional, ver Suicídio; caso contrário, ver também Botulismo, Acidentes, Acidentes de trabalho/ acidentes domésticos)
Plano corporal: primeiro o estômago (sensação, capacidade de absorção), depois o organismo inteiro.
Plano sintomático: incorporação de substâncias perigosas por desconhecimento do perigo e/ou por falta de atenção: exigir demais do seu "digerir o mundo"; superestimar descuidada e inconscientemente as próprias possibilidades de se relacionar com as coisas e com os perigos da vida.
Tratamento: identificar as relações malconduzidas com o (a assimilação do) mundo; desenvolver um faro mais apurado para os perigos; exigir-se demais no âmbito da consciência e aliviar o corpo em seu papel de substituto.

Remissão: consciência e vigilância ao lidar com o mundo e seus perigos.
Cobertura do princípio original: Netuno-Plutão (conforme o veneno).

Intoxicação pela urina ver Insuficiência renal

Intoxicação pelo álcool
Plano corporal: cérebro (comunicação, logística), fígado (vida, valoração, retroligação).
Plano sintomático: fim das possibilidades de controle, desinibição, obstrução do pensamento, fraqueza do juízo, ausência de distanciamento: perda do controle, impossibilitando a tarefa de inibição limitadora; tarefa do pensar crítico em favor do sentir e da suscetibilidade; relaxamento da capacidade de juízo e da tendência aos preconceitos; tarefa de distanciar-se das pessoas.
Tratamento: exercícios de confiança, deixar-se cair; reconhecer quais apoios internos se deve esperar das esferas profundas de outrem; experiências de embriaguez, perspectiva entusiasmada de um objetivo; tentar penetrar em vez de engarrafar-se; proximidade e penetração, sentir e confiar no que diz respeito à busca de caminhos redentores.
Remissão: fazer render daí, para si, a vida e a própria tarefa; tornar-se um com a saudade da unidade, empreender a busca espiritual; confraternização no plano anímico-espiritual com todos os seres sensíveis.
Cobertura do princípio original: Netuno.

Invaginação do mamilo (retração a um nível inferior ao átrio do mamilo)
Plano corporal: seios (maternidade, alimentação, proteção, prazer), mamilo (alimentação, prazer).
Plano sintomático: a solicitude em alimentar está introvertida em vez de extrovertida; penúria em vez de necessidade de satisfazer (alimentar) a outrem.
Tratamento: em primeiro lugar, cuidar da satisfação das próprias necessidades; entregar o mamilo à força sugadora do bebê/do marido; desenvolver a capacidade de alimentar, ou tornar-se uma mulher extrovertida no que diz respeito à capacidade de alimentar.
Remissão: reconciliação com a polaridade do dar e receber: alimentar e alimentar-se; satisfazer e satisfazer-se.
Cobertura do princípio original: Lua-Vênus.

Irite (inflamação na íris)
Plano corporal: íris (diafragma do aparato óptico).
Plano sintomático: conflito em torno do ligar a luz alta ou a baixa ("o que devo fotografar e o que não devo?"); visão dolorosa das coisas; problemas com a incidência da luz ("quanto de luz devo deixar incidir no meu quadro/minha vida? quanto de luz devo tolerar no sentido concreto e no figurado?"); prazer em fechar as pálpebras, para não ter de ver mais nada; ouvir e *ver* pertencem ao passado.
Tratamento: fechar as possibilidades, os olhos, para determinadas coisas; discussão agressiva sobre as imagens vistas; aprender a lidar abertamente com as forças da luz; criar "espaço (de tempo)" em que seja possível aos olhos ficar em paz; reconhecer quando as coisas vão mal.
Remissão: escolher livremente quais impressões se quer deixar entrar e quais se quer barrar.
Cobertura do princípio original: Sol/Lua-Marte.

Irradiação/Acidentes com raios (ver também Acidentes)
Plano corporal: conforme o tipo de raio, todo o organismo pode ser afetado.
Plano sintomático: desde queimaduras na pele até lesões hereditárias por raios ricos em energia: ter-se iludido ("queimado", "queimar a língua"); ter de envolver-se muito proximamente com algo muito perigoso; brincar com o fogo (atômico) e pagar por isso (recorrendo à tecnologia e aos medicamentos); a cisão *nuclear* é um

símbolo clássico da polaridade: a cisão conduz à dualidade e por fim ao desespero.
Tratamento: é preferível tornar-se ofensivo com o fogo do espírito e ousar tornar os perigos claros para si; ser crítico; envolver-se em discussões calorosas; deixar-se impressionar até as profundezas; decidir claramente se gostaria de aprofundar a cisão ou trabalhar para a unidade; assumir as conseqüências de sua atitude e tornar claro para si que a cisão leva ao desespero e o trabalhar para a unidade leva ao tornar-se um com a criação.
Remissão: ocupar e aceitar seu lugar na criação.
Cobertura do princípio original: Plutão.

Isquialgia ver Ciática/Isqualgia

Istmostenose aórtica (insuficiência cardíaca inata)
Plano corporal: coração (sede do amor, da alma, do sentimento, centro energético).
Plano sintomático: estreitamento da aorta na saída dos vasos para a parte superior do corpo: drástica preferência pela parte superior e masculina do corpo em prejuízo da parte inferior feminina; vida amplamente limitada (na parte superior); pouca abertura (energia vital) para a parte inferior/feminina da vida, como a sexualidade, a geração da descendência, mas também descuido em relação ao progresso (problemas com o andar).
Tratamento: tornar consciente para si a recusa de sua própria parte feminina; reconhecer a própria unilateralidade; entregar-se completamente ao pólo superior masculino com a finalidade de esgotar suas possibilidades; postergar os temas energeticamente subabastecidos da fertilidade, do erotismo e do progresso, até que a redenção das tarefas superiores se encontre em estágio mais avançado; só então, e a partir das forças do pólo superior, interessar-se pelos temas da parte inferior de maneira concentrada.
Remissão: esgotar e libertar as possibilidades dos planos superiores masculinos;

dar mais importância aos temas anímico-espirituais do que aos corporais; o objetivo compreende a inclusão do pólo oposto: ter ganhos extras tanto no plano corporal inferior (pólo feminino), numa perspectiva simbólica, como no plano corporal superior, por meio de uma intervenção cirúrgica cardíaca (implantação de uma aorta artificial).
Cobertura do princípio original: Saturno-Sol.

Jactação (Agitação dos membros)
Plano corporal: membros (mobilidade, atividade).
Plano sintomático: repentinas e inesperadas descargas de energia convulsiva nos membros; movimentos involuntários e despropositados de pernas e braços: a energia de movimento represada descarrega-se de maneira descontrolada.
Tratamento: ceder aos impulsos do movimento; permitir aos membros que se acalmem no exercício de ações deliberadas: dançar livremente, sacudir o corpo; descarregar tensões; se você está com uma coceira, isto é, uma palpitação no dedo, deixe-a entrar em ação.
Remissão: permitir-se interiormente ações bloqueadas e padrões congelados de movimentos, soltar-se com prazer.
Cobertura do princípio original: Urano.

Jetlag (mal-estar depois de vôos intercontinentais com mudança de fuso horário)
Plano sintomático: oposição inconsciente a mudanças (de lugar); demonstração de flexibilidade maior do que aquela que corresponde ao próprio ser; faltam-lhe ligação com a terra e intuição em situações novas.
Tratamento: aterrissar depois de altos vôos; aprender a vir para a terra; harmonizar suas próprias grandes/altas preten-

sões de flexibilidade com a realidade corporal.
Remissão: viver o aqui e agora.
Cobertura do princípio original: Urano-Saturno.

L

Lábio leporino ver Fissuras da face

Labirintite (inflamação do sistema labiríntico no ouvido, por exemplo, por inflamação do ouvido médio)
Plano corporal: ouvido (audição).
Plano sintomático: luta agressiva pela orientação (certa) em relação ao mundo e ao equilíbrio anímico; → Distúrbios do equilíbrio: perder o equilíbrio interno; estados vertiginosos: deixar-se enganar, estar com vertigens; → Vomitos/náusea: *repugna-lhe* (*causa nojo*) querer *dar tudo de si* (perder-se); Surdez (progressiva): não querer mais ouvir nem obedecer.
Tratamento: resolver aberta(ofensiva)-mente o conflito em torno da orientação para o mundo: deixar-se excitar por temas interessantes; lutar engajadamente pelo próprio equilíbrio; reconhecer que se está fora do centro, em vez de se deixar enganar, e não mais se firmar em orientações vigentes; livrar-se consciente e combativamente do antigo (escarrar), para dar espaço ao novo.
Remissão: ouvir para dentro (da alma): obedecer à própria voz interior e apresentar-se às pretensões excitantes das novas situações para encontrar a nova orientação adequada (à vida).
Cobertura do princípio original: Vênus/Saturno-Marte.

Laringite ver Rouquidão, Asfixia

Lepra
Plano corporal: pele (delimitação, contato, carinho), sistema nervoso (serviço noticioso).
Plano sintomático: doença bíblica, que leva ao isolamento e à discriminação: os leprosos foram enjeitados, desterrados pela sociedade; ainda hoje há incidências, mas "somente" na Ásia, África Central e América Latina, onde o tratamento é uma questão de dinheiro e de organização; conflito de evolução latente (infecção crônica); após um período de incubação (fase preparatória) de anos ou até décadas, sobrevêm as reações febris (mobilização geral do corpo) e a formação de abscessos (conflitos não-resolvidos que corroem profundamente a carne); pela queda dos nervos sensoriais, perde-se a sensibilidade nas extremidades, o que involuntariamente conduz à mutilação; desenvolvimento intratável a partir de mutilações por abscessos (desfolhamento dos membros e extremidades corporais e, com isso, uma tarefa para as funções e temas correspondentes); desfiguração, por exemplo, em caso de face leonina: ser delineado; a nosografia (não-tratada) conduz da enfermidade até a morte: por tudo aquilo a que se renunciou, renunciar ao que se é.
Tratamento: agudo e a curto prazo (alopático): terapia à base de antibióticos para a eliminação das microbactérias (agentes da lepra); a longo prazo, tratamento da alma (homeopático): tornar-se consciente do conflito latente e ocupar-se dele até a profundidade; mobilização geral para a discussão da perspectiva anímico-espiritual; renunciar voluntariamente a certos ciclos de temas, marcados pela nosografia, e sacrificar âmbitos de desenvolvimento exteriores em favor dos interiores.
Remissão: aceitar o individualismo, regresso voluntário (por exemplo, para o claustro): aceitar os desafios encenados pelo destino como distinções e apresentar-se à luta pela própria vida.
Cobertura do princípio original: Netuno-Plutão.

Lesão do menisco
Plano corporal: articulações (mobilidade, articulação), joelho (humildade).

Plano sintomático: o pára-choque, disco suplementar cartilaginoso em forma de lua, é lesionado no joelho; o amortecedor (comparar com o disco intervertebral da coluna) está gasto; hibridez: forçar um movimento que sobrecarrega o joelho, que não foi feito para isso; não *superexcitar* uma situação na consciência, prova decisiva para o pára-choque no joelho; compensação de imobilidade interna com movimentos externos extrapolantes.

Tratamento: pôr-se conscientemente sob pressão no âmbito da humildade, poupar os joelhos; reconhecer e aceitar as fronteiras do corpo; dar corajosos saltos de consciência em vez de fazê-lo nos esportes (de competição); aprender os temas da articulação do joelho: humildade, submissão; reconhecer pronta e francamente os resultados que são realmente exigidos.

Remissão: consciência, modéstia, humildade.

Cobertura do princípio original: Mercúrio/Saturno (menisco, articulação do joelho)-Marte (lesão).

Lesão por mordida (ver também Acidentes)

Plano corporal: toda a superfície corporal pode ser afetada.

Plano sintomático: abertura para ataque e transgressão.

Tratamento: abrir-se para impulsos energéticos vindos de fora (Aikidô, artes marciais); deixar-se excitar por energias estranhas (desafiar ofensivamente, por exemplo, em discussões); tornar-se interna e externamente forte, como por exemplo enfrentar um cão estando internamente vulnerável, enquanto no plano exterior enfrenta tudo corajosamente, o que muitas vezes já o impede de morder; tratamento interior do animal tornado externamente visível: a agressividade do cão, o perigo tentador da cobra e assim por diante; confrontar-se com a própria mordida.

Remissão: abertura para riscos: vigilância e disposição em vez de comportamento anti-social (enfrentar os cães de maneira ofensiva, olhá-los nos olhos); combater agressões; aceitar desafios.

Cobertura do princípio original: Marte.

Leucemia (câncer do sangue; ver também Câncer)

Plano corporal: sangue (força vital), sistema imunológico (defesa).

Plano sintomático: degeneração do sistema imunológico: crescimento na maioria das vezes anormal das células de defesa imaturas (glóbulos brancos), como na defesa contra um adversário poderoso que se lança contra tropas jovens, incultas, e por isso mesmo inúteis, que mais prejudicam do que servem; inchaço dos gânglios linfáticos: também nesse domínio, grande atividade do sistema imunológico; colapso tardio da imunidade: incapacidade de se defender pelas batalhas defensivas, que usam tudo o que pode lhe servir como meio de defesa; tamanho é o distanciamento da via de desenvolvimento que lhe é própria que o corpo proporciona ao tema (esquecido/reprimido) uma expressão; o crescimento anímico-espiritual no âmbito defensivo esteve por tanto tempo bloqueado que ele agora se encontra abafado no corpo, crescendo de modo agressivo e desordenado; o câncer realiza corporalmente no âmbito defensivo o que seria necessário animicamente nesse mesmo campo; grande fraqueza: como aproveitar a batalha defensiva; dores nos ossos e nas articulações, perda do apetite e do prazer; morrer de fome; inchaços do fígado e do baço: afluência de energia vital no órgão da filosofia de vida e do questionamento do sentido e no filtro sangüíneo; sangramentos sob a pele; a força vital escapa a partir daí; anemia: decomposição da energia vital.

Tratamento: pôr radicalmente em questão o modo de trabalho do próprio sistema imunológico e, confirmando a sua inadequação, ultrapassá-lo de maneira radical e sem consideração, mesmo com o risco de ficar por uns tempos sem proteção, isto é, completamente sem defesas; abrir-se, no âmbito do ataque e defesa, para suas próprias representações extravagantes e fantasias audaciosas, e deixar que prosperem e expandam-se corajosamente; recordar antigos sonhos com suas próprias formas de ataque e defesa e tornar a vivenciá-los e transformá-los de maneira bravamente decidida; com a certeza de não ter mais nada a perder, criar coragem para a própria realização/para o próprio caminho de defesa (da vida); ter na fraqueza um motivo para o descanso profundo e para recompor interiormente suas próprias forças; renunciar amplamente a uma atitude exterior, à mobilidade e a estímulos exteriores, mesmo quando isso fizer doer: a força necessária a tudo agora tem de vir de dentro; seguir a energia vital e voltar-se para os temas do fígado (sentido da vida, *religio*); filtrar todo o superficial para fora da corrente da vida; deixar fluir toda a energia da vida na luta decisiva, que tem de prosseguir sob a pele até às profundezas dos ossos (na base); inserir ao mesmo tempo a resistência nos planos mais profundos contra a própria determinação; aceitação do (próprio) sentido da vida e de suas tarefas intrínsecas; acolher a luta pela sobrevivência de maneira aberta (ofensiva) e agressiva no plano imagético interno; considerar as medidas mencionadas no verbete Câncer: sendo o câncer uma nosografia que afeta todo o organismo, é preciso preveni-lo em todas as frentes.

Remissão: rompimento com a própria essência das estruturas estranhas de defesa; lutar por suas próprias formas (de vida) de maneira agressiva e aberta (ofensiva); reconhecer a necessidade de passar do nível corporal, e por isso mesmo perigoso (à vida), para o nível anímico-espiritual, desafiador, mas que nos salva a vida, e lá travar uma luta defensiva importante para a vida; descobrir o amor sem fronteiras, não se importar com normas estabelecidas por si mesmo ou por outrem, compromet endo-se unicamente em viver a mais elevada das leis e expressá-la.
Cobertura do princípio original: Marte-Plutão.

Leucodermia ver Albinismo, Vitiligo

Leucoplaquia ver Psoríase

Leucorréia ver Corrimento

Linfadenite (inchaço de gânglios linfáticos inflamados)
Plano corporal: sobretudo nos lugares onde se acham os gânglios linfáticos (policiamento).
Plano sintomático: expressão de um conflito limitado e local ou dentro das coordenadas de uma discussão geral: guerra pelo policiamento.
Tratamento: tornar-se consciente do tema da discussão e resolvê-lo no nível anímico-espiritual.
Remissão: posicionar combativamente o conflito e conduzi-lo a uma solução.
Cobertura do princípio original: Marte.

Lipofilia (ao pé da letra: amor à gordura; inserções de gordura em determinadas partes do corpo, o foco principal estando na porção inferior do corpo)
Plano corporal: bacia (sexualidade, fundamento da vida, campo de ressonância), pernas (mobilidade, progresso, firmeza), pés (embasamento, enraizamento).
Plano sintomático: por exemplo, fenômeno dos culotes (nas mulheres), depósito de gordura sob a linha da cintura na forma de um culote: acentuação da metade inferior e feminina do corpo concomitante com uma recusa inconsciente do feminino; ao contrário do que o nome sugere, as mulheres afetadas não apreciam essa gordura, e sim a odeiam, mas com isso sua atenção é atraída para a região cada vez que esta é evitada e relegada para o fundo da consciência.
Tratamento: conduzir conscientemente o peso para as tarefas (não executadas) no

âmbito feminino: prazer sexual, progresso, enraizamento (encontrar seu lugar na vida); acentuação do feminino na consciência.
Remissão: reconciliação com seu próprio destino feminino; aceitação consciente do pólo inferior da vida, do baixo-ventre, que fica em segundo plano (no macrocosmo: o pobre hemisfério sul da Terra).
Cobertura do princípio original: Vênus/ Lua-Júpiter.

Lipoma (tumor benigno formado pela proliferação de células gordurosas)
Plano corporal: tecido gorduroso (excesso, reserva), todas as partes do tecido subcutâneo podem ser afetadas.
Plano sintomático: tumor benigno no âmbito das reservas, da capacidade de armazenamento; crescimento desmedido em regiões isoladas: a arrogância é freqüente nessas regiões temáticas; dores por pressão, dependendo da localização: estar sob pressão devido a desenvolvimentos transbordantes na região da formação do excesso.
Tratamento: permitir que aumentem as reservas materiais e anímico-espirituais; observar criticamente e trabalhar o excesso produzido sob pressão (desfazer-se dele, por exemplo, pelas mãos de um cirurgião); deixar que as reservas se tornem passíveis de ser vistas e sentidas, indicá-las e inseri-las na vida.
Remissão: reservas, ou seja, o excesso no sentido figurado (conta bancária e conta da consciência).
Cobertura do princípio original: Júpiter.

Lipomatose cardíaca ver Degeneração adiposa do coração

Lipossarcoma (câncer do tecido adiposo; ver também Câncer)
Plano corporal: tecido adiposo (abundância, reserva).
Plano sintomático: destruição agressiva dos tecidos de reserva e armazenamento; degeneração no âmbito da abundância: crescimento tumoroso selvagem e desordenado; tamanho é o afastamento de sua via específica de desenvolvimento com relação à formação de reservas e ao desfrute do supérfluo que o corpo proporciona ao tema (esquecido/reprimido) uma expressão; o crescimento anímico-espiritual nesse campo temático esteve por tanto tempo bloqueado que agora abre caminho no corpo de modo agressivo e desordenado; o câncer realiza corporalmente no âmbito estrutural o que seria necessário animicamente no âmbito da consciência.
Tratamento: pôr radicalmente em questão a política de reserva e armazenamento e, confirmando-se o problema, renunciar a ela sem pestanejar; no âmbito do supérfluo e do luxuoso, abrir-se para suas próprias representações extravagantes e fantasias ousadas, deixá-las seguir adiante e expandir-se corajosamente; lembrar-se de antigos sonhos de seu próprio modo de expressar luxo, abundância e reserva, (tornando a) vivenciá-los e transformá-los de maneira bravamente decidida; com a certeza de não ter mais nada a perder, criar coragem para a realização do seu próprio caminho; proporcionar-se expressão no âmbito do supérfluo e do luxuoso, em vez de deixar o corpo falar por si: é preferível uma casa abarrotada do que um corpo abarrotado, no qual, além do mais, o abarrotamento não pode chegar a um termo; lutar por valores espirituais em vez de fazê-lo por valores materiais; considerar as medidas mencionadas no verbete Câncer: sendo o câncer uma nosografia que afeta todo o organismo, é preciso preveni-lo em todas as frentes.
Remissão: rompimento com o antigo, com a própria essência de uma vida estranha e suas relações com o supérfluo e com o luxuoso, para lutar agressiva e ofensivamente pelas formas (de vida); lutar pela segurança de uma perspectiva figurada, segurança essa que, em última análise, só pode ser encontrada no âmbito espiritual:

fora da "mão de Deus" não há nenhuma segurança; reconhecer a necessidade de passar do nível corporal, e por isso perigoso (à vida), para o nível anímico-espiritual, desafiador, mas que nos salva a vida, e, neste último, apostar num crescimento expansivo; descobrir o amor sem fronteiras, não se importar com normas estabelecidas por si mesmo ou por outrem, comprometendo-se apenas a perceber e cumprir a mais alta das leis individuais; empreender a busca da imortalidade e da onipotência (da alma).
Cobertura do princípio original: Júpiter-Plutão.

Liqueníases ver Dermatomicoses

Lombalgia ver Lumbago

Lordose
Plano corporal: coluna vertebral (apoio e dinâmica, retidão).
Plano sintomático: compensação da criança/adulto afetada (→ Cifose); cavidade que é arrastada pela vida e postura que não lhe corresponde; querer endireitar tudo: retidão aparente.
Tratamento: aprender a endireitar-se de dentro para fora, a responder pelas próprias necessidades em vez de aceitar uma postura; redescobrir a criança abalada sob a impressionante pseudo-retidão; aprender a endireitar também a si mesmo.
Remissão: orientação interior (retidão) como fundamento da postura exterior.
Cobertura do princípio original: Saturno (coluna vertebral, retidão)-Netuno (aparências).

Lumbago (lumbagem; ver também Ciática/Isquialgia)
Plano corporal: coluna vertebral (sustentação e dinamismo, retidão).
Plano sintomático: conflito entre impulsos inferiores e reivindicações "superiores": a sedução e o chamado entre o eu e o instinto dilacera a pessoa, que se enrola (dolorosamente); sobrecarga como compensação por uma insegurança com relação a si próprio, sentimentos de pequenez e inferioridade: ser seduzido de maneira incontrolável e não resistir; dilacerar-se e torcer-se, *estender-se de modo torto*; em vez de se apresentar corretamente às coisas, sobrecarregar a coluna vertebral (em sua mobilidade); projeção: realizar uma "caça às bruxas", culpando-as pelo deslocamento do pescoço e de outras partes e fazendo que, como se diz, alguém perca a cabeça (pela perda de participação).
Tratamento: exigir-se e sobrecarregar-se conscientemente, crescer com os desafios e conquistar segurança (em si); deixar-se seduzir corajosamente com freqüência, aprender a dizer sim para seus próprios impulsos e necessidades; cansar-se e esforçar-se conscientemente e acima das medidas, satisfazendo as próprias pretensões; revogar projeções e compreender a própria participação também nos assim chamados movimentos bobos (contorções, torceduras, luxações e outros movimentos problemáticos), que ninguém quer ter.
Remissão: posicionar-se positivamente com relação às suas necessidades e desejos, conquistar a orientação correta de vida.
Cobertura do princípio original: Saturno-Marte.

Lunatismo (sonambulismo)
Plano sintomático: em sua forma suavizada: dormir mal na lua cheia e ser visitado pelo reino das sombras na forma de sonhos selvagens; não poder dormir na fase da lua cheia; sentir-se obrigado a proporcionar à lua a honra de uma vigília; surgir carregado e conduzido pelo mundo das imagens interiores, sem acordar para o mundo da consciência intelectual diurna: empreender o despertar da consciência para coisas incompreensíveis; com a segurança sonâmbula da consciência acordada, fazer aparições problemáticas e freqüentemente perigosas; o inglês tem consciência de quanto os *lunatics* (loucos)

estão ligados às forças da lua; os franceses expressam a ligação entre a lua e o humor (*lunê*); os proverbiais humores da lua são antes aqueles das pessoas sensíveis, que reagem de acordo com as forças lunares.
Tratamento: fazer justiça à noite com a ajuda da lua (assimilação do dia e da vida no mundo imagético interior); aprender a reparar na lua e em suas energias, valorizando-a e avaliando-a: prestar-lhe as homenagens que cabem a todo princípio original e sobretudo a esse arquétipo feminino central; sob a influência das forças lunares, abrir-se aos espaços noturnos da consciência e neles viajar conscientemente; aprender a apreciar as qualidades desses outros lados de nossa realidade e, sempre com consciência, aprender a ter relações com eles, deixar fluir com o tempo a segurança sonâmbula também nas atividades diurnas; dar oportunidade às ligações lingüísticas entre a lua e o ritmo, entre a esquisitice e o que aparece à consciência diurna dominadora e masculina como doença do espírito; reconhecer a proximidade com esses domínios e até mesmo aprender a apreciá-la.
Remissão: considerar a sintomática do lunatismo e, num sentido mais amplo, também o sonambulismo como oportunidades, estabelecer contato com os outros lados (do próprio ser); deixar-se guiar e conduzir por outras forças interiores; reconhecer-se sempre mais como guiado.
Cobertura do princípio original: Lua (-Netuno).

Lupo eritematoso (ver também Doenças de auto-imunidade)
Plano corporal: pele (delimitação, contato, carinho), sobretudo a do rosto, mas também a da porção superior do peito e das costas, extremidades de mãos e dedos; participação de órgãos internos (→ Endocardite [coração], → Glomerulonefrite [rins]).
Plano sintomático: estar marcado na cara: vermelho de agressividade não-vivida (vermelho de raiva?); as próprias fixações de fronteiras e de superfícies de contato são atacadas com violência de dentro para fora; em vez de ser orientada para fora, contra inimigos externos, a força defensiva aponta para suas próprias estruturas fronteiriças e de contato: tornar-se inimigo de si mesmo; corroer-se por causa de agressividades não-vividas, reprimidas em sua manifestação para o exterior; sobreposição da agressividade reprimida nos rins (equilíbrio, parceria) e na parede interna do coração (sentimento, emoção), que, inflamada pelos mesmos conflitos, mostra o quanto se pode ficar com um peso no coração: em vez de viver para fora, as forças defensivas combatem de dentro a força vital do próprio coração; os rins como órgãos do equilíbrio (ácido-básico) tornam-se em todo caso o cenário da guerra civil.
Tratamento: *mostrar sua (verdadeira) cara* com toda a sinceridade; deixar a energia vir à superfície: ficar vermelho de entusiasmo e calor em vez de ficar vermelho de raiva (inconsciente), desabrochar; pôr voluntariamente em questão as próprias fronteiras; em sentido figurado, deixar-se excitar mais e de maneira mais intensiva; orientar a luta para um plano superior: ocupar-se consigo mesmo de modo combativo, aliviando com isso o sistema imunológico; no plano da consciência, pôr em questão os próprios limites e estruturas de comunicação até o sacrifício de si mesmo; abordar os temas da parceria, do equilíbrio e do sentimento; exercícios que vão por debaixo da pele e arranham o verniz exterior; o jejum como possibilidade de encontrar o caminho de volta ao essencial.
Remissão: subposicionamento corajoso da própria aparência, da relação de parceria e do trato com as oportunidades do coração e reestruturação ofensiva nesses domínios.
Cobertura do princípio original: Plutão-Marte.

Luxação (ver também Trocar os pés, Acidentes, Acidentes de trabalho/acidentes domésticos, Acidentes de trânsito)
Plano corporal: articulações (mobilidade, articulação), musculatura (motor, força).
Plano sintomático: fazer-se responsável por um erro e ser chamado a prestar contas: "receber uma descompostura".
Tratamento/Remissão: assumir a responsabilidade, reconhecer erros e integrá-los como algo errado na vida.
Cobertura do princípio original: Marte-Saturno.

Luxação da articulação coxo-femural
(deslocamento da superfície articular convexa da coxa para fora dos acetábulos no osso ilíaco)
Plano corporal: quadris/articulação coxofemural (passos largos).
Plano sintomático: a articulação na questão do avanço é enormemente dificultada (no campo de um atraso no desenvolvimento do sistema esquelético): a ginga do andar de pato, que só permite um progresso lento; o caminhar a passos largos é dificultado, isto é, impedido; o seguir em frente na vida é posto em questão; grandes passos ou mesmo saltos já não são possíveis; as pernas carregam o corpo com dificuldade: o peso da vida é difícil de levar (suportar); o progresso com elegância é dificultado, isto é, obstruído; acentuação da polaridade: entra-se fundo (em cada passo) nos pólos esquerdo e direito.
Tratamento: dar-se um tempo de maturação nos domínios estruturais (semelhante ao modo como a medicina aquieta a articulação coxofemural, para dar um tempo de maturação à cavidade cotilóidea (acetábulo); arranjar-se com os temas fundamentais na questão do progresso; compreender e reconhecer o próprio passo estranho como símbolo, onde há, no sentido figurado, um comportamento semelhante; não ter pressa, avançar lentamente a seu próprio modo, ainda que seja inusitado; compreensão da própria imobilidade; submeter-se concretamente à pressão do pequeno raio da vida; reconhecer o quanto custam os passos exteriores e preparar-se para os passos interiores; embrenhar-se nas alturas e profundezas e nos altos e baixos da vida.
Remissão: preferir os caminhos internos do amor aos longos e fatigantes caminhos extenos; aproveitar a relativa calma exterior para voltar a progredir interiormente.
Cobertura do princípio original: Júpiter.

Luxação do braço
Plano corporal: articulação do ombro (movimento e estabilidade).
Plano sintomático: desprezar fronteiras razoáveis; ficar fora de si e perder o engaste; superestimação de si mesmo, arrogância; ir pelo caminho errado; equivocar-se, ficar sem recursos, excesso de manuseio; esticar o arco de maneira exagerada: exceder o tema "mobilidade", ultrapassar as próprias possibilidades, gastar além da conta.
Tratamento: ousar ir além das próprias fronteiras (espirituais); atrever-se ao grande lance, à (pegada) tomada do ouro; agir no momento certo; terapia corporal: encaixar; em sentido figurado: encaixar novamente no momento certo, aprender a conhecer e a respeitar o raio do movimento.
Remissão: mobilidade corajosa (espiritual); realizar o grande projeto/lance da vida; expandir-se para além de si mesmo; objetivo final no pólo oposto: reconduzir para o caminho certo algo que extrapolou.
Cobertura do princípio original: Urano, Marte.

Luxação do maxilar
(deslocamento do maxilar inferior)
Plano corporal: maxilar inferior (arsenal de armas), queixo (vontade, imposição).
Plano sintomático: origina-se ao se abrir com força e violência a boca ao bocejar ou por um esforço fora do comum para morder; ficar boquiaberto (pasmo): abrir demasiadamente a boca, essa grande portinhola.

Tratamento: tornar-se consciente de suas próprias reivindicações no que se refere à incorporação e expressão; aprender a abrir a boca (no sentido figurado), tornar-se uma pessoa emancipada e fazer entrar a porção de vida que lhe cabe; morder sua parte (que lhe cabe) no bolo (da vida): cuidar para que tenha havido crescimento na mordida, para poder não só incorporar, mas também digerir.
Remissão: maioridade; modéstia, mas sem falsa modéstia, *não ficar com a boca muito cheia*, mas mesmo assim mantê-la cheia; *abrir a boca*, mas sem *violência*.
Cobertura do princípio original: Marte-Saturno-Urano.

M

Mal de Alzheimer

Plano corporal: cérebro (comunicação, logística), nervos (serviço noticioso).
Plano sintomático: velhice antecipada (antes: demência pré-senil), possivelmente em decorrência de uma carga excessiva de ruído, de química e de trabalho em geral (o cérebro como órgão de digestão no plano imaterial fica prematuramente estafado e extenuado em suas possibilidades); perde-se a ligação com o caminho do desenvolvimento; em vez de novamente se tornar como uma criança, a pessoa se torna infantil; perda da responsabilidade para com o que está mais próximo (a memória de curto prazo é a primeira a ser afetada); afastamento do caminho, perda da orientação (não mais encontrar o rumo, a luz); no fim da vida, nenhum objetivo é alcançado: perde-se o caminho de vista: confusão; abandonar-se, afundando-se nas sombras; "crepúsculo dos deuses": o grande esquecimento; inquietação exterior (→ Acatisia) revela a tensão interior: passos curtos, matreiros e miúdos formam um círculo (andar em círculos); distúrbios da fala (→ Disfasia) revelam que não se tem mais nada a dizer e que não mais se vibra no ritmo; romper o contato com o mundo; a incapacidade de reconhecer (→ Agnosia) revela não ser mais possível conhecimento algum; no estágio final, a pessoa não reconhece nem a si mesma: pólo oposto ao do conhecimento de si mesmo; a → Apraxia revela a incapacidade de dominar as necessidades práticas da vida; alternância entre → Depressão (convite a ocupar-se com a morte) e euforia (realizar o céu em si mesmo); fuga de volta à infantilidade, renúncia a todas as responsabilidades.
Tratamento: desligar-se do passado com seus compromissos e obrigatoriedades; pôr-se a caminho: antes dar passos curtos do que nenhum; aquietar-se, permitir-se o descanso; consciência do lugar da alma; aprender a contemplar o mundo novamente com admiração infantil (ausência da fala); ficar pronto para a morte (Depressão); transmutar a caricatura da bem-aventurança (euforia) em felicidade autêntica.
Remissão: agnosia; transmutar o saber em sabedoria, renunciando a ele: "só sei que nada sei"; não mais se reconhecer: como Ulisses que não reconhece mais a si nem a ninguém; realizar a simplicidade da criança no plano redimido: "tornar-se outra vez como uma criança", viver o aqui e agora; voltar-se para a unidade.
Cobertura do princípio original: Netuno-Saturno.

Mal de Parkinson (paralisia agitante)

Plano corporal: cérebro (comunicação, logística), nervos (serviço noticioso).
Plano sintomático: tremor intencional: sempre que há um impulso de movimento, ele é obstruído por um tremor, quando não por uma paralisia: no campo de uma incapacidade geral (anímica) de movimento, a vontade torna-se exagerada (nosografia de Mao Tsé-Tung); abismo entre a pretensão de mover algo no mundo e a paralisia/rigidez interior; ser

tomado pelo medo da morte (tremor), querer se livrar do pavor da experiência da realidade; rigidez na expressão e na mobilidade, nem sequer pestanejar, existência de zumbi; medo de falhar, mostrar uma máscara bem lubrificada; distúrbios da comunicação; incapacidade de se adaptar às mudanças necessárias à vida; as mudanças de tempo e da lua, assim como as outras mudanças, podem fazê-lo piorar; a paralisia também pode afetar as cordas vocais como órgãos de comunicação e deixar mãos e pés frios como expressão de problemas com o contato; a luta corporal freqüentemente enfrentada e a luta com as palavras revelam uma vontade inquebrantável; discrepância entre querer e poder; pessoas de vontade forte que ao longo da vida têm de aceitar que nem tudo é possível; criação do pólo masculino pelo esgotamento exagerado; ameaça à vida pela paralisia respiratória: a interrupção da comunicação e do intercâmbio fica visível.

Tratamento: elaborar uma vida de plena hiperatividade: estabelecer uma calma exterior em favor de uma mobilidade interior; cozinhar pequenos pãezinhos, zelar pela qualidade; ocupar-se com a morte e a solução (redenção); ter a realidade diante dos olhos até que eles percam o medo (olhar imóvel, impenetrável); adentrar completamente o próprio medo até que ele se converta em amplidão; aprender a mostrar a verdadeira cara; voltar-se para o terreno dos fatos; exercícios que gravitam em torno do equilíbrio interno e servem para (voltar a) encontrar o próprio centro.

Remissão: reconhecer a unidade entre pessoa e mundo; tornar-se um monumento (para os outros) de pessoa vivaz no interior e calma no exterior.

Cobertura do princípio original: Saturno.

Malária (febre intermitente ou sezão; é a nosografia que desafia o maior número de vidas humanas em todo o mundo)

Plano corporal: sangue (força vital).

Plano sintomático: acessos de febre que reincidem periodicamente com calafrios em decorrência da destruição dos glóbulos sangüíneos recheados pelos plasmódios (parasitas unicelulares); em seguida, os plasmódios saem em busca de novos glóbulos sangüíneos, a cuja destruição, que leva de 48 a 72 horas (dependendo do tipo de malária), segue-se o próximo surto febril; mobilização geral periódica do corpo como reação a seu portador de energia; acessos de vômito: sentir-se a ponto de vomitar e querer livrar-se novamente do indigesto; invasão agressiva (*picada* de mosquito) de forças terrenas (os ataques de febre freqüentemente transbordam fantasias selvagens dos domínios obscuros das sombras).

Tratamento: aprender a defender-se ofensiva e agressivamente; aceitar inimigos externos e internos e nocauteá-los; sempre voltar a lutar por seus interesses vitais; prevenção: penetrar voluntariamente no reino obscuro da fantasia (viagens interiores em vez de exteriores, nas quais os turistas se deixam infectar).

Remissão: defender-se; aceitar adversários internos e derrotá-los; avaliar corretamente a própria força de combate e a própria coragem antes de viajar a países com malária (antes eram as viagens de aventura, hoje são viagens de luxo em que a aventura está à espreita).

Cobertura do princípio original: Plutão-Netuno.

Mal-do-monte ver Erisipela

Malformações/Deficiências
(ver também Aplasia)

Plano corporal: quase todos os órgãos e regiões do corpo podem ser afetados.

Plano sintomático: malformações congênitas ou adquiridas, ou seja, defeitos em órgãos ou partes de órgãos; desafios do destino, trazidos ou contraídos, aprender a lidar com deficiências, isto é, aprender

a viver bem mesmo sem aquilo que lhe falta.
Tratamento: aceitar desafios e enfrentá-los; reconhecer a deficiência como tal e ver nela a oportunidade de conseguir em outros planos aquilo em que se é deficiente; desenvolver a coragem de ser diferente (preencher uma lacuna); sacrificar o eventual perfeccionismo; resignar-se no sentido de ser modesto e humilde ante a força do destino.
Remissão: reconhecer (valorizar) o destino como cura objetivada, que pode e quer nos trazer de volta ao desenvolvimento.
Cobertura do princípio original: Saturno/Plutão.

Manchas despigmentadas ver Vitiligo

Manchas roxas ver Hematoma, Hemorragia, Fraqueza do tecido conjuntivo

Mania de grandeza (em Manias, Esquizofrenia, Abuso do álcool, aparece freqüentemente de forma positiva, sem as patologias básicas [narcisismo como tema de vida])
Plano sintomático: auto-estima exagerada, que provém de um complexo de inferioridade e de um sentimento de nulidade; sobrevalorizar desmedidamente as próprias capacidades espirituais e corporais; tomar-se por grande; hibridismo: confundir-se com Deus.
Tratamento (no caso de doença mental, trabalhá-la no contexto dos problemas básicos): tornar-se sincero e reconhecer o estar por cima como medo de cair profundamente; conservar o cerne mesmo da mania de grandeza, confrontando-o porém com a realidade alheia; reconhecer que se é na verdade alguém muito especial, como cada pessoa o é, a seu modo; descobrir a ilusão e conservar seu alvo: comparar com o mito de Ícaro, que queria voar para o sol físico em vez de se fazer um com seu próprio sol interior; rever o seu conceito de grandeza junto à realidade, por exemplo, à luz do caminho da meditação zen.
Remissão: fazer-se um consigo (com o "si") mesmo: desenvolver a consciência de si; unir-se ao grande, dissolver-se na unidade.
Cobertura do princípio original: Júpiter-Sol.

Mão caída/Mão em garra/ Mão em pata ver Problemas nas mãos

Mãos que suam ver Transpiração nas mãos

Marca-passo cardíaco artificial
Plano corporal: coração (sede do amor, da alma, do sentimento, centro energético).
Plano sintomático: fura-greve mecânico: marca-passo cardíaco artificial — ao contrário de seu próprio ritmo descompassado; um robô no centro da vida; fuga da falta de confiabilidade do coração; a confiabilidade é trazida ao elemento vivo; ter realizado originalmente pouco de sua particularidade e individualidade.
Tratamento: reconhecer o quanto de morto e mecânico já se tirou da posse da própria vida; ocupar-se dos pólos ritmo-compasso, ou seja, coração vivo (não-confiável) — e máquina morta (digna de confiança).
Remissão: ter como objetivo viver em vez de sobreviver; promover a alegria de viver.
Cobertura do princípio original: Sol-Urano (técnica).

Mastite (inflamação das glândulas mamárias; ocorre pela amamentação, mais comumente nas primeiras semanas após o parto)
Plano corporal: seios (maternidade, nutrição, proteção, prazer).
Plano sintomático: conflito acerca da amamentação, da nutrição, do dar leite,

do cuidar com carinho; querer paparicar demais, (deixar) rasgar o seio; ao amamentar ela se põe aos gritos por causa da fonte dolorosa e machucada; irritações infiltram-se pela fonte de leite escoriada (rachaduras no mamilo) (no tecido); perigo de aprofundamento do conflito (Abscesso).
Tratamento: reconhecer o embate armado em torno da amamentação e discuti-lo interiormente: quem tem direito à mama (mamãe) — o recém-nascido à fonte de leite, o marido à fonte de prazer, ou a mulher à própria aparência. Admitir temas provocantes sobre a amamentação (por exemplo, o medo de perder a beleza dos seios); arrematar o conflito que vai até à profundidade da relação (com a criança, o parceiro e o próprio corpo) (por exemplo: "o que não posso/não quero proporcionar com o leite materno?"); aprender a lidar com a dependência total da criança, mas também aprender a descobrir suas ambições de poder.
Remissão: disposição interior para a nutrição; aceitar e digerir a feminilidade sem reservas; hierarquização das relações em favor da nova vida: colocar (amamentar) a criança por *certo* tempo em primeiro lugar, deixar o parceiro em segundo plano.
Cobertura do princípio original: Lua/Vênus-Marte.

Mastodinia (dores nas mamas)
Plano corporal: seios (maternidade, alimentação, proteção, prazer).
Plano sintomático: grito de socorro do peito sem que haja razão corporal reconhecível: pedido de doação e cuidados.
Tratamento: (permitir-se o) interesse pelo peito e seus temas; atenção voltada ao âmbito da alimentação pelo leite materno e do prazer erótico.
Remissão: reconciliação com o peito e com o gozo de seus temas.
Cobertura do princípio original: Lua-Vênus.

Mastopatia (a mais freqüente das doenças das glândulas mamárias, tumores benignos nos tecidos com tendência à formação de gânglios (cistos); gânglios representam problemas/conflitos não-resolvidos: ter o peito cheio de conflitos; inchaço do peito, como se estivesse amamentando: problemas com a alimentação, com o dar leite, com o ser mãe (mama); medo de câncer: ainda que freqüentemente haja dor nos gânglios por ocasião da mastopatia, eles são menos duros e crescem com firmeza (risco de degeneração, mas não de fechamento): as dores funcionam como um grito de socorro que pede atenção e doação.
Tratamento: reconhecer e aceitar problemas não-resolvidos no âmbito dos seios (alimentar, estimular): reconhecer o conflito em torno da alimentação e da maternidade; colocar-se as questões importantes por ocasião do → Câncer e respondê-las: vedação, pelos princípios, no sentido de uma prevenção legítima, que ultrapassa em muito uma detecção precoce; (permitir-se) oferecer ao peito doação e atenção.
Remissão: disposição interior para a alimentação; aceitar o próprio peito e afeiçoar-se a ele.
Cobertura do princípio original: Lua-Júpiter/Saturno.

Mau hálito (*Foetor ex ore*)
Plano corporal: boca (recepção, expressão, oralidade), sistema digestivo (*bhoga*: comer e digerir o mundo).
Plano sintomático: localizar e indicar a fonte do mau cheiro: boca/dentes, amígdalas escarpadas, estômago, intestino; pescoço como garganta do diabo: o inferno fede até acima do pescoço; feder para os outros: mantê-los a distância (desejo inconsciente de distanciamento); evitar encontros sexuais: bloqueio do beijo a quem lhe está próximo, intimidar inconscientemente eventuais pretendentes; orientação e pensamentos *frouxos*, que desfraldam pelos lábios a bandeira do odor; *ter uma bandeira: dar bandeira*, o que se antecipa com urgência à mensagem preguiçosa.

Tratamento: examinar o inferno a fundo e conscientemente: descobrir segundas intenções no âmbito agressivo da mordida, no ninho do estômago ou nas profundezas do reino das sombras; construir e manter conscientemente uma distância dos meios exigentes; ocupar-se com suas próprias intenções erótico-sexuais.
Remissão: velar por relações limpas no âmbito oral.
Cobertura do princípio original: Vênus-Plutão.

Medo (ver também Fobias)

Plano corporal: perceptível sobretudo no pescoço (incorporação, ligação, comunicação) e na respiração (intercâmbio, lei da polaridade).
Plano sintomático: estreiteza (latim: *angustus*, estreito), como a de se sentir oprimido, esconder-se por detrás de uma respiração irregular; sentimento de fuga; freqüentemente, um trauma de nascimento não-assimilado (nascimento: estreiteza original, a primeira da vida).
Tratamento: deixar-se tomar pelo medo a ponto de ele perder o lado assustador, torná-lo definido e com isso caminhar na amplidão; dar lugar (voluntariamente) ao medo; confronto com a estreiteza: respiração conectada (de modo semelhante ao dos renascimentos); enfrentar o medo; vivenciar novamente o nascimento e integrá-lo conscientemente (terapia da reencarnação); encontrar apoio/reserva; recuperar o apoio e a proteção do ventre materno; ganhar confiança (por meio de experiências culminantes, ou seja, experiências de unidade); "estreiteza" voluntária: concentração (em muitos aspectos); segurar-se conscientemente (quando se poderia andar solto): terapia do segurar-se/tolher-se.
Remissão: concentração no essencial, no momento; viver o momento, pois o medo vive do passado ou para o futuro; objetivo final no pólo oposto: expandir-se na estreiteza, ficar aberto e livre; amplidão.

Cobertura do princípio original: Saturno, Plutão.

Medo de avião

Plano sintomático: medo da queda; medo de deixar a (Mãe) Terra, de perder sua fixação ao solo; medo de ir ao ar; medo de voar nas alturas; medo da falta de espaço (o estreito corpo do avião pode suscitar associações com o ventre materno durante o "estreito" tempo que antecedeu o nascimento).
Tratamento: levar os pés ao solo com firmeza; a partir dessa base certa, desenvolver uma confiança no elemento ar; deixar o solo certo do confiável e habitual; alçar-se a vôos mentais superiores e desenvolver abertura para viagens fantásticas; vivenciar ainda uma vez o próprio trauma do nascimento (com ajuda psicoterapêutica) e reconciliar-se com ele.
Remissão: reconhecer na queda um tema ancestral humano (anjos caídos, queda de Lúcifer) e ter consciência de que ela é um perigo sempre iminente, no qual está em jogo o próprio viver.
Cobertura do princípio original: Saturno-Urano.

Medo de câncer (carcinofobia; ver também Medo, Câncer, Hipocondria)

Plano sintomático: pensamentos estimulantes e estreitos (em geral, depois de um caso de câncer na família); medo da vida; medo da morte; medo de viver e de sofrer; grandes expectativas de planos não-resolvidos na própria vida; prazer inconsciente de fracassar na vida.
Tratamento: investigar o próprio padrão cancerígeno (padrão de adaptação social, estruturas normopáticas) e segui-lo como conseqüência do seu caminho; realizar as expectativas no próprio caminho (da vida); reconhecer que toda a vida é sofrimento (Buda).
Remissão: reconciliação com a própria mortalidade; conhecimento de que vida e morte se pertencem como luz e sombra (livros dos mortos tibetano e egípcio); a

vida conforme a própria estrutura e determinação.
Cobertura do princípio original: Plutão/Saturno.

Medo mórbido do escuro ver Nictofobia

Melancolia ver Depressão

Melanoma (ver também Câncer de pele, Câncer)
Plano corporal: pele (delimitação, contato, carinho).
Plano sintomático: desfiguração da superfície de contato com o mundo, crescimento tumoroso de pigmentação escura na pele, que dá nojo: temas das sombras obscuros e não-vividos são impelidos para a luz da consciência e ameaçam a vida; crescimento tumoroso – desestruturado e desordenado – no âmbito das próprias fronteiras e normas e do contato direto; temas repulsivos (inconscientes) destroem a integridade de dentro para fora e rasgam as fronteiras de um modo assustador; desfiguração de sua própria imagem aparente: pressão para a sinceridade; reconciliação, por meio do conflito, com a sujeira e a desfiguração (o câncer negro) ou com a violação da integridade; é tão grande o seu afastamento do caminho de desenvolvimento que lhe é próprio, com relação ao âmbito da fronteira e do contato, que o corpo tem de assumir as rédeas do tema, proporcionando-lhe uma expressão; o crescimento anímico-espiritual nesse campo esteve por tanto tempo bloqueado que agora irrompe de modo agressivo e desordenado; o câncer realiza corporalmente o que seria necessário no âmbito análogo da consciência; as sombras mais escuras irrompem das profundezas e ameaçam a existência.
Tratamento: aprender a se limitar e, com base nessa capacidade, também atrever-se a se abrir: abrir as próprias fronteiras para o mundo de maneira consciente, corajosa e dedicada; abrir-se, nos âmbitos de fronteira e contato, para as próprias representações selvagens e fantasias ousadas; deixá-las crescer e pulular corajosamente; lembrar-se de antigos sonhos de vida e de visões sem fronteiras, (tornando a) vivenciá-las de maneira bravamente resoluta; abrir-se para o âmbito das sombras mais negras; considerar as medidas mencionadas no verbete Câncer: sendo o câncer uma nosografia que afeta todo o organismo, é preciso preveni-lo em todas as frentes.
Remissão: descobrir para si e para o mundo o amor sem fronteiras; não se importar com normas estabelecidas por si mesmo ou por outrem, comprometendo-se a viver abertamente apenas a sua própria lei; reconhecer a necessidade de passar do nível corporal, e por isso mesmo perigoso à vida, para o nível anímico-espiritual, desafiador, mas que nos salva a vida, e, neste último, apostar num crescimento expansivo.
Cobertura do princípio original: Saturno/Vênus (pele) -Plutão/Júpiter (câncer).

Melitúria (*Diabetes mellitus*)
Plano corporal: pâncreas (análise agressiva, digestão dos açúcares).
Plano sintomático: diarréia do amor: medo do amor; desejo de saborear coisas doces (amor) e a doce vida, numa concomitante incapacidade de aceitar e deixar entrar o amor completamente; não acolher o doce da vida, ou seja, não poder admiti-lo no mais íntimo (das células); não poder se envolver no amor; desejo não-reconhecido de satisfação pelo amor; tornar-se azedo devido à incapacidade de amar; não ter aprendido a dar amor; não se atrever a atacar ativamente o domínio do amor.
Tratamento: reconhecer o medo e a estreiteza com relação aos assuntos amorosos; reconhecer a incapacidade de admitir o amor em sua esfera mais íntima (açúcar nas células); aprender a evitar os planos não-redimidos da vida, ou seja, a fechar-se para eles; no pólo oposto: abrir-se

para o amor nas perspectivas anímica e espiritual.
Remissão: encontrar o meio-termo entre aceitar e renunciar; reconhecer e viver o dar e receber como os dois lados do amor e da realidade.
Cobertura do princípio original: Vênus.

Meningite (inflamação nas meninges)
Plano corporal: cérebro (comunicação, logística), meninges (proteção).
Plano sintomático: dor de cabeça extrema: grito de socorro da central em combate; rigidez da nuca (opistótono); caricatura de uma franqueza por demais segura de si, de uma auto-afirmação convicta; nos recém-nascidos: guerra contra as forças femininas e o resguardo; luta contra as forças da mãe primeira; problemas de ego ("cabeça-dura"), oposição à nova encarnação, decisão entre o mundo e o retorno à Mãe (Terra); nos adultos: agressão reprimida; carência de disposição; contribuir conscientemente para a luta pela vida/soltar-se da mãe primeira; adormecer da vida, ter perdido o apetite pela vida; falta de disposição para conquistar seu espaço vital; atitude rígida no cérebro (meningite cérebro-espinhal); luta entre as polaridades, desequilíbrio entre os elementos femininos e aquáticos e os masculinos e fogosos, ou seja, entre a mãe obscura e as forças luminosas do espírito.
Tratamento: lutar pela própria vida; encontrar o centro; ligação entre o pensar do sentimental/raciocínio e o intelecto; pegar de jeito o que o oprime; ousar fazer a guerra no plano mais elevado; desenvolver a consciência de si e a auto-estima; abandonar-se no colo da mãe e remir-se das pretensões num plano mais elevado.
Remissão: nascimento recente, discussão entre forças femininas que se resguardam e as masculinas que tendem a agir.
Cobertura do princípio original: Marte-Mercúrio-Lua.

Meningoencefalite ver Meningite e Encefalite

Meteorismo ver Flatulência/gases

Miastenia (Problemas digestivos)
Plano corporal: musculatura estriada (motor, força) do aparelho *locomotor*.
Plano sintomático: fadiga súbita da força muscular motora até a completa paralisia por cansaço: não poder/querer mais; paralisia da fala: deixar de querer se manifestar; paralisia da deglutição: não conseguir que mais nada seja mandado para baixo; até a paralisia respiratória da morte: sintonização do contato com a polaridade.
Tratamento: conceder-se calma e serenidade no âmbito anímico-espiritual; andar conscientemente em silêncio (vejam-se as diversas ordens, como a das carmelitas); renunciar a incorporar tudo, desistir de posses materiais; preparar-se para ultrapassar a polaridade, que se revela no ato de inspirar e de expirar.
Remissão: instalar-se conscientemente na vida do além, onde acontece a comunicação sem palavras e movimentos sem força muscular, e onde as leis da polaridade são abolidas.
Cobertura do princípio original: Marte-Netuno.

Micoses ver Dermatomicoses, Candidíase

Mieloma/plasmocitoma (câncer nos ossos, ver também Câncer)
Plano corporal: ossos (estabilidade, firmeza).
Plano sintomático: destruição agressiva do que dá apoio, de estruturas sustentadoras, com o perigo de deixar que se rompam; degeneração no âmbito estrutural: crescimento tumoroso selvagem e avassalador; tamanho é o afastamento da via de desenvolvimento que lhe é própria no que se refere à continuidade, forma e estrutura que o corpo proporciona ao tema (esquecido/reprimido) uma expressão; a invasão no sentimento de seu próprio valor (freqüente propulsor) revela-se mais tarde

no colapso da estrutura corporal (as respectivas regiões do esqueleto significam: coluna vertebral, eixo vital e assim por diante); o crescimento anímico-espiritual nesse campo temático esteve por tanto tempo bloqueado que agora abre caminho no corpo de modo agressivo e desordenado; no tocante ao corpo, o câncer desenvolve no âmbito estrutural o que seria necessário no âmbito correspondente da consciência.
Tratamento: pôr radicalmente em questão as estruturas antigas e hereditárias e os elementos sustentadores da própria vida, e destruí-los sem considerar o perigo de ter de romper completamente com muitos elementos antigos; abrir-se no âmbito da forma e da estrutura para suas próprias representações extravagantes e fantasias audaciosas, deixá-las crescer e expandir-se de maneira corajosa e incontrolável; lembrar-se de antigos sonhos, (tornando a) vivenciá-los e convertê-los de maneira bravamente decidida; com a certeza de nada mais ter a perder, criar coragem para a realização do próprio caminho; tirar do corpo o impulso de crescimento e conduzi-lo a planos redimidos; considerar as medidas preventivas mencionadas no verbete Câncer: sendo o câncer uma nosografia que afeta todo o organismo, é preciso preveni-lo em todas as frentes.
Remissão: romper com as estruturas antigas e estranhas ao próprio ser, interromper a continuidade para lutar agressiva e aberta(ofensiva)mente por suas próprias formas e estruturas (de vida); proporcionar-se expressão no âmbito estrutural, no mundo das formas, em vez de deixar o corpo falar por si; reconhecer a necessidade de passar do nível corporal, e por isso mesmo perigoso à vida, para o nível anímico-espiritual, desafiador, mas que nos salva a vida, e, neste último, apostar num crescimento expansivo no âmbito dos princípios originais afetados; descobrir o amor sem fronteiras, não se importar com normas estabelecidas por si mesmo ou por outrem, comprometendo-se apenas a viver e expressar a mais elevada das leis interiores.
Cobertura do princípio original: Saturno-Plutão.

Miiodopsia (Moscas volantes)
Plano corporal: corpo vítreo do olho (olhos: discernimento, vista, espelho da alma).
Plano corporal: tensões no corpo vítreo resultam, particularmente em caso de miopia (Miopia), em problemas de visão nebulosa; percepções de véus e nevoeiro diante de um fundo claro; ilusão de ótica: o interior é tomado pelo exterior.
Tratamento: aprender a distinguir entre problemas internos (próprios) e externos: aprender a reconhecer a trave em seu próprio olho sem se deter no cisco que está no olho de outrem; mover-se exteriormente em vez de simular movimentos interiores.
Remissão: perceber o véu diante dos próprios olhos e incluí-lo conscientemente em sua visão de mundo.
Cobertura do princípio original: Sol/Lua-Netuno.

Miocardite (inflamação do músculo do coração; ver também Inflamação)
Plano corporal: coração (sede do amor, da alma, do sentimento, centro energético).
Plano sintomático: conflito não-dominado no coração, que poderia dar vida aos anjos; guerra inflamada pelo centro energético da vida (coração); ligação carregada de conflitos; chorar para dentro do coração; o seu próprio centro numa tarefa perigosa.
Tratamento: chorar por ter coração mole; luta aberta (ofensiva) pelo centro da vida, para conduzir as oportunidades do coração; resolver corajosamente um conflito central; preparar-se internamente para uma batalha (realmente decisiva); deixar morrer o *antigo Adão* (a vida vivida até agora).

Remissão: reconhecer e aceitar a luta pelo seu próprio centro; atrever-se corajosamente a lutar pelo todo.
Cobertura do princípio original: Sol-Marte.

Miodegeneração cardíaca ver Degeneração do coração

Miogelose (endurecimento muscular, distensão)
Plano corporal: musculatura (motor, força) do aparelho *locomotor*.
Plano sintomático: enrijecimento muscular restrito e de dolorosa pressão: ou se deve a um esforço muscular excessivo, ou é de base inflamatória.
Tratamento: desenvolver disposição para o conflito da perspectiva de uma mobilidade interna; limitar-se externamente a movimentos essenciais e empreender passos interiores.
Remissão: agindo de maneira concentrada, manter a mobilidade das relações com o mundo exterior.
Cobertura do princípio original: Marte-Saturno.

Mioma (mioma uterino)
Plano corporal: útero (fertilidade, proteção).
Plano sintomático: desejo não-realizado ou inconsciente de ter um bebê: receber o mioma da *grande cabeça de criança* no lugar de receber a criança; tumor no plano da fertilidade ("isso é um abuso"); a vontade inconsciente de fertilidade excede o número de filhos; crescimento malconduzido, mas benigno: resvalar para um plano corporal regressivo, por ser na maioria das vezes ultrapassado pelo tempo.
Tratamento: elevar a fertilidade e o crescimento para o nível anímico-espiritual; ter filhos espirituais; proporcionar à sua própria fertilidade válvulas de escape redimidas.
Remissão: realizar o arquétipo da grande mãe: vida nova para tornar-se mãe.

Cobertura do princípio original: Lua-Júpiter.

Miopia
Plano corporal: olhos (vista, discernimento, espelho da alma).
Plano sintomático: típico distúrbio da juventude, pelo qual se tende a só enxergar seu estreito círculo: falta de visão de conjunto e de perspicácia; horizonte estreito numa larga pretensão; "não se tem uma visão da floresta diante de árvores altas": dar com o nariz nas árvores; forte subjetividade, "ver tudo através de suas próprias lentes", "só ver o que está na ponta do seu nariz", egocentrismo; falta de autoconhecimento, razão pela qual o ponto mais agudo da visão do destino é cada vez mais trazido para perto de si; recusa em ver o mundo como ele é: imagem desvanecida do mundo; efeito de delineamentos imprecisos para tudo o que estiver distante, desconhecimento ilusório da realidade; para tudo a pessoa vai perto (demais); as coisas são puxadas para as proximidades, o medo faz com que ele perca alguma coisa (o CDF ambicioso usa óculos característicos).
Tratamento: concentrar-se no que está junto e próximo; o distante é empurrado para fora de seu campo de visão: em vez de se lançar a teorias idealistas sobre a salvação do mundo, dissolver (resolver) os problemas estimulantes no próprio ambiente da vida; reconhecer e aceitar o próprio horizonte como tarefa: sábia limitação, aprender a ser modesto (com o âmbito da própria responsabilidade); pôr-se no meio do (próprio) mundo e aprender a ver para fora desse centro, para reconhecer e entender; fazer o mundo olhar para aquilo que se gostaria de ver nele; idealismo pragmático dos jovens, que podem se satisfazer com tarefas concretas e triviais; perguntar-se o que não se quer ver; "ficar com as vistas embaçadas"; tornar-se mais brando e suave na apreciação do ambiente distante (usar os contornos im-

precisos também no sentido figurado); tomar a própria ambição criticamente sob uma lupa; no pólo oposto, aprender a olhar além da ponta de seu nariz; não receber tudo para si, mas sim desenvolver uma distância saudável das coisas.
Remissão: manter certa distância de si mesmo: ver-se (no mundo) de maneira sincera e realista; deixar que seus próprios temas e problemas cheguem mais perto; travar contatos tendo como medida o sentimento, travar contatos com o que está próximo; exame, agudeza de autoconhecimento, indulgência ao julgar o mundo exterior.
Cobertura do princípio original: Sol/Lua.

Mitraltenose
Plano corporal: coração (sede do amor, da alma, do sentimento, centro energético).
Plano sintomático: resistência no coração; obstrução central no cerne da própria vida, que devora grande parte da vitalidade; grande e inconfessado medo de viver; ser sem reservas; a vida tornada pálida; arremessar o sangue de seu coração contra o meio ambiente; não receber energia anímico-espiritual (alimentação) suficiente.
Tratamento: aprender a aceitar limitações; aceitar a renúncia como uma necessidade; valorizar a estreiteza das fronteiras; aceitar a onipotência da alma; descobrir a vertigem das demonstrações de força.
Remissão: humildade perante os obstáculos, contra os quais não há nada a fazer; no pólo contrário: integrar a amplidão e o vôo livre das energias à vida.
Cobertura do princípio original: Sol-Saturno.

Mixedema (ver também Hipotireoidismo)
Plano corporal: tireóide (desenvolvimento, amadurecimento), tecido conjuntivo sob a epiderme (proteção, isolamento).

Plano sintomático: substâncias mucosas são armazenadas no tecido conjuntivo sob a epiderme: desenvolvimento de uma *pele grossa*; pele inchada, amarelada e fria: expressão sem vida; cabelos finos e quebradiços; problemas com a liberdade e o poder; reserva de sal de cozinha e água: o anímico-espiritual é retido no plano corporal em vez de o ser no anímico, e deixa o corpo inchar; sucumbem os processos vitais; a porcentagem de colesterina aumenta: expressão de atitude fundamental regressiva, orientada pela retirada e pelo isolamento; alvorecer da morte que se dá sem ímpeto, inerte, desinteressada do mundo: vedação para o mundo exterior; tornar-se friamente sereno em relação a tudo; falta de interesse pela vida; quase todos os casos de morte aparente e de pessoas enterradas vivas provêm daí.
Tratamento: no sentido figurado, adquirir uma pele grossa contra o mundo exterior e cultivar uma vivacidade interior por trás desse espesso muro; retirar-se da vida exterior, reduzir atividades; renunciar espontaneamente à liberdade e ao poder; deixar acontecer; acolher o anímico no coração; deixar morrer tudo o que for antigo; ocupação consciente com o morrer e com a morte; debruçar-se para além das fronteiras materiais (transcendência).
Remissão: retirada para o interior, tornar-se um andarilho entre mundos: experiências de transcendência.
Cobertura do princípio original: Saturno-Netuno.

Mononucleose (febre glandular de Pfeiffer)
Plano corporal: gânglios linfáticos (policiamento), fígado (vida, avaliação, ligação com a fonte), baço (filtro da força vital, armazenador de energia).
Plano sintomático: inchaços em toda a região do sistema linfático, sobretudo nos gânglios linfáticos, bem como do fígado e do baço (afetam particularmente jovens e crianças mais velhas): ênfase na defesa

local, ativação dos temas relativos ao fígado, como filosofia e sentido da vida, avaliação e tomada de suas próprias medidas, e da temática do baço, abrangendo filtragem, armazenamento e formação de energia vital; febre: mobilização geral da defesa como um todo contra o inimigo (vírus da mononucleose).
Tratamento: aceitar a luta contra os desafios externos: discussões no plano local e mobilização abrangente do sistema integral; de*bater*-se com a pergunta pelo sentido da vida, com juízos de valor e com a problemática da medida certa; praticar a discussão e a luta; aprender a controlar a corrente da energia vital.
Remissão: conduzir as lutas internas com toda a dedicação, ocupar-se com os temas centrais da vida.
Cobertura do princípio original: Marte-Júpiter.

Mordida de carrapato ver Meningite, Borreliose

Morte repentina da criança
Plano corporal: pulmões (contato, comunicação, liberdade), respiração (intercâmbio, lei da polaridade).
Plano sintomático: o cessar da respiração como expressão viva da polaridade: suspender a comunicação com este mundo de aparências que não vale a pena ser vivido; esquivar-se novamente: não ousar na vida, não se envolver.
Tratamento (para os pais, cujos problemas geralmente são espelhados pelos filhos): reconhecer o papel da paternidade e da maternidade no sentido de Khalil Gibran: "Seus filhos não são *seus* filhos, mas filhos e filhas que a vida cria para si mesma..."; ocupar-se com a mortalidade, a própria e a de todos: voltar-se para livros dos mortos, filosofia esotérica; entender que nossa percepção é limitada, e por isso não sabemos que tarefas a alma tinha para cumprir; aceitar que a morte pertence à vida e é seu pólo oposto natural, que toda vida finalmente atrai e alcança; enxergar que apenas o tempo nos separa da morte e da solução (redenção): descobrir o papel do tempo.
Prevenção: conhecer e refletir sobre os fatores de risco de primeira ordem: mães fumantes, amamentação deficiente ou breve, altura do abdômen da criança – e os fatores de risco de segunda ordem: substâncias poluentes, consumo de drogas, nascimento prematuro, poluição eletrônica, peso abaixo do normal, retorno muito rápido da gravidez, consumo de álcool.
Remissão (para os pais): reconciliação com a própria mortalidade, a da criança e a de todas as pessoas; com consciência, preparar para a criança um berço tão ideal quanto possível, nas perspectivas física, anímica e social.
Cobertura do princípio original: Lua-Urano/Plutão.

Moscas volantes ver Miiodopsia

Mucoviscidose (acometimento hereditário do metabolismo com o engrossamento da secreção das glândulas formadoras de muco dos pulmões, pâncreas e intestino)
Plano corporal: metabolismo (equilíbrio flutuante), pulmões (contato, comunicação, liberdade), intestino (assimilação de impressões materiais), pâncreas (análise agressiva, digestão dos açúcares).
Plano sintomático: bloqueios (mucosidade e obstrução); modificações na estrutura do órgão por meio de secreções viscosas: aprender a se preparar para condições desafiadoras; viscosidade bloqueadora no âmbito do elemento feminino; viscosidade anormal dos pulmões: super-flatulência e interrupção das trocas gasosas (→ Enfisema pulmonar): problema de comunicação; ao problema nos pulmões segue-se secundariamente o aumento do coração (→ Aumento da pressão pulmonar); o aumento do fígado (→ Cirrose hepática): problemas com o encontrar sentido; infecções (e alergias) freqüentes no

campo das passagens de construção das glândulas obstruídas.
Tratamento: cuidar intensivamente da troca de ar nos pulmões; ginástica para os doentes e para a alma; fisicamente: auscultar, aspirar e realizar exercícios de respiração; animicamente: exercícios de comunicação e contato; apoiar ativamente a digestão e a assimilação (do intestino); dar-se muito tempo no reino feminino do muco e por aí orientar a vida em todos os planos; esforçar-se ativa e conscientemente para encontrar um sentido na vida; tornar-se consciente de sua preguiça interior, reconhecer e trabalhar a viscosidade em todos os seres.
Remissão: apesar das condições agravantes, entrar em contato e intercâmbio com o movimento e levar adiante a recepção e a assimilação do mundo.
Cobertura do princípio original: Mercúrio-Lua/Saturno.

N

Nanismo (definição oficial: altura não superior a 1,50 metro; ver também Pequenez anormal e, no pólo oposto, Gigantismo)
Plano corporal: o corpo é afetado em toda a sua pequena extensão; glândulas (comando, informação).
Plano sintomático: distúrbios nas glândulas hipofisiárias, tireóides ou generativas (esclarecer e interpretar a situação fundamental); por exemplo, a secreção reduzida condicionada pela hipofunção da glândula tireóide conduz a um crescimento reduzido em altura; saltar aos olhos pela pequenez; onde quer que se esteja, ir ao fundo, submergir, desaparecer, não ser avistado; ser o menor onde quer que se vá; sensação de ser muito pequeno para este mundo (tudo é muito grande e alto); dificuldade de encontrar roupas e sapatos: representar um papel infantil de maneira prolongada (só os tamanhos infantis lhe servem); não se aproximar das coisas importantes, não as alcançar: ter de esticar-se e fatigar-se permanentemente.
Tratamento: aceitar a missão imposta pelo destino e desenvolver para o exterior uma condizente pequenez interior: aprender a modéstia e a retração; aceitar e redimir a criança interior: em vez de combater o prolongado assentamento no infantil, aceitar e redimir o lado maravilhoso do ser criança; criar seu pequeno mundo para si: aprender a renunciar conscientemente ao grande mundo; aprender a esticar-se e crescer interiormente: depois de aceitar a pequenez exterior, conquistar também o pólo oposto: ganhar em tamanho no interior.
Remissão: aprender a assumir sua pequenez (exterior): "os menores frascos contêm os melhores perfumes"; tomar posse inteiramente do pequeno corpo, preenchê-lo e aceitá-lo, e então expandir-se sobre si mesmo anímico-espiritualmente, se ainda o quiser; aprender a se afundar e desaparecer também no sentido figurado (conseguir juntar forma e conteúdo): tornar-se um joão-ninguém no sentido oriental ou como Ulisses junto aos ciclopes (à medida que Ulisses se esvai como um joão-ninguém, ele pode enganar os ciclopes).
Cobertura do princípio original: Saturno (bloqueio)-Urano (excepcionalidade).

Nariz de beberrão ver Rinofima

Nascimento prematuro (ver também Complicações no nascimento)
Plano corporal: útero (fertilidade, proteção).
Plano sintomático 1. na mãe: inflamação na vagina com base numa fraqueza defensiva local, que se eleva e desencadeia contrações: incapacidade de defender adequadamente a entrada para o próprio submundo; conflito pela saída, que se impõe até o centro corpóreo da cavidade abdominal e torna o ninho duvidoso para a criança; querer livrar-se da criança tão depressa quanto possível (inconscien-

temente): deixar-se logo dispensar da obrigação que ainda teria de ser carregada (resolvida); querer dar a vida à criança tão depressa quanto possível; cortar o cordão umbilical e separar de maneira precipitada. 2. para a criança: fuga para a frente (Complicações no nascimento: rompimento da bolsa amniótica): "quero dar o fora logo"; saída alternativa apressada de um aperto opressivo; coragem de desembestar: curiosidade.
Tratamento: 1. por parte da mãe: discussão consciente sobre a tendência de separação apressada, decisões precocemente amadurecidas sobre o trato com obrigações assumidas, presentes precipitados. 2. da parte do bebê prematuro já adulto: cuidado na escolha do momento certo; com alguma antecedência, observar sua inclinação para a fuga; no caso de diferentes possibilidades aparecerem prematuramente, a tendência é não as perder de vista; travar relações conscientes com sua própria curiosidade; pergunta subjacente dirigida à própria coragem: é falta de fantasia?; aprender a deixar que seus próprios frutos amadureçam perto de si, até que (quase) caiam sozinhos.
Remissão: dominar a arte do tempo certo: "tudo tem seu tempo".
Cobertura do princípio original: Marte-Lua-Urano.

Náusea (ver também Cinetoses, Distúrbios do equilíbrio)
Plano corporal: estômago (sensação, capacidade de absorção).
Plano sintomático: repugnância no nível do corpo, recusa característica; amedrontado lembrar da transitoriedade das coisas terrenas e de sua própria vinculação a elas; oposição, ou seja, queda e retorno à Mãe Terra.
Tratamento: aprender a articular sua repugnância; fazer com que sua aversão assuma um ar verbal; exercícios que visem reconhecer tudo o que se produz como passageiro.

Remissão: entendimento com a própria corporeidade; reconciliação com a própria e necessária decadência do corpo na velhice e com a destruição do corpo após a morte.
Cobertura do princípio original: Plutão-Saturno.

Necrose (a destruição de células conduz à atrofia de zonas teciduais delimitadas; ver também Gangrena)
Plano corporal: todas as regiões do corpo podem ser afetadas.
Plano sintomático: às circunscrições atrofiadas do corpo correspondem âmbitos temáticos não-vividos: campos de batalha abandonados, desvios, becos sem saída.
Tratamento: reconhecer que a área da consciência pertencente aos âmbitos mortos também se encontra agonizante; entre os temas de sua vida, sondar os que estão aparentemente atrofiados, que devem ser abandonados, deixando de ser vividos; se for o caso, voltar a vivenciar temas importantes que ficaram esquecidos, despedindo-se dos realmente atrofiados, e preparar-se para compensar suas funções de outra maneira.
Remissão: no plano anímico-espiritual, deixar morrer todo o padrão tradicional, todos os hábitos que obstruam a vida, etc.
Cobertura do princípio original: Saturno.

Necrospermia (imobilidade e, com isso, incapacidade de fecundar com o sêmen [espermatozóides] masculino)
Plano corporal: testículos (fertilidade, criatividade), testículos (fertilidade, maturação).
Plano sintomático: com nosografia cada vez mais freqüente, a fertilidade dos homens nas nações industrializadas vem caindo drasticamente (menor quantidade de espermatozóides, que também se movem menos); a sociedade fabrica muitas substâncias nocivas, que afetam o desenvolvimento dos espermatozóides: hoje em

dia, o homem é quase sempre a "causa" da infertilidade do casal.

Tratamento: reconhecer a falta de fertilidade: tornar-se (fazer-se) menos fértil em outros planos e, em contrapartida, mais fértil no corpo: fazer recuar a produtividade; a mais simples das terapias: férias verdadeiras (sem produzir), deixando acontecer em vez de produzir; limitar as viagens a trabalho e deixar a (nova) vida correr; aproximar-se de si mesmo; exercer atividades que não tragam nada, que não levem a nada.

Remissão: ser mais calmo exteriormente, sendo porém interiormente vivo e (animicamente) fértil.

Cobertura do princípio original: Marte-Plutão/Saturno.

Nefrite ver Glomerulonefrite

Neurite (Inflamação dos nervos, ver também Nevralgia do trigêmeo)

Plano corporal: quase todas as regiões do corpo podem ser afetadas, nervos (serviço noticioso).

Plano sintomático: dores prolongadas opondo-se às dores em forma de pontadas da nevralgia: grito de socorro; avarias na sensibilidade e também avarias motoras no âmbito funcional desse nervo; conflito no âmbito de um nervo, isto é, do tema a ele relacionado; avarias no âmbito do sentimento e da atividade.

Tratamento: discussão agressiva em torno da temática desse nervo; conflito prolongado com o tema, sem deixar afrouxar; voltar a ativar vigorosamente o serviço noticioso e manter-se nos temas quentes da comunicação.

Remissão: preparar-se para a luta, decidindo-a aberta(ofensiva)mente pelas armas até sua solução.

Cobertura do princípio original: Mercúrio-Marte-Saturno.

Neurodermite (ver também Alergia)

Plano corporal: pele (delimitação, contato, carinho).

Plano sintomático: ser desafiado por reações de pele: "sentir algo coçar"; reação a alergênios, que estimulam, irritam e são percebidos de modo interessante ou *excitante*; paixão/fogo interior/ira que impele para fora: "sair arranhado"; luta de sangue contra imagens simbólicas sutis preparada pelos alergênios (→ Alergia); reação exagerada, imagem sutil revestida, agressividade fortemente inconsciente; na tentativa de evitar os alergênios, tiranizar o meio que o cerca: jogo de forças inconsciente; acúmulo de agressividade, vitalidade reprimida; necessidade insaciável; coçar até sangrar, rasgar suas próprias fronteiras; sair arranhado (no plano errado), querer sair de sua pele; sentir-se leproso (excluir-se da comunidade), segregar-se, manter-se a distância.

Tratamento: fazer-se consciente das necessidades que circulam sob sua pele; deixar-se desafiar: a vida com seus estímulos tem licença para lhe *dar comichão*; permitir conscientemente que os muitos estímulos o penetrem e saiam; abrir corajosamente as fronteiras; permitir conscientemente a entrada de símbolos classificados como inimigos, reconhecendo-os e aceitando-os em seu inteiro significado; ficar feliz em reagir; permitir-se mais, *sair arranhado*; deixar que as fronteiras (pele) tornem-se mais porosas para poder cultivar mais contatos e maior intercâmbio; voltar a ajudar o corpo em seus exercícios de agressividade e tornar-se mais agressivo e ofensivo: *ousar* viver, ter sempre a resposta na ponta da língua; aprender a salvar sua pele e a abrir suas comportas para o prazer; aceitar desafios conscientemente e deixar-se reivindicar e promover: agir ofensivamente; (aprender a) gozar o erotismo: buscar conscientemente discussões com regiões evitadas e repelidas.

Remissão: coçar-se tanto na consciência até que se saiba o que lhe causa comichão e cócegas, que está sob a sua pele e lhe queima a alma; *pegar de jeito* o ferro quente (Marte) da própria vida; confrontar a vida.

Cobertura do princípio original: Vênus/Saturno (pele)-Marte (inflamação).

Neuroma auditivo (tumor benigno do nervo auditivo)

Plano corporal: cérebro (comunicação, logística), nervo auditivo (central de comunicação).
Plano sintomático: impulso de crescimento no âmbito do equilíbrio e do ouvir, em detrimento do plano de transmissão correspondente.
Tratamento: exercitar o equilíbrio interno e construir a capacidade de escutar a voz interior (a nosografia ameaça com surdez e perda do equilíbrio); meditações sobre o próprio centro, Tai-Chi, oleiro junto ao torno rotatório, desenhar a mandala.
Remissão: ouvir (fazendo-o tanto interna como externamente); estar em equilíbrio interno; obedecer à voz interior.
Cobertura do princípio original: Saturno-Júpiter-Vênus.

Neurose

Plano sintomático: são modos de reação que se desviam dos "normais", freqüentemente na base de desatinos (os pacientes não reagem de acordo com a situação; seu comportamento pertence a um tempo bem diferente), que dá origem aos sofrimentos dos pacientes; as propostas de solução seguintes provêm das experiências com terapia da reencarnação:
1. ansiedade paroxística (problema de estreiteza, que remete freqüentemente a uma primeira experiência com a estreiteza não-assimilada durante o nascimento): tornar conscientes e claros os traumas do nascimento.
Cobertura do princípio original: Saturno.
2. neurose depressiva (a não-reconciliação com a própria mortalidade): reconciliar-se com o tema da morte e sua solução (redenção).
Cobertura do princípio original: Saturno.
3. neurose obsessiva (rituais fracassados mergulhados na consciência): descobrir os rituais de meditação e reconciliar-se com as tarefas que permanecem em aberto.
Cobertura do princípio original: Saturno.
4. neurose histérica (antigamente era a mais freqüente das formas especiais: neurose de conversão; muito aberta e prontamente, os sintomas histéricos revelam em sua expressão o tema problemático, representando-o como estando por assim dizer pronto para o público; auto-representação): por trás dos ansiosos por atenção, tornar consciente a busca do amor verdadeiro.
Cobertura do princípio original: Urano-Sol.
5. perversão no sentido de uma neurose sexual (satisfação sexual vinculada a idéias inusitadas): as raízes revelam modelos inusitados.
Cobertura do princípio original: Vênus-Urano.
6. Neurose de caráter (desvios característicos do "normal"): reconhecer e resgatar o aspecto problemático do próprio caráter.
Cobertura do princípio original: Urano.
7. neurose de compensação (busca de rendas ou compensações, que, depois de um julgamento em condições normais, não lhe cabe receber): as raízes — superficialmente consideradas — revelam reivindicações equivocadas.
Cobertura do princípio original: Marte-Urano (luta por uma reivindicação tresloucada).
Remissão (para neuróticos em geral): tornar-se consciente do desatino que está em sua base e voltar à vida que se está vivendo naquele momento; em vez da busca de dominação de novas situações com antigos programas, valorizar e liberar o passado (como acontece, por exemplo, na terapia de vidas passadas).
Cobertura do princípio original (para neuróticos em geral): Plutão em ligação

com princípios práticos e outros, em particular com a Lua (alma).

Neurose do coração (Astenia neurocirculatória)
Plano corporal: coração (sede da alma, amor, sentimento, centro energético).
Plano sintomático: obrigação de observar permanentemente seu coração, às necessidades físicas do qual a vida deve-se subordinar completamente; acentuação do corpo ao dar-se conta da alma: tudo gira em torno do coração, mas só no plano físico; ouvir continuamente seu coração, em caso de descuido do centro (da alma); ouvir seu coração (físico) sem o obedecer; medo da ruína do eu; medo de explodir; necessidade de enganchar-se, medo da separação, estreiteza simbiótica das relações de parceria; medo de não ser completo sozinho; morrer de medo; tendência para a agressividade contra uma força superior, que prende o coração (em geral a figura da mãe); medo de perder o coração (no sentido corporal).
Tratamento: empurrar o coração, na perspectiva da alma, de volta para o centro da vida; transferir o peso da doação do coração corporal para o anímico; tornar-se "capaz de amar": simpatizar com uma pessoa; discussão com as forças do eu; abandonar a figura da mãe interna e dominadora; livrar-se da dependência; tornar a agressividade consciente, em particular a do agressivo desejo de libertação; pôr-se a caminho para encontrar o seu "eu" e vivenciá-lo; ocupar-se com o tema da morte e discuti-lo; psicoterapia.
Remissão: mostrar coragem (coração de leão); da implosão chegar à explosão; obedecer os movimentos do coração, viver resolutamente; a tarefa do pequeno eu pessoal no grande mar da consciência cósmica.
Cobertura do princípio original: Sol (coração)-Plutão (obrigação).

Neurose do estômago (estômago nervoso)
Plano corporal: dores (peso no estômago, fisgadas, queimação, pontadas): grito de socorro; vômito: algo lhe *dá nojo*, devolver algo não-digerível; ter engolido algo pesado (opressivo); algo o fisga e irrita, mas faz falta em seu lugar no estômago; algo lhe queima na língua ou já no estômago, mas de qualquer forma tem de ser trabalhado anímico-espiritualmente, e não fisicamente; a pontada na cavidade estomacal revela uma lesão em sentido figurado.
Tratamento: devolver aquilo que não é necessário; externar-se, em vez de alienar do seu caminho a alimentação; incorporar no sentido figurado o que o irrita e o fisga; exprimir o que lhe queima a língua ou o estômago: necessidades e sentimentos ardentes querem consumir-se em atividade; lesões querem ser digeridas e freqüentemente também respondidas.
Remissão: conhecer e apreciar o estômago como instrumento indicador de afinação para a alma; tomar suas mensagens por verdadeiras e importantes; entrega (ao fluxo da vida).
Cobertura do princípio original: Lua-Mercúrio.

Nevralgia do trigêmeo (dores na face; ver também Paralisia do nervo facial)
Plano corporal: rosto (cartão de visita, individualidade, percepção).
Plano sintomático: dores horríveis, que ameaçam rasgar-lhe o rosto; medo de perder o rosto; tormento para a cara que é o contrário daquela de quem comeu e não gostou; manter-se sorridente é cada vez mais penoso e *enervante*; ameaça de perda do controle: a cara de jogador de pôquer não se mantém; golpes/bofetadas voltam-se contra si mesmo, contra a própria face: agressividade não-reconhecida; o ataque de ira (dor) por detrás da máscara.
Tratamento: descobrir o susto por trás das dores; perceber conscientemente as dores causadas pelo costume de não fazer cara feia, ou seja, não fazer cara de quem comeu e não gostou, não importa o que se tenha comido; deixar cair a máscara conscientemente e manifestar a dor aos

gritos, arejar o acúmulo de agressividade; expressar sensações abertamente; buscar confrontos; praticar a afirmação de si mesmo sem máscaras; desenvolver a "mordida"; conforme o lado que seja afetado, ocupar-se corajosa e ofensivamente com o lado feminino (esquerdo) ou masculino (direito) dolorido de sua vida, isto é, com o que grita por socorro.
Remissão: tornar-se consciente ainda uma vez dos golpes não desferidos, que agora se voltam contra si mesmo, e acionar as energias até hoje retidas em planos redimidos.
Cobertura do princípio original: Vênus/ Mercúrio (nervos faciais)-Marte (inflamação).

Nevralgia intercostal (nevralgia entre as costelas)
Plano corporal: tórax (sentimento do eu, personalidade), costelas (segurança, proteção, tensão).
Plano sintomático: o tórax dói; dores nevralgiformes na região entre as costelas: o local em que coração (sentimento) e pulmões (intercâmbio) estão protegidos está irritado; o local da identificação do eu, apontado quando se diz "eu", é ameaçado (de fora); a caixa óssea que envolve o coração e os pulmões está gritando por atenção.
Tratamento: (deixar) pôr em questão a couraça dos sentimentos e da função de intercâmbio; deixar-se desafiar (excitar) no âmbito do eu; reconhecer que o intercâmbio e a flexibilidade no âmbito do eu provoca dores; cruzar cuidadosa e atentamente esse campo e deixar entrar a calma.
Remissão: dar atenção silenciosa e calma consciente à caixa das asas internas e sentimentos do coração.
Cobertura do princípio original: Sol-Saturno.

Nictofobia (pavor noturno, medo mórbido do escuro; ver também Medo)
Plano sintomático: medo que prontamente sobrévém com o crepúsculo, que anuncia a noite (escura) e simboliza o ocaso da luz; reconhecer (inconscientemente) a noite como sendo simbolicamente o lado feminino, das sombras do dia claro e temê-la como tal; sentir-se entregue ao reino das sombras; desamparo ante suas próprias sombras, que, associadas à noite, ameaçam vir de cima.
Tratamento: reconhecer suas dificuldades com o lado obscuro do dia (e da realidade) e saber que a noite serve para organizar o reino das sombras; sua própria terapia das sombras: aprender a ver e aceitar os próprios lados escuros da noite.
Cobertura do princípio original: Lua-Saturno-Plutão.

Nuca gorda (ver também Obesidade)
Plano corporal: nuca (força, vulnerabilidade).
Plano sintomático: simulação de uma nuca fortalecida: por detrás de uma montanha de gordura se esconde uma frouxidão; incapacidade de tirar a própria vaca do brejo, uma vez que ela aí se estabelece; imobilidade mole e preguiçosa devido à reduzida força para carregar, contando-se porém com uma pressão mais forte; freqüentemente junto a pessoas completamente apáticas.
Tratamento: confessar a necessidade de ajuda; trabalhar uma força legítima em vez de fazê-lo com as aparências; a partir do excesso jupiteriano, desenvolver uma força marciana: virar um touro e *tirar a vaca do brejo*.
Remissão: importância legítima; forte confiança em si mesmo.
Cobertura do princípio original: Vênus-Júpiter.

Obesidade
Plano corporal: estômago (sensação, capacidade de absorção), tecido adiposo (abundância, reserva).
Plano sintomático: preenchimento (abundância) exterior em vez de um preen-

cher-se interiormente (realização); pôr-se em pé de guerra com o princípio do gozo; lutar com seu próprio peso (importância); busca de dedicação, amor e proteção; a necessidade não-vivenciada de amor e gozo é posta na comida: satisfação na substituição; a conhecida "obesidade do carente"; compensação pela comida; comer como substituição ao sentimento de unidade e a um coração transbordante; camada protetora contra o meio exterior sem amor: isolar-se em seu próprio castelo (de proteção) (no corpo, nada isola melhor do que a gordura; quase não se perde calor, mas também não entra nenhum); desejo de ser deixado em paz em seu castelo de gordura; ficar às escondidas por detrás do muro: esquivar-se da realidade; fugir de sua irradiação sexual; não querer viver o seu papel sexual; problemas com a polaridade: afundar a própria sexualidade na "fofura" semelhante à de um bebê (regressão); não ter muito *peso* (dar-se importância, mostrar afeição) para (por) si mesmo; pesar-se diariamente e odiar-se pelo resultado; fazer-se gordo; trazer consigo a carga não vivida em outros planos; sensações de importância, autoridade e força.

Tratamento: reconhecer e aceitar o peso como seu e fazê-lo no momento adequado; arranjar para si dedicação e gratificação em outros caminhos de prazer que não o da comida, como, por exemplo, numa sexualidade cheia de prazer, rituais eróticos, massagens suaves, prazeres estéticos; com relação à comida, buscar um substituto para o substituto "comer"; reconhecer (apreciar) a obesidade por carência como salvadora temporária da vida, mas voltar a liberar-se dela caso o amor venha a fluir novamente; aprender a proteger-se por outros caminhos que não o do isolamento pela gordura: repelir verbalmente com uma língua afiada e observações picantes, armar-se de argumentos e responder prontamente; aceitar seu próprio papel sexual e aprender a mostrá-lo para o exterior; ganhar peso em planos evoluídos; receber as gratificações que lhe cabem e lutar por elas; aprender a vencer as dificuldades da vida (trincá-las com casca e tudo), aprender a aceitar e digerir a vida; assimilar novos padrões (que lhe sejam pessoalmente benéficos), assim como uma nova forma interior, pela qual as exteriores possam se orientar; o jejum de cura como ritual consciente de passagem para os novos padrões.

Remissão: encerrar o amor, o corpo, a alma e o espírito; sentir-se redondo, ganhar peso na alma: ter peso em vez de excesso de peso; ocupar espaço; expandir seu âmbito de influência; realização (preenchimento) interior.

Cobertura do princípio original: Júpiter-Vênus.

Obstrução dos vasos (ver também Trombose)

Plano corporal: sangue (força vital), vasos sangüíneos (vias de transporte da força vital).

Plano sintomático: obstrução do canal da energia vital; obstáculo à (corrente da) vida.

1. Em caso de obstrução arterial: a energia vital cai num beco sem saída, numa situação insolúvel; a vitalidade fortalece-se aos solavancos e fica bloqueada; risco de atrofia nos domínios dependentes; 2. em caso de obstrução das veias: entupimento do fluxo sangüíneo de retorno, não se tornando a receber a vitalidade distribuída; dar mais do que receber; acumulação (de água) anímica em toda a região: Edema; inundação das terras corpóreas adjacentes com água (da alma).

Tratamento: dar-se mais tempo; reduzir o tempo de vida; cuidar dessas regiões de outro modo e com mais atenção; trilhar novos caminhos com a energia vital; derrubar pontes, dar pequenos passos; chegar, de vez em quando, a um estado de quietude e avaliar posições; determinar novamente o gasto de energia; começar de novo.

1. Trazer a energia até então armazenada em órgãos/temas vitais para níveis novos e parcimoniosos; 2. de maneira conscien-

te e voluntariosa, dar mais do que se espera em retorno; dividir a energia anímica entre todos os âmbitos temáticos envolvidos (por exemplo, também entre as pernas como zona do progresso).
Remissão: deixar a vida fluir calmamente.
Cobertura do princípio original: Marte-Saturno.

Obstrução intestinal (íleo, ver também Doença de Crohn)
Plano corporal: intestino delgado/íleo (compensação, análise, assimilação), intestino grosso (inconsciente, submundo).
Plano sintomático: bloqueio de greve; engordar; "assim a vida não pode continuar"; sobrecarga (por exemplo, muita coisa errada na hora errada e sem preparação); o fluir da vida esconde-se por detrás de muitos conflitos em expansão (no caso de → Doença de Crohn): "já recebo pouco, e no pouco que recebo ainda há pouco conteúdo".
Tratamento: deixar de tomar parte no jogo; aprender a limitar-se na hora certa e a abster-se; usar os vários assuntos problemáticos para diminuir o tempo de estudo e nele incluir pausas; para o fluxo rápido das impressões: dar-se mais tempo para se preparar melhor; aprender a esperar com paciência o momento certo ("as boas coisas levam tempo"); perguntar pelo grande obstáculo na assimilação do (próprio) mundo: realizar um breve registro da sua situação de vida.
Remissão: digerir a vida com tranqüilidade.
Cobertura do princípio original: Mercúrio/Plutão-Saturno (oclusão).

Obstipação ver Prisão de ventre

Odontólito
Plano corporal: dentes (agressividade, vitalidade), gengiva (confiança original).
Plano sintomático: sedimentação de sais, que com a colaboração das bactérias bucais se desfazem com a saliva; os dentes são emparedados juntos: base da gengivite e das inflamações de alvéolos dentais; os orgulhosos guerreiros (dentes) defendem-se com escudos adicionais, calcificando-se; as armas acumulam ferrugem; obstrução da existência individual dos dentes, que é importante para a situação energética do organismo como um todo; formação de bloqueio; segundo o parecer de dentistas orientados para curas naturais, tem-se com isso uma obstrução da transpiração da cabeça.
Remissão: reconhecer (valorizar) a unidade do sistema bucal na sua dimensão energética, registrando o tártaro como o primeiro ataque que se dirige a ele e impedi-lo.
Cobertura do princípio original: Marte-Saturno.

Olhos inchados (exoftalmia bilateral)
Plano corporal: olhos (vista, discernimento, espelho da alma).
Plano sintomático: não conseguir abrir os olhos, não querer observar; não querer enxergar a própria situação no mundo; não poder mais ver; não querer mais assistir a coisa alguma; "parecer velho": parecer mal, estar sobrecarregado; vontade de fechar os olhos (para alguma coisa); cansaço (da vida), indignação ao examinar a própria situação (a própria vida); medo de olhar para a frente; medo do futuro.
Tratamento: fechar os olhos e descansar; aprender a fechar um olho; reconhecer a própria sobrecarga e tornar-se consciente; análise da própria perspectiva de vida.
Remissão: reservar tempo e tranqüilidade para o repouso; reconhecer quem ou o que onera tanto a sua perspectiva de vida.
Cobertura do princípio original: Sol/Lua, Saturno.

Oligofrenia ver Debilidade

Opressão cardíaca ver Problemas cardíacos

Ornitose ver Psitacose

Orquite (Inflamação dos testículos)
Plano corporal: testículos (fertilidade, criatividade).

Plano sintomático: luta no campo da fertilidade e da criatividade: por exemplo, não reconhecer conscientemente que se quer um (ou que não se quer nenhum) filho; obstrução inconsciente de uma gravidez (por uma orquite bilateral); conflito externo e doloroso no âmbito da masculinidade.
Tratamento: ocupar-se de maneira corajosa e aberta (ofensiva) com a própria masculinidade; ação agressiva da criatividade em forma de idéias e projetos fecundos.
Remissão: reconciliação com o ser homem de modo engajado e aberto (ofensivo).
Cobertura do princípio original: Plutão-Marte.

Osteodistrofia fibrosa generalizada (Doença de Recklingshausen)
Plano corporal: glândulas paratireóides (equilíbrio entre ossificação e inconsistência), sistema ósseo (estabilidade, firmeza).
Plano sintomático: a hiperfunção das glândulas paratireóides faz com que o excesso de paratormônios interrompa o desenvolvimento ósseo e o metabolismo mineral: desmoronamento da estrutura por meio de cistos e torceduras ósseas, inchaços e fraturas espontâneas (Fratura): ruptura de normas e estruturas; caos no âmbito da estrutura; a elevação da quantidade de cálcio no sangue conduz à calcificação nos rins (equilíbrio, parceria); rarefação dos ossos (osteosclerose) da base do crânio: lesões dos nervos cerebrais (Parese facial, por exemplo); anomalias de pigmentação: (em sua forma atenuada) ter uma marca (distinção).
Tratamento: aliviar o corpo e destituí-lo da tarefa: relações espontâneas com as normas e estruturas dadas, reconstruí-las com vistas a objetivos próprios; torcer e adaptar as normas às suas próprias idéias; ruptura consciente com as estruturas que não são mais úteis; deixar instalar-se o caos criativo no âmbito das estruturas; aprender a vislumbrar o entorpecimento do equilíbrio dos contrários no âmbito da parceria.

Remissão: relação criativa com estruturas e normas; adaptar-se às necessidades atuais; jogar com elas.
Cobertura do princípio original: Saturno-Netuno.

Osteomielite (inflamação da medula dos ossos; ver também Periosteíte)
Plano corporal: ossos (estabilidade, firmeza).
Plano sintomático: inflamação da medula óssea: conflito que vai até os ossos; deixar-se devorar no apoio e na estrutura; discussões agressivas e corrosivas em torno de normas e leis: guerra até nas cavidades da própria produção de armamentos (sistema de defesa da medula óssea).
Tratamento: perseguir um conflito ofensivo e corajoso até as profundezas; permitir que o apoio habitual e as estruturas familiares desliguem-se novamente em favor de si; luta aberta (ofensiva) com normas e leis; fomentar discussões em torno das próprias estruturas: pôr em questão a própria força de resistência; reconhecer que as estruturas de sustentação são frágeis em sua porção mais interna.
Remissão: deixar-se pôr em questão até as profundezas; coragem para discussões que vão até os ossos.
Cobertura do princípio original: Saturno-Marte.

Osteoporose (em homens e mulheres)
Plano corporal: ossos (estabilidade, firmeza).
Plano sintomático: fundamentos funcionais para a crescente descalcificação dos ossos em ambos os sexos: em razão da falta de movimento, os músculos, tendões e ossos são pouco exigidos (toda a subutilização sofre restrições do organismo, como, por exemplo, os músculos do braço ou da perna depois de imobilizados pelo engessamento); fundamentos relativos ao conteúdo: por detrás da diminuição da mobilidade corporal está a retração da mobilidade anímico-espiritual do homem moderno; descalcificação dos ossos

para livrar-se do peso morto; o corpo buscará substitutivamente depositar na descalcificação dos ossos tudo o que o paciente não conseguir depositar por si mesmo junto ao peso morto no centro da vida; facilitar para si o retorno à mandala da vida, deixando cair o que ficou superficial; os ossos não são mais necessários para o regresso, para o exame de consciência da alma; as tentativas de tratamento com hormônios dão bom resultado, contanto que, estando treinado o corpo, não haja tempo para mudança (na orientação de vida na mandala): deixa-se cair o peso morto, mas a vida está bloqueada em seu centro e permanece forçosamente pela metade.
Tratamento: livrar-se do peso morto no sentido figurado: renunciar a coisas que não possam conduzir ao retorno da alma; preparar-se interiormente para as novas tarefas de vida depois da mudança: estão descartadas as atividades que exigem ossos tão fortes quanto os que se tem na juventude; apresentar-se ao padrão de vida, em vez de se pressionar para se adaptar a ele e deixar-se cravar no centro por meio de hormônios; encontrar apoio em sua própria estrutura de alma; levar vida a um dos pólos, o feminino ou o masculino.
Remissão: passar de atividades exteriores para interiores: aliviar-se no exterior a fim de estar interiormente pronto para as exigências essenciais.
Cobertura do princípio original: Saturno.

Osteossarcoma ver Câncer nos ossos

Otite média ver Inflamação do ouvido médio

Otosclerose (alterações ósseas no ouvido médio)
Plano corporal: orelhas/ouvido (obediência).
Plano sintomático: alterações ósseas no ouvido médio, do que resulta a impossibilidade de os ossos articularem-se com agilidade uns em relação aos outros: per-

de-se a mobilidade de adaptação ao ouvir e ao obedecer; enrijecer-se e ossificar-se interiormente no que diz respeito aos temas do ouvir e do obedecer; petrificar-se ante vibrações externas, recolher-se à sua concha de caracol.
Tratamento: concentrar-se, voltando-se para dentro (para a voz interior); distanciar-se do exterior e ouvir mais o seu próprio interior; com a perda da capacidade de adaptação ao mundo exterior, conquistar o rico mundo interior.
Remissão: regresso prematuro; o escutar voltado para dentro, obedecer à voz interior; ouvir somente o que é realmente interessante e importante para si.
Cobertura do princípio original: Saturno-Saturno.

Oxiuríase ver Verminose

Ozena (rinite crônica fétida)
Plano corporal: nariz (poder, orgulho, sexualidade).
Plano sintomático: odor desagradável vindo do nariz devido à atrofia crônica da mucosa do nariz, incomunicabilidades purulentas, cortiças, que exalam mau cheiro ao entrar em decomposição (está comprovado que as mulheres são afetadas com muito mais freqüência): ter um nariz que fede em vez de farejar; estar apartado de seu próprio faro e intuição; não (poder) se fiar em seus próprios pressentimentos ("ter algo bem diante de seu nariz", "farejar o perigo"); repugnar os outros pela sua própria exalação (o nariz como arma de intimidação): isolar-se do mundo; possibilidade de, por exemplo, intimidar o parceiro sexual já na ante-sala, pois ninguém conseguirá *sentir seu cheiro*; forma (inconsciente) de demarcação de terreno (veja-se o caso do gambá); limitar-se eficazmente e marcar seu território de forma prolongada; possibilidade não-resolvida de dirigir a atenção para si.
Tratamento: tornar-se consciente de sua própria situação e reconhecer as conseqüências; proteger seu território contra invasores por vias agradáveis; farejar o

motivo profundo que a alma teria para não querer nenhum contato próximo; causar impressão de um modo civilizado e construir seu espaço pessoal.
Remissão: voltar a si mesmo e aí zelar pela ordem: acalmar-se junto ao próprio nariz.
Cobertura do princípio original: Marte-Plutão.

P

Palpebrite ver Blefarite

Panarício (Inflamação do leito ungueal, paroníquia, unheiro)
Plano corporal: unhas dos dedos das mãos e dos pés (garras, agressividade).
Plano sintomático: conflito em torno da vitalidade e da confiança original; pouco espaço para temas excitantes.
Tratamento: criar uma base para vitalidade e agressividade; conscientemente vivenciar discussões no âmbito das garras; aprender a mostrar as garras; agarrar-se aberta (ofensiva) e agressivamente ao que se precisa para a vida.
Remissão: opor-se corajosamente ao abrigo interior (confiança original) e à calma dos desafios.
Cobertura do princípio original: Marte (garras)/Lua (leito ungueal/confiança)-Marte (inflamação).

Pan-arterite (Inflamação das túnicas arteriais)
Plano corporal: vasos sangüíneos (vias de transporte da força vital), artérias (vias de energia).
Plano sintomático: conflito em torno do fluxo de energia: as vias energéticas são tomadas e disputadas pela guerra.
Tratamento: ocupar-se criticamente com a divisão da energia.
Remissão: lutar ofensiva e agressivamente pela divisão da energia.
Cobertura do princípio original: Marte-Mercúrio.

Pancardite (guerra total no coração)
Endocardite, Miocardite, Pericardite, ver cada qual separadamente

Pancreatite (inflamação do pâncreas)
Plano corporal: pâncreas (análise agressiva, digestão dos açúcares).
Plano sintomático: guerra na fábrica de explosivos (duplamente perigosa); história anterior freqüente: fuga no álcool e nas orgias da comilança, ruinosa conservação/manutenção da consciência por superexigência do estômago; o evitar do conflito, isto é, o evitar da discussão e da análise.
Tratamento: pensar e analisar ofensiva, corajosa e agressivamente; confiar no tema que se invocou e decompô-lo até em suas particularidades; introduzir forças destrutivas no trabalho criativo.
Remissão: discussão com as três forças fundamentais da vida: o princípio criativo, o mantenedor e o destrutivo (Sol, Saturno, Plutão).
Cobertura do princípio original: Marte-Mercúrio.

Pânico (ataques de) (ver também Medo)
Plano sintomático: estreiteza opressiva, falta de abertura perante a vida; mal-entendido com relação ao "fim da vida".
Tratamento: defrontrar-se com o deus Pã e aprender a resistir a ele; reconciliar-se com a própria mortalidade: o medo da morte é a estreiteza diante da morte.
Remissão: a morte diante da morte; ver Ângelo Silésio e muitos outros místicos cristãos.
Cobertura do princípio original: Saturno.

Papeira ver Bócio

Paralisia (paralisação, parese; ver também Espasmo)
Plano corporal: musculatura (motor, força).
Plano sintomático: 1. paralisia branda: absoluta ausência de força; 2. paralisia espasmática: força muito concentrada, mas não controlável e, por isso, sem sentido; estar encarcerado na prisão de seu próprio corpo de maneira suave (paralisia branda) ou violenta (espasmática); não conseguir pegar o mundo exterior de jeito.

Tratamento: 1. aprender a se soltar nos sentidos figurados que representem os membros em questão; 2. acionar a própria força também sem intenção e sem objetivo concreto; livrar-se da pretensão de querer controlar o mundo.
Remissão: dedicação, livrar-se das pretensões de controle e poder.
Cobertura do princípio original: Marte (musculatura)-Netuno (paralisia)/Urano (espasmos).

Paralisia da seção transversal
(ver também Acidente, Acidentes de trabalho/acidentes domésticos, Acidentes de trânsito)
Plano corporal: canal da medula (via de passagem dos dados) na coluna vertebral (apoio e dinâmica, retidão).
Plano sintomático: ter a espinha dorsal/as costas quebradas: ter a vontade quebrada, posta sob tutela, de modo que seja impossível pôr-se ereto; quebrar o pescoço/as costas: chegar à morte; erros de uma ligação viva entre a cabeça e a parte inferior do corpo; bloqueio completo: impotência perante seu próprio pólo inferior; o lado feminino aparece-lhe como corpo estranho; nenhuma sensação para o oportuno dar, material e anímico; recaída na mais tenra infância.
Tratamento: aprender a respeitar a vontade alheia ("seja feita a Tua vontade"); assimilar conscientemente o rápido passar por perto da morte; aprender o significado da polaridade no exemplo da combinação das partes superior e inferior do corpo; aprender a dar e receber livremente e sem condições; perceber a regressão aos planos de aprendizado infantis como oportunidade de *tornar-se de novo como uma criança* no sentido figurado; tomar (aceitar) o sentar (ficar retido), ou seja, o permanecer sentado, não como castigo, mas como oportunidade, até recuperar o que lhe falta; guiar o centro gravitacional para dentro/para baixo, conhecendo e aprendendo a apreciar seu próprio lado feminino; voltar para o chão (de eventuais vôos altos); aprender a se impor e agir a partir do repouso, da posição sentada; liberar conscientemente o estar, o suportar e o ficar em si, descobrindo outros caminhos de domínio da vida.
Remissão: reconhecer o valor da vida em si (independentemente de condições); humildade: considerar o mundo de baixo para cima; entrega: sentar-se aos pés do mundo.
Cobertura do princípio original: Urano (acidente)-Saturno (obstrução)/Netuno (paralisia).

Paralisia de um dos lados do cérebro ver Apoplexia

Paralisia do nervo facial (paralisia facial)
Plano corporal: rosto (cartão de visita, individualidade, observação), nervo facial (afinação, identidade).
Plano sintomático: guinada numa camada profunda do ser: deixar "cair a máscara"; as duas caras de uma pessoa ficam evidentes, a parcialidade torna-se manifesta; racham-se todas as fachadas (exteriores), a máscara (mímica) fica fora de controle; não mais se consegue defender a própria cara; mostrar sua verdadeira cara (trejeito, careta), desequilíbrio da alma: "estar com o coração dividido"; deixar-se levar de súbito; o lado arruinado (das sombras) aparece em primeiro plano: dualidade satânica; nostalgia pelo lado obscuro da personalidade; o oposto de ficar sorrindo; resignação: o canto da boca pendendo para baixo, as pálpebras suspensas.
Tratamento: deixar-se encontrar seu outro lado; confrontar o outro lado, até então oculto: descobrir e trabalhar a parcialidade; em conformidade com o lado afetado, ocupar-se com o pólo obscuro feminino (à esquerda) ou com o pólo obscuro masculino (à direita); deixar-se levar com mais freqüência e pôr para fora o outro lado do próprio ser; ceder às tendências de retirada e entregar-se à calma e à descontração; sempre tornar a renunciar ao autocontrole e à agressão, antes que se chegue a ferir alguém; estancar em sua divisão; deixar cair a máscara de livre e

espontânea vontade; reconhecer a resignação de partes do próprio ser; em vez de sempre agredir e antes de ferir alguém, deixar-se levar e tranqüilizar.
Remissão: representação aberta do próprio ser por detrás da fachada; fazer justiça a ambos os lados do próprio ser; encontrar em si o meio-termo entre tensão e distensão; novamente rir e chorar, brigar e reconciliar-se: a face risonha do arlequim que, em meio à polaridade e como um *outsider* expulso, não se orienta por normas nem está interessado em fachadas.
Cobertura do princípio original: Urano (rasgo súbito)-Plutão (sombras).

Paralisia facial ver Paralisia do nervo facial

Paralisia infantil ver Poliomielite

Paralisia intestinal (íleo; ver também Obstrução intestinal)
Plano corporal: intestino/íleo (comparação, análise, assimilação), intestino grosso (inconsciente, submundo).
Plano sintomático: greve passiva na fachada intestinal: o intestino regula o trabalho e cada movimento; o cessar dos movimentos vermiformes (peristálticos) mediante influxo tóxico; engordar: "assim não dá para continuar"; forçar uma busca de alteração das condições de trabalho; o fluxo perene da vida esconde-se pelo mundo das sombras: refluxo dos conteúdos sombrios até que sejam vomitados; vômito de excrementos: o mundo das sombras não pode ser assimilado e impele em direção à entrada, em vez de o fazer para a saída; as sombras *vêm para cima*, o que é de enojar.
Tratamento: introduzir uma pausa na assimilação/digestão do mundo; deixar de acompanhar; aprender a negar-se; conceder-se a calma; subtrair-se, de vez em quando, à polaridade; eventualmente tirar férias da assimilação de impressões; parar com o influxo de materiais novos e sombrios: conceder-se um tempo para imaginar e deliberar; investir energicamente em novas formas de assimilação; fazer subir as sombras por um caminho insólito: *cuspir* em vez de acumular.
Remissão: Mercúrio (intestino delgado)/ Plutão (intestino grosso)-Netuno (paralisia).

Paralisia respiratória
Plano corporal: pulmões (contato, comunicação, liberdade), centro da respiração (comando do intercâmbio).
Plano sintomático: ser privado de oxigênio, mas também da corrente do prana: comunicação paralisada; paralisar o abastecimento de energia; desistir de tomar e (conseqüentemente) também de receber; estando separado da polaridade, aproximar-se da vivência da unidade transcendente.
Tratamento: exercícios de respiração; exercícios para a polaridade; tornar clara a indagação para saber se ainda há algo essencial a receber; reduzir a comunicação exterior em favor da interior.
Remissão: preparar-se conscientemente para a travessia em direção ao mundo transcendente (no estado de meditação profunda, se as fronteiras da polaridade são transcendidas, a respiração torna-se freqüentemente calma).
Cobertura do princípio original: Mercúrio-Netuno.

Paranóia (ver também Crise espiritual)
Plano sintomático: perturbação espiritual com uma ilusão sistematizada, o restante do pensamento geralmente permanecendo intocado, realmente intacto; a psicoterapia com freqüência peca pela falta de um exame da doença por parte dos pacientes: depois das experiências da filosofia esotérica ou da filosofia junguiana, não se pode mais apontar em voz alta o psiquismo como origem do sistema da ilusão; as sombras inundam os pacientes tornando-se-lhes consciência normal, enquanto a normalidade de nosso mundo retrocede, como que caindo nas sombras; inundação da mente por partes obscuras da alma que emergem, assumem o comando da central do cérebro e determinam a

consciência; ainda assim, a normalidade afundada nas sombras muito raramente é sugada na forma. Ilhas de claridade elevadas (Podvoll); mania de perseguição: ser tomado por partes sombrias que são projetadas para o exterior; megalomania: pretensões que há muito foram apartadas da própria vida invadem a consciência; ilusão de amor e de ciúme: representações irreais de amor e de relacionamento vêm à consciência do paciente.
Tratamento/Remissão: ligação com a terra em todos os planos: estabelecer com o mundo "normal" (família, grupos sociais, etc.) tantos contatos quantos for possível (Crise espiritual); voltar a organizar a capacidade de diferenciação referente às realidades interior e exterior; fortalecer novamente a membrana perdida entre o mundo de cima e o de baixo, mas sem cimentá-la; levar a sério a profunda ânsia espiritual que aflora em muitos pacientes, sem no entanto instigar exercícios espirituais; prevenção: familiarizar-se (o quanto antes) com os conteúdos das sombras, reconhecê-los e aceitá-los como suas próprias porções anímicas não-vivenciadas (até agora), reintegrando suas energias na vida em vez de apartá-las completamente.
Cobertura do princípio original: Saturno (limites)-Netuno (a ilusão em geral).

Paratifo ver Febre tifóide

Parese ver Paralisia

Parodontose (atrofia da gengiva/do alvéolo dental)
Plano corporal: gengiva, alvéolo dental (confiança original).
Plano sintomático: a atrofia do tecido gengival e a degeneração da raiz do dente provocam desde o afrouxamento das armas até sua perda; a alimentação inadequada facilita a atrofia do alvéolo dental nos locais em que os dentes são menos exigidos, e há carência de abastecimento do tecido: pôr a descoberto a raiz da agressividade até que ela — nua e crua — não possa mais dar apoio suficiente ao dente; risco de uma luta *capenga*; armas postas a nu; ódio relegado às sombras, agressividade atrofiada, vitalidade perecível, resignação; o leito e a base da vitalidade enrugam-se para fora, revelando o déficit de confiança original e de vontade de viver.
Tratamento: abrir as raízes da problemática da agressividade até as profundezas; reconhecer que a agressividade e a força vital não têm nenhuma base segura; ocupar-se com o tema da confiança original, para tanto estabelecendo que os dentes podem continuar a realizar sua obra (*boca*) agressiva; reconhecer o quão nuas, cruas e abandonadas à própria sorte já se encontram as armas e trabalhar ativamente para socorrê-las: criar para as armas um local seguro para a regeneração: assim como nos regeneramos todas as noites na cama, os dentes têm de poder se regenerar em seu próprio alvéolo dental para se manter em forma; exercícios para a criação tardia de confiança original; salvo nessa situação, a confiança original nasce nos primeiros meses da gravidez pelas experiências de unidade e de clímax (*peak experiences*), cujo resultado é tão bom quanto todas as práticas de meditação; prover uma alimentação adequada do corpo (dieta integral) juntamente com a da alma.
Remissão: criar confiança original e depois seguir construtivamente uma vida ativa e corajosa; *agarrar* a vida.
Cobertura do princípio original: Lua/Marte-Netuno (atrofia).

Parotidite epidêmica (papeira, cachumba; ver também Doenças da infância)
Plano corporal: parótida (ouvidos: obediência).
Plano sintomático: conflito inflamado e inchaço das parótidas (bochechona): conflito em torno da produção do líqüido lubrificador feminino (saliva); há a possibilidade de se estender a outras glândulas, por exemplo, até mesmo ao pâncreas (o problema estende-se à digestão); nos homens adultos, em 25% dos casos tam-

bém os testículos são afetados (o conflito estende-se à temática da masculinidade e da fertilidade), e em 30% dos casos também as meninges são afetadas (alastramento do conflito para a central); como no caso de outras doenças infantis, trata-se de uma *infecção* que da mesma forma é um conflito no qual a criança se vê desafiada a dar saltos de desenvolvimento (a tensão/incerteza diante do próximo passo).
Tratamento (para pais e filhos): ocupar-se em pôr óleo na máquina; discussão em torno da produção do líquido lubrificador feminino e dos sucos digestivos; aceitar a expansão dos temas da assimilação e digestão de impressões materiais (intestino) bem como das imateriais (cérebro); numa discussão crítica, incluir o campo da masculinidade e da fertilidade; defrontar-se abertamente com novos desenvolvimentos em geral; desenvolver a disposição para o conflito e levar em conta conscientemente as discussões, imprescindíveis ao crescimento.
Remissão: renunciar ofensiva e combativamente a uma parte de seu próprio ser criança; apresentar-se para o conflito com o pólo feminino, conflito que se torna persistente até que mais uma peça se separe (se livre) do mundo materno; empreender passos corajosos e conscientes (mesmo à custa de conflito e dores) nas novas terras; proceder de maneira aberta (ofensiva) para com o próprio desenvolvimento interior.
Cobertura do princípio original: Lua-Marte.

Pavor noturno ver Nictofobia

Pé aleijado ver Pé varo

Pé chato
Plano corporal: pés (firmeza, enraizamento).
Plano sintomático: colapso da curvatura longitudinal (tipicamente humana): sobrecarga, desproporção entre o encargo e a capacidade de reclamar; deixar de estar pronto para o salto (elasticidade) no transcorrer da vida; redução do apoio: derrapar a esmo na superfície da terra; ligação aparente com a terra, que não pode lhe dar nenhum apoio real; resvalar pesado sobre a terra, pois carece-se de um verdadeiro enraizamento, tendo-se ao mesmo tempo um forte desejo inconsciente de segurança; perda de pontos de vista diferenciados; pontos de vista livremente deslocáveis: não (querer) se fixar; modo de viver infundado/impenetrável, ausência de apoio.
Tratamento: rever pontos de vista fortes e rígidos demais; tornar-se consciente de pontos de vista e atitudes "chatas"; deslizar, deixar-se mover pela corrente da vida; nadar com suas *nadadeiras* no fluxo da vida; estar aberto para todos os lados e fluir em conjunto; desenvolver pontos de vista elásticos; alçar-se, para chegar a pontos de vista diferenciados; a elevação do pé chato (por meio de uma palmilha) aponta para uma solução de vida ligada à terra.
Remissão: entrega ao livre fluxo de sua própria energia: jogar no mundo o jogo da vida ("seja feita a Tua vontade"); no pólo oposto: lançar raízes verdadeiras.
Cobertura do princípio original: Netuno.

Pé forçado (edema nos pés; ver também Edema)
Plano corporal: pés (firmeza, enraizamento).
Plano sintomático: a água (alma) acumulada leva consigo o próprio ponto de vista; a água puxa alguém para baixo, para o âmbito feminino e inferior; tem-se os pés como duas âncoras, que mais impedem o movimento e o progresso do que os promovem.
Tratamento: deixar afluir aspectos anímicos à sua própria posição e ponto de vista; ocupar-se voluntariamente com o âmbito feminino e inferior; chegar a uma maior calma interior; encontrar pontos de vista e posições firmes; ler o mito de Édipo (pés inchados).
Remissão: descobrir o próprio campo de tarefas e lá criar raízes; reflexão; chegar

também à parte feminina e inferior de seu próprio ser.
Cobertura do princípio original: Netuno.

Pé talo (ver também Pé chato, Hallux valgus)
Plano corporal: pés (firmeza, enraizamento).
Plano sintomático: colapso do arco transversal (tipicamente humano): o pé fica mais espalhado; perda de elasticidade.
Tratamento/Remissão: aprender a nadar livremente na superfície da terra, escarranchar-se menos e cuidar da postura, progressos fluentes e desembaraçados.
Cobertura do princípio original: Netuno.

Pé varo/talipe (pé torto devido a malformação congênita; ver também Doenças congênitas)
Plano corporal: pés (firmeza, enraizamento).
Plano sintomático: pés acentuadamente voltados para dentro (hereditariedade recessiva, encontrada duas vezes mais nos meninos do que nas meninas): obstrução ao andar; o progresso corporal é posto em questão; "transtorno no desenvolvimento": o talipe assemelha-se ao pé embrionário entre a quinta e a décima segunda semanas de gravidez): estar retido (em sentido concreto: pela freqüente obstrução ao andar); obstrução, desfiguração: deformidade em vez de elegância.
Tratamento: preparar-se para a tarefa de um progresso lento, porém contínuo; dirigir-se para dentro em vez de fazê-lo para fora (o talipe aponta para dentro); recuperar conscientemente as primeiras fases de desenvolvimento: posicionar o progresso interior sobre o exterior.
Remissão: deixar-se exigir (intimar) e promover pelo desafio.
Cobertura do princípio original: Netuno-Saturno.

Pedra na bexiga
Plano corporal: bexiga (segurar e liberar pressão).
Plano sintomático: o supérfluo da alma é retido; petrifica-se e mantém-se solidificado no reservatório de água, em vez de ser expelido.
Tratamento: continuar levando em conta e mantendo em fluxo temas anímicos antigos; um consciente escutar e perceber voltado para dentro/para o interior, onde os temas querem se cristalizar; ocupar-se deles de maneira concentrada e disciplinada; conduzir satisfatoriamente a uma nova fluidez da alma; terapia com a própria urina, para ocupar-se também corporalmente, ainda uma vez, com o supérfluo.
Remissão: permitir o anímico solidificar-se e fixar-se em vez de, do mesmo modo, tornar a querer se livrar dele (as pérolas crescem a partir de partículas de sujeira nos moluscos); permitir que o anímico se torne concreto em vez de *concretado*.
Cobertura do princípio original: Saturno-Lua.

Pedra nos rins (litíase, ver também Cólicas)
Plano corporal: rins (equilíbrio, parceria).
Plano sintomático: acumulação de temas que há muito deviam ter sido abandonados: temas remanescentes do circuito problemático; a harmonia e a parceria bloqueiam o fluxo de desenvolvimento e provocam acúmulo; areia na máquina da parceria; empedramento de temas do âmbito da parceria e da harmonia, temas esses que não podem mais continuar separados; problemas *não dissolvidos*, endurecidos; reagir obstinada e petrificadamente: petrificar-se em face dos problemas correspondentes; os sais (matéria da maior parte das pedras) como união das forças básicas (femininas) e ácidas (masculinas) são algo de inteiramente novo, neutro, que une os extremos; sais são concentrados e atuam conservando, isto é, conservam o problema — não vivo, mas empedrado — e dessa forma o eternizam; transformar em estátua de sal (como a mulher de Ló, que olhou para trás): não desaguar mais à frente e habilmente na corrente da vida; pedras como desencadeadoras de cólicas, que aumentam em

ondas de dolorosos ataques contra a pedra e buscam dá-la à luz com as devidas dores do parto.
Tratamento: tornar-se consciente dos temas que são transformados em pedra e bloqueiam o desenvolvimento; reconhecer a areia na máquina das suas próprias relações; cristalizar para fora animicamente em vez de corporalmente o que está pendente; confrontar as energias correspondentes de modo conseqüente, claro e rígido; tornar-se consciente dos temas que não se pode dissolver e que na relação pendem como pedras de moinho; procurar desembaraçar-se (soltar-se) do que não tem mais solução; estar saciado de determinados temas com os quais se sabe lidar: não reprimir justamente aquilo do que se está farto, caso contrário ele se personificará e causará medo; ousar o salto a partir do antigo; manter as forças femininas e masculinas equilibradas em seu próprio jogo da vida e, a partir daí, criar algo novo e qualitativamente neutro que una em si ambos os lados; orientar-se para adiante na corrente da vida; pôr em movimento (Cólicas); considerar obstáculos como tarefas que têm de ser dominadas; (*é preferível cair em necessidade do que cair como uma pedra*).
Remissão: com idéias concretas de domínio dos respectivos temas; prevenir a formação de cálculos nos órgãos correspondentes; fazer de boa vontade e conscientemente o trabalho de relação; abrir-se e tornar-se amplo para o amor e harmonia, para a reconciliação dos contrários; lembrar-se que duas pessoas opostas podem produzir algo inteiramente novo e singular quando se associam ("o encontro de duas personalidades é como uma mistura de duas químicas corpóreas diferentes", C. G. Jung).
Cobertura do princípio original: Saturno-Vênus.

Peito-de-quilha
Plano corporal: tórax (sentimento do eu, personalidade).

Plano sintomático: tórax pequeno, com o esterno saliente em forma de quilha ou carenado e os lados do peito afundados em forma de tigela; ou devido à carência de vitamina D e sol, ou problema hereditário: crianças de porão (na sombra da vida), às quais faltam vitaminas (substância vital) e sol (energia vital); em certas circunstâncias, estreitamento do coração e dos pulmões: os locais do sentir e da comunicação estão cercados, os altos vôos sendo dificultados por essas asas podadas.
Tratamento: submeter-se a seu próprio espaço limitado, preenchendo-o e expandindo-o lentamente com vida; limitar a comunicação, controlar os sentimentos; conhecer e aprender a apreciar a própria escuridão, a base.
Remissão: preencher o espaço que lhe é dado pelo destino e a partir daí fazer o melhor que puder.
Cobertura do princípio original: Saturno (tórax)/Sol (coração)/Mercúrio (pulmões)-Saturno (estreitamento).

Pensamentos fugidios
Plano sintomático: as idéias não seguem mais a lógica habitual rigorosamente racional, mas fluem em livre associação, num considerável espaço de tempo, numa seqüência solta e carecendo de concentração; uma cadeia frouxa e completamente incontrolável de pensamentos aflora do subconsciente sem ser examinada; a fuga de idéias irrita os assim chamados "normais", pois os pedaços de pensamento são simplesmente cuspidos de maneira rápida e ilógica demais, do mesmo modo como emergem das profundezas da consciência: o sintoma revela a alta pretensão de controle da sociedade industrial; a proximidade da livre associação da psicanálise mostra a proximidade do inconsciente, do qual a psicanálise se aproxima ao seguir esse caminho; a incapacidade de uma fuga do pensamento por parte de pessoas extremamente acomodadas revela o pólo oposto, o da sociedade pragmática, mas

essa incapacidade não é considerada uma doença.
Tratamento: exercícios de consciência tendo em vista tornar consciente para si o monólogo interior, que em geral tampouco é racional, para tranqüilizá-lo como objetivo último; coragem de reconhecer as próprias profundezas ilógicas e a pressa impelida do fluxo da vida, ou seja, das idéias; estar de acordo com o fluxo dos pensamentos; aprender a assisti-lo; aprender a ter controle sobre si e sobre suas próprias profundezas; voltar-se conscientemente para o subconsciente; aprender a pescar idéias do fluxo e levá-las à realização; exercícios para centrar-se: desenho da mandala, meditação com a mandala, Tai-Chi, etc.
Remissão: encontrar o meio-termo entre a falta e a enxurrada de idéias, entre o controle total hostil à vida e o caos arrebatador.
Cobertura do princípio original: Mercúrio-Urano.

Pequenez anormal
Plano corporal: o corpo é afetado em toda a sua (pequena) extensão.
Plano sintomático: chamar a atenção pela pequenez; ir ao fundo quando entre outras pessoas; limitar-se ao plano infantil e ao tamanho infantil (no vestuário).
Tratamento: aprender com sua pequenez; aprender a modéstia e a limitação; aprender a desempenhar um papel pequeno: "tamanho não é documento"; aprender a fazer o melhor a partir de suas pequenas possibilidades.
Remissão: humildade.
Cobertura do princípio original: Saturno.

Perda de apetite (inapetência, por exemplo, como decorrência de doenças hepáticas)
Plano sintomático: recusa em novamente tomar parte ativa na vida; abandono do transporte de energia; extenuação da energia (fazer greve de fome); recusa secundária de digerir a vida.
Tratamento: em sentido figurado, reconhecer aquilo de que não mais se sente o gosto; recusa consciente e voluntária; jejum consciente; redução ao essencial e necessário; exercícios de ascese como arte da vida.
Remissão: moderação.
Cobertura do princípio original: Saturno.

Perda de cabelo (perda completa de todos os pêlos do corpo, incidindo somente nas mulheres)
Plano corporal: cabelos (liberdade, vitalidade), pêlos do corpo (força animal).
Plano sintomático: estar nua e despojada, render-se desprotegidamente (a todos os olhares); não poder esconder mais nada, ser coagida a uma sinceridade plena; necessidade de retirada; desejo inconsciente de interromper o contato com o meio ambiente (recolher todas as antenas); mostrar as vergonhas, abrir-se desavergonhadamente; perda da máscara para todos os públicos por causa de uma honestidade completamente aberta; calvície, como no começo da vida.
Tratamento: conceder para si a liberdade, recolher-se completamente; liquidar os contatos superficiais e voltar-se para si; estabelecer uma completa sinceridade, sem pretensões a um poder e a uma influência sobre o mundo exterior (cabelos); demonstrar uma honestidade nua e uma abertura desprotegida na perspectiva erótica (púbis) — até chegar à ausência de vergonha.
Remissão: reconquistar a sinceridade infantil, tornar-se independente do mundo exterior; redescobrir a própria infantilidade num plano mais alto.
Cobertura do princípio original: Lua-Vênus.

Perda de memória ver Amnésia

Perda de peso (ver também Anorexia nervosa)

Plano corporal: estômago (sensação, capacidade de absorção), silhueta (expressão e representação de si mesmo).
Plano sintomático: ânsia pelo imaterial; estar em pé de guerra com o princípio do gozo: não se conceder nada, ou seja, queimar tudo logo que possível; cobiça inconsciente; não se deixar tornar redondo e saudável; não inserir nenhum estofo e não querer ir juntando nada; ideal ascético inconsciente; adelgaçar-se; tomar-se por leve demais; não se dar nenhuma importância (peso).
Tratamento: homeopático: conquistar para si o mundo espiritual, a ausência de gravidade, para então voltar a abrir-se também no mundo material (alimentação, força da gravidade, etc.); encontrar o gozo em pequenas coisas ("menos é mais"); alopático: alimentar conscientemente o campo do gozo; deixar-se ficar consciente da cobiça e assumi-la; conhecer e aceitar o ideal secreto de silhueta que vive nas profundezas da alma; períodos de jejum em geral curtos (de dois a quatro dias), para encontrar seu peso e também ganhar no peso da alma; aprender a se julgar capaz de peso e gozo.
Remissão: encontrar e aceitar seu peso e silhueta próprios.
Cobertura do princípio original: Vênus-Saturno.

Perda do controle
Plano sintomático: dirigir a agressividade longamente represada na maioria das vezes contra inocentes, ao modo de um ataque brutal; rompimento da barragem da agressividade; ruptura do dique das emoções; explosão, depois de a válvula de (excesso de) pressão ter estado obstruída por muito tempo.
Tratamento: externar o pensamento e aprender a suportar as conseqüências; aprender a externar agressões no tempo certo; exercícios de agressividade como meditações dinâmicas, campo de batalha, esporte e movimento como válvula liberadora de agressividade.

Remissão: autocontrole (pressupõe o conhecimento das próprias agressões) em vez de repressão; integrar a agressividade na vida como um aspecto saudável da vitalidade; objetivo final com a inclusão do pólo oposto: reconciliação entre guerra (Marte) e paz (Vênus); encontrar a harmonia no meio, entre os extremos (pólos): fazer amizade com Harmonia, deusa da compensação, que é filha de Vênus e Marte.
Cobertura do princípio original: Marte-Plutão-Urano (súbita eclosão da agressividade reprimida).

Perda dos dentes (troca da dentição na idade de crescimento; ver Adontia, nos casos de ausência congênita de dentes)
Plano corporal: dentes (agressividade, vitalidade).
Plano sintomático: o evitar da agressividade; falta de vitalidade, impotência; regressão ao âmbito dos primórdios da infância (sem dentes): vivenciar o "regressar e tornar-se novamente como uma criança" no plano corporal.
Tratamento: forma inacabada: provisória, ponte, prótese, vitalidade e capacidade de morder tomadas de empréstimo; adorno das armas comprado; forma acabada: mostrar os dentes, trincar as dificuldades da vida (desembaraçar-se delas com os dentes); redução ao essencial.
Remissão: no sentido figurado, regressar e tornar-se novamente como uma criança.
Cobertura do princípio original: Marte.

Perdigoto
Plano corporal: boca (disposição para receber, expressão, maioridade).
Plano sintomático: cuspir ao falar, cuspir nos outros durante uma conversa: expressar desprezo e agressividade inconscientes; fala molhada, fala anímica: a carência de uma participação anímica interior torna-se visível e perceptível; falar com a boca em forma de linha, a boca seca leva à produção de partículas de muco: situação inconfessada de medo; recaída no babar-se da criança.

Tratamento: tomar consciência dos planos que inconscientemente vibram junto com a fala; buscar para si caminhos conscientes, manifestar a agressividade e o desprezo; proporcionar válvulas libertadoras à alma em sua própria expressão; pela fala, confessar o medo; ficar em sua alma de novo como uma criança.
Remissão: conceder espaço às coisas/conteúdos que vêm logo atrás dos modos de expressão.
Cobertura do princípio original: Mercúrio (fala)-Marte (agressividade)-Lua (alma, criança).

Perfuração crônica do nariz
Plano corporal: nariz (poder, orgulho, sexualidade).
Plano sintomático: por causa de suas conotações sexuais, sintoma classificado como indecente em caráter de epidemia popular: mediante excitação das zonas erógenas internas do nariz, ativação das regiões genitais sobre as zonas de reflexo correspondentes; busca (inconsciente) de estimular sua própria vitalidade.
Tratamento: ficar consciente das relações simbólicas e reflexológicas; buscar satisfação erótica num caminho direto.
Remissão: realizar um erotismo capaz de trazer satisfação e desfrutá-lo.
Cobertura do princípio original: Marte-Vênus.

Perfuração do estômago (ver também Abscesso no estômago)
Plano corporal: estômago (sensação, capacidade de absorção).
Plano sintomático: esclarecer e interpretar o problema fundamental; risco de hemorragia (perda de energia vital) que ameaça a vida e Peritonite: saída da gaiola de proteção, do ninho da infância; perfuração ofensiva no vasto mundo da cavidade abdominal; tensão defensiva no grande espaço do abdômen; tensão defensiva do invólucro abdominal; fazer um buraco no estômago (corroer sc).

Tratamento: irromper ativa e combativamente para fora do ninho da infância; proporcionar livre entrada e saída aos próprios sentimentos e emoções; aprender a impor-se de maneira agressiva, em vez de se deixar devorar pela agressividade; criar válvulas de escape e caminhos para os sentimentos ofensivos; arriscar abusos.
Remissão: alcançar o acesso salvador da vida para o mundo superior; assumir responsabilidade, exercer influência.
Cobertura do princípio original: Lua-Marte.

Pericardite (inflamação do pericárdio, coração encouraçado)
Plano corporal: coração (sede do amor, da alma, do sentimento, centro energético).
Plano sintomático: conflito não-dominado no ambiente do coração, conflito animicamente resguardado envolvendo o coração; cerco do coração por energias anímicas: perigo de estrangulamento do coração por energia anímica acumulada (tamponamento do pericárdio); palpitante tema do conflito nas proximidades do coração; busca frustrada de envolver o coração em algodão ou emparedá-lo (coração encouraçado); erigir sua pedra sepulcral (de cálcio) no meio do próprio coração.
Tratamento: em favor do próprio centro, aprender a combater as questões relativas ao coração; lutar ardentemente pela proteção do centro; manifestar mais firmeza e segurança nos temas do coração.
Remissão: aprender a proteger-se no âmbito mais exterior e responder pela proteção do centro.
Cobertura do princípio original: Sol-Marte.

Pericardite reumática ver Pericardite

Período de incubação (nenhum sintoma, sendo porém importante nas Inflamações)

Plano corporal: sistema imunológico (defesa).
Plano sintomático: o tempo entre a infiltração do agente provocador e os processos reconhecíveis da doença em conseqüência das medidas de defesa do sistema imunológico: intervalo livre de reações no início do conflito, no qual o sistema imunológico toma a sua medida e produz as armas dirigíveis (anticorpos) contra eventuais bactérias nos armeiros e estabelecimentos de armamentos da medula.
Tratamento: preparação para a luta, guerra, conflito; preparar-se para a discussão: amolar a faca, reunir argumentos; dar calma ao corpo, para que assim todas as forças fiquem à disposição da defesa.
Remissão: reconhecer a mobilização como base para uma campanha bem-sucedida e perpassá-la com a consciência correspondente.
Cobertura do princípio original: Marte.

Periodontite (ver também Gengivite)
Plano corporal: gengiva, alvéolo dental (confiança original).
Plano sintomático: o depósito de tártaro (cálcio) na base do dente conduz à formação de uma bolsa na gengiva, que evolui para uma supuração (formação de pus) crônica: o conflito em torno da confiança original inflama-se junto do alvéolo dental; as raízes e a agressividade ficam a descoberto, até que — nuas e cruas — não possam mais dar a devida sustentação ao dente: armas oscilantes.
Tratamento: discussões abertas (ofensivas) em torno do tema da confiança original e luta pela confiança original compromissada; dar-se conta da inutilidade da busca de fortalecer suas próprias armas e do apoiar-se (em diques de cálcio); cuidar para ter uma proteção verdadeira e um devido controle de armas; reconhecer o quão nuas e desprotegidas estão suas armas, fazendo de tudo para socorrê-las; empreender com coragem uma ação ofensiva em favor de suas próprias armas; criar para as armas um local de regeneração que seja seguro: assim como todas as noites nos regeneramos no leito, os dentes têm de poder se regenerar no alvéolo dental, para manter-se em forma; exercícios para ganhar confiança em si mesmo.
Remissão: coragem para o regresso e a regeneração: encontrar proteção na criação, procurar vivenciar a unidade, pois somente a partir de dentro da confiança original são possíveis os passos necessários; levar uma vida ativa e corajosa e pôr suas armas em ação no redemoinho da vida; *empreender* a vida.
Cobertura do princípio original: Lua/Marte (alvéolo dental)-Marte (inflamação).

Periosteíte (Inflamação no periósteo, membrana conjuntiva que reveste externamente os ossos; ver também Osteomielite/Inflamação da medula dos ossos (tutano); caso em que o conflito só vai até o periósteo, e não até a medula)
Plano corporal: superfície dos ossos (estabilidade, firmeza).
Plano sintomático: conflito (inflamações) até os ossos, até a membrana conjuntiva dos ossos; guerra por apoio e estrutura na vida, luta pelo envoltório de proteção do esqueleto; discussões ofensivas sobre normas e leis.
Tratamento: resolver conflitos que vão até os ossos; deixar que o apoio habitual e as estruturas familiares sejam postos em questão; conduzir uma luta aberta (ofensiva) no âmbito das normas e leis.
Remissão: pôr-se em questão até os ossos.
Cobertura do princípio original: Saturno-Marte.

Peritonite (ver também Perfuração do estômago)
Plano corporal: espaço interno do abdômen, sobretudo a saída do estômago (sensação, capacidade de absorção) e intestino (assimilação de impressões materiais).
Plano sintomático: guerra, luta pela sobrevivência; conflito em torno do centro do corpo, da cavidade abdominal; tudo

gira em torno do abdômen e do próprio umbigo: visão do próprio umbigo; reflexo da morte.
Tratamento: conduzir uma discussão sobre seu próprio centro; praticar a tempo (na hora certa) a visão (anímica) do umbigo; proporcionar ao estômago períodos de repouso absoluto (por exemplo, com jejum: a cada noite pelo menos doze horas, a cada ano pelo menos uma semana de jejum).
Remissão: agir corajosa e ofensivamente a partir de dentro do próprio centro; confiar nas sensações da barriga (abdômen): tomar por importante e verdadeiro o umbigo do próprio mundo.
Princípio original: Mercúrio/Lua-Marte.

Peritonite ver Adnexite

Perna aberta (ver também Varizes nas pernas, Fraqueza do tecido conjuntivo)
Plano corporal: pele (delimitação, contato), tecido conjuntivo (ligação, consistência, compromisso).
Plano sintomático: um processo lento e arrastado que se estende indefinidamente no campo da "pele fina" do corpo; busca de abertura: o único local aberto acha-se na forma de pernas abertas: desintoxicação.
Tratamento: abrir as fronteiras e comportas da perspectiva anímico-espiritual e deixar sair o que quiser sair, mesmo que não se queira ver o que sobe das profundezas; as janelas interiores voltam a se abrir, *desatar-se*, ventilar (oxigênio e terapia de ozônio freqüentemente ajudam, mas também podem se tornar perigosos quando fecham a única janela e não abrem nenhuma outra [superior]); cuidar da fronteira da pele, tratar do (único) ponto aberto; livrar-se de seu veneno por outros caminhos; promover outras possibilidades de desintoxicação; perigo no tratamento com remédios naturais se não se leva em conta a dimensão anímica: envenenamento por substâncias tóxicas que não se pode mais eliminar.

Remissão: abrir-se animicamente e assim dar ao corpo a chance de voltar a fechar as fronteiras da pele.
Cobertura do princípio original: Marte-Plutão.

Perturbação da fala ver Afasia, Disfasia

Pés que suam ver Transpiração nos pés

Pigarro
Plano corporal: laringe (expressão), voz (afinação).
Plano sintomático: anunciar uma contribuição que não vem; afobar-se; mesmo querendo dizer alguma coisa, as palavras não lhe chegam; pedir atenção, buscar palavras; enunciar críticas sem as formular.
Tratamento: reconhecer o problema do ego: acreditar ter algo a dizer, mas não se atrever a fazê-lo, na maioria das vezes por medo de não ser (suficientemente) bem recebido; dar ouvidos, atenção (e consideração) também para suas palavras; manifestar uma crítica franca e construtiva.
Remissão: criar (proporcionar-se) o espaço que lhe cabe na expressão de si mesmo.
Cobertura do princípio original: Mercúrio-Saturno.

Piromania
Plano sintomático: tendência a tornar-se incendiário (sobretudo nos bombeiros!).
Tratamento: um fogo o inflama, até que se levantem as chamas do entusiasmo; discussão com as sombras, que tendem à inobservância; abrir caminhos por vias não redimidas e perigosas.
Remissão: conhecer, aprender a apreciar o fogo interior.
Cobertura do princípio original: Marte.

Pitiríase (ver também Dermatomicoses)
Plano corporal: pele (delimitação, contato, carinho).

Placenta insuficiente

Plano sintomático: manchas do tamanho de uma ervilha, de marrom-amareladas até pretas, que confluem para um padrão e dão à pele uma aparência suja: impressão de sujeira; manchas em forma de cogumelos pequenos que ao serem coçadas desprendem pequenas escamas; ser fraco demais; defender sua pele, que se torna arena para as manchas fúngicas; "ser arranhado"; as próprias fortificações de fronteiras são ocupadas por fungos, apesar do invólucro ácido; o não-vivo torna-se especialmente fácil para ser sacrificado a uma colônia de fungos (fungos são saprófitos, alimentam-se de matéria orgânica em decomposição).
Tratamento: esclarecer o que se esconde por detrás da impressão de sujeira, o que expõe a própria superfície fronteiriça e de contato; abrir as fronteiras da perspectiva anímico-espiritual, para poder defender a condição incólume do corpo; abrir-se para impressões estranhas e apoderar-se delas, em vez de se permitir (ao corpo) receber invasores estranhos; desenvolver uma disposição para dar; esclarecer para si a essência de toda simbiose: depender um do outro, não poder prescindir um do outro, usar-se reciprocamente, viver e deixar viver, mescla entre o eu e o tu; ocupar-se com o tema do parasitismo e do aproveitar-se: "de que modo estou deixando os outros se aproveitarem de mim; de que modo estou me matando por intermédio dos outros?"; abrir seus próprios domínios não-aproveitados e consequentemente não-utilizados, isto é, abrir os domínios sem vida para impulsos vitais alheios; pôr voluntariamente à disposição de outros suas próprias capacidades não-utilizadas; alimentar-se com alimento vivo, que não é apreciada pelos cogumelos.
Remissão: junto a suas superfícies de contato com o exterior, ocupar-se corajosa e aberta(ofensiva)mente com temas excitantes e envolvê-los (envolver-se com eles); abrir-se para a vida, até mesmo pela inclusão de um aspecto de morte; sentir o próprio terreno (da consciência), voltar a viver os âmbitos mortos.
Cobertura do princípio original: Vênus/Saturno-Plutão.

Placenta insuficiente (ver Complicações no nascimento)
Plano corporal: útero (fertilidade, proteção).
Plano sintomático: na mãe: impossibilidade de alimentar suficientemente a criança até o fim; na criança: falta de alimentação; em razão da esclerose das vilosidades da placenta, distúrbios na circulação da placenta (por exemplo, em casos de mães que fumam muito, de alimentação deficiente, de sobrecarga de substâncias nocivas ou após prolongada ingestão de antibióticos) e crianças infectadas.
Tratamento (da parte da mãe): tornar-se consciente da deficiência na sua capacidade de alimentar e examinar a razão (de fundo); reconhecer o quanto essa situação põe em risco a vida da criança (por exemplo, perturbações no desenvolvimento da inteligência).
Remissão: reconciliar-se prematuramente com a gravidez e com o papel de mãe; inspirar confiança na criança, alimentá-la e servi-la.
Cobertura do princípio original: Lua-Saturno.

Placenta prévia (a placenta interpõe-se na saída da cavidade uterina; ver também Complicações no nascimento)
Plano corporal: útero (fertilidade, proteção).
Plano sintomático: na mãe: não querer soltar a criança; na criança: perspectiva desesperada de vida; para ambas: dependência de ajuda externa.
Tratamento: meditar sobre o papel de mãe no sentido de Khalil Gibran: "Seus filhos não são *seus* filhos, mas filhos e filhas que a vida gera para si mesma..."; para a mãe e os filhos já crescidos: por ocasião de bloqueios e representações do caminho (da vida), tentar obter ajuda vinda de fora; aprender a aceitar prontamente o socorro.

Remissão: lidar com obstáculos, eliminá-los; não se deixar desanimar, mesmo em situações desesperadoras.
Cobertura do princípio original: Lua-Saturno.

Plasmocitoma ver Fratura

Pleurisia (inflamação da pleura)
Plano corporal: pleuras viscerais ou pulmonares (arcadas para estender os pulmões e envoltório dos pulmões).
Plano sintomático: conflito no âmbito da comunicação (reparar em doenças básicas: → Pericardite, infecção pulmonar, sobretudo → Tuberculose pulmonar);
1. inflamação seca com descargas agressivas (pigarro), comunicação (respiração) dolorosa, acelerada e superficial; 2. inflamação úmida com bloqueios de comunicação (dispnéia); mobilização geral (febre); saída/perda de líquido anímico (hemorragia pleural).
Tratamento: conduzir o combate no ambiente da zona de comunicação (a cena em que o indivíduo se move); externar de modo mais aberto/ofensivo sua opinião para outrem ("em quem posso descarregar?"); comunicar-se mais rápida, leve e espontaneamente; comportar-se de forma mais cautelosa perante os próprios órgãos de comunicação ("o que me leva à exaustão?"); embrenhar-se em combates gerais; liberar o anímico; *participar* (dar algo de si a alguém).
Remissão: no campo tenso da comunicação, defender as próprias opiniões; externar temas referentes à alma, levando-os a sério e conferindo-lhes importância; no pólo oposto: recobrar a agilidade e ser capaz de deslizar.
Cobertura do princípio original: Marte-Mercúrio.

Pleurite ver Pleurisia

Pneumotórax
Plano corporal: pulmões (contato, comunicação, liberdade), pleura (tapete exterior dos pulmões; desdobramento dos pulmões), abertura da pleura (sistema em depressão para desdobramento elástico dos pulmões).
Plano sintomático: resulta na maioria das vezes de um rompimento das cavidades tuberculosas na abertura da pleura ou de lesões do exterior (esclarecer e interpretar a situação fundamental); vento que invade a fenda pleural, reduz a depressão necessária no local, fazendo sucumbir o respectivo pulmão: queda do intercâmbio (da respiração) desse lado; o vento no lado errado faz cessar a ventilação; as asas (pulmões) internas são aparadas.
Tratamento: verificar conscientemente a própria disposição para o intercâmbio e a comunicação; ocupar-se do elemento ar e aprender a classificá-lo corretamente; esclarecer qual padrão de comportamento o tórax pode exercer como símbolo de poder pessoal de sacrifício em caso de um ataque violento à sua integridade; reconhecer a situação de estar com as asas quebradas e abrir-se interiormente para voltar a desdobrá-las e estendê-las.
Remissão: reconciliar-se com o intercâmbio — garantido pelas asas pulmonares — para voar até ele pela vida.
Cobertura do princípio original: Mercúrio-Urano.

Polaciuria (pressão freqüente para emissão de urina)
Plano corporal: bexiga (segurar e liberar pressão).
Plano sintomático: pressão contínua na bexiga, mas o esvaziamento a que conduz dá-se em pequenas quantidades de urina, por exemplo, junto com o → Aumento da próstata, Inflamações e → Pedra na bexiga: convite permanente a liberar.
Tratamento: preparar-se para o liberar e praticá-lo nos planos figurados, para aliviar a bexiga; exercícios espirituais para liberar: meditações, exercícios de dinâmica em grupo.
Remissão: familiarizar-se com a necessidade de desapegar-se de tudo o que se tenha um dia recebido; aceitar a pressão da polaridade do dar e receber.

Cobertura do princípio original: Lua-Plutão.

Poliartrite (Reumatismo)

Plano corporal: articulações (mobilidade, articulação), musculatura (motor, força).

Plano sintomático: articulação enferrujada e bloqueada (o líquido lubrificante das articulações, correspondendo ao óleo de uma máquina, foi inteiramente consumido): situação encalhada, como se houvesse um "sugador" no pistom do motor (quem não se movimenta enferruja: de fato, as articulações precisam de um movimento consciente para ficar bem lubrificadas, analogamente ao que é necessário à mobilidade interior para que tudo fique lubrificado na vida); temas antigos e não-vivenciados (sedimentos, gânglios reumáticos) bloqueiam progressos posteriores e a possibilidade de pegar o jeito da vida (interior); areia na máquina: a capacidade de articulação é assoreada pela pobreza interior de movimentos; a rigidez pela manhã, querendo externamente obrigar ao descanso, revela a rigidez com que a pessoa se defronta com o dia e com a vida; bloqueio da agressividade na consciência e, com isso, ataques agressivos às próprias articulações; agressividade contra si mesmo, dores atolam-se como inflamação nas articulações: não poder com sua própria agressividade; bloqueio da atividade no âmbito muscular: ser impelido ao descanso, para acabar com a compensação da rigidez/obstinação interior pela hiperatividade; sentimento de culpa simultâneo à "tirania cheia de benevolência" ou adoecimento, quando os impulsos não são compensados pelo sacrifício e pelo servir; sedimentação de problemas não digeridos.

Tratamento: viver aberta(ofensiva)mente; lutar pela própria mobilidade e articulação no mundo; reconhecer as energias vitais dirigidas contra si mesmo e conduzi-las pelo âmbito anímico-espiritual; aceitar o descanso a que se foi obrigado e servir-se dele para lutas interiores; transferir o peso das atividades exteriores para as interiores; reconhecer e observar de outro modo a usurpação combativa da vida (para tanto, abusa-se por vezes até mesmo do reumatismo com esse fim), aprender a ver também o sacrifício espasmódico como tentativa análoga; questionar seriamente o altruísmo; pôr em tratamento os problemas não-digeridos, que se revelam nos gânglios (reumáticos); jejum consciente para a solução (redenção) dos gânglios e purificação do tecido conjuntivo das devidas sedimentações.

Remissão: egoísmo, imobilidade, capacidade de adaptação, despotismo, buscar agressividade no domínio das sombras; mobilidade anímico-espiritual.

Cobertura do princípio original: Mercúrio (articulações)/Marte (músculos)-Plutão (agressividade para consigo)-Saturno (bloqueio).

Poliomielite (Paralisia infantil)

Plano corporal: estômago (sensação, capacidade de absorção), intestino (assimilação de impressões materiais), respiração (intercâmbio, lei da polaridade), sistema muscular (motor, força).

Plano sintomático: desde uma leve constipação até a despedida do mundo polar (paralisia respiratória), a nosografia pode expressar (raramente depois da vacinação) todos os estágios possíveis de recusa; contrações musculares nas regiões da nuca e das costas; marcante oposição à flexão da nuca; relutância em subordinar-se e mostrar humildade; paralisias (súbitas e mais freqüentemente durante a noite); tremores e fraquezas musculares; fraqueza dos músculos da mastigação, mudanças na voz, dificuldade de engolir, paralisia respiratória: o tremor revela o medo, a paralisia dos músculos da mastigação indica indisposição para continuar mastigando; a paralisia na deglutição evidencia que os pacientes já engoliram o suficiente; decorrências posteriores: deformação endu-

recedora do sistema muscular esquelético; as deformações avançam na medida da obstrução da tarefa de vida expressa na nosografia: a obstrução no caminhar força um progresso lento e consciente; a obstrução da região da coluna vertebral move os temas da retidão e do caráter retilíneo para o ponto médio da vida.
Tratamento/Remissão: toda a (aparente) humilhação pelo destino clama pela redenção em forma de humildade; quanto maior a tarefa, mais maravilhosa (como que *milagrosa*) e gratificante é a sua resolução.
Cobertura do princípio original: Saturno-Netuno.

Pólipo do intestino delgado

Plano corporal: mucosa (fronteira interna, barreira) do intestino grosso (inconsciente, submundo).
Plano sintomático: tumores (benignos) no submundo (no inconsciente); possibilidade de, por essas excrescências, perder energia vital (sangramento) no submundo; pólipos grandes podem esconder o transporte no submundo (→ Obstrução intestinal); risco de degenerar e piorar (pólipo: Câncer no intestino).
Tratamento: tornar-se consciente de sua própria tendência à tumoração; levar a sério as indicações de crescimento descontrolado na região das sombras: informar-se sobre o que pode crescer em seu próprio submundo; deixar que as criações do reino das sombras ascendam à consciência; perguntar pelos lados obscuros e reprimidos; ter diante dos olhos e no tempo certo o risco dos temas sombrios (terapia) isentos de *ego-trips*, acertando o próprio caminho do tornar consciente e do iluminar; restituir voluntariamente a energia vital ao submundo, promovendo a vigilância e o tornar consciente nesse domínio; levar em consideração e trabalhar as obstruções no transporte de conteúdos das sombras.
Remissão: trato criativo com as sombras; admitir um crescimento no domínio do submundo: conhecimento de que o crescimento só é possível com base na integração da participação das sombras; retomada de projeções e do conhecimento que não permite para si outros tumores malignos e desencaminhamentos.
Cobertura do princípio original: Plutão-Júpiter.

Pólipos ver Tumores adenóides, Problemas intestinais

Pontadas no coração ver Problemas cardíacos

Pré-cancerose (alteração de tecido; idéia desfocada, da qual reiteradamente se tem abusado como elemento amedrontador: numa sociedade em que metade da população padece de câncer, os primeiros estágios da doença expandem-se largamente devido a um período de desenvolvimento muitas vezes longo; ver também Câncer)

Plano corporal: sinais passíveis de se manifestar em grande parte dos tecidos.
Plano sintomático: medicina acadêmica: alteração de tecidos, que freqüentemente se transformam em câncer e por isso devem provocar suspeitas; medicina alternativa: diferentes sinas de acidez do tecido até transformações pelas imagens que vêm à tona (a partir do procedimento de diagnóstico da medicina antroposófica), na circulação sangüínea, etc.
Tratamento: ocupar-se com a problemática correspondente às regiões do corpo afetadas: confrontar-se preventivamente com a normopatia do padrão cancerígeno (câncer), reconhecê-la e torná-la abundante.
Remissão: seguir seu próprio caminho.
Cobertura do princípio original: Plutão-Júpiter.

Presbiopia (ver também Sintomas da velhice)

Plano corporal: olhos (vista, discernimento, espelho da alma).
Plano sintomático: a velhice e a morte cada vez mais próxima aparecem sempre desfocadas e difusas; a distância mantém-se nítida, a vida parece mais longa.

Tratamento: aceitar o convite para se desligar das questiúnculas do dia-a-dia, para conquistar uma visão geral da amplidão da vida: vislumbrar as grandes conexões da vida.
Remissão: reconciliação com o distante e com uma visão geral do objetivo da vida; manter um olhar retrospectivo e encontrar o fio da meada na própria vida; reconhecer o alvo (distante).
Cobertura do princípio original: Júpiter-Sol/Lua.

Pressão alta ver Hipertonia

Pressão baixa ver Hipotonia

Priapismo (ereção prolongada; por exemplo, em condições mórbidas na base da próstata e na bexiga)
Plano corporal: pênis (prazer, poder).
Plano sintomático: acumulação de energia no órgão de procriação (interpretar a condição mórbida fundamental); pressão alta na "varinha mágica", porém não há válvula de escape; excitação prolongada e dolorosa sem que haja prazer ou ejaculação: cópula inconsciente e prolongada; prontidão para a fecundação; perigo de, no pólo oposto, chegar à Impotência.
Tratamento: esclarecer a relação com a energia fálica; tornar conscientes os problemas fundamentais; dar energia e atenção ao domínio sexual; proporcionar válvulas de escape para uma pressão criativa; obter uma prolongada prontidão para o conflito com a polaridade.
Remissão: inserir energia vital nos processos de procriação para fazer jus à sexualidade masculina.
Cobertura do princípio original: Marte-Plutão.

Prisão de ventre (ver também Prisão de ventre em viagens)
Plano corporal: intestino grosso (inconsciente, submundo).
Plano sintomático: não querer dar algo de volta, segurar (fezes = dinheiro): economia/avareza; incapacidade de se soltar no âmbito material; medo de ficar sem recursos; guardar o que o mundo lhe deve e devolver o que é supérfluo para si mesmo: carregar-se de inutilidades, para ocultar sua determinação; medo de deixar vir à luz conteúdos inconscientes (do reino das sombras): envergonhar-se de seus próprios atos sombrios; defesa das sombras mais profundas; impossibilidade de deixar impressões anímicas atrás de si; oposição: a conversão do antigo (fezes) no novo (vida) é boicotada; não querer tomar parte na circulação da vida: rigidez e lentidão; vida ressecada e dura; de medo (do feminino original), pôr a seco o pântano do submundo plutônico; postura interior: 1. o mundo não merece receber meus tesouros (o conteúdo do reino das sombras e dos mortos é altamente valorizado de maneira simbólica: "merda" como cumprimento, desejando boa sorte no meio teatral, "ser *podre* de rico"; 2. a posse me diverte: prazer no poder pela posse, cobiça (sensações de prazer ao segurar as fezes, uma vez que no reto há muitas terminações nervosas); 3. os bens do mundo não me interessam (lutas infantis pelo poder sobre um pote de biscoitos).
Tratamento: suspender fronteiras, mas aprender a guardar aquilo de que ainda se necessita; aprender a segurar-se em estruturas confiáveis; reconhecer sua incapacidade em soltar e, quando se está suficientemente seguro em suas fronteiras, aprender a admitir e soltar o pólo oposto; trazer à luz conteúdos inconscientes: psicoterapia; conhecer e aprender a aceitar a corrente da vida ("tudo flui"); confronto com as sombras: reconciliação com o obscuro feminino original.
Remissão: encontrar o centro entre impulsos conservadores e transmissores: aprender com o remeter-se um ao outro do dar e receber de seu intestino; aprender a apreciar e entender o princípio do "morrer para vir a ser" e que tudo na vida é passageiro.
Cobertura do princípio original: Plutão.

Prisão de ventre em viagens
(ver também Prisão de ventre)

Plano corporal: intestino (prisão de ventre, submundo).
Plano sintomático: medo de um desvio do normal, das normas e regras de vida; medo do caos, do estranho ("sem higiene"); medo do feminino original, do vivaz original, do pântano em seu próprio submundo, que por precaução é mantido completamente seco (na prisão de ventre o intestino grosso retira água demais); incerteza com relação à situação de abastecimento; a (nova) alimentação é incerta, preferindo-se ficar com a antiga e segura; recusa de intercâmbio com a nova terra (greve inconsciente); preferir levar para casa os tesouros recém-adquiridos; problemas com o dar e o receber; reserva, ausência de vivacidade.
Tratamento: reconhecer a ligação estreita com normas e estruturas previamente dadas; reconhecer (valorizar) sua própria recusa do mais profundo plano do submundo feminino; de uma próxima vez, converter honestamente a sensação de "antes tivesse ficado em casa": descobrir que não faz sentido visitar uma terra para boicotá-la com uma greve.
Remissão: reconhecer (valorizar) sua própria estreiteza e lançar raízes em seu pequeno mundo, antes de ousar no pólo oposto: reconciliar-se com o mundo e com o próprio medo, colocar-se num intercâmbio vivo.
Cobertura do princípio original: (Lua)-Plutão.

Problemas cardíacos (pontadas no coração, aperto no coração, dores no coração, condução acelerada)
Plano corporal: coração (sede do amor, da alma, do sentimento, centro energético).
Plano sintomático: pontadas no coração: pontadas no centro do sentimento como indício importante; aperto no coração: sensação momentânea de estreiteza nos assuntos do coração, aperto nas coisas do coração (estar entalado); dores no coração: dores de amor, o coração grita por uma doação; condução acelerada: fazer do coração pernas; sensações galopantes, de correr atrás, de fúria; problemas cardíacos em geral: padecer (adoecer) em seu centro; descarrilamento da alma no âmbito central, que afeta o centro vital.
Tratamento: aprender a ouvir o coração e a segui-lo; seguir o rastro das pontadas e descobrir quem conduz a faca; seguir o rastro do medo na estreiteza e ventilar o seu segredo; deixar-se mover na medida do coração, aumentar a velocidade do fluxo da vida.
Remissão: posicionar conscientemente o coração no centro vital e segui-lo (ao menos nos assuntos do coração).
Cobertura do princípio original: Sol.

Problemas com a amamentação (ver também Hipogalactia)
Plano corporal: seios (maternidade, nutrição, proteção, prazer).
Plano sintomático: na mãe: falta de disposição para alimentar a criança; não querer dar mais nada de si, ou, quando o problema é não querer encerrar o período de amamentação: não deixar a criança seguir seu caminho de desenvolvimento, querer mantê-la como lactente; na criança: desprezo pela mãe que passa pelo seu leite ou, no caso de não querer encerrar o período de amamentação: a criança põe em prática o seu próprio método para ter a mãe imobilizada só para si.
Tratamento: reconciliação com o papel de mãe (que alimenta), com a criança, com o ser criança que se tem dentro de si, com o pai da criança e suas reivindicações; tratamento da consciência que se tem de sua carência; para o caso de uma recusa por parte do lactente: crianças que foram inicialmente recusadas podem assim, de sua parte, expressar uma recusa; por vezes, a recusa que a mãe experimenta em relação ao filho só se deixa reconhecer e admitir no decorrer da vida.
Remissão: desenvolver-se com vistas ao conhecimento e a uma situação de vida em que se tenha o suficiente para todos.
Cobertura do princípio original: Lua-Saturno/Plutão.

Problemas com a circulação no coração (distúrbios na regulação

da circulação, o mais das vezes em decorrência de pressão baixa [do sangue]; ver também Hipertonia, Hipotonia)
Plano corporal: coração (sede do amor, da alma, do sentimento, centro energético), circulação sangüínea (ciclo da energia vital, abastecimento e descarga).
Plano sintomático: não ser flexível o suficiente, fazer justiça às condições de vida; *mudanças (de condição)* criam problemas de adaptação; privações de abastecimento, que a cada vez só se deixam dominar depois de um período de adaptação; distúrbio de contato e de usufruto.
Tratamento: dar-se mais tempo para a adaptação às vicissitudes da vida; aceitá-la, jamais recusá-la; tornar-se consciente de sua defesa contra todas as condições de mudanças e descobrir a filosofia de vida do "felizmente nada mudou"; reconhecer o subabastecimento como princípio de vida de um conservador, do *status quo*, de uma orientação de vida estabilizadora e por vezes enaltecida; inclinar-se para um fluxo vital bem proporcionado e contínuo; exercícios: jejum, meditação, treinamento autógeno, Tai-Chi, desenho de mandalas.
Remissão: adaptação e dedicação à corrente da vida em questão.
Cobertura do princípio original: Sol-Lua.

Problemas com as mãos (ver também Deformação dos dedos [das mãos e dos pés])
Plano corporal: mãos (apanhar, agarrar, habilidades manuais, expressão).
Plano sintomático: 1. mão de macaco (paralisia da musculatura do tênar do polegar, o polegar põe-se em fila com os outros dedos): dificuldade para apanhar/agarrar; 2. mão caída (devido à paralisia do nervo radial, a mão não pode mais ser aberta): a mão aberta representa honestidade e intenções pacíficas; 3. mão em pata, ou seja, em garra (devido à paralisia do nervo ulnar, articulações fundamentais superestendidas e articulações médias e de extremidades flexionadas: garra, pata de animal carnívoro): sem função, mas atuando de forma ameaçadora e perigosa; grosseria, atitude indiferente diante da vida; 4. deformidade em que há contração em adução ou flexão da mão: por causa de uma falha no nervo radial, a mão atua de modo inumano, demoníaco, desleal e suspeito, em todo caso não sendo digno de confiança; 5. dedo em baqueta de tambor (terminação nodosa; inchaço sobretudo na última falange dos dedos devido a um abastecimento deficiente em decorrência de doenças crônicas cardíacas e pulmonares; vide o instinto desesperado das árvores ameaçadas numa floresta em extinção): as falanges subabastecidas buscam tapar e emprestar aos dedos uma expressão grosseira e deselegante.
Tratamento/Remissão: reconhecer que assim não se pode pegar a vida de jeito; aceitar e levar a sério a respectiva atitude que se manifestará na marca da mão, aceitando o correspondente aprendizado, que conduz ao pólo oposto: a mão de macaco quer enganchar em vez de apanhar/agarrar; eis por que isso se torna uma tarefa especial; em caso de mão caída, tanto se trata de reconhecer a própria deslealdade e ausência de índole pacífica como de aceitar a honradez e a franqueza como um desafio; as garras e a mão deformada por contração em adução ou flexão querem alcançar de modo grosseiro, e no pólo oposto têm de aprender a distinção e a delicadeza.
Cobertura do princípio original: Mercúrio.

Problemas com as transformações ver Alterações climatéricas

Problemas com o orgasmo (dificuldade de chegar a uma vivência da unidade por meio das relações sexuais, do que se queixam sobretudo as mulheres; ocorre que nos homens são ainda mais freqüentes, embora na maioria dos casos sejam escondidas pelo preconceito de um pronto jato de esperma no orgasmo)
Plano corporal: a partir da região genital (sexualidade, polaridade, reprodução), todo o organismo é afetado.

Plano sintomático: obstrução, deixar-se cair e seguir (em geral muito cedo na vida, no plano resultante da falta de confiança); medo, ou seja, incapacidade de morrer (o orgasmo como irmão menor da morte).
Tratamento: exercícios para se soltar: exercícios de deixar-se cair na água, divertidos exercícios de dança, experiências com esporte ou música extática, *Samaditank* ou exercício de flutuar na água; exercícios espirituais que resultarão em experiências de unidade (respirar de modo uniforme); "terapêutica do comportamento": representar durante bastante tempo, até que aconteça a você de verdade; exercícios que conduzem à tarefa de controle intelectual e evitam o pólo do poder arquetípico masculino, como viagens interiores.
Remissão: reconhecer e vivenciar a unidade de toda a vida: experiências de um ser puro; confiar no fluxo da vida no sentido do "seja feita a Tua vontade".
Cobertura do princípio original: Vênus-Marte-Netuno.

Problemas de parto ver Complicações no nascimento

Problemas de postura (ver também Corcunda, Lordose)
Plano corporal: coluna vertebral (sustentação e dinamismo, retidão).
Plano sintomático: uma atitude existente, embora não-vivida, encontra expressão; o âmbito das sombras torna-se visível.
Tratamento: perceber e dar importância à mensagem que se encontra na (falha de) postura; proporcionar a atitude interior de vida, que até agora não foi vivida, para assim aliviar o corpo; possibilidades de exercício no plano corporal: Hatha yoga, Tai-Chi; no plano anímico-espiritual: desenho da mandala e meditação.
Remissão: assumir uma postura central, em que interior e exterior correspondam um ao outro.
Cobertura do princípio original: Saturno.

Problemas digestivos (ver também Distensão abdominal aguda, Miastenia)

Plano corporal: órgãos digestivos (*bhoga*: comer e digerir o mundo).
Plano sintomático: distúrbios por: 1. recepção de impressões exteriores; 2. distinção entre impressões salutares/não-salutares (análise); 3. assimilação de impressões; 4. secreção do não-digerível.
Tratamento: 1. abertura e expansão pela recepção de impressões exteriores, para que o corpo não seja obrigado a receber tudo como substituto; 2. análise cortante e afinada e diferenciação de impressões; 3. bom uso das impressões e informações recebidas (da boa escolha de substâncias materiais e imateriais) sobre mastigar bem (assimilar), digerir e liberar sem problemas; 4. secreção rápida e que não deixa resíduos não-digeridos.
Remissão: tomar para si conscientemente aquilo de que se necessita para o desenvolvimento, evitar o supérfluo e o prejudicial, liberar prontamente o que restar.
Cobertura do princípio original: Mercúrio-Plutão.

Problemas intestinais
Plano corporal: intestino delgado (análise, elaboração), intestino grosso (inconsciente, submundo).
Plano sintomático: problemas com a digestão da vida.
Tratamento: aprender a integrar conscientemente: apropriar-se do estranho.
Remissão: digerir o mundo; pôr o *karma* em dia (hindu *bhoga*: comer o mundo, dominá-lo), em vez de persistir numa atitude de recusa e aderência.
Cobertura do princípio original: Mercúrio, Plutão.

Problemas nos olhos
Plano corporal: olhos (vista, discernimento, espelho da alma).
Plano sintomático: problemas com a visibilidade (visão) e com a vista, conflito envolvendo o conhecimento; indignação ao considerar a própria vida; medo de olhar para a frente; medo do futuro.
Tratamento: exercícios de percepção: aprender a visualizar; trabalho junto à própria perspectiva de vida.

Remissão: atenção voltada para a percepção óptica; perceber a realidade efetiva.
Cobertura do princípio original: Sol/Lua, Mercúrio.

Problemas vasculares (em decorrência do fumo) nos membros inferiores (endangite obliterativa; ver também Distúrbios vasculares, Gangrena, Claudicação intermitente, Fumo)

Plano corporal: vasos sangüíneos (vias de transporte da força vital), pernas (mobilidade, progresso, firmeza), pés (firmeza, enraizamento).
Plano sintomático: deixar que as próprias pernas atrofiem: não enviar mais, de modo algum, a força vital para pés/pernas; ter renunciado à pretensão de progresso, ascensão e desenvolvimento; ser "pé-frio" já há tempos; não poder mais se aproximar de ninguém; os pés já não agüentam mais: não ter mais esperança.
Tratamento: reconhecer o estrangulamento de suas próprias perspectivas externas de futuro: direcionar todo o esforço para dentro; reconhecer o grande medo (da vida); adentrar a estreiteza até que ela se converta em amplidão; reconhecer que se renunciou interiormente a todas as esperanças no âmbito do contato e em relação ao futuro; perguntar-se sobre a pretensão de ousar um novo desenvolvimento interior.
Remissão: ser honesto consigo mesmo: "quero deixar-me apodrecer como um corpo vivo, entregando-me à preguiça e à indolência também no plano anímico-espiritual, ou dou-me mais uma vez um empurrão e encontro soluções interiores, já que não se pode esperar que venham de fora?"
Cobertura do princípio original: Saturno-Plutão.

Proctite (Inflamação do reto)
Plano corporal: reto (submundo).
Plano sintomático: conflito inflamado em torno do que é intestinal: acumulação e doação do patrimônio material; é freqüentemente fortalecido por um estilo de vida excitante, com abuso de álcool e condimentos.

Tratamento: ocupar-se crítica e combativamente com a acumulação e a doação da riqueza material; envolver-se na luta pela última estação da viagem da alimentação material e decidir-se por ela; realizar a vida em planos interessantes: encontrar acidez e tempero no sentido figurado.
Remissão: relações claras e limpas no liberar (despedida).
Cobertura do princípio original: Plutão.

Prolapso anal (prolapso do reto, da mucosa anal e da última seção do reto)
Plano corporal: ânus (entrada e saída para o submundo).
Plano sintomático: o reino das sombras impele para trás junto à luz da consciência; a saída do reino das sombras volta-se para o exterior, e o esfíncter não funciona: as portas do inferno estão fora de controle.
Tratamento: aproximar-se voluntariamente do reino das sombras; deixar vir à luz os próprios lados obscuros e reconhecê-los: reconhecer quais são os temas anímicos ignorados que estão a aflorar ("deixar algo pendurado para fora": mostrá-lo); realizar a pressão sob a qual se encontra o reino das sombras; confrontar-se com as sombras e aprender a *expressá-las* (psicoterapia).
Remissão: reconciliação com o próprio reino das sombras; integração das sombras no eu: realização; eu + sombras = eu verdadeiro (segundo C. G. Jung).
Cobertura do princípio original: Plutão.

Prolapso do disco intervertebral (ver também Ciática/Isqualgia)
Plano corporal: disco intervertebral (pólo feminino da coluna vertebral), coluna vertebral (sustentação, mobilidade, retidão).
Plano sintomático: pressão excessiva: o sensível e feminino é tomado e prensado por dois elementos duros e masculinos dispostos em pinça; o pólo feminino é espremido (extorquido?); a pressão interna trilha um caminho; sobrecarga (por exemplo, como compensação pela incerteza quanto a si mesmo, sentimentos de pequenez e inferioridade): carregar muito peso sobre os ombros, suportar demais, assu-

mir; a pressão dá nos nervos; o pólo feminino e sensível é extirpado por meio de uma operação; o eixo da vida está fora da perpendicular: transposições da coluna e do disco vertebral, encalacramento; humilhação a partir de uma sinceridade equivocada: "corcova"; sinceridade exagerada em forma de teimosia: "solteirão"; busca de reconhecimento.

Tratamento: situar o sensível e feminino no centro: carregar/suportar conscientemente o peso da existência; perceber conscientemente a pressão sob a qual se está; forçar a acentuação do feminino, deixar vir à consciência o próprio lado feminino; com o eixo da vida, experimentar o ponto central da vida; encontrar outra orientação; por ocasião de uma luxação, aproveitar a oportunidade para voltar a encaixar os assuntos, para endireitar as coisas; considerar a calma forçada pela sintomática útil à mobilidade interna; ceder à pressão interna.

Remissão: trazer à luz a alternância entre rigidez e suavidade, tensão e descontração; honestidade, atividade e sinceridade; humildade em vez de humilhação; amor desinteressado em vez de coação ao trabalho.

Cobertura do princípio original: Lua-Saturno.

Prolapso do reto ver Prolapso anal

Prolapso uterino (ver também Fraqueza do tecido conjuntivo)
Plano corporal: útero (fertilidade, proteção), bexiga (segurar e liberar pressão), intestino (submundo) e vagina (entrega, prazer): órgãos passíveis de sofrer prolapso/queda.
Plano sintomático: devido a um relaxamento do movimento, o útero desce, pressionando a vagina, a bexiga e o intestino; a pressão sobre a bexiga freqüentemente conduz a transbordamentos por excesso de carga: o tema da fertilidade pressiona; a liberação acontece tão logo o controle seja um pouco negligenciado ou a pressão se eleve ainda mais (pelo rir, correr, levantar-se); tendência a querer deixar todos os órgãos da feminilidade para trás (homeopaticamente: sépia: tudo impele para baixo e para fora).

Tratamento: as ambições de fertilidade pendem mais para baixo, deixam-se ir, soltam-se; soltar-se no plano anímico-espiritual, e não no corpo; deixar-se pender e, ao menos uma vez, permitir-se relaxar de verdade; descanso profundo; ficar consciente da pressão exercida pela temática da fertilidade, tomar decisões conscientes; confrontar-se de maneira consciente com o desejo inconsciente e, pois, encarnado: a mulher afetada preferiria varrer para *debaixo* do tapete o tema da maternidade (do útero) e assim desembaraçar-se dele totalmente.

Remissão: travar relações conscientes e abertas com o tema da mãe; dedicar-se à pressão do útero/da mãe/maternidade e permitir que o corpo recupere suas forças.

Cobertura do princípio original: Lua-Plutão.

Protrusão
Plano corporal: dentes (agressividade, vitalidade).
Plano sintomático: disposição para uma agressividade dirigida e desenfreada.
Tratamento: "mostrar os dentes", expressar abertamente vitalidade e agressividade, seguir na ofensiva.
Remissão: encontrar a medida certa no trato com a agressividade defensiva.
Cobertura do princípio original: Marte.

Prurido (ver também Erupção de pele)
Plano corporal: pele (delimitação, contato, carinho).
Plano sintomático: ser desafiado: "ficar com a pulga atrás da orelha", "procurar sarna para se coçar"; reação à irritação (sexualidade, agressividade, recusa), que estimula/irrita e é vivenciada de maneira estimulante ou irritadiça; desejos insatisfeitos: luxúria/concupiscência (ver títulos de filmes baratos de sexo); paixão que estimula externamente/fogo/ira interior, "sentir-se excitado": estar aberto; coçar-se em torno de uma questão interessante: ventilar o segredo.

Tratamento: deixar-se desafiar voluntariamente: a vida, a própria situação e condição no mundo permitem que se tenha *pruridos* calmamente; deixar que muitos estímulos o adentrem calmamente e deixá-los sair; permitir-se mais: deixar que as fronteiras (pele) se tornem porosas, para que o interior possa sair com maior facilidade.
Remissão: coçar-se na consciência a ponto de ficar sabendo o que lhe causa prurido e irritação, fazendo-lhe arder a alma.
Cobertura do princípio original: Vênus/Saturno-Marte.

Pseudartrose (falsa articulação)
Plano corporal: ossos tubulares do esqueleto (ossos: estabilidade, firmeza).
Plano sintomático: depois de uma ruptura (esclarecer e interpretar a situação que lhe serve de base [fratura, acidente]), não se chega a soldar o que foi rompido, mas sim a formar uma nova articulação em posição não prevista; os ossos quebrados revestem-se com cartilagem, forma-se uma cápsula, que pode ser preenchida com o líquido da articulação: mobilidade anormal na parte afetada do membro.
Tratamento: deixar claro para si o que se exigiu do corpo, que o conduziu à ruptura; tomar distância de novas exigências; proporcionar ao corpo a confiança de que isso não voltará a acontecer e de que, nessa posição, a não ser em caso de acidente, nenhuma articulação é possível; em vez de forçar o corpo e inventar uma articulação em posição imprópria, tornar-se mais articulado e móvel com base na consciência: aprender a articular-se e a adaptar-se melhor aos desafios no âmbito da consciência.
Remissão: exigir mais, e preferencialmente da consciência do que dos ossos; elevar (de maneira criativa) a mobilidade anímico-espiritual.
Cobertura do princípio original: Urano.

Pseudo-asfixia ver Asfixia

Pseudogravidez ver Gravidez psicológica

Psicose (ver também Crise espiritual)
Plano sintomático: quebra (invasão) da membrana protetora entre a consciência superficial e as camadas profundas, até adentrar o inconsciente coletivo; inundação da consciência (superior) com conteúdos do inconsciente, que nessa abundância praticamente não podem ser assimilados; aberração no plano da consciência; na luta entre o intelecto e o ser emocional, o primeiro é passado para trás, e o segundo assume o domínio; sombras podem surgir em ambos os domínios (o intelecto glacial e a fúria *demente*); fuga das condições de consciência insuportáveis em mundos ilusórios supostamente melhores, que são porém vivenciados como inteiramente reais; psicoses endógenas (incompreensíveis para os psiquiatras acadêmicos clássicos) e psicoses sintomáticas (por envenenamento ou drogas como o LSD) não se distinguem por princípio, tendo apenas desencadeadores distintos para a fuga da realidade; origem freqüente em pontos decisivos da vida; em vez de ousar o salto para o ser adulto, para a maternidade, para a profissão, saltar para outros planos de consciência (desatrelar-se de um plano para atrelar-se a outro).
Tratamento: busca de aterrissagem, do chegar e voltar com ambas as pernas nesta terra: trabalhos braçais simples, que exigem pouca concentração (trabalhos no jardim, como escavar); alimentação sólida e regular (não uma dieta vegetariana leve, mas densa e concentrada); suar durante o dia por conta de sua própria força (esforço); nenhum exercício espiritual com os olhos fechados, nenhuma meditação a não ser o mais alto zazen (com os olhos abertos), Hatha yoga ou Tai-Chi; na maior parte dos casos, porém, admitem-se preferencialmente exercícios de movimento (passeios longos), fazendo que os pacientes queiram pôr-se (interiormente) em movimento; exercícios de orientação no corpo: o trabalho de corpo segundo Milton Trager, Feldenkrais ou bioenergética; cuidadosa psicoterapia para orientação e atualização dos conteúdos das sombras impelidos para cima: busca de entrar em contato com cada parte do ser ainda per-

cebida ("ilhas de claridade", segundo Podvoll, o espiritual em si); freqüentemente, na repressão alopática (remédios), o represamento do fluxo imagético é necessário no curto prazo para possibilitar o acesso à terapia.
Remissão: encontrar as pontes (estáveis) que ligam os mundos, o exterior com o interior, ou seja, o hemisfério cerebral esquerdo com o direito; reconciliação com as partes escuras de sua própria vida anímica, que se expressam nas alucinações e outras realizações negativas das psicoses.
Cobertura do princípio original: Urano/Netuno/Lua.

Psicose da amamentação ver Depressão pós-parto

Psicose da gravidez ver Depressão pós-parto

Psitacose (doença do papagaio, ornitose)
Plano corporal: afeta todo o organismo.
Plano sintomático: idéias infecciosas a partir do reino aéreo (dos pássaros) promovem a luta; febre: mobilização geral contra os invasores inimigos (vírus); tosse: manifestação de agressividade (temos de "cuspir [mas poderia ser 'tossir'] em alguém"); inflamação dos pulmões: guerra pelo intercâmbio e comunicação; sangrar pelo nariz: perda de energia vital; estado geral ruim: estar arruinado no tocante à energia vital.
Tratamento: defender-se com todas as forças para preservar a integridade do corpo; manifestar suas opiniões de maneira clara, inteligível e aberta (ofensiva); ousar uma discussão combativa sobre comunicação e intercâmbio; lançar e sacrificar a energia vital na luta.
Remissão: apresentar-se ao desafio corajosamente e abrir-se a impulsos novos e ativos, mas com isso defender e guardar suas próprias esferas de vida e de interesse.
Cobertura do princípio original: Urano/Mercúrio-Marte.

Psoríase (ver também Erupção de pele)
Plano corporal: pele (delimitação, contato, carinho).
Plano sintomático: formação de couraça, armação (armamentos) de fronteira; couraça do caráter (Wilhelm Reich); medo de se machucar: "por detrás de uma casca dura esconde-se um caroço mole"; delimitação em todas as direções, não deixar nada mais entrar ou sair; o extremo da delimitação conduz ao isolamento; delicada perda da mais importante matéria da vida (albumina) pela formação da couraça: dar-se em sacrifício para a fortificação das fronteiras; rompendo-se essas fronteiras reforçadas, sobrevêm graves perdas (a extinta Alemanha Oriental oferece uma imagem política da psoríase).
Tratamento: aprender a se defender de outra maneira, aliviando o corpo dessa tarefa; criar para si um espaço protegido, que possa ser abarcado pela própria vista, e onde seja possível determinar o que entra e o que sai; descobrir o núcleo mole desse espaço interno protegido e aprender a desfrutá-lo; reconhecer as conseqüências do encouraçamento e isolamento totais; é preferível encaixar a matéria fundamental da vida como medida de proteção razoável a formar uma couraça para armar-se fisicamente: por exemplo, aprendendo a defender-se verbalmente (desenvolver uma língua afiada e ter sempre uma resposta pronta, armar-se de argumentos contundentes e formá-los de maneira abrangente); tornar claro para si que mesmo a mais forte couraça qualquer dia se romperá, havendo a ameaça de perda da energia vital (sangue) e a invasão fácil por inimigos perigosos (agentes provocadores); psicoterapia.
Remissão: limitar-se, e com isso poder voltar a abrir-se: tornar-se novamente maravilhado, para vivenciar o maravilhoso; voltar a se abrir para o fluxo do vivo, do amor e da dedicação.
Cobertura do princípio original: Vênus/Saturno (pele)-Saturno (couraça).

Ptose
Plano corporal: pálpebras superiores (pálpebras: cortinas da alma).

Plano sintomático: as pálpebras superiores pendem devido à paralisia do sifão da pálpebra: o olhar (cansado) do quarto de dormir.
Tratamento: a própria expressão (facial) arrogantemente cansada, em seu abrangente significado simbólico constitui uma prova, sobretudo quando se deixa pender (por inteiro); reconhecer o permanente convite para o quarto de dormir em sua impressão em si e nos outros; manter os olhos abertos no pólo oposto e nas suas exigências; permanecer em guarda.
Remissão: deixar-se atacar (interessar) calmamente por si mesmo e pelo mundo; voltar sempre a desviar o olhar do mundo exterior em favor da visão interior.
Cobertura do princípio original: Saturno.

Pulmões congestionados (ver também Acúmulo na artéria porta, Edema pulmonar)
Plano corporal: fígado (vida, avaliação, retroligação).
Plano sintomático: aumento do descoramento vermelho-azulado do fígado: a energia vital acumula-se no fígado; amplia-se o significado dos temas hepáticos; no fígado, a elevação da pressão no tecido conduz à atrofia das células e à adiposidade: o fígado procura fazer justiça ao aumento de sua importância com soluções aparentes (aumento da circunferência devido ao depósito de gordura); substituição do tecido hepático em colapso pelo tecido conjuntivo, no caminho de uma → Cirrose hepática: endurecimento da temática.
Tratamento: orientar toda a energia para o fígado, ou seja, para as perguntas essenciais do tema do fígado: "Qual é o sentido de minha vida? De onde venho, para onde vou? Quais são os meus critérios de medida? Qual é a medida certa para mim?"; cuidado com as soluções aparentes, que resvalam para o embuste e fazem muito barulho por nada; concentrar-se no essencial em vez de passar ao endurecimento.

Remissão: ocupar-se com a vida e sua perspectiva; tornar clara para si a substituição da energia vital remanescente.
Cobertura do princípio original: Júpiter-Saturno.

Pústulas ver Impetigo

Quebrar o pescoço (ver também Paralisia da seção transversal)
Plano corporal: nuca (força, vulnerabilidade), coluna vertebral (torcicolo, mobilidade da cabeça).
Plano sintomático: a expressão "quebrar o próprio pescoço" designa a atitude de (quase) querer (inconscientemente) dar um fim à sua vida: muitos suicídios e execuções apontam conscientemente para o pescoço; a ligação com a vida que se vive faz com que não se possa mais perseguir seu verdadeiro sentido.
Tratamento: tornar-se consciente de que não lhe é possível (inconscientemente) continuar a viver a vida desse modo, de que deve haver algo muito diferente.
Remissão: aceitar a extrema reviravolta do destino e realizar os novos tipos de trabalho que dela resultam (paralisia da seção transversal).
Cobertura do princípio original: Saturno-Urano.

Queda de cabelo (calvície)
Plano corporal: cabelos (liberdade, vitalidade).
Plano sintomático: muda; contar o tempo que passou: "perder cabelos"; ter de oferecer sacrifício: "escapar sem ser tosqueado"; deixar voltar a crescer pouca coisa nova; perda da juba (do leão): perda de poder e influência: *quando se esfola/arranca a pele de alguém "até acima das orelhas"*, este encontra-se desnudado, nu, sentindo-se imaturo; autopunição; regressão aos tempos de ausência de cabelo da

primeira infância: "careca como bunda de bebê"; a magnificência da cabeleira é podada: a mata virgem (do inconsciente) torna-se mais aberta; nos soldados, sinal de que houve privação de liberdade e de poder próprios, tendo se submetido ao poder de outrem; em freiras e monges, sinal de que estão se submetendo de livre e espontânea vontade a um poder mais alto e de que renunciam à própria insígnia de liberdade e poder.
Tratamento: questionar antigas estruturas, abandonar o antigo, dar lugar ao novo; pagar antigas dívidas (também a si próprio); pergunta: "Que culpa tenho eu (para comigo mesmo)?"; reconhecer que muito pouco de novo acontece, que nada mais segue seu caminho (na vida), pôr em questão o progresso anímico; nesse meio-tempo, sacrificar voluntariamente liberdades que se tornaram embaraçosas; reconhecer e aceitar a perda da liberdade; reconhecer a tendência para a autopunição e satisfazer suas exigências interiores em vez de cumprir penas (com a perda de cabelos); careca: redescobrir a própria infância num plano mais alto; clarear e tornar-se consciente da mata virgem do inconsciente.
Remissão: resolver-se com seu passado, possibilitando assim o surgimento de novas forças e impulsos; sacrifício consciente de cabelos: renunciar à liberdade e poder exteriores (viver no claustro).
Cobertura do princípio original: Urano-Sol.

Queda na audição (ver também Surdez, Ruídos na audição)
Plano corporal: ouvidos (obediência).
Plano sintomático: colapso repentino (geralmente unilateral) da capacidade auditiva numa situação de vida marcada por uma sobrecarga exterior (*stress*); a surdez denuncia o declínio de sua disposição para obedecer: "Você precisa me ouvir!"; "Não quero ouvir mais nada", ter o bastante nos ouvidos: forma não resolvida da retirada para o próprio mundo: o sintoma afasta o mundo; desligar o ouvir no plano interior (surdez do ouvido interno); muitas vezes Ruídos na audição: as vozes exteriores são abafadas pelos ruídos de fundo.
Tratamento: preparar-se para decisões (de retirada) repentinas; parar de ouvir os outros (vozes exteriores), e em vez disso aprender a obedecer a voz interior; distanciar-se da pressa (e da carga de substâncias nocivas) do mundo (exterior) antes que o destino a afaste.
Remissão: estabelecer novamente a capacidade de ouvir; escutar para dentro, aprender a obedecer à (própria) voz interior e confiar nela.
Cobertura do princípio original: Saturno.

Queimação na língua (mesmo a medicina acadêmica o classifica como fator psicogênico; ver também Glossite)
Plano corporal: língua (expressão, linguagem, arma).
Plano sintomático: um conflito "na ponta da língua" e que lhe queima a língua; tem a ver com "ferro quente"; "queimar a língua", quando se julga muito rapidamente; ingenuidade, boa-fé.
Tratamento: reconhecer o conflito ardente: ocupar-se aberta(ofensiva)mente no âmbito da expressão e do gosto; atacar verbalmente o ferro quente, para aliviar a língua física; cautelosamente saborear e saber o gosto (provar) antes de morder; apagar sua ardente sede de vivências.
Remissão: aprender a externar-se corajosamente e a desenvolver um gosto ousado.
Cobertura do princípio original: Vênus-Marte.

Queimadura pelo frio (perniose)
Plano corporal: pele (delimitação, contato, carinho).
Plano sintomático: inflamação crônica local com aparência de degeneração em áreas sob a ação extrema do frio: expor suas fronteiras e órgãos de contato a um

frio crônico; conflito longamente detido com tendência à atrofia; risco de desenvolver um abscesso crônico.
Tratamento: dirigir-se à própria pele de maneira positiva; desfrutá-la como proteção, mas também seguir o compromisso de protegê-la; cuidar de suas fronteiras (superfícies fronteiriças) com total abnegação, estimular o abastecimento com energia (vital) – medidas protetoras da circulação sangüínea.
Remissão: atrair para si o calor quando se vai para o frio: quando for o caso, proteger-se de hostilidades.
Cobertura do princípio original: Saturno.

Queimaduras (ver também Acidentes, Acidentes de trabalho/acidentes domésticos, Acidentes de trânsito)
Plano corporal: pele (delimitação, contato, carinho).
Plano sintomático: fogo: elemento masculino e expressão da energia masculina; a energia ígnea não vivida interiormente ataca de surpresa e ameaça de fora; o corpo apaga o incêndio trazendo água para o local (a água para apagar reúne-se em bolhas de queimadura): quem não ousa se aproximar do *ferro quente* e *dos temas ardentes* da vida defronta-se com eles a partir do exterior; brincar com fogo e chegar perto dele; brincando com o perigo, avaliação errada dos perigos: uma criança queimada; enganar-se: "Como você se queimou!"; a ira ("ferver de raiva") freqüentemente conduz a queimaduras: o tema anímico não-realizado vem ao seu encontro de fora; discussões conflituosas com o amor/sexualidade: "pegar fogo", "inflamar-se", "queimar-se", quando se encontra um "tipo quente" ou uma mulher nessas condições; ruptura de fronteiras, infraposicionamento do eu.
Tratamento: destruir fronteiras pelo fogo; em seguida, queimar, ter iniciativa; "não deixar nada queimar"; brincar com fogo (com o entusiasmo); deixar-se inflamar, ser fogo e chama para a sua "chama"; abrir

as fronteiras do eu; ser quente para as outras pessoas: seguir o rastro de Eros, que lança suas flechas ou tochas incendiárias ou golpeia com elas; descobrir ilusões: por exemplo, reconhecer que não se queima ninguém com bolhas de queimadura, temas ardentes podem ser solucionados debaixo das unhas; confrontar interiormente o masculino ameaçador que vem de fora com a energia anímica.
Remissão: comprazer-se no ardor do amor; deixar queimar seu coração; descobrir e realizar seu próprio fogo interior: trazer fogo para a alma.
Cobertura do princípio original: Vênus/ Saturno-Marte.

Queimaduras de sol
Plano corporal: pele (delimitação, contato, carinho).
Plano sintomático: danificar a pele: deixar demarcar suas fronteiras a fogo; sacrificar as fronteiras aos poucos; superaquecer o corpo: deixar-se acariciar e beijar (adoecer) com calor pelo sol; meio certo para o aparecimento de um câncer de pele: quando só se permite que sua pele receba a dedicação e o carinho necessários do sol, mostra-se a decorrente degeneração das superfícies fronteiriças e de contato, conforme o figurado pelo tema; perder líquido: pôr a alma na roda para irradiação (queimada, vital); sacrificar a água da vida, para preencher-se com vivacidade e assumir uma aparência correspondente; fome irracional de sol: ânsia pelo princípio solar (vitalidade, força, irradiação, unidade); confusão entre o sol concreto e o seu princípio: a adoração do sol no sentido concreto oferece risco (de vida, por meio do câncer de pele); no sentido figurado, apresenta-se como um direcionamento reivindicador de vida para o princípio da unidade; "o assar do sol" *queima* (frustra) no que diz respeito à vitalidade, pois a longo prazo a única vitalidade que ele promove é a do câncer; sensação de que o bronzeado aumenta a sua irradiação de saúde e energia: hoje em dia é antes

um sinal de que não se pode expressar a vitalidade de outra forma e de que não se está em condições de avaliar os perigos.
Tratamento: escancarar suas próprias fronteiras com o mundo exterior, abrir-se para contatos (calorosos e até mesmo) quentes; cuidar para que se faça justiça à sua superfície de contato, expô-la a carinhos e beijos; preocupar-se com sua luz interior: pôr o anímico na roda, deixar fluir energias anímicas, reagir pela alma; envolver-se com o princípio do sol, em vez de sacrificar sua pele e saúde em seu altar; tornar-se consciente dos riscos da irradiação solar física.
Remissão: escancarar as janelas da alma; buscar o sol em seu próprio coração e deixá-lo brilhar.
Cobertura do princípio original: Sol.

Queixas na gravidez Vômitos/náuseas.
Plano corporal: estômago (sensação, capacidade de absorção), glândulas/hormônios (comando, informação).
Plano sintomático: não trazer para debaixo do mesmo teto (inconscientemente) duas coisas incompatíveis entre si (Cinetoses): gravidez e planos de vida se contradizem, suas próprias e talvez não-reconhecidas intenções são contrariadas; *dá nojo*, sente vontade de vomitar e o faz; ela quer se livrar de algo de maneira urgente e prolongada: não aceitar a nova situação (hormonal), o seu novo papel social; defender-se inconscientemente da criança, ou seja, do homem que a engendrou; "não querer resolver a enrascada em que ele a meteu"; má vontade de se pôr à disposição como ninho e solo frutífero e adiar seus próprios interesses por muito tempo; recusa de seu papel feminino/de sua própria maternidade; até o presente momento, pouca identificação com o feminino; a busca de suplantar a nova situação é frustrada.
Tratamento: prestar contas, com sinceridade, da nova situação em que está metida; reconciliar-se com o fato de ser mulher em sua nova dimensão: meditações sobre o papel de mãe, tratamento de sua relação com a mãe; ocupar-se com o pai de seus filhos e com o papel dele em sua vida (corpo); refletir novamente sobre seu próprio plano de vida e tornar-se consciente da hierarquia natural, segundo a qual a criança suplanta o parceiro e a carreira, pondo-se em primeiro lugar; apresentar-se à nova situação e chegar a decisões.
Remissão: *render-se* realmente à situação; entrega.
Cobertura do princípio original: Lua-Urano.

Queixo duplo (ver também Obesidade)
Plano corporal: queixo (vontade, imposição).
Plano sintomático: pretensão a uma dupla capacidade de imposição devido ao queixo proeminente (Ludwig Erhard, o articulador do milagre alemão, com seu queixo triplo); a insaciabilidade em pessoa: o "estar cheio até o pescoço" custa a chegar; "ser tomado pela soberba"; no pólo oposto, nos de queixo pouco proeminente: deixar submergir todo o querer em flácida gordura.
Tratamento: arrojar-se com uma dupla entrada e impor a própria cabeça; matar a fome de planos exigentes; ganhar importância em vez de ganhar peso; transferir suavidade para planos exigentes: por exemplo, desenvolver um coração afável e simpático.
Remissão: realizar impressão, importância e vontade no plano anímico-espiritual.
Cobertura do princípio original: Marte (imposição)-Júpiter (plenitude).

Quelóide
Plano corporal: cicatrizes na superfície do corpo, pele (delimitação, contato, carinho).
Plano sintomático: neoformações originadas de cicatrizes de operações e de queimaduras graves, como sinal de que o acontecimento deixou vestígios no local em que se passou e de que não foi realmente as-

similado; o tecido conjuntivo da cicatriz começa a pulular e a formar protuberâncias de cicatriz de aspecto desagradável, como se não quisesse deixar que o acontecimento originador da cicatriz caia no esquecimento; muitas vezes a marca se salienta sobretudo quando a pessoa faz questão de que não fique nenhuma cicatriz (cicatriz de operação de apendicite saindo para fora do biquíni): pouco ou nada ter aprendido com o acontecimento traumático e, com isso, lembrar-se durante muito tempo dessa fatalidade; as queimaduras por explosão atômica abrem-se em quelóides praticamente para sempre, o que mostra que em geral não podemos estar imunes às conseqüências dessa força.

Tratamento: chamar de volta à consciência o acontecimento que levou à cicatriz, fazendo-se animicamente resolvido com isso; reconhecer o sentido da cicatriz/do antigo ferimento, levantar mais uma vez a história de sua formação; desencarregar o organismo da tarefa de manter viva a lembrança e nele manter-se voluntariamente vivo.

Remissão: reconciliação com o acontecimento original; guardá-lo na consciência, sem continuar a sofrer com isso.

Cobertura do princípio original: Saturno (cicatriz)-Júpiter (tumor).

Quilognatopalatósquise ver Fissuras da face

Quisto no ovário ver Cisto nos ovários

R

Rágades (rasgo na pele, arranhão; ver também Acidentes de trabalho/acidentes domésticos)

Plano corporal: pele (delimitação, contato, carinho).

Plano sintomático: rasgo na pele devido a estrapolamento ou subabastecimento (pele muito seca, esfolada): exigir poder demais das fronteiras externas, permitindo-se dar pouco de si mesmo; rágades e fissuras no reto: *arreganhar* (inconscientemente, para alguém ou alguma coisa) *o traseiro*.

Tratamento/Remissão: estar lesado no sentido figurado; cuidado ao tratar de sua própria pele: abrir, voluntariamente e sob pressão, suas fronteiras para o exterior e esgotar conscientemente sua força vital (sangue).

Cobertura do princípio original: Vênus/Saturno-Marte.

Raquitismo

Plano corporal: sobretudo o sistema ósseo (estabilidade, firmeza).

Plano sintomático: nosografia desencadeada pelas carências de vitamina D e luz do sol, levando à fragilidade e deformação por uma insuficiência no armazenamento de cálcio nos ossos: a falta de luz e de amor na vida da criança impede a construção de estruturas (ossos) sólidas(os); ossos moles apontam para uma baixa estruturação da vida: a deformação dos ossos mostra quão passíveis de deformação ainda estão todas as estruturas nos princípios da vida, sobretudo o espírito e a alma, mas também aquelas feitas do mais duro dos materiais, os ossos.

Tratamento (para os pais, cujos problemas geralmente são espelhados pelos filhos): a profilaxia à base de vitamina D nos primeiros meses de vida e a exposição à luz natural do dia constituem hoje uma forma segura de bloquear a nosografia; trazer luz para a vida em todos os planos; dar atenção e ternura, proporcionar proteção e segurança.

Remissão: estar consciente da moleza e da capacidade de deformação da alma infantil, do espírito infantil e mesmo do suporte ósseo, e tratar de ter relações devidamente responsáveis com eles; garantir amor e proteção segura como base da vida que brota.

Cobertura do princípio original: Saturno-Lua.

Reação de rejeição (no contexto do transplante de órgãos)
Plano corporal: sistema imunológico (defesa); em todas as áreas do corpo em que houver transplante.
Plano sintomático: busca natural, por parte do organismo, de preservar sua integridade e proteger-se contra um estranho (tecido); autodefesa pelo sistema imunológico; recusa de uma doação (de órgão): não poder aceitar um órgão como presente pelo fato de ser indevido (desproporção entre o dar e o receber).
Tratamento: tornar a recusa consciente, bem como cada camada profunda em que a nosografia original posteriormente exija seu direito sem aceitar a solução simplista da doação; além disso, integrar o tema duplamente simbolizado pelo órgão arruinado e pelo órgão transplantado.
Remissão: familiarizar-se com o órgão doado no plano das imagens internas; fazer a defesa entrar em ação em outros domínios: para a garantia da própria integridade; autodefesa no que diz respeito à perspectiva anímico-espiritual juntamente com uma abertura para novos impulsos e estímulos; gratidão; aceitação do presente da (nova) vida; ter consciência do estranho e assumir uma postura humilde.
Cobertura do princípio original: Marte-Saturno.

Refluxofagite (ver também Hérnia)
Plano corporal: esôfago (condução do alimento), estômago (sensação, capacidade de absorção, berço da infância).
Plano sintomático: o conflito envolvendo a alimentação ingerida, deslocada pelos sucos gástricos ácidos, torna a sair do estômago de volta para o esôfago: sobelhe a acidez e inflama-se um conflito explosivo; o sugar ocasiona o fechamento na extremidade inferior. Defeito de *Hiatus hernia*: parte do estômago também atua pressionando para cima, para o mundo situado acima do diafragma.
Tratamento: discussão agressiva em torno do incorporado; perceber sua própria acidez e perguntar-se o que o faz ficar tão irado; tornar-se consciente da usurpação no âmbito do ninho no mundo superior; reduzir a pressão no espaço digestivo: adotar meios de vida razoáveis; zelar por uma (des)ordem natural no submundo: caso venha a se formar um caldeirão de bruxa, saná-lo.
Remissão: incorporar consciente e lentamente somente o digerível, cuidando para que ocorra a devida assimilação.
Cobertura do princípio original: Lua-Marte/Urano.

Resfriados (ver também Inflamação)
Plano corporal: nariz (poder, orgulho, sexualidade), pescoço (incorporação, ligação, comunicação), pulmões (contato, comunicação, liberdade).
Plano sintomático: a situação da vida deixa algo frio, já não consegue se aquecer com nada; resfriado: não é o frio que faz adoecer, mas é a pessoa que se resfria; o agente provocador *toma/apanha* para si o necessário para a representação do drama: "(o resfriado) me pegou/me derrubou"; tratamento do conflito: "estar com o nariz entupido"; retorno à situação crítica do cotidiano; construir trincheiras de defesa com lenços de papel; manter seu corpo afastado de pessoas e situações: "não chegue perto de mim, estou resfriado"; excesso de trabalho, desejo de fuga: "não querer mais ver nem ouvir coisa alguma, só querer mesmo se enfiar numa cama com o cobertor até a cabeça"; esgotar a sensibilidade: catarro até a ponta dos cabelos; limitação da comunicação: nariz entupido, brônquios tendendo a se fechar, garganta congestionada; recusa: "não querer engolir mais nada"; atitude de defesa: o carro "tosse" ao se recusar a subir a ladeira; sentimento como o que se tem depois de uma discussão movida a gritos e pancadaria: rouquidão e "estar com o cor-

po moído"; resfriado, em razão do que não se consegue mais sentir o cheiro das coisas; rouquidão, devido à qual não se tem mais nada a dizer; amigdalite, que impede a ingestão; tosse, pela qual se pode tossir/cuspir para fora a sua opinião; resfriado, também como possibilidade de se resfriar depois de ter adentrado a condição febril.

Tratamento: pôr alguma coisa em andamento, liquidar problemas; fechar-se para os outros e voltar-se novamente para si (curva para dentro); ficar consciente do que deixa alguém tão frio: deixar-se estimular pelos temas excitantes, em vez de se tornar presa do agente; proporcionar-se (de modo consciente) espaço, se necessário for, até mesmo fazendo uso de métodos agressivos; abrir-se novamente para o mundo: ser fogo e chama para os problemas que se acumulam; vivenciar o entusiasmo; aquecer-se para as tarefas vindouras.

Remissão: estar no fluxo (da vida): permitir o transbordamento da vida, não o do nariz.

Cobertura do princípio original: Lua (retorno, mucosidade)-Marte (inflamação).

Resfriamento

Plano corporal: sobretudo as extremidades corpóreas (dedos das mãos, dos pés, lóbulos das orelhas, ponta do nariz).

Plano sintomático: a falta extrema do dar-se (frieza) leva à atrofia corporal; atrofiar-se em parte devido à carência de movimento e calor interior; estar paralisado (em suas reações).

Tratamento: alopatia: calor e movimento (esfregar, friccionar); homeopatia: transporte frio (friccionar-se com a neve); ficar consciente da frieza para consigo mesmo: tipo frio; ficar frio (controlado, ponderado), pesar as conseqüências; esfriamento, paralisação: o inverno nos quer em sossego e calma, nenhum corre-corre no mundo entorpecido sob a neve (lençol mortuário); cuidar dos próprios fins e fronteiras.

Remissão: ponderar sobre as conseqüências de seus atos antes de cometê-los: trazer cálculos sobre a qualidade do tempo; lidar com o tempo de maneira fria e controlada, como lhe é exigido; realizar em si um diamante em toda a sua clareza e estrutura (sossego interior em vez de rigidez exterior).

Cobertura do princípio original: Saturno.

Ressecamento dos olhos

Plano corporal: olhos (vista, discernimento, espelho da alma).

Plano sintomático: olhos amargos sem lágrimas (sentimento); modo de ver, sobriedade; ausência de lágrimas: ausência de expressão da alma (dor, tristeza, alegria); olhos lacrados, fonte de lágrimas lacrada: o elemento anímico feminino (água) é relegado; o espelho da alma fica embotado; os olhos reluzentes secam.

Tratamento: olhar conseqüente e concentrado: desenvolver um olhar seco, penetrante, sem emoção; desenvolver um modo de ver impessoal, sem se envolver emocionalmente; aprender a contemplar juntamente com o ver: desenvolver uma visão interior.

Remissão: olhar claro para o essencial; objetivo final no pólo oposto: conciliar o ver masculino com o contemplar feminino.

Cobertura do princípio original: Sol/Lua-Saturno.

Retenção da urina (freqüentemente associada ao Aumento da próstata)

Plano corporal: bexiga (segurar e liberar pressão).

Plano sintomático: reter as águas (residuais) anímicas; retenção extrema no que se refere às coisas da alma: completa retenção de água, incompatível com a vida; bloqueio total do intercâmbio da alma com o mundo.

Tratamento: guardar o anímico para si (importante); consciência e consideração para consigo mesmo: sair de circulação temporariamente; reconhecer, no auge do

bloqueio total do intercâmbio anímico, como este é (sumamente) importante para a vida.
Remissão: guardar para si momentos essenciais da alma, e a partir daí trilhar o caminho do meio entre reter e liberar; agitar sentimentos no próprio coração e esclarecê-los.
Cobertura do princípio original: Lua-Saturno.

Retinite (Inflamação da retina)
Plano corporal: olhos (vista, discernimento, espelho da alma), retina (chapa fotográfica da alma).
Plano sintomático: provocada pelo excesso de luz (cegueira na neve, soldador autógeno) que fulmina a chapa fotográfica do olho, que é sensível à luz: queimaduras comparáveis às causadas pelo sol: conflito no fundo do enxergar; discussão em torno dos vasos transportadores de energia vital aos olhos.
Tratamento: cuidar para ter mais luz no sentido anímico-espiritual; promover raios de espírito e pensamento em vez de raios de energia física; no sentido figurado, deixar a luz nascer com maior freqüência.
Remissão: expor-se à luz espiritual.
Cobertura do princípio original: Sol/Lua-Marte.

Retinopatia (Doenças da retina; ver também Retinite)
Plano corporal: olhos (vista, discernimento, espelho da alma), retina (chapa fotográfica do olho).
Plano sintomático: degeneração não-inflamatória da retina devido a pequenas hemorragias por causa do Diabetes, → Hipertonia (esclarecer e interpretar a situação que está em sua base): risco de cegueira.
Tratamento: ceder voluntariamente à intimação de olhar menos para fora e mais para dentro; fazer viagens interiores em vez de exteriores; desenvolver sua percepção intuitiva, insistir no sexto sentido, e não no primeiro.

Remissão: discernimento em vez de parcialidade; chegar ao próprio centro.
Cobertura do princípio original: Sol/Lua-Saturno.

Reumatismo muscular (ver também Poliartrite)
Plano corporal: musculatura (motor, força).
Plano sintomático: bloqueio de atividades no âmbito motor: por exemplo, estar moído pela manhã; bloqueio da expressão agressiva diante do mundo; ser obrigado ao repouso, para acabar com a compensação entre rigidez e obstinação, de um lado, e hiperatividade, de outro; a agressividade contra si mesmo é aprisionada como inflamação nos músculos: não aderir à sua própria agressividade; sentimentos de culpa quando impulsos hostis não podem ser compensados pelo sacrifício e pelo servir; depósito de problemas não-resolvidos.
Tratamento: limitar-se voluntariamente ao âmbito motor; aprender a recuar exteriormente e tornar-se mais corajoso interiormente; promover a discussão consigo mesmo (agressividade contra si mesmo), com sua própria mobilidade; questionar o altruísmo e a docilidade; jejuar: regressar ao essencial, ruminar e dissolver problemas não digeridos (decompor matérias excretadas).
Remissão: repouso e consciência; egoísmo, imobilidade, capacidade de adaptação, despotismo, ir buscar a agressividade no domínio das sombras.
Cobertura do princípio original: Marte-Saturno.

Rigidez da nuca
Plano corporal: nuca (força, vulnerabilidade), pescoço (incorporação, ligação, comunicação).
Plano sintomático: ser cabeçudo, teimosia, obstinação: imobilidade da central; andar pelo mundo com antolhos; recusa inconsciente de reconhecer (dar valor a) todos os lados e facetas do mundo.

Tratamento: seguir o seu caminho gradualmente e sem floreios; seguir seu rumo de maneira concentrada e conseqüente; tornar-se consciente de como se é impelido com o nariz para alguma coisa; reconhecer e evitar desvios.
Remissão: aquela visão que tudo abrange (reconhecer o todo na parte).
Cobertura do princípio original: Vênus-Saturno.

Rim atrofiado/Rim artificial

Plano corporal: rins (equilíbrio, relacionamento).
Plano sintomático: nenhuma disposição para solucionar ativamente seus problemas com parceiros vivos; desejo prepotente de liberdade e independência; busca do parceiro ideal, aquele que não faz nenhuma reivindicação particular; a máquina (rim artificial) é o único parceiro que não faz nenhuma reivindicação particular (ao menos se visto animicamente).
Tratamento: examinar seu nível de exigência nas questões relativas à parceria para ver se há alguma obstrução excedendo todo o relacionamento verdadeiro; investigar desejos de liberdade e independência, para ver se estão estorvando temas decisivos para a vida; aprender a aceitar a sua própria imperfeição, assim como a do parceiro; desfrutar o mito do Pigmaleão (ou de *My Fair Lady*), relativo à parceria perfeita, e extrair daí as conseqüências: reconhecer no tempo certo os casos em que suas pretensões estiverem grandes a ponto de tudo caminhar para um produto artificial (rim artificial); descobrir oportunamente as dependências fortalecidas com a solução pela máquina.
Remissão: reconhecer a diferença entre a perfeição inanimada (da máquina) e a viva imperfeição e vitalidade do parceiro humano; compreender a vida como uma escola em que sempre temos novas oportunidades (parceiros), podendo repetir de maneira isolada, junto com quem se ama, sendo que nessa escola os limites estão muito mais ocultos do que nas escolas idealizadas, mas uma completa recusa (de aprender) é igualmente ameaçada por pesadas conseqüências.
Cobertura do princípio original: Vênus-Saturno.

Rim móvel/rim flutuante

Plano corporal: rins (equilíbrio, relacionamento).
Plano sintomático: devido à fraqueza da suspensão renal, o rim oscila pendendo para baixo, sobrevindo dores e acúmulos nos vasos sangüíneos e na bexiga: o tema do relacionamento desconjunta-se facilmente, conduzindo a acúmulos no fluxo energético e na eliminação de águas residuais (da alma) e provocando dores.
Tratamento/Remissão: preocupar-se com os temas do equilíbrio e da parceria e levar as coisas adiante lentamente; dar-se tempo para o abastecimento de energia e para o liberar de antigas energias da alma; preparar-se interiormente para dores e discussões nesse âmbito.
Remissão: trilhar conscientemente os caminhos habituais no relacionamento.
Cobertura do princípio original: Vênus-Urano.

Rinite crônica fétida ver Ozena.

Rinite ver Resfriados.

Rinofima (nariz em tumefação nodular e hipertrófica, nariz de beberrão, ver também Acne rosácea)
Plano corporal: nariz (poder, orgulho, sexualidade).
Plano sintomático: inchaços grotescos do nariz, em forma de tubérculo, que tomam conta de todo o rosto, desfigurando-o e fazendo-o brilhar como uma lanterna vermelha; apoiar-se no abuso do álcool: o nariz vermelho do beberrão; apetites de força inconscientes estimulam o sangrar despercebido; a falta de estímulo sexual e agressivo está aí encarnada; sexualidade genital/fálica não-desenvolvida; desejos

reprimidos de protuberância e depravação nos âmbitos sexual e de força; impulsos de crescimento são passados para trás; o nariz vermelho do palhaço: ser indiscreto, abelhudo, meter o nariz em tudo.
Tratamento: em vez de consumir bebidas alcoólicas, cuidar de ter interesses espirituais; para que o nariz seja aliviado dessa tarefa, conduzir as fantasias sexuais a uma consciência desperta e a seus respectivos lugares no corpo; tornar-se consciente dos desejos de crescimento e expansão, em vez de conduzi-los no corpo; reconhecimento de seus próprios desejos de força, de seu orgulho não-vivenciado e de sua sexualidade instintiva; tornar-se atrevido e intrometido; cuidar do seu cheirador (nariz), registrar seu faro.
Remissão: deixar o caminho ser indicado pelo nariz: "seguir sempre o próprio nariz"; crescer e desdobrar-se; esbanjar vitalidade e chamar a atenção para si.
Cobertura do princípio original: Marte-Marte.

Roer as unhas
Plano corporal: unhas das mãos (garras, agressividade).
Plano sintomático: medo de (sua própria) agressividade; descarregar suas armas (garras), *reprimir* a agressividade, cortar as garras; nas crianças: medo/sentimento de culpa por colocar sua agressividade para fora; espelhamento do medo de agressividade sentido pelos pais; não se atrever a empreender sua vida; poucas válvulas de escape para a força vital; fome de agressividade.
Tratamento (também para os pais, cujos problemas geralmente são espelhados pelos filhos): respeito pela própria força vital; fazer recuar agressividades físicas voltadas para o exterior; reconhecer o declínio da vida; criar válvulas de escape para a própria vitalidade: tanto para a exterior (esportes) como para a interior (vida corajosa); perceber e satisfazer sua fome de viver e suas forças.

Remissão: ser defensivo exteriormente, corajoso interiormente: posicionar-se para a vida, mostrar suas garras internas.
Cobertura do princípio original: Marte-Marte.

Rompimento de ligamentos/tendões
Plano corporal: ligamentos/tendões (cordões dos quais tudo pende), articulações (mobilidade, articulação).
Plano sintomático: estar contraído: contrair o arco, revestir as coisas, "arrebentar a boca do balão", estar "sem eira nem beira"; não *suportar* a situação (espiritualmente).
Tratamento: em sentido figurado, invadir as fronteiras; testar as próprias forças (da consciência), a fantasia/consciência em vez de exaurir os tendões: *debruçar-se na janela*; ter *saudade*: querer ultrapassar as possibilidades momentâneas; sentir saudades.
Remissão: *suportar* espiritualmente a situação de conflito; avançar espiritualmente sobre as próprias fronteiras (para tanto, descontrair o corpo).
Cobertura do princípio original: Urano-Saturno.

Rompimento do períneo (por corte proveniente de cisão vaginal por ocasião do dar à luz)
Plano corporal: vagina (entrega).
Plano sintomático: devido a uma posição imprópria (inadequada) da mãe ao dar à luz, a cabeça da criança pressiona o períneo em vez da abertura, rasgando-o.
Tratamento (por parte do obstetra): não *enganar* a mãe (mesmo a medicina acadêmica reprova o corte perineal como proteção contra uma futura redução; aceitar pequenas cisões perineais, pois elas tanto se curam quanto suturam-se facilmente); já durante a preparação para o nascimento, inculcar na futura mãe posições adequadas em seu coração: uma posição em que possa permanecer de cócoras, fazen-

do que também ela, mantendo-se nessa posição, se responsabilize por eventuais danos ao períneo.
Remissão (por parte da mãe): dar vida à criança a partir de uma posição de força, como a de cócoras.
Cobertura do princípio original: Marte-Lua.

Rompimento do tendão de Aquiles (ver também Rompimento de ligamentos/tendões)
Plano corporal: tendão de Aquiles (força anímica para pular/saltar, desenvolvimento, ascensão), calcanhar (ponto fraco), ligamentos/tendões (cordões dos quais tudo pende).
Plano sintomático: esticar demasiadamente o arco — ao extremo — para ousar grandes saltos; ser levado de volta ao terreno dos fatos; *hibris*: *atrever-se* a alguma coisa irrealisticamente estabelecida na mente; ato de força emocional; estancar abrupto de projeto ambicioso; ambição derrotada pelo tendão (mais forte) do corpo.
Tratamento: parar para pensar; por ora, não empreender grandes saltos; realizar com a alma como que uma jogada de efeito, em direção àquela que é a sua tendência; reconhecer quais as ligações que apontam para a infelicidade e são dignas de nota; considerar e aprender a aceitar as conseqüências dos saltos corporais e anímicos.
Remissão: ter tempo suficiente; pausa para pensar antes das atividades (ter uma visão geral); demandar tranqüilidade externa para a atividade interna (saltos internos, lampejo do espírito); com pequenos passos alçar-se a grandes conquistas.
Cobertura do princípio original: Saturno-Marte-Júpiter.

Rompimento muscular (ver também Acidentes, Acidentes de trabalho/acidentes domésticos, Acidentes de trânsito)
Plano corporal: musculatura (motor, força) do aparelho *locomotor*.

Plano sintomático: a superextensão do músculo leva a um rompimento; interrupção da mobilidade; junto à mobilidade, exigências que extrapolam, que rompem o quadro de suas próprias possibilidades de um modo doloroso.
Tratamento: operar voluntariamente uma maior expansão na consciência, aliviar o corpo; estando na consciência, causar impacto nas coisas; levantar internamente o braço na amplitude que a elasticidade permitir; antes que todos os tendões se rompam, é melhor parar e refletir.
Remissão: expandir-se e mover-se espiritualmente; posicionar-se em relação às coisas de modo correto; dirigir (orientar) e guiar conscientemente o corpo.
Cobertura do princípio original: Marte-Urano.

Roncar
Plano corporal: pessoas que conscientemente se ocupam pouco do inconsciente tendem a afundar-se nele durante a noite de modo particularmente profundo: adormecer muito profundo após tensão muito forte; trabalhar todas as noites contra uma resistência; os roncadores dormem mais porque seu sono é menos regenerador e é o responsável direto pela fadiga; não ordenar o centro harmônico entre receber e dar, entre inspirar e expirar: combinação irregular dos pólos, estar fora do ritmo; contato interrompido com o meio ambiente: querer estar para si (só) à noite, querer manter todos a distância (mesmo o parceiro) durante a noite; incapacidade de proporcionar espaço e respeito para si/de dar o tom durante o dia; à noite externa-se uma comunicação dura e tosca; expressar o não-dito de modo áspero; a falta de um intercâmbio harmônico com o mundo reduz a sensação e o tempo de vida (expectativa de vida limitada pelo ronco forte); trazer os outros para seu descanso (noturno): toda a pretensão de dominação é inconscientemente interrompida — fora de si; tornar os outros agressi-

vos com sua própria agressividade inconsciente ("serrar").
Tratamento: reconhecer as dificuldades com o lado feminino do dia (da vida); dar mais atenção ao lado das sombras, ao obscuro pólo feminino da alma; reconhecer a comunicação harmônica também durante o dia; encontrar outros métodos para ao menos durante a noite proporcionar-se um descanso: reparar que é a própria pessoa que na maioria das vezes se perturba e incomoda; proporcionar-se espaço e respeito por meio de um tom sonoro nos períodos claros do dia; tornar-se consciente de suas próprias pretensões de dominação; encontrar planos redimidos e modos de exercitar a força.
Remissão: consciência de que a harmonia se compõe de ambas as metades da realidade e diz respeito a um equilíbrio dos pólos.
Cobertura do princípio original: Mercúrio-Saturno, Netuno-Marte.

Rouquidão (laringite, chega à afonia; ver também Asfixia)
Plano corporal: laringe (expressão, afinação).
Plano sintomático: voz rouca e sem som: sintoma de muitas doenças na laringe, compreendendo-se desde inflamação nas cordas vocais até tumores; voz rouca (laringe inflamada), cordas vocais irritadas e extremamente fatigadas; falta da necessária calma na voz; conflito em torno da voz, por exemplo, não ter confiança suficiente para exprimir sua opinião, para se impor; busca de não deixar que algo se torne (sonoramente) alto; afinação irritada, a pessoa não se dá por inteiro em suas aparições (distanciamento inconsciente de parte de sua personalidade em relação às próprias aparições); gritar, mas, sem protestar, a todo o volume (com todas as suas forças); sem voz: sem direito de (voz) voto, desapossar, privar de seus direitos; não ter mais de tomar parte (porque não se quer mais tomar parte): desprazer inconfessado de falar, de levantar a voz; voz grasnante devido à insistência, continuar a falar apesar da rouquidão (superestimação da própria importância?): a voz ativa e solícita não vem mais do coração ou do estômago, mas do pescoço sobrecarregado, sem nenhuma ressonância no corpo; voz cansada: afinação cansada; voz esgotada: situação esgotante; no caso da Gripe: estar rouco(a) por todas as coisas não-ditas: falta-lhe dizer cobras e lagartos, esbravejar de raiva, levantar a voz e vociferar agressividades; é preciso sussurrar (só se pode passar segredos adiante sussurrando).
Tratamento: aprender a recuar; deixar-se desafiar conscientemente (provocar) e promover-se com isso; conhecer suas reservas, para poder representá-las *afinadamente* com toda a força de sua própria voz; aprender a gritar em harmonia com seu urro interior; expressar todo o seu urro interior; no momento da rouquidão, quando o gritar ainda não é possível: obrigação de se tornar mais brando, aprender a calar; com a rouquidão, a voz tornando-se mais profunda: tarefa de ligá-la aos planos mais profundos do próprio ser, ligá-la à terra, e com isso proporcionar maior ressonância ao próprio corpo e também ao mundo; alopaticamente: aprender a lutar com a voz; levantar a voz; (deixar) que (as próprias reivindicações) se tornem audíveis, assumindo ainda uma vez tons roucos; por meio da voz, aprender a proporcionar a si o que lhe é de direito, fazendo valer seu direito de voto.
Remissão: só quem grita tudo o que precisa gritar pode alcançar o completo silêncio.
Cobertura do princípio original: Mercúrio.

Rubéola (ver também Erupção de pele, Doenças da infância)
Plano corporal: pele (delimitação, contato, carinho).
Plano sintomático: algo novo abre caminho agressivamente na vida da criança, as fronteiras da pele são rompidas de

dentro para fora; passo de desenvolvimento necessário.
Tratamento/Remissão (para os pais, cujos problemas são geralmente espelhados pelos filhos): prontificar-se aberta e (ofensiva)mente para novos passos na vida; tornar-se consciente da importância desses passos de desenvolvimento, o que nas garotas cria uma proteção contra problemas numa futura gravidez.
Cobertura do princípio original: Marte-Urano.

Rubor
Plano corporal: rosto (cartão de visitas, individualidade, percepção).
Plano sintomático: sinal; referência a um medo menosprezado e a um assunto exageradamente embaraçoso: "vermelho de vergonha"; a *pêra* vermelha torna-se *lanterna* pessoal *vermelha* anunciando a verdade e tornando sincera uma vontade contrária; atenção a um desejo narcisista reprimido: querer estar no centro (sua maior fantasia é: "eu sou a/o maior").
Tratamento: tomar consciência de sua timidez e com isso aprender a parar; ousar entrar conscientemente no distrito vermelho pessoal e a empreender as experiências correspondentes; reconhecer que a eventual vermelhidão das faces, do pescoço e do peito não é alarmante nem embaraçosa, mas natural; vivenciar o assunto mais e mais, e com isso integrá-lo na consciência, para que ele então seja cada vez menos impelido ao primeiro plano em caso de ocasiões "impróprias"; trabalho de consciência de si (pressuposição: confiança original, a que se desenvolve nos primórdios da gravidez).
Remissão: permanecer leal a si mesmo (e, após consideração e reconhecimento, ao próprio desejo [secreto]); sexualidade satisfatória, que move o sangue sobretudo na região inferior do corpo, ocorrendo só mesmo de passagem o avermelhar-se fácil da face.
Cobertura do princípio original: Vênus/Marte-Netuno/Sol.

Ruídos na audição/zunido
Plano corporal: ouvidos (obediência).
Plano sintomático: *stress* não controlado e interiorizado: barulho levado para dentro; soar de alarme, sirenes de aviso; não se ter defendido, imaginar tudo consigo (interiormente) sozinho; a necessidade de sossego torna-se consciente.
Tratamento: tornar-se ruidoso para o exterior, defender seus próprios pontos de vista; aprender a escutar interiormente; ceder à pressão e ouvir seu (próprio) tom interior (a "voz da consciência"), reconciliar-se com ele; ceder à dificuldade que sempre aparece e ouvir menos o exterior; restituir para si o sossego, suportar o ruído interior; meditações como reconciliação com o objetivo de tornar-se calmo no interior e no exterior.
Remissão: dar ouvidos à voz interior e obedecê-la; estar em harmonia com a música "interior", que corresponde exatamente à música das esferas e portanto à música dos deuses; satisfazer a ardente necessidade de calma interior com os devidos exercícios espirituais; progressos no caminho da individuação.
Cobertura do princípio original: Lua-Mercúrio-Netuno.

Ruptura de tendões ver Rompimento de ligamentos/tendões.

Ruptura do útero na gravidez
(quase exclusivamente em decorrência de cesarianas e de outras cirurgias no útero [por exemplo, em caso de miomas] diante/por causa de uma decisiva ajuda exterior no parto)
Plano corporal: útero (fertilidade, proteção).
Plano sintomático: a criança exige forças excessivas da mãe: excesso de trabalho no âmbito criativo (quando todos os tendões se rasgam já é tarde, e quando é um músculo tão forte que se rasga, não há mais tempo a perder); ameaça à vida da mãe, por causa do sangramento, e à da criança, por asfixia: a mãe está em pe-

rigo por perder grande quantidade de energia vital, e a criança, por suspender o intercâmbio com o mundo antes mesmo de ele ter propriamente começado.
Tratamento: medidas alopáticas e imediatas: cuidar do abastecimento e resgatar a criança por meios cirúrgicos; confissão sobre ter se excedido e ter sido por demais exigida; abrir-se no tempo certo para a ajuda exterior, aprender a aceitá-la de boa vontade.
Remissão: encontrar o próprio meio-termo entre o exigir(-se) demais e de menos.
Cobertura do princípio original: Lua-Urano.

S

Saída intestinal artificial ver Ânus artificial.

Salivação excessiva
Plano corporal: glândulas salivares (apetite, prazer, proximidade).
Plano sintomático: insaciável fome de viver: afluência maciça de água na boca; cobiçar alguma coisa ou reclamar espumando de raiva.
Tratamento: arranjar-se e apoderar-se segundo o que lhe apetece; aprender a professar seu próprio prazer.
Remissão: passar para o plano anímico e saciar a fome de viver e de experiências.
Cobertura do princípio original: Lua-Vênus.

Sangramento da gengiva
Plano corporal: gengiva (confiança original), sangue (força vital).
Plano sintomático: abalo da confiança original e em si mesmo; esgotamento: há um evidente e máximo desgaste quando se vai "até a gengiva".
Tratamento: proporcionar-se confiança original e em si mesmo, recuperar a confiança em si mesmo; cuidar da regeneração de suas próprias forças; construir um

ninho para as armas da boca; direcionar cuidados e nutrição não só às armas, mas também à sua base; criar bases para a vitalidade.
Remissão: confiança (original); experiências da unidade (meditação, exercícios espirituais).
Cobertura do princípio original: Lua-Marte.

Sangramento na evacuação
Plano corporal: ala digestiva (*bhoga*, comer e digerir o mundo).
Plano sintomático: seiva vital desviada para o sistema de remoção do lixo no submundo (aqui, como sempre, esclarecendo em primeiro lugar a causa segundo a medicina convencional): a energia vital segue desperdiçada ao passar pelo armazenamento do lixo; o vermelho (símbolo da) vitalidade converte-se no preto (símbolo da) morte: sacrifício de sangue.
Tratamento: conduzir o fluxo vital ao mundo das sombras: realizar um trabalho vivo nas sombras; ceder energia vital para projetos inoportunos; ocupar-se com o "morrer para vir a ser" (com a eterna mudança).
Remissão: reconciliação com Plutão-Hades (terapia das sombras), o deus do reino dos mortos, que também é o deus da riqueza: muitas vezes o potencial criativo jaz latente no reino das sombras; reconciliação com a morte como objetivo da vida.
Cobertura do princípio original: Plutão-Marte.

Sangramento pelo nariz ver Hemorragia nasal

Sangue na urina ver Hematúria

Sarampo (ver também Erupção de pele, Doenças da infância)
Plano corporal: pele (delimitação, contato, carinho), olhos (vista, discernimento, espelho da alma).

Plano sintomático: luta agressiva e ofensiva junto às próprias fronteiras; as fronteiras são dolorosamente retocadas e renovadas; acompanhamento da gripe: estar com o nariz entupido, etc. (Gripe); lucífugo: querer passar na escuridão o estágio preparatório para a irrupção do novo.
Tratamento: abrir-se voluntariamente para o próximo passo; abrir e definir suas fronteiras de uma nova maneira — mesmo com dores; estar cheio do antigo (estar com o nariz entupido); mostrar-se aberto a novos desenvolvimentos.
Remissão: deixar irromper de dentro algo novo, proporcionar para si um passo de desenvolvimento contínuo.
Cobertura do princípio original: Vênus/Saturno (pele) e Sol/Lua (olhos)-Marte (irrupção no novo).

Sarcoma de Kaposi (câncer maligno da pele, ou mais exatamente do tecido mesodérmico não-epitelial; ver também Câncer [de pele], Aids)
Plano corporal: pele (delimitação, contato, carinho), tecido mesodérmico (proteção, isolamento).
Plano sintomático: degeneração no campo fronteiriço e de contato em relação ao âmbito das ligações, do apoio e do compromisso: por exemplo, ligações/contatos que não correspondem ao núcleo essencial mais profundo, mas recebem energia; crescimento tumoroso selvagem e sem consideração nesse circuito temático; tamanho é o distanciamento da via de desenvolvimento que lhe é própria nesse campo que o corpo proporciona ao tema (esquecido/reprimido) uma expressão; o crescimento anímico-espiritual nesse campo temático esteve por tanto tempo bloqueado que agora ele abre caminho no corpo de modo agressivo e desordenado; o câncer realiza no corpo o que seria necessário no âmbito correspondente da consciência: a inconsistência torna-se visível (no tecido).

Tratamento: abrir-se, no âmbito de contatos e relações, para as próprias representações extravagantes e fantasias ousadas, deixá-las crescer corajosas e não controladas (pelos outros) e deixar-se desenvolver; assumir conscientemente o seu controle e responsabilidade; a partir dessa perspectiva, reconquistar antigos sonhos e formas de expressão, vivenciando-os e transpondo-os (novamente) bravamente e com determinação; com a certeza de não ter mais nada a perder, criar coragem para a própria realização/para o próprio caminho; considerar todas as medidas mencionadas no verbete Câncer: sendo o câncer uma nosografia que afeta todo o organismo, é preciso preveni-lo em todas as frentes; descobrir o câncer como forma de amor pervertido (o ultrapassar de todos os limites, não se deter diante de nada, não temer a morte): satisfazer o amor como conteúdo de toda a sexualidade.
Remissão: dar expressão a si mesmo em vez de deixar o corpo falar (por si); reconhecer a necessidade de passar do nível corporal, e por isso mesmo perigoso à vida, para o nível anímico-espiritual, desafiador, mas que nos salva a vida, e, neste último, apostar num crescimento expansivo; descobrir o amor sem fronteiras, não se importar com normas estabelecidas por si mesmo ou por outrem, comprometendo-se tão-somente em viver a mais elevada das leis e desenvolver-se.
Cobertura do princípio original: Vênus/Saturno-Plutão.

Sarcoma ver Fratura, Lipossarcoma, Câncer

Sarna ver Escabiose

Seborréia (fluxo de sebo)
Plano corporal: pele (delimitação, contato, carinho).
Plano sintomático: a hipersecreção de sebo dá origem a um excesso de lubrificação no rosto *(Seborrhea oleosa)* ou chama a atenção pela escamação gordurosa

e granulada *(Seborrhea sicca)*; está na base de diferentes problemas de pele, como Acne rosácea, Acne juvenil, ou também Rinofima.
Tratamento: lançar à roda um maior fluxo de líquido, pôr óleo na máquina para que com isso tudo flua como que numa mistura; buscar manifestar-se com habilidade em vez de friccionar-se asperamente em tudo; dominar resistências de modo sutil; aumentar as secreções físicas (suar, esportes), trazer mais expressão no rosto.
Remissão: encontrar e mostrar sua verdadeira cara.
Cobertura do princípio original: Vênus/Saturno (pele)-Júpiter (óleo)

Secreção de suor em excesso
ver Hiperidrose

Sensação de nó na garganta
(sintoma típico do medo, ver também Medo)
Plano corporal: pescoço (incorporação, ligação, comunicação).
Plano sintomático: compromisso frouxo entre impulso e defesa; "falar de boca cheia", sem extrair daí as conseqüências: ausência de abertura interna para as pretensões próprias de uma boca grande/boca cheia; "engolir sapo": bloqueio sexual; inchar o pescoço de raiva, em vez de inchar de prazer; pescoço apertado de medo.
Tratamento: bloqueio na passagem da cabeça para o corpo, ou seja, tornar-se consciente da sensação de ter o canal *cheio*; preencher o canal com um conteúdo real; tornar-se consciente da frouxidão do compromisso.
Remissão: confrontar-se com o medo, até que ele se resolva em seu pólo oposto, a amplidão; liberar o caminho (da expressão); ultrapassar sua própria estreiteza, ou seja, dissolvê-la.
Cobertura do princípio original: Saturno.

Sensibilidade às alterações climáticas
(ver também Doença causada pelo vento quente das montanhas)
Plano sintomático: resistência à força climática do céu; reação defensiva do corpo contra as alterações "atmosféricas".
Tratamento: transformar a sensibilidade elevada em oportunidade positiva de precaução; aprender a compreender a sensibilidade como oportunidade: em vez de se deixar perturbar, dirigir uma atenção consciente para as mudanças; no pólo oposto: ligar-se à terra e pôr-se em harmonia com as forças do céu e da terra: enraizar-se firmemente com os pés na Mãe Terra, com a cabeça alçada ao Pai que está no céu (sabedoria indiana).
Remissão: abrir-se para o céu e suas mensagens; aprender a crer conscientemente nos mundos superiores; desenvolver a confiança em Deus.
Cobertura do princípio original: Urano, Netuno.

Septicemia
(envenenamento pelo sangue)
Plano corporal: via sangüínea (força vital) e linfática (sistema imunológico) de todo o corpo.
Plano sintomático: temas (agentes provocadores [germes]) provocantes fazem submergir toda a existência (todo o corpo); mobilização geral (febre) contra os invasores: a luta (anticorpos contra germes) sacode-o por inteiro, pulso e coração disparam, o metabolismo está a todo o vapor; a partir do mesmo ponto em que uma vez fora dado como certo (atordoamento) retroceder as próprias tropas (impotência), a capitulação (insuficiência da circulação sangüínea) e a retirada (morte).
Tratamento: deixar-se encontrar com os temas existencialmente provocantes, em vez de abrir porta e portão para os agentes provocadores; abrir-se para temas, idéias e impulsos estranhos; estar fechado para o insólito e o estranho; conduzir a discussão em torno dos impulsos estranhos

com todo o coração, e com isso arriscar a cabeça e pôr a mão no fogo no que diz respeito a antigas idéias; assumir conscientemente o risco de opiniões antigas sucumbirem a discussões críticas; dedicar-se ao estranho, ao novo, renunciar ao próprio poder do hábito e concordar em aceitar as idéias novas; transformar-se; no plano corporal: recorrer a tropas estranhas (soldados: antibióticos) para socorrer o sistema.
Remissão: excitação e mudança existencial: ousar e decidir batalhas espirituais; entregar-se totalmente, ir até o fim.
Cobertura do princípio original: Marte-Plutão/Netuno.

Sífilis (ver também Doenças venéreas, Inflamação)
Plano corporal: órgãos sexuais (sexualidade, polaridade, reprodução); em estágio avançado pode afetar todo o organismo.
Plano sintomático: conflito que evolui furtivamente, inflamando-se na região dos órgãos genitais; início com pequenos abscessos indolores (conflitos) nos órgãos genitais (locais de inflamações, ou seja, de infecções); num segundo estágio, a sífilis pode seguir o exemplo de quase todas as outras nosografias e acometer todos os órgãos; na maioria dos casos, aparecem sintomas de pele, como manchas, abscessos papulares, pústulas e gânglios: o conflito alastra-se de maneira insidiosa para as fronteiras externas e superfícies de contato; os únicos que ainda fazem lembrar a origem são os gânglios linfáticos inchados nas virilhas (Síndrome de Rozenkranz: uma pérola atrás da outra); a queda de cabelo revela um sintoma colateral à formação de um apêndice na pele e à perda inconsciente de liberdade, independência e poder; no estágio seguinte o conflito estabelece-se durante anos com base em sinais ocultos, sem visibilidade; num estágio adiantado podem aparecer tumores resistentes, abscessuais e desmoronantes (gomas sifilíticas) em todos os órgãos e regiões possíveis; além disso, inflamações de nervos e vasos cardíacos, aneurismas (sinuosidades/dilatação do coração ou da parede da aorta) e, finalmente, como ataques ao sistema nervoso central, a neurossífilis tabética (*Tabes dorsalis*) e a paralisia progressiva (sífilis neural); sintomas emocionais e espirituais violentos: extrema explosão de sentimentos, repetições estereotipadas, reações fortes em caso de contradição, incalculabilidade, efusão de palavras, fraqueza de memória (particularmente ao contar e fazer contas); envelhecimento precoce e rápido: em caso de sífilis neural, as espiroquetas (agente causador da sífilis) podem permanecer latentes por até setenta anos sem apresentar as sensações de paixão e vivacidade, como um cupido fora de época.
Tratamento: perceber pequenas discussões inofensivas no âmbito interpessoal, dar-lhes importância e discutir até chegar a uma solução: ao menor conflito, o veneno decisivo pode ser injetado no sistema; após o alastramento insidioso da discussão nas superfícies fronteiriças e de contato, discutir nesses domínios de maneira corajosa e aberta (ofensiva); com isso reconhecer que a matéria para o conflito vem de seu próprio interior; envolver-se corajosamente no âmbito das coxas e virilhas e discutir; pôr em ação a energia do amor; renunciar conscientemente às pretensões de liberdade externa e de poder; botar voluntariamente as barbas de molho e assumir a responsabilidade por contas abertas; deixar claro para si que só voltarão a irromper um dia — até mesmo muitos anos depois — os conflitos que ainda estejam profundamente reprimidos e adiados ou discussões pacificadas com compromissos frouxos; no estágio adiantado arma-se então uma luta pelo todo; aprender a descobrir o problema do "amor" sem compromisso (ter tudo [fisicamente], não dar nada [animicamente]); em vez de dar a si próprio corporalmente em sacrifício (pela sífilis), sacrificar-se, no sentido figurado, pelo parceiro; dar-se em cons-

ciente sacrifício pelo cupido, em vez de ter de suportar a flecha envenenada das espiroquetas dentro de si; criar disposição para uma colaboração intensiva das sensações, em vez de sofrer sua evasão incontrolável; esquecer-se de si mesmo no amor (amor abnegado), em vez de evocar o grande esquecimento no estágio adiantado da sífilis.

Remissão: apresentar-se às discussões acumuladas desde o início; tornar-se consciente de que, a partir dos menores conflitos e da *falta de higiene* nas relações de âmbito sexual, as quais estão aí para que nos ocupemos com a polaridade, podem crescer as mais sérias complicações; reconciliar-se com a polaridade tão logo seja possível.

Cobertura do princípio original: Plutão.

Silicose (Calicose)

Plano corporal: pulmões (contato, comunicação, liberdade).

Plano sintomático: transformação do tecido conjuntivo dos pulmões por irritação prolongada em decorrência da inalação de pó de sílica (principalmente entre trabalhadores de minas): os pulmões leves, habituados ao elemento ar, sofrem uma readaptação ao pesado elemento terra, que adere ao tecido; respiração superficial e falta de ar, pois, com os distúrbios da função do coração, a capacidade pulmonar diminui continuamente: a capacidade de intercâmbio e comunicação é reduzida por uma irritação prolongada; prepara o terreno para uma Tuberculose pulmonar e um Câncer no pulmão: preparação para o fim da comunicação.

Tratamento (pressupõe-se o fim das atividades "poeirentas"): em vez de "pegar leve" nas coisas, reconhecer sua própria situação de comunicação; deixar claro para si que continuar a perseguir o caminho encetado fará sucumbir o intercâmbio com o mundo, que é de vital importância, e conduzirá à morte certa; aprender a reconhecer e respeitar fronteiras; tornar-se consciente da diminuição do volume de intercâmbio e do solucionar de todos os desvios exteriores, recolher-se em si mesmo e entrar em comunicação com seu próprio interior; ocupar-se com a sua própria mortalidade e preparar-se para a morte.

Remissão: converter a comunicação com o exterior em comunhão consigo mesmo e com Deus.

Cobertura do princípio original: Mercúrio-Saturno.

Simpaticotonia (tensão [esforço] prolongada[o] do simpático)

Plano corporal: o organismo inteiro é afetado.

Plano sintomático: uma vez comprometido o pólo de atividade masculino, o simpático arranja-se com o disparar dos batimentos cardíacos, com evasões de suor, dilatação das pupilas, bloqueio da atividade intestinal, excitação anímico-espiritual para gerar dinamismo: esforço e distensão de diferentes sistemas, como por exemplo do sistema vascular (→ Hipertonia).

Tratamento: dedicar-se com energia e dinamismo aos planos redimidos do comportamento ativo masculino: pôr-se em questão com todo o pulsante coração; lutar com o suor de seu rosto pela própria capacidade de imposição; contemplar realmente com olhos grandes e bem abertos, confrontando-se com a problemática em toda a sua extensão; em situações decisivas, aprender a não desperdiçar energia com coisas sem importância (como a digestão); esforçar-se nervosamente e estar pronto para a luta.

Remissão: redimir o pólo masculino: poder mostrar, a qualquer hora, a que veio ("mostrar o homem que há em você"), mas nunca ter de fazê-lo (mostrar).

Cobertura do princípio original: Marte.

Sinal congênito/pinta

Plano corporal: pele (delimitação, contato, carinho).

Plano sintomático: receber da mãe (dos antepassados) um sinal (distinção): lem-

brança da origem e das tarefas trazidas consigo; sinal de Caim: ser marcado (destacado), estigmatizado; tumor nos vasos/ coloração de vinho do corpo: criança queimada (veja-se a coloração de vinho do porto na testa de Mikhail Gorbatchov).
Tratamento: saber corresponder ao sinal; fazer justiça à distinção que se traz consigo.
Remissão: aceitar e resolver as tarefas que se traz consigo.
Cobertura do princípio original: Saturno/Vênus-Mercúrio.

Sinartroses ver Adesões

Síndrome de Burnett (hipercalcemia)
Plano corporal: o organismo inteiro pode ser afetado.
Plano sintomático: queimar-se e consumir-se no lugar "errado"; cansaço crônico, que pouco melhora com o sono; abatimento: as reservas de energia esgotam-se até a esfera mais profunda, todas as baterias estão vazias.
Tratamento: buscar tranqüilidade interior; retirar-se conscientemente dos conflitos diários de luta pela vida; tomar distância; exaurir seus recursos anímicos a ponto de em seu lugar encontrar o vazio; "queimar" no lugar certo: desenvolver um autêntico entusiasmo e motivação (coração ardente), por exemplo, encontrando um trabalho que o faça feliz.
Remissão: realizar o vazio no último dos planos no sentido do nirvana budista: meditação.
Cobertura do princípio original: Netuno.

Síndrome de Down (trissomia 21; popularmente chamada "mongolismo" por causa dos olhos de formação aparentemente asiática)
Plano corporal: o cromossomo 21 está duplicado em cada núcleo celular, e por causa disso forma-se uma pessoa completamente diferente (com excesso de algo que é central e fundamental); numerosos desvios em relação ao desenvolvimento cerebral normal e habitual; fraqueza do tecido conjuntivo (hipotonia muscular), com hiperflexibilidade das articulações; uma série de sinais exteriores, como pálpebras escondidas, sulcos palmares de quatro dedos, dobras epicânticas, insuficiência cardíaca.
Plano sintomático: substância herdada em excesso: "o menos seria mais"; retraimento espiritual em forma de estupidez intelectual; em geral, uma compensação pela grande profundidade de sentimento e rica emocionalidade; geralmente, uma cobertura natural para as alturas do sentimento, do amor; extremidades fracas impedem uma relação normal com o mundo: o mundo se deixa apanhar com dificuldade, o progredir é dificultado, ou seja, retardado; o trabalho é limitado a orientações simplificadas: uma profusão de ações o desorientaria; tarefas freqüentemente colaborativas compensam a prematura chegada aos extremos em sua orientação intelectual.
Tratamento: para os portadores, evidentemente, aceitar as limitações intelectuais enviadas pelo destino (destino: cura enviada) e buscar outros centros gravitacionais de desenvolvimento; viver a partir da esfera do sentimento, fazer jus às (próprias) necessidades emocionais, dar-se prontamente a trabalhos simplificados, permitir-se permanecer criança por mais tempo e gozar o princípio lunar. Para pais e educadores de portadores: a criança portadora da síndrome de Down tem, como toda criança (saudável), compensações na vida (ao que lhe falta), pois tende a trazer um equilíbrio à família; um centro de gravidade intelectual recebe a oposição de um contrapeso: a mágica visão de mundo da criança Down; as próprias idéias e pretensões são corrigidas: a criança não é conforme à imagem de seus pais, mas traz consigo algo que lhe é completamente próprio, não se parecendo com nenhum dos dois, tendo em vez disso a sua própria família Down, cujos membros se lhe assemelham; constitui uma tarefa e um

desafio muito maiores e intransferíveis; uma criança de outro reino ("mongol") e de outro tempo (aurora da humanidade, a vida como era antes do intelecto); tarefas daí resultantes: relativizar a sua pretensão ao rendimento; provar sua confiança no próprio destino; reconhecer e aceitar a vida como algo em última instância não planejável; dar prova de respeito diante de *cada* vida: aquele que desejava um filho especial, recebe-o (por vezes dessa maneira desafiadora); aquele que desejava um filho com particular urgência, recebe um filho especial, que permanece criança por mais tempo do que o normal, a partir do que se pode prever os cuidados que serão demandados.

Remissão: aceitar a limitação espiritual e convertê-la em oportunidade: concordar espontaneamente na obstrução dos jogos intelectuais; introduzir-se profundamente nos domínios ancestrais e originais do ser humano e do cérebro; figurar como fora dos padrões: excepcionalidade consciente de si; viver como uma pessoa sentimental: fazer coisas simples e essenciais com amor em vez de com entendimento: realizar a regra dos monges beneditinos: "*Ora et labora*"; o resgate da simplicidade: conseguir permanecer próximo da unidade, em geral por causa de uma insuficiência cardíaca (Defeito no septo cardíaco); viver a sentença de Cristo: "Bem-aventurados os humildes de espírito, porque deles é o reino dos céus"; os astecas tinham a trissomia por espiritual, pois interpretavam a sua ingenuidade como proximidade direta com a divindade; mas também entre nós, depois do primeiro choque, para muitos pais essas crianças se tornam "anjos", "raios de sol" ou "presente dos céus".
Cobertura do princípio original: Lua-Plutão, Mercúrio-Netuno.

Síndrome de Korsakow (ver também Alcoolismo, Vícios)
Plano corporal: sistema nervoso central (serviço noticioso).
Plano sintomático: o último estágio do Alcoolismo, quando é desencadeado até mesmo pela menor quantidade de álcool; prazer de confabular: as histórias mais fantásticas surgem do reino das sombras, sem nenhum fio condutor; tornam-se constantes por causa da trama de seus fios de ação, pelos quais o paciente envolve-se cada vez mais profundamente em seus mundos errantes (freqüentemente, são histórias *loucas e absurdas*); tudo fica monótono e sem importância: perda da própria história pelo declínio lento e completo da memória.
Tratamento: abrir-se voluntária e oportunamente para os reinos interiores da fantasia e para as imagens que fluem livremente; fiar prematuramente o fio da meada pelo labirinto das imagens da alma; conhecer e iluminar o reino das sombras no tempo certo e por partes; fazer algo construtivo com as histórias do reino interior; escrever ou falar da alma; aprender a se libertar de suas próprias histórias em favor das relações coletivas superiores: descobrir o modelo em sua própria profundidade.
Remissão: tornar-se um santo louco em vez de fazer de si um louco.
Cobertura do princípio original: Urano-Netuno.

Síndrome de Pickwick (Polissarcia extrema com síndrome cardiopulmonar; ver também Obesidade)
Plano corporal: coração (sede do amor, da alma, do sentimento, centro energético), pulmões (contato, comunicação, liberdade), estômago (sensação, capacidade de absorção).
Plano sintomático: os pulmões estão de tal modo bloqueados, tanto pelo excesso de gordura quanto pela posição mais alta do diafragma, que começa a haver uma carência de troca de gases; como decorrência, tem-se o subabastecimento arterial de oxigênio, o aumento de glóbulos vermelhos no sangue, e uma sonolência característica: perturbações na consciência

pelo excesso de substâncias eliminadas (CO_2) na corrente da energia vital; sintomática dos extremos, → Obesidade: busca de proteção e segurança atrás de seus próprios muros (nada isola melhor do que a gordura); camada protetora contra o meio ambiente sem amor; desejo de ser deixado em paz em seu próprio castelo de gordura; o não querer viver seu próprio papel sexual; sensação de importância e poder; peso (importância); satisfação compensatória; busca de doação/amor: "afogar suas mágoas na comida"; encher-se exteriormente em vez de preencher-se interiormente; ser recompensado no comer; afastar-se da realidade (sonolência); não ser muito amigo de si mesmo.

Tratamento: reduzir a comunicação com o exterior: entrar em contato consigo mesmo e pôr-se em comunicação; na carência de abastecimento energético, reconhecer que se pode viver com muito menos; galgar outros planos de consciência; realizar a segurança em outros caminhos: ter a resposta na ponta da língua; uma gorda conta bancária: realizar a importância no plano social; encontrar um redentor acesso ao reino venusiano do gozo; buscar preenchimento interior, aspirar a uma sensação redonda da vida; recompensar-se por outros meios e modos que não o comer: petiscar conscientemente com todo o prazer, ritual de comer cheio de prazer; massagens suaves; assimilar novos padrões de vida, uma nova forma interior; vencer as dificuldades no âmbito concreto nem que tenha de usar os dentes; consciente jejum curativo.

Remissão: o amor que inclui o corpo, a alma e o espírito; sentir-se redondo, ganhar peso na alma.

Cobertura do princípio original: Júpiter-Vênus.

Síndrome de Raynaud

(ver também Pressão baixa, Distúrbios vasculares)

Plano corporal: sangue (força vital), dedos (pegar o jeito do mundo; ver na primeira parte também os significados específicos, onde os dedos são apresentados individualmente), mãos (apanhar, agarrar, capacidade de ação, expressão).

Plano sintomático: dedos e mãos frios e mortos: nenhum desejo verdadeiro de contato humano caloroso e vivo; o contato convencional, pelo menos, não vem do coração; toda a capacidade de ação cai por terra: não pegar o jeito da vida: "estou de mãos atadas"; não conseguir defender sua pele; ódio inconsciente.

Tratamento: reconhecer a distante situação de contato e criar espaço para si; submergir em sua própria interioridade; tirar um tempo para ficar só; recuar em sua pretensão de sucesso nas ações exteriores; deixar de se esforçar para se proteger; aprender a se entregar e a se abrir consigo mesmo.

Remissão: conhecer seus próprios impulsos hostis à vida e poder lidar com eles.

Cobertura do princípio original: Mercúrio-Saturno.

Síndrome de Römheld

Plano corporal: estômago (sentimento, capacidade de absorção), intestino (assimilação de impressões materiais), coração (sede do amor, da alma, do sentimento, centro energético).

Plano sintomático: o submundo sobrecarregado (deglutição intestinal com excesso de gases) faz pressão no centro das emoções e do sentimento (de amor) (coração); o intestino põe o coração sob pressão; o reino das sombras força para cima e pressiona o coração, de modo que este se sente doente; uma questão que cheira mal chega-lhe ao coração; não (poder) digerir de fato aquilo que se goza; ter algo no coração que lhe faz pressão; o desejo de liberar pressão causa mau cheiro ao seu redor; estar entalado, estar contra a parede.

Tratamento: perceber conscientemente o submundo e aprender a vê-lo com suas conseqüências em todos os planos; tornar-se consciente de que tudo o que não pos-

sa ser assimilado no reino dos mortos é empurrado novamente para cima (junto com dores de cabeça), podendo causar também problemas de coração; auscultar e interceptar o coração pressionado e estressado pelos efeitos das sombras; dar importância à assimilação do alimento (espiritual e corporal) e alcançá-la, criar os requisitos necessários; não ficar com o coração empedrado, mas abri-lo prontamente para liberar as emoções (latim: *e-movere*, mover para fora); bafejar até cheirar mal e, melhor ainda: expressão aberta, em vez de poder fazer algo (ser o contrário daquele que não fede nem cheira) contra alguém pelas costas; buscar o confronto; pôr-se em busca das fontes profundas da pressão.
Remissão: digerir/assimilar de maneira adequada; aliviar o coração, onde são solucionados os problemas do submundo.
Cobertura do princípio original: Sol-Plutão.

Síndrome de Stokes-Adams
(abastecimento insuficiente de matéria ácida no cérebro)
Plano corporal: centro respiratório (intercâmbio, lei da polaridade) danificado em razão de problemas do coração, Apoplexia (ou do coração); respiração antes do fim.
Plano sintomático: queda do ritmo; luta em situação sem perspectiva.
Tratamento/Remissão: (para o/a companheiro/a) um tratamento ou remissão consciente por parte da pessoa afetada quase não é mais possível; agora, trata-se mais de um último desprendimento, de um consciente deixar o corpo: pôr para tocar missas e oratórios no quarto do doente; ler o livro tibetano/egípcio dos mortos ou a Bíblia.
Cobertura do princípio original: Saturno-Mercúrio.

Síndrome de Sudeck
Plano corporal: membros (mobilidade, atividade), ossos (estabilidade, firmeza).

Plano sintomático: distúrbios de circulação animicamente condicionados (mesmo após avaliação pela medicina acadêmica) provocam dores, inchaços e distúrbios funcionais no âmbito de um dos membros: cortar o abastecimento do membro afetado, para com isso tomar para si o âmbito da vida que a ele está ligado; distúrbios nutritivos nos ossos e vísceras: deixar as regiões afetadas morrerem de fome em corpo vivo, *para produzir vida*; definhamento dos ossos e anquilose das articulações: a *tarefa* de todas as estruturas e possibilidades de articulação no âmbito estrangulado.
Tratamento: reconhecer o membro em questão no seu significado simbólico e assumir quais são os âmbitos de sua própria vida em que se esteja, por essa razão, morrendo de fome; considerar junto o correspondente lado feminino, ou o masculino, do corpo; separar-se dos temas simbolicamente ligados a essa região para aliviar e manter o membro em questão; dizer adeus aos aspectos não-resolvidos, por exemplo, do próprio progresso (quando a perna é afetada), subtrair-lhe em primeiro lugar a energia vital, para então travar *as possibilidades de expressão* e, finalmente, desfazer a estrutura interior.
Cobertura do princípio original: Saturno.

Síndrome de Tourette
(grande quantidade de tiques que se sucedem rapidamente)
Plano corporal: nervos (serviço noticioso), musculatura (motor, força).
Plano sintomático: estereótipos de movimento, que ocorrem independentemente da vontade; em sua forma branda: padrão de comportamento que se desenvolve a partir de hábitos (bobos) até chegar a uma autonomia incontrolável; não estar consciente de seus modos de reação rígidos e pré-formados; estar entregue e desamparado como um robô a programas aparentemente estranhos, e com isso agir

do mesmo modo demente com as outras pessoas, já que os padrões de movimento parecem sem sentido; genialidade louca: todo pensamento conduz a reações corporais; agitar-se como uma marionete, a partir de inúmeros fios (pólo oposto à meditação e calma interior); falhas nos filtros que só deixam passar informações importantes: estar entregue desprotegidamente a todas as influências exteriores e reagir com evoluções de movimento.

Tratamento: aprender a observar conscientemente as evoluções, como uma testemunha desinteressada; voltar no padrão até suas origens e significados simbólicos; descobrir e aceitar em si mesmo a máquina que reage feito um robô; a partir daí, despertar para se determinar (para Gurdjieff, todas as pessoas não-realizadas eram máquinas); jogar de maneira conscientemente louca, aceitando com isso a síndrome do trabalho: ultrapassar os limites, não dançar conforme a música, extrair as idéias mais loucas, quedas e lampejos de alguma coisa, tomar a vida por um jogo louco e sempre voltar a enlouquecer de maneira criativa e abandonar o papel; os pacientes só ficam calmos depois de uma relação sexual satisfatória e de um sono profundo; tirar daí as conseqüências e acalmar-se: deixar fluir suas energias de maneira não-controlada (relações sexuais), ou seja, renunciar ao controle nos mundos imagéticos e deixar-se levar pelas asas dos sonhos através das paisagens da alma (sono); integrar na vida, tanto quanto possível, o excesso de Urano nos planos redimidos: buscar explosões orgásticas do acontecer, expor-se voluntariamente às tempestades de imagens, dançar livremente até o êxtase.

Remissão: transformar uma das fórmulas fundamentais da psicossíntese: enquanto observa o seu padrão comum, dizer sempre no seu íntimo: "Eu não sou o que se movimenta de um modo ou de outro; eu sou o Si mesmo que repousa em mim."

Cobertura do princípio original: Urano.

Síndrome braço-umbreal

Plano corporal: ombros (capacidade de carregar, postura), braços (força, vigor).

Plano sintomático: não poder mais levantar o braço; não poder manter erguido o mastro da bandeira (da vida); durante muito tempo procurou-se pegar o jeito das coisas (da vida); agora não se está mais em condições de fazê-lo; incapacidade de deitar a mão e mostrar quem manda na casa.

Tratamento: manter a calma para ir com as coisas mais *para a esquerda* (ou para a direita) e *deixar* o resto *para a esquerda* (ou para a direita); conceder voluntariamente ao lado afetado as pausas (para repouso) de um modo ou de outro, forçadas, e, para o essencial, transferir-se para o outro lado, remanescente (lado direito/masculino: poder/guiar a espada, fazer-se brando para o mundo; lado esquerdo/feminino: solicitar, receber/manter a casca, engatar, segurar); aproveitar o tempo de repouso para se questionar a respeito do lado afetado, que provoca essas dores na sua vida, dores que se rebelam contra essa vida; interpretar as dores como um grito de socorro do ombro afetado e distinguir o que está fazendo pressão no referido ombro, bloqueando o braço correspondente, ou quem o está machucando.

Remissão: preocupar-se com o lado esquerdo feminino, olhar para o direito; reconciliar-se com os problemas aí pendentes ou então largá-los.

Cobertura do princípio original: Mercúrio (braço)-Saturno (bloqueio).

Síndrome do túnel de carpo

Plano corporal: palmas da mão (honestidade, abertura), polegar (unidade), dedo indicador (orientação), dedo médio (condução).

Plano sintomático (sobretudo em mulheres entre quarenta e cinqüenta anos): devido à pressão no nervo mediano, de enfraquecimento até lesão do músculo tênar do polegar; com isso, obstrução do trabalho de oposição do polegar, que está na base da pegada: não conseguir mais pegar (compreender) bem (Polegar); não deitar mais a mão e apanhar, não poder segurar mais nada; dificuldades no trato com a polaridade; distúrbios de sensibilidade da palma da mão e dos primeiros três dedos: não ter nenhuma sensação na mão e mais nenhuma sensação para coisas que costumam afetar as pessoas; não ser mais tocado, em vez disso, ser vazio e insensível; dores lancinantes, sobretudo à noite, no tendão do braço, devido a um estreitamento nas *junções* da articulação da mão: as mãos lhe estão atadas (ficam sem força e sem sensações devido à estreiteza das junções); em caso de tema prolongado, risco de regressão muscular.

Tratamento: praticar o desprendimento, tornar a pegada mais relaxada; tirar os dedos de alguma coisa; reconhecer a ausência de sensação nas relações e no contado com o ambiente; confiar mais em si mesmo e em seu próprio sentimento interior; livrar-se das pretensões exteriores (não mais pegar, mas sim deixar(-se) ir; tornar-se consciente dos limites de sua situação.

Remissão: perceber a unidade (Polegar) por trás da polaridade e adaptar-se a isso como o último e mais elevado objetivo da vida.

Cobertura do princípio original: Mercúrio-Netuno.

Sintomas da velhice (ver também Surdez senil, Presbiopia, Encanecer, Doenças crônicas)

Plano sintomático geral: tudo se distancia (presbiopia), até mesmo a morte, já que a vida parece mais longa; os passos ficam mais curtos, o que faz com que o caminho pareça mais longo, e a vida, mais demorada: o alvo move-se ao longe (a morte é impelida para trás, ainda que esteja cada vez mais próxima); o sono se torna mais curto, razão pela qual os dias parecem mais longos; ilusão de que se tinha muito tempo, ainda que sempre se tivesse pouco; no pólo oposto, a impressão de que, como o tempo voa para longe, a volta (na mandala da vida) parecerá a alguém muito mais breve do que a ida; quanto menos intensamente a vida é vivida, mais rapidamente ela flui.

Plano sintomático especial: sinais indicativos da senilidade: manchas senis (distúrbio inofensivo da pigmentação da pele), verrugas (protuberâncias inofensivas): impelir para fora o lado escuro não dominado; queda de cabelos até a formação da calvície: deixar cair os cabelos (penas); falta de memória (memória fraca): perder o caráter evidente da consciência; calcificação (→ Arteriosclerose): deixar a corrente da vitalidade se tornar estreita e imóvel; rugas: revelam os vestígios dos golpes da vida, a atitude fundamental da alma espelha-se no rosto e lhe cai como uma máscara; desenvolvem-se traços do sexo oposto: masculinização da mulher (feições ásperas: → Barba feminina) e feminilização do homem (feições "femininas").

Tratamento/Remissão: transformar a marca pessoal em algo memorável pelo curso da vida, que deixe para trás seus vestígios; reconciliar-se com suas próprias e obscuras particularidades características; lembrança de contas que não se pode pagar (arrancar os cabelos perante uma conta alta que se tenha de pagar); preocupar-se com o fio da meada da vida, esquecer as pequenas questões cotidianas; restringir-se (a vida) ao essencial; aprender a manter-se em seus traços essenciais; carregar os vestígios da vida como distinção; interessar-se pelo pólo oposto da alma (*Animus* para a mulher, *Anima* para o homem).

Cobertura do princípio original: Saturno.

Sinusite (inflamação dos seios paranasais)

Plano corporal: nariz (poder, orgulho, sexualidade), seios paranasais (leveza, ventilação).

Plano sintomático: medo de conflitos: "ter o nariz (cronicamente) cheio", resfriado crônico; seio frontal: "ter uma tábua na frente da cabeça", não dispor de nenhuma intuição; seio maxilar: obstrução à agressividade; fossas nasais: nariz "entupido".

Tratamento: descobrir seu próprio estado de reserva e frustração crônica; retirar conscientemente o elemento ar (apostar menos no arejamento intelectual da cabeça); recolher-se a seus próprios espaços, proporcionar espaço para si; no pólo oposto: *fazer-se vento* (para seus aborrecimentos); em caso de inflamação dos seios frontais: vivenciar agressividades, morder; o jejum como possibilidade de descobrir o acúmulo interior e deixar escoar o exterior: purificação; recuperar a leveza que lhe cabe, dando em troca a teimosia.

Remissão: *conseguir voltar a ficar com a cabeça livre*, enquanto as coisas antigas são liqüidadas e cria-se espaço para as novas; prevenção: *manter a cabeça livre* para o que é importante (para a vida).

Cobertura do princípio original: Marte-Urano.

Soluços (ocorre sobretudo em crianças, em geral não é tido como doença, mas incomoda)

Plano corporal: diafragma (fronteira).

Plano sintomático: interrupção do fluxo de vida normal; traz à lembrança a sede das forças da alma (que, segundo uma idéia antiga, encontra-se no diafragma): descarga de tensões da alma ao modo de espasmos; soluçar inconfessado ou riso reprimido; dirige a atenção ao ato de deglutir: "ter comido demais", "engolir em seco" ter se "engasgado"; retorno do ato de engolir: algo o fere no plano da comunicação (a pessoa deve descobrir quem está pensando nela, e então o soluço passa); sensação de entrega, tornar-se consciente de sua impotência interior; para as testemunhas não tomadas pelo soluço, é motivo de graça: tornar-se engraçado.

Tratamento: proporcionar interrupções loucas e espontâneas à rotina da vida; liberar o que pressiona a alma e a estimula (a saltar); ajudar-se a si mesmo nos saltos; não se intimidar nem mesmo diante de idéias disparatadas e lampejos do espírito; simpatia da medicina popular: alguém está pensando em você, descubra quem é que o soluço passa.

Remissão: escapar à monótona rotina do dia-a-dia com solavancos engraçados e saltos de pensamento.

Cobertura do princípio original: Urano.

Sonambulismo ver Lunatismo

Sonho crepuscular (por exemplo, em caso de epilepsia, alcoolismo, histeria)

Plano sintomático: perturbação da consciência com a queda dos mecanismos reguladores e o então reduzido tratamento dos estímulos exteriores (durante horas ou dias): deixar acontecer (consigo mesmo) de modo não-redimido; dar adeus à responsabilidade para consigo e para com os outros; ser dependente da ajuda de outros: afastamento do mundo exterior e mergulho no mundo interior; alterações de disposição; mudanças de comportamento até chegar a ações anti-sociais, como delitos sexuais e criminosos: aspectos das sombras impelem para cima, para a consciência.

Tratamento: renunciar, a seu tempo e por sua própria vontade, a influenciar o mundo exterior; vedar-se contra o mundo exterior e voltar-se com consciência para o seu interior; transferir conscientemente a responsabilidade a outrem; aprender a aceitar substituições com consciência e gratidão; embrenhar-se em outras e também obscuras disposições; vir a conhecer conscientemente desejos e ânsias estranhas ao próprio eu e aderentes ao reino das sombras; (psico)terapia voltada para problemas fundamentais.

Remissão: contemplação; conhecer-se e aceitar-se até as profundezas; embrenhar-se na realidade (encontrada).

Cobertura do princípio original: Netuno.

Sonolência

Plano sintomático: esclarecer e interpretar a situação que está em sua base (habitualmente também nos processos orgânicos do cérebro); medo das exigências (de realização) do dia/da atividade; fuga para o mundo dos sonhos/para a inconsciência da mais tenra infância; esquivar-se da responsabilidade; medo do nascer.

Tratamento: deixar-se adentrar no medo até que ele se abra em amplidão; abrir conscientemente o mundo dos sonhos do outro lado (Yoga do sonho, o sonhar claro consciente, etc.); atravessar a inconsciência da infância ainda uma vez (terapeuticamente) para poder livrar-se dela definitivamente; reconciliar-se com seu próprio trauma de nascimento (terapia da reencarnação); regressar ainda uma vez para o paraíso do ventre materno e despedir-se conscientemente do nascimento; enxergar o dia como símbolo da vida e atacá-lo como que ritualmente.

Remissão: descobrir a essência da responsabilidade ao encontrar respostas na vida (responsabilidade: capacidade de resposta); buscar respostas — também no sono ("isso eu faço até dormindo", "dormir no ponto").

Cobertura do princípio original: Netuno.

Suicídio (tendência/tentativa de)

Plano corporal: o pescoço (incorporação, ligação, comunicação) é um local de agressão particularmente freqüente.

Plano sintomático: destrutividade abertamente vivenciada contra si mesmo; querer se esquivar, fuga das exigências da vida; não se entender com as exigências posicionadas ou feitas pelos sentidos; aparente alternativa para uma situação experimentada como sendo de ausência de alternativas; ser vítima da ilusão de que com a morte tudo passa.

Tratamento: tornar-se consciente da inutilidade do suicídio: as experiências em terapia da reencarnação não deixam qualquer dúvida de que o suicídio nada poupa àquele que o comete — pelo contrário, o destino só faz aumentar a pressão até que as tarefas acumuladas de aprendizado sejam aceitas; reconhecer contra quem realmente se dirige a profunda agressividade; reconhecer e assumir as tendências de fuga; reconhecer eventuais recusas; reativar buscas de fuga; psicoterapia para a atualização de problemas que por si sós não parecem domináveis.

Remissão: encontrar uma solução redentora, isto é, real, depois de ficar claro que não se escapa tão facilmente; inserir energia agressiva num processo de transformação congelado; reconhecer o sentido de sua situação atual de vida: "Quem tem um *porquê* para viver, suporta quase todo *como viver*" (Nietzsche).

Cobertura do princípio original: Netuno-Plutão.

Superatuação da glândula tireóide ver Hipertiroidismo

Surdez senil (ver também Sintomas da velhice)

Plano corporal: orelhas (escuta).

Plano sintomático: no que diz respeito ao aspecto auditivo, o mundo exterior recolhe-se gradativamente.

Tratamento: reconhecer o convite para se afastar do mundo exterior e dedicar-se ao mundo interior.

Remissão: escutar a própria voz interior e obedecê-la.

Cobertura do princípio original: Saturno.

Surdez/Mudez (ver também Hipacusia)

Plano corporal: ouvidos (obediência).

Plano sintomático: o mundo exterior emudece e não o atinge mais; afundar-se na afonia; em caso de surdez prematura, a capacidade de falar não pode se desenvolver, resultando na mudez: não se comunicar da maneira usual, e ver aprofundar-se a distância e o abismo com relação aos "outros"; não estar afinado, ficar facil-

mente de mau humor: o temperamento aborrecido e rabugento de muitas pessoas com problemas auditivos; querer/precisar ficar em seu próprio reino; excluir-se; o mundo parece absurdo (latim: *absurditas*, surdez); armar-se contra o terror que vem de fora: manter-se a distância das pessoas e do mundo; também depois da recusa de contato com o mundo, não querer escutar nem obedecer; não dar mais ouvidos a ninguém, fechar-se para o mundo que agita — fazer com que outras pessoas gritem ao lhe falar.
Tratamento: encontrar outras formas de cobertura e proteção; tendo sido deixado pela audição externa, escutar a voz do coração, que jamais emudece, e obedecê-la; ser todo ouvidos para os outros planos; perceber e transformar sua obrigação de ficar mais próximo das outras pessoas; renunciar conscientemente à comunicação e arranjar-se consigo mesmo; fazer-se entrar no pólo contrário a partir da experiência de poder ser só e, no caso ideal do poder-ser-todos-em-um, voltar-se comunicativamente para o exterior por meio da linguagem gestual ou de treinamento lingüístico especial.
Remissão: exigência de buscar o silêncio interior, que ainda está atrás da voz interior; vivenciar a auto-suficiência e encontrar a solução em si, em seu próprio meio.
Cobertura do princípio original: Saturno.

T

Taquicardia (ver também Distúrbios do ritmo do coração)
Plano corporal: coração (sede do amor, da alma, do sentimento, centro energético).
Plano sintomático: desequilíbrio: quase se é triturado pelas batidas do coração; sair correndo de medo: tendência para fugir com toda a pressa; não estar maduro para os desafios; o centro foi pouco preparado/treinado para a vida; amor não-vivenciado (desfrutado); não (querer) reconhecer emoções que se tornam furiosas.
Tratamento: deixar-se pulsar fortemente; deixar-se pôr internamente em movimento; *triturar-se* pelas necessidades do coração; deixar que se façam pernas do coração; tornar claros para si mesmo seus aborrecimentos e tendências para a fuga e admiti-los na consciência; apresentar-se aos desafios e fazer algo pelo coração, para que ele possa trabalhar; preparar seu centro a partir de todas as perspectivas: treinamento em todos os planos; perceber o amor no coração e deixá-lo se alastrar pela vida; descansar de seu coração que bate de modo selvagem e deixar-se deslocar em seus pontos de vista: dar oportunidades ao coração quente perante a cabeça fria; voltar-se para a voz do coração; encontrar a pretensão furiosa que o impulsiona; reconhecer interesses particulares contraditórios.
Remissão: um coração corajoso, desperto e aberto, para deixar sair as emoções.
Cobertura do princípio original: Sol-Marte.

Taquicardia paroxística (batimentos cardíacos ao modo de ataques; ver também Taquicardia)
Plano corporal: coração (sede do amor da alma, do sentimento, centro energético).
Plano sintomático: superexcitação da alma; as comoções não chegam à consciência; instintividade reprimida; algo emperra e não vai adiante; iludir-se com alguma coisa e então fluir em seu próprio mundo.
Tratamento: deixar-se excitar espontaneamente pelas oportunidades do coração; deixar subir à consciência os conteúdos que estão por detrás das comoções; impelir-se a partir de seus próprios impulsos, mas não se deixar impulsionar (expulsar).
Remissão: não se tornar um coração de pedra: não colocá-lo sob pressão.

Cobertura do princípio original: Sol-Marte/Urano.

Tendência à hemorragia (ver Diátese hemorrágica)

Tendossinovite (inflamação de bainha de tendão)

Plano corporal: braços (força, vigor, poder).

Plano sintomático: contração, resistência, fricção e rigidez nos movimentos da mão e do braço; faltam relaxamento, agilidade e graxa na bainha do tendão; em razão de um conflito constante e escondido por detrás de racionalizações, envolvendo realização de movimentos que se contraem cada vez mais; combinar algo sepulcralmente monótono e em geral pouco valorizado com uma elevada pretensão: por exemplo, tricotar pulôveres para os queridos filhinhos, tricotar para alguém que se ama; deixar afluir conteúdos inconfessados nos movimentos das mãos, por exemplo, ao datilografar a carta do chefe venerado ou odiado.

Tratamento: aceitar e utilizar a pausa para reflexão prescrita pelo destino; dar-se com esforço e concentração a trabalhos (manuais); descobrir a postura interior rígida e separar-se de suas funções, de modo que essas voltem a ser feitas serenamente por suas mãos.

Remissão: fazer os trabalhos manuais com dedicação como se fossem obras de artesanato e reconhecer que o problema não está na ação, mas na postura interior.

Cobertura do princípio original: Mercúrio-Marte.

Teníase

Plano corporal: intestino (assimilação das impressões materiais).

Plano sintomático: nutrir parasitas, estar com hóspedes indesejados e ter de alimentá-los; fazer-se explorado; não se conceder nada, não se deixar aumentar (expandir) (hoje já como terapia intencional, para impedi-las de crescer, tênias como hóspedes *convidados*); sentir impurezas; medo de ser devorado internamente.

Tratamento: alimentar conscientemente seres (animais) mais fracos; esclarecer o tema "explorar e ser explorado": observar parasitas e reconhecer o próprio parasitismo; limitar-se conscientemente, por exemplo, jejuando (deixando morrer de fome também fisicamente os parasitas); emprego de tênias artificialmente implantadas: cuidado com o que se recebe na garganta postiça; o consciente fazer retornar das energias; calmamente sujar-se (as mãos) pelo menos uma vez; concentrar-se na verdadeira fome.

Remissão: deixar que outros vivam juntos, amor ao próximo; hospitalidade; mecenato; reduzir-se ao essencial, limitação, ascese no sentido da arte da vida; sentimento para as próprias necessidades e as dos outros modos de vida; cooperação e coexistência.

Cobertura do princípio original: Júpiter-Plutão.

Teratoma (tumor embrionário)

Plano corporal: diferentes localizações, por exemplo, nos ovários ou testículos (fertilidade, criatividade).

Plano sintomático: acompanhado de sebo, é um cisto que atinge todas as estruturas teciduais embrionárias possíveis, como ossos, dentes, pele e cabelos: lembrança da origem, da linhagem; restos de um, por assim dizer, feto parasitário que desde o nascimento de seus irmãos gêmeos ficou sem se desenvolver: trazer consigo um irmãozinho morto; indicador de um irmão gêmeo sempre existente nas sombras, no pólo oposto da alma, que abrange a tudo isso, do qual não nos damos conta; mais tarde, no decorrer da vida, um teratoma pode começar a crescer e alcançar um tamanho considerável (o "capitão grávido de Pa ..u" foi vítima de um enorme teratoma, que parecia uma gravidez); a mistura dos tecidos remanescentes pode ameaçar a vida pela degeneração; atraso: ficar preso ao passado, sem

realizá-lo; o teratoma testicular é sempre maligno (Câncer).
Tratamento: deixar-se lembrar de que não estamos sozinhos e de que há sempre um irmãozinho/irmãzinha no reino das sombras esperando reconhecimento; esclarecer seu comportamento para com o obscuro passado próprio e coletivo, de modo que ele não possa chegar a ser uma *fatalidade*.
Remissão: reconciliação com os gêmeos das sombras e com os perigos (degeneração) que podem resultar de seu desprezo; reconhecer que ele nos pertence tanto quanto nosso lado luminoso, nosso eu, com o qual nos identificamos tão fortemente.
Cobertura do princípio original: Plutão.

Terçol ver Hordéolo

Tetania (ver também Hiperventilação)
Plano corporal: musculatura (motor, força), glândulas paratireóides (equilíbrio entre ossificação e inconsistência), metabolismo (equilíbrio flutuante).
Plano sintomático: tetania desencadeada pela Hiperventilação ou pela hipofunção das glândulas paratireóides, e tetania por baixa porcentagem de cálcio no sangue com contrações musculares, como na tetania por hiperventilação (em oposição a essa, há uma verdadeira falta de cálcio, que deve ser tratada); aceitação espontânea da atitude do embrião (ainda que ao modo de contrações), quando o trauma de nascimento não é assimilado; busca da cura de si mesmo pelo organismo a partir de uma situação de estreiteza/medo; a contração mostra a enorme descarga, sempre relacionada ao medo original da estreiteza (do nascimento) ou outras situações de medo; estar aprisionado no próprio corpo.
Tratamento: envolver-se com a própria estreiteza até que o medo seja o maior possível, vivenciando então o modo como o medo conduz ao pólo oposto, à amplidão; levar adiante sua própria luta pela libertação do medo original (que em geral corresponde à estreiteza original por ocasião do nascimento); empreender a luta pela liberação do medo da estreiteza com força e resistência.
Remissão: liberação pela própria força, vencendo o medo.
Cobertura do princípio original: Marte-Saturno.

Tétano
Plano corporal: todo o organismo é afetado.
Plano sintomático: os agentes domiciliados no lodo e no subsolo invadem mediante feridas e atuam como espasmo rígido sobre o sistema nervoso central, levando-o a sucumbir em 40% dos ataques: as energias do reino inferior das sombras (no que diz respeito à lama e terra como produtos em decomposição) irrompem para as fronteiras com o mundo superior, invadindo a região central e envenenando-a; fortes dores no local da lesão, espasmos que se alastram: bloqueio do maxilar (o assim chamado riso espasmódico sardônico), distúrbios na deglutição, contrações exageradas dos músculos da face, contraturas duras como pedra afetando as costas em toda a sua extensão, o abdômen e o pescoço; o paciente permanece consciente até a morte e vivencia seu tormento e morte por paralisia respiratória.
Tratamento (preventivo, a prevenção é a única proteção segura): no tempo certo, ocupar-se com as forças obscuras do submundo para se proteger de ataques de surpresa; não temer lutas e discussões; rir seu riso, antes que seu rosto se cristalize numa convulsão; deixar-se oportunamente excitar pela vida enquanto há capacidade de reação para tal; lutar para não engolir e aceitar tudo sem resistência; fazer-se reto e forte (nas costas), mostrar aprumo e não deixar que seu pescoço se curve.
Remissão: defrontar-se conscientemente com o deus Pã em toda a natureza, reconciliação com as forças mundanamente

originais do submundo; vivenciar as forças monstruosas em seu próprio interior, antes que seja pinçado por elas; vivenciar conscientemente as realizações de que são capazes os músculos e comprazer-se nisso.
Cobertura do princípio original: Marte-Saturno/Plutão.

Tinido ver Ruídos na audição/zunido

Tiques ver Síndrome de Tourette

Tísica pulmonar ver Tuberculose pulmonar

Tonturas ver Distúrbios de equilíbrio

Torcedura (ver também Acidentes, Acidentes de trabalho/acidentes domésticos, Acidentes de trânsito)
Plano corporal: articulações (mobilidade, articulação), musculatura (motor, força).
Plano sintomático: contorcer-se para alcançar algo, ainda que seja inatingível: "forçar a barra", "desdobrar-se".
Tratamento/Remissão: contorcer-se anímico-espiritualmente para não sobrecarregar o corpo.
Cobertura do princípio original: Marte-Urano.

Torcicolo
Plano corporal: pescoço (incorporação, ligação, comunicação).
Plano sintomático: deixar um lado do mundo despercebido à esquerda (ou seja, à direita); visão (de mundo) enviesada e unilateral; certeza/incerteza; o desmascarar de uma reveladora segurança de si mesmo; evitar situações desagradáveis, desviar o olhar de seus conflitos.
Tratamento: aceitar a posição de coação como possibilidade de aprendizado: em primeiro lugar, dar-se conta do lado evitado e voltar-se completamente para o lado que se encontra no campo de visão forçado, até que a tarefa subjacente esteja resolvida (homeopaticamente); depois da execução da tarefa prioritária, abarcar com os olhos também o outro lado (alopaticamente); aprender a entender a acentuação dos lados esquerdo (feminino) e direito (masculino); apresentar-se ao confronto, encarar o mundo.
Remissão: encontrar o centro em seu modo de ver: o copo está ou meio cheio ou meio vazio, ou seja, tanto uma coisa quanto outra.
Cobertura do princípio original: Vênus (pescoço)-Urano.

Torção dos testículos
Plano corporal: testículos (fertilidade, criatividade).
Plano sintomático: devido a uma rotação (manipulação) física dos testículos (geralmente por garotos) de mais de 180 graus, interrompe-se o abastecimento de sangue, seguem-se dores violentas, inchaço, descoramento entre o azul e o preto, atrofia dos testículos (necrose): idéias distorcidas no âmbito da fertilidade e da masculinidade.
Tratamento (também para os pais, cujos problemas geralmente são espelhados pelos filhos): operação em 24 horas, sem o que surgem danos irreparáveis; alterar idéias distorcidas sobre o âmbito afetado da masculinidade; tornar consciente o perigo de atrofia no âmbito da criatividade e da fertilidade.
Remissão: atacar de maneira aberta (ofensiva) e corajosa os temas da masculinidade e da fertilidade e entendê-los em sua essência.
Cobertura do princípio original: Marte-Urano.

Tosse (ver também Doenças das vias respiratórias, Resfriados, Gripe)
Plano corporal: pulmões (contato, comunicação, liberdade).
Plano sintomático: agressividade que não é externada a ninguém, descarregando-se no corpo; tosse de cachorro magro, solavancos agressivos de tosse, descargas de tosse; tosse seca: o tossir como forma de manter as pessoas a distância, defesa

agressiva; coqueluche: o fardo junto à agressividade, sob o qual se geme e se está ofegante; tossidelas como passagem para o pigarro: indício de que também se gostaria de dizer algo, mas esse "algo" não lhe ocorre.
Tratamento: aprender a externar verbalmente a sua opinião; tornar-se consciente do fardo que o tema agressividade representa para si; desenvolver caminhos conscientes de expressão da agressividade; conversa conflituosa indo até uma cultura do conflito: cultivar as discussões, antes buscar a discussão do que sepultar o conflito; seguir por caminhos corajosos; na vida, *atacar temas espinhosos*.
Remissão: discussões corajosamente abertas (ofensivas).
Cobertura do princípio original: Marte-Urano (descarga), Marte-Mercúrio (expressão agressiva).

Tosse comprida ver Coqueluche

Toxicose/Gestose da gravidez ver Eclampsia

Transpiração nas mãos
Plano corporal: mãos (apanhar, agarrar, capacidade de manuseio, expressão).
Plano sintomático: ter mãos suadas de medo; as mãos úmidas e frias o tornam honesto, ao mesmo tempo que expressam um medo inconfessado, não reconhecido por aquele que o possui; medo e defesa contra contato; segundo Georg Groddeck, mãos úmidas falam por uma transposição do tema do âmbito inferior e sexual para o âmbito supostamente mais limpo e superior, de modo semelhante ao corar, que sugere um transporte do sangue de baixo para cima: aqui ganha corpo a maior vergonha, na maioria das vezes acompanhada por esses sintomas.
Tratamento: conhecer o próprio medo, reconhecendo-o e assumindo-o; encontrar o caminho de retirada, para ser protegido; encontrar caminhos conscientemente, expressar seu medo e trabalhá-lo (seguir conscientemente pela estreiteza que o limita).
Remissão: vivenciar a amplidão pelo confronto com sua própria e total estreiteza e abrir-se de boa vontade para o contato e a comunicação.
Cobertura do princípio original: Mercúrio-Saturno.

Transpiração nos pés (ver também Hiperidrose)
Plano corporal: pés (firmeza, enraizamento).
Plano sintomático: produzir secreção sudorífera fétida na raízes: ceder ao excesso nos pés; a fetidez interna faz-se para o exterior; os modernos tênis, como (estimuladores da secreção do suor) calçados duradouros, fazem aumentar a tendência a suar nos pés: quanto mais vistoso é o calçado jovem e esportivo, com mais rapidez ele deixa os pés molhados; desintoxicação nas raízes; demarcação do próprio território pelo cheiro; pés fétidos põem os outros para correr; deixar chegar também aos "ouvidos" (narizes) dos outros a informação de que há algo suspeito com relação ao seu próprio enraizamento; o medo é empurrado profundamente para baixo (reprimido): falta de confiança (original) sobre se lhe é possível agüentar a vida.
Tratamento: fortalecer medidas de desintoxicação: procurar outros caminhos pelo intestino e pelos rins (por meio do jejum) e pela pele (sauna ou pelo suar durante prática esportiva); demarcar seu âmbito de influência com métodos agradáveis: por cheiros artificiais, fazendo sua difusão ocupar os espaços, etc.; é preferível abrir a boca e protestar a (inconscientemente) cheirar mal; manter-se afastado dos outros por medidas conscientes: verbalmente, assumindo (irradiando) seu próprio campo; muitas vezes os descalços cheiram melhor: cuidar para ter um contato saudável e desobstruído com a terra.
Remissão: pureza e clareza interiores: desintoxicação em todos os níveis: "o sau-

dável exala o seu cheiro até o último fruto degustado" (Sabedoria Indiana); forte irradiação; reconciliação com a terra.
Cobertura do princípio original: Netuno.

Trauma do estilingue (fenômeno do golpe de chicote; ver também Acidentes de trânsito)
Plano corporal: vértebra cervical (coluna vertebral) (movimento giratório do pescoço, mobilidade da cabeça).
Plano sintomático: sobretudo por acidentes de automóvel, havendo o arremessar do pescoço para a frente e para trás, com lesão da coluna vertebral; em casos extremos chega a ocorrer uma Paralisia do corte transversal (Quebrar o pescoço) e rompimento dos vasos: ser arremessado do caminho; distúrbios de sensibilidade e dores nos ombros e braços (Síndrome do braço umbreal): não pegar mais o jeito.
Tratamento: aproveitar o descanso imposto por um posicionamento mecânico para ter uma visão panorâmica calma e inimaginada da própria vida; assimilar o conhecimento de que se esteve no caminho da vida por muito pouco tempo e com muito pouco *cuidado*; aumentar a mobilidade da cabeça, embora a longo prazo no sentido figurado, para ser aprovado com mais cautela e flexibilidade (pela vida); aumentar a flexibilidade do pescoço, reduzir a rigidez, só resistir onde houver inclinação para tal.
Remissão: encontrar o meio-termo entre (ser) vértebra(s) e coluna: harmonizar capacidades dinâmicas e estáticas para uma combinação perfeita.
Cobertura do princípio original: Vênus-Saturno/Urano.

Traumatismo craniano-cerebral ver Concussão cerebral e Contusão cerebral

Tricomonas ver Doenças venéreas

Triquinose
Plano corporal: todo o organismo é afetado.
Plano sintomático: depois de ingerir carne de porco infectada, sobrevêm enjôos, dores no estômago e no intestino, logo acompanhadas de dores musculares, febre, diarréias, contrações, urticária e hemorragias (as populações que consomem carne de porco contaminam-se 20% mais; em sua maior parte a doença permanece próxima da ausência de sintomas; no entanto, ao se manifestarem, resultam em 5% de casos fatais); luta do organismo contra o ataque aos músculos: enjôo, diarréia e as outras dores gastrointestinais indicam que o afetado gostaria não de não ter digerido o que ingeriu, mas muito mais de se livrar disso; dores musculares e contrações deixam entrever a luta dos músculos contra as triquinas; a urticária expressa a luta defensiva junto à fronteira; as hemorragias revelam que a força vital está fugindo por aí.
Tratamento: apresentar-se a duas lutas espirituais e envolver-se com elas, defender o campo da mobilidade e mantê-lo limpo; eliminar o que o prejudica; defender suas próprias fronteiras e pôr sua energia vital nessa discussão; considerar se o "saborear" da carne de porco, que ainda contém outros efeitos nocivos, compensa o risco; afirmação subjacente sobre o que se incorpora: "a gente é o que come!"
Remissão: apresentar-se a suas próprias discussões fluentes e defender seu próprio terreno espiritual.
Cobertura do princípio original: Plutão.

Trocar os pés (ver também Luxação)
Plano corporal: pés (firmeza, enraizamento).
Plano sintomático: ser de pouso firme; dar saltos altos demais, andar ao lado, deitar ao lado; o contato entre o mundo dos pensamentos e a realidade segue de maneira desarmônica e por caminhos perigosos.
Tratamento: reconhecer quando se está deitado e quando se caminha ao lado; tomar consciência do *passo em falso*, para

aprender com a experiência; melhor proteger saltos espirituais e altos vôos; aspirar a uma maior calma exterior juntamente com uma mobilidade interna.
Remissão: os grandes saltos estão ajustados à própria firmeza (viver sobre "pés maiores"/mais generosos, para adquirir mais segurança); permanecer no solo, apesar dos altos vôos do pensamento: "enraizar-se solidamente com os pés na Mãe Terra, e erguer a cabeça para o Pai que está no céu" (sabedoria indiana).
Cobertura do princípio original: Netuno-Urano.

Tromboflebite ver Flebite

Trombose (ver também Embolia, Flebotrombose da pelve, Flebite)
Plano corporal: sangue (força vital), vasos sangüíneos (vias de transporte da força vital); tecido conjuntivo (ligação, consistência, compromisso).
Plano sintomático: a energia vital interrompe o caminho de volta para o centro: não receber de volta o que se enviou; bloqueio da energia vital e do estar em fluxo interno; estar atolado, encalhado e entalado; impede-se a mobilidade exterior: cessam todas as mudanças; estar obstinado: visões/juízos rígidos; sua idéia da vida resvala para um juízo (preconceito); estado de não-vida em vida.
Tratamento: reduzir a velocidade da vida e deter-se no caminho encetado, marcado por múltiplos desvios (Varizes nas pernas) e transferências; aprender a dar sem recompensas imediatas no sentido de esperar um refluxo: praticar uma recusa do fruto (budismo: *phala varja*); renunciar totalmente à mobilidade exterior, chegando a uma calma interior e a um exame de consciência; desenvolver conseqüência e clareza para dissolver a interrupção e o entorpecimento; aprender a agir não agindo, isto é, agir sem se aferrar a ações e sem depender interiormente delas.
Remissão: encontrar a calma em meio a todo o movimento: ouvir o silêncio do próprio centro; no pólo contrário: para a vida em polaridade, descobrir que "Tudo flui", e confiar-se à mudança eterna.
Cobertura do princípio original: Marte-Saturno.

Tuberculose pulmonar (tísica pulmonar)
Plano corporal: pulmões (contato, comunicação, liberdade).
Plano sintomático: o tecido pulmonar baseia-se e se converte num material que, a partir de uma aérea leveza e liberdade, torna-se como um queijo forte: a leveza do ser é perdida; tísica: suspender a comunicação e esquivar-se dela; conflito latente, que se prolonga, sem muitos sintomas (intratável), em geral até a morte: o paciente desvanece-se (desaparece) de maneira relativamente discreta ("moléstia magra", "delicada", "fininha"); no campo da fraqueza imunológica (carência e deficiência na alimentação, vícios e outros problemas pulmonares), pode fazer com que o agente (*Mycobacterium*), na maioria das vezes após repetidos ataques, tome pé nos pulmões e deixe arder as discussões; fadiga e perda do apetite revelam a tendência para esquivar-se; a perda de peso remete à intenção inconsciente de *se rarefazer*; dão-se a conhecer somente temperaturas pouco elevadas (subfebris), que não chegam a desencadear nenhuma luta violenta — os pacientes estariam muito fracos para isso —, mas inflama-se um fogo de lenta combustão nas profundezas do pulmão como órgão de contato e de comunicação; as tuberculoses aberta e fechada diferenciam-se no que diz respeito à periculosidade do contágio: no primeiro caso é grande, no segundo, inexistente.
Tratamento: junto à eliminação (alopática) pela guerra das microbactérias por meio de combinações preservadas de antibióticos, dedicar-se, tanto quanto possível e no tempo certo, aos conflitos calmos e menos aguerridos no âmbito da comu-

nicação e do intercâmbio: reduzir a defesa anímico-espiritual, para livrar o corporal de seu papel de substituto e voltar a torná-lo robusto; tornar-se consciente das tendências, esquivar-se de contatos *melindrosos*; reconhecer as tendências de fuga do âmbito do contato e da comunicação e ceder ao âmbito exterior, mas tratando de entrar em contato profundo consigo mesmo.
Remissão: aprofundar de modo consciente e eficaz o flerte com o além — sem usar os pulmões como rota de fuga, esquivando-se da polaridade.
Cobertura do princípio original: Mercúrio-Netuno.

Tumefação nasal ver Rinofima

Tumor cerebral (ver também Câncer)
Plano corporal: cérebro (comunicação, logística).
Plano sintomático: crescimento tumoroso selvagem e avassalador na própria central: processo que demanda espaço; tamanho é o afastamento de sua via específica de desenvolvimento que o corpo vem tomar as rédeas do tema, a fim de lhe proporcionar uma expressão; o crescimento anímico-espiritual nesse campo esteve por tanto tempo bloqueado que ele agora abre caminho no corpo tão-somente de modo agressivo, desordenado e brutal; o câncer realiza corporalmente no âmbito da central (de distribuição) o que seria animicamente necessário no correspondente plano da consciência.
Tratamento: tornar-se consciente do próprio disparate; reconhecer e realizar o crescimento espiritual imaginado; abrir-se, no âmbito do governo, a suas próprias representações selvagens e fantasias temerárias, deixá-las crescer e prosperar ousada e corajosamente; ceder à exigência de espaço no tempo certo e nos planos afetados; reconquistar antigos sonhos que se tinha na vida, tornar a vivenciá-los e a transpô-los com determinação; extrair coragem do "não ter mais nada a perder"; considerar todas as medidas mencionadas no verbete Câncer: sendo o câncer uma nosografia que afeta todo o organismo, é preciso preveni-lo em todas as frentes.
Remissão: descobrir o amor sem fronteiras, não se importar com normas estabelecidas por si mesmo ou por outrem, e comprometer-se em perceber e cumprir a mais alta das leis individuais; reconhecer a necessidade de passar do nível corporal, e por isso mesmo perigoso à vida, para o nível anímico-espiritual, desafiador, mas que nos salva a vida, e apostar num crescimento expansivo deste último.
Cobertura do princípio original: Lua/Mercúrio-Plutão.

Tumor de gordura ver Lipoma

Tumor do tecido medular da cápsula supra-renal ver Feocromocitoma

Tumor escuro da pele ver Acantose

Tumores adenóides (pólipos)
Plano corporal: amígdalas da garganta (policiamento), mucosa (fronteira interna, barreira) do nariz (poder, orgulho, sexualidade) e seios paranasais (leveza e arejamento).
Plano sintomático: deixar que se fechem as narinas, tê-las cronicamente congestionadas (obstrução da respiração pelo nariz); expressão facial admirada e constantemente perplexa: "ele ficou espantado, de boca aberta"; "tolinho" (de ar tolo), expressão de rosto menos desperta por ter de manter a boca permanentemente aberta para respirar: as crianças "farejam" menos, são menos curiosas e *xeretas* (de cheirar), sendo em vez disso indolentes e desconcentradas, "de raciocínio lento" e por vezes também semi-surdas, apartadas das percepções originais dos sentidos (chei-

Úlcera crural

rar, saborear e ouvir); existência sem sentido, não realizar intercâmbio suficiente (arejar-se): quem não respira pelo nariz também não pode cheirar, farejar, sondar; a vida não cheira a algo especial (nenhum aroma é sentido, os alimentos parecem não ter gosto); ter o suficiente e ser por demais exigido; obstinação; conflito prolongado; carência de energia por estar em condição de alto risco, guiar-se em falsos trilhos, comunicação bloqueada: necessidade de limitar a comunicação; em alemão, o termo "pólipos" é correntemente usado para designar "policiais", que, como polvos, agarram com seus tentáculos: defesa, proteção do organismo contra os invasores.

Tratamento: ficar consciente de ter as fossas nasais cronicamente entupidas; trabalhar com consciência as exigências excessivas e frustrações; reconhecer o conflito no âmbito da comunicação com o meio ambiente; examinar as próprias vias de comunicação: aprender a sábia limitação.

Remissão: comunicação e ligações com o exterior reduzidas ao essencial; capacidade de admiração em detrimento da obstinação; tranqüilidade e calma em meio à corrente da vida.

Cobertura do princípio original: Mercúrio-Saturno-Marte (Pólipos/policiais).

Úlcera crural ver Perna aberta

Úlcera de decúbito (úlcera por pressão, por ficar muito tempo parado)
Plano corporal: pele (delimitação, contato, carinho); sacro e cóccix, calcanhar e todas as partes em que a pele repousa diretamente, ou seja, sem estofamento, sobre os ossos.
Plano sintomático: a ausência de movimento conduz a desordens no abastecimento de energia (circulação sangüínea); arrebenta-se a pele mais exterior, e o local fica em carne viva: trata-se de uma escoriação por ficar muito tempo paralisado.
Tratamento: aceitar uma posição exteriormente calma, que seja útil a uma mobilidade interior: fuga pelo pensamento, viagens na fantasia; viagens interiores em vez de pensamentos voltados a atividades exteriores; abrir o invólucro interno em vez de a pele externa: fazer justiça ao mundo interior que se encontra aberto; tornar-se sensível a todos os estímulos dos sentidos (ter uma pele fina); aprender com as próprias fraquezas.
Remissão: mundo interior preenchido com vida; dissolução da fronteira entre interior e exterior (fazer-se um com o todo); preparação anímico-espiritual para o interior e, dessa forma, também para o mundo do além — deixar que a fronteira se torne permeável: abrir-se para o próximo passo.
Cobertura do princípio original: Netuno (abertura)-Saturno (fronteiras/limites).

Úlcera duodenal ver Abscesso duodenal

Unheiro ver Panarício

Uremia ver Insuficiência renal

Uretrite (ver também Cistite)
Plano corporal: uretra (condução de águas residuais e vitais).
Plano sintomático: conflito no sistema de abastecimento de águas residuais: o liberar de águas residuais (anímicas) tornadas supérfluas fica doloroso e difícil; liberar uma necessidade ardente, não sem dificuldades dolorosas e a percepção de que isso habitualmente se dá apenas em pequenas doses; conflito entre o manter e o liberar (necessidade urgente, mas que provoca dores).
Tratamento: ação agressiva e luta para deixar escapar as energias anímicas não-

vividas; reconhecer o que se quer dolorosamente liberar em outros planos.
Remissão: satisfazer oportunamente à liberação da ardente necessidade.
Cobertura do princípio original: Plutão.

Urinar na cama
Plano corporal: bexiga (segurar e liberar pressão).
Plano sintomático: à noite, soltar sob pressão, quando o controle consciente esmorece: o mecanismo de controle da consciência, sobrecarregado durante o dia, falha à noite; soltar-se totalmente; devolver a pressão que se recebeu durante o dia; exercício de força; chorar por baixo.
Tratamento (por parte do educador): tornar consciente para si a pressão cotidiana sobre a criança; por trás da pressão, descobrir o medo; motivar a criança a aceitar exigências e pressão como desafios; proporcionar espaços para a descontração durante o dia; trabalhar a sobrecarga de pressão com jogos, que possibilitam que a criança desfrute o soltar-se; proporcionar válvulas de escape para um choro natural (valorizar as lágrimas de alegria, assim como as de tristeza, em vez de depreciá-las); proporcionar à criança oportunidades de soltar-se completamente e de regredir por inteiro.
Remissão (para a criança): durante o dia, poder defender-se cara a cara; poder lidar com as (próprias) emoções.
Cobertura do princípio original: Lua-Plutão.

Urticária (ver também Prurido, Alergia)
Plano corporal: pele (delimitação, contato, carinho).
Plano sintomático: reações alérgicas da pele, depois das quais as chamadas bolhas e pápulas provocadas pelas urtigas *(Urtica urens)* revelam necessidades ardentes; ser desafiado: "sentir algo coçando", "ter pruridos"; concupiscência; a paixão que impele para fora/o fogo/ira interior: "sentir uma comichão"; a reação a alergênios que estimulam/irritam é vivenciada de maneira ou estimulante, ou irritada; luta contra imagens sutis simbólicas nos alergênios (significados: Alergia); hiper-reação, exagero na imagem do inimigo, agressividade forte e inconsciente; tiranizar o meio ambiente ao evitar os alergênios e com isso vivenciar a agressividade: acúmulo de agressividade, vitalidade reprimida.
Tratamento: tornar-se consciente das necessidades que lhe ardem na própria pele; coçar-se no plano consciente até saber o que provoca pruridos, irrita e arde na alma; deixar-se desafiar voluntariamente: a vida com seus estímulos deve lhe causar suaves pruridos; deixar que entrem em si os muitos estímulos e que sejam eliminados; discussão consciente com os âmbitos evitados e defendidos; ficar pronto para reagir; permitir-se mais; deixar que as fronteiras (pele) se tornem porosas, para que o interior possa sair com mais facilidade; voltar a verificar o exercício de agressividade do corpo e ficar mais agressivo e ofensivo; ousar viver; aceitar desafios conscientemente; agir de maneira ofensiva; (aprender) a desfrutar o erotismo.
Remissão: *empreender* um ardente "pega pra capar" na vida; enfrentar, oferecer a testa/fronte (latim: *frons, -tis*) à vida.
Cobertura do princípio original: Vênus-Marte.

V

Vaginismo
Plano corporal: vagina (entrega, prazer).
Plano sintomático: desejo inconfessado de segurar o parceiro sexual; as tendências da alma para enganchar/reter tornam-se corporalmente claras; medo da perda relacionado com coisas desejadas e amadas; medo inconfessado de separação.
Tratamento: encontrar caminhos conscientes para se ligar ao parceiro; aprender a segurar o que se ama e o que é importante para ele.

Remissão: realizar e conservar experiências da unidade no plano da consciência.
Cobertura do princípio original: Vênus-Marte.

Vaginite ver Colpite

Varíola
Plano corporal: pele (delimitação, contato, carinho).
Plano sintomático: nódulos inflamados em manchas vermelhas na pele, que num período de seis dias passam para um estágio de bolhas a pústulas, incrustando-se no 12º dia: muitos conflitos inflamados, que se juntam para uma grande ameaça e desafiam para uma discussão aberta (ofensiva) e engajada; se as mucosas também são atacadas desde o início e chegam a sangrar, a evolução é mortal; a vacinação (dever anterior) pode impedir a doença ou ao menos atenuá-la, estando porém carregada de infecções mortais próprias da vacinação; uma vez encerrada a nosografia, na maioria dos casos permanecem cicatrizes características da varíola, como que para manter a lembrança da luta de vida ou morte; fraqueza geral, com náuseas, dores de cabeça, febre até 41 graus; mobilização geral para uma guerra em que se faz das tripas coração; vômitos: o paciente quer se livrar daquilo que o pegou (pelo vento ou por contato direto) e que faz doer sua central ameaçada; a fraqueza denuncia a ameaça que é até de morte.
Tratamento: envolver-se numa luta impiedosa e agressiva de vida ou morte; mobilizar conjuntamente todas as forças para essa guerra; guardar (na consciência) as cicatrizes características como lembrança da ameaça à vida.
Remissão: ter permanentemente diante dos olhos a ameaça à vida na polaridade dos olhos e reconciliar-se com ela; valorizar a vida em seu aspecto combativo.
Cobertura do princípio original: Marte.

Varizes nas pernas (ver também Pressão baixa, Fraqueza do tecido conjuntivo)
Plano corporal: vasos sangüíneos (vias de transporte da força vital), tecido conjuntivo (ligação, consistência, compromisso).
Plano sintomático: oposição entre vasos e contrações lentamente serpenteantes: os pólos feminino (fluxo em meandros) e masculino (luta [convulsão]) não chegam a uma harmonia; não se recebe pela sua ação a recompensa que lhe cabe; a energia vital enviada tende a não retornar: expectativas frustradas; pouca vitalidade na metade inferior do corpo: ficar parado, corromper-se; a energia vital transborda e acentua (sobrecarrega) o pólo inferior (tendência para edema); forte ligação com a terra, indolência, lentidão; falta de apoio, tendência para a flexibilidade, falta de energia e elasticidade interiores, a vida em fogo brando: situação em que há falta de pressão ou suspensão (da energia vital); muitos dos pontos ficam em lugares dos quais não se gosta; falta de capacidade de ligação e de relação, ausência de compromisso, pouca credibilidade; atitude de sacrifício e de reivindicação: crença em que se fez tudo o que era preciso, e agora são os outros que devem fazer o serviço pesado (para ela/ele); reagir de maneira vulnerável e rancorosa (das menores batidas/pelos menores motivos resultam manchas roxas que permanecem por muito tempo).
Tratamento: deixar fluir e esgotar a energia vital, sem esperar retribuição (a situação dos pais é resolvida); orientar sua energia e atenção para o pólo corporal feminino inferior; dar-lhe peso voluntariamente; ao elemento da terra e suas raízes conceder pronto reconhecimento e doação; aprender a fluir conscientemente com a corrente da vida, flexibilidade consciente; exercícios de Tai-Chi; substituir a energia vital armazenada externamente por um processo interior; assentar a sensibilidade de maneira construtiva (como educadores e terapeutas intuitivos e compreensivos, etc.); transpor conscientemente a atitude de vida do *panta rhei* (tudo flui), pôr

em movimento, permitir desenvolvimento; tomar de assalto tarefas interiores com sentimento e dedicação; sacrificar-se em vez de se dar em sacrifício; renunciar a pensamentos especulativos; praticar o *phala varja* (no budismo: renúncia ao fruto): fazer as coisas porque elas precisam ser feitas, e não para receber agradecimentos.
Remissão: entrega em vez de relaxamento e inconsistência; abrir-se para a corrente da vida, com todos os seus caminhos devoradores, livre de expectativas predeterminadas; maleabilidade de ânimo, não de tecido.
Cobertura do princípio original: Lua-Plutão.

Varizes no esôfago (ver também Cirrose hepática)
Plano corporal: esôfago (condução do alimento).
Plano sintomático: em caso de pressão alta na veia porta, devido a problemas de fígado (esclarecer e interpretar a problemática que está na base [na maioria das vezes é a cirrose hepática]), a energia vital acumula-se por trás [do órgão], até a região do esôfago: risco de perda da energia vital (hemorragias que trazem risco de vida).
Tratamento/Remissão: esclarecer a problemática subjacente do sentido da vida; deixar fluir novamente a energia vital acumulada.
Cobertura do princípio original: Plutão (acúmulo).

Verminose (em crianças pequenas, Oxiuríase)
Plano corporal: ala digestiva (*bhoga*: comer e digerir o mundo), aqui vivem os vermes, saindo porém à noite para depor seus ovos nas pregas do ânus; a comichão contínua leva a criança a coçar, fazendo que os vermes fiquem armazenados sob as unhas dos dedos, de onde tornam à boca).
Plano sintomático: pequenos companheiros, verdadeiramente inofensivos em termos clínicos, mas altamente perigosos em termos simbólicos (porque evadidos do submundo do reino das sombras); companheiros que sempre voltam a procriar, ao serem reintroduzidos pela boca (contínuo autocontágio com os ovos de lombrigas no caminho acima denominado); algo não faz sentido: "aqui tem coisa".
Tratamento (para os pais, cujos problemas são geralmente espelhados pelos filhos): tema da higiene; distinguir entre o plano superior e o inferior; regalar-se com os habitantes (temas) do reino das sombras de um modo anímico-espiritual; descarregar o plano corporal (por exemplo, com contos de fadas, mitos, lendas e tradições); encontrar o que não faz sentido, *onde tem lombriga* (no sistema digestivo!); satisfazer voluntariamente os parasitas: aprender a compartilhar.
Remissão: reconciliação com o próprio mundo das sombras, que representa as pequenas feras.
Cobertura do princípio original: Plutão.

Verrugas (ver também Verrugas plantares, Verrugas espinhosas, Condiloma)
Plano corporal: pele (delimitação, contato, carinho).
Plano sintomático: protuberâncias (de aspecto desagradável) vindas do interior: mensagem do reino das sombras (as verrugas da bruxa, o porco verrugoso); confronto com seu próprio lado obscuro; ataques contra seu caráter impecável; lembrança das raízes mágicas da infância.
Tratamento: perguntar-se onde as verrugas incomodam, o que estão obstruindo, o que fica escondido, como brotam as verrugas; verificar em quais zonas de reflexo e meridianos elas residem, com quais temas elas o querem pôr em contato; reconhecimento de suas próprias raízes mágicas no passado: as verrugas desaparecem como num passe de mágica (removedor de verrugas: mudança de mentalidade, metanóia).
Remissão: reconhecimento dos lados sombrios: tratar dos mundos internos obs-

curos com métodos obscuros (ocultos) (homeopaticamente).
Cobertura do princípio original: Plutão.

Verrugas espinhosas (ver também Verrugas plantares)
Plano corporal: pés (firmeza, enraizamento), sola dos pés (enraizamento, contato com a terra).
Plano sintomático: verruga: protuberância do reino das sombras, que pode desaparecer como num passe de mágica (ensalmar); mensagem do reino das sombras, que se imprime no próprio ponto de vista; "patear" pelo reino das sombras, sem reconhecê-lo em seu significado: "cravar o espinho na própria carne"; contato doloroso com o solo, sendo doloroso tanto ficar de pé como entender; enraizamento doloroso; intensa relação com a Mãe Terra.
Tratamento: comportamento afável; aprender com a conduta afável em relação à terra e com as próprias raízes; aprender a manter-se por si também em situações dolorosas e difíceis; perguntar-se onde lhe aperta o calo (da vida); permitir que entrem até mesmo impressões dolorosas, deixar-se impressionar espontaneamente.
Remissão: deixar o entendimento expandir-se (para situações dolorosas).
Cobertura do princípio original: Marte-Netuno.

Verrugas plantares (ver também Verrugas espinhosas)
Plano corporal: pés (firmeza, enraizamento), sola do pé (enraizamento, contato com a terra).
Plano sintomático: verruga: protuberância proveniente do reino das sombras, que desaparece como num passe de mágica (ensalma); a mensagem do reino das sombras vem pressionar o próprio ponto de vista; "patear em torno" das sombras, sem as reconhecer em seu significado: "espinho na própria carne", contato doloroso com o solo, sendo doloroso tanto ficar de pé como entender, enraizamento doloroso, relação problemática com a Mãe Terra.
Tratamento: reconhecer que se "está" nas sombras, que se está *baseado* no oculto; ficar consciente do lado oculto de sua existência: fazer uma radioscopia das sombras mágicas; esclarecer onde as verrugas incomodam/onde se escondem; suavidade no pisar; aprender a pisar também em condições difíceis; aprender a lidar cautelosamente com a terra e com as próprias raízes; aprender a *permanecer firme* em si mesmo também nas situações dolorosas; depois disso perguntar-se onde lhe aperta o sapato (da vida).
Remissão: poder absorver até mesmo impressões dolorosas; entendimento em expansão (para situações de dor); reconhecimento do próprio mundo das sombras sobre o qual a pessoa se ergue.
Cobertura do princípio original: Plutão-Netuno.

Vertigem rotatória (ver também Distúrbios do equilíbrio)
Plano corporal: órgão do equilíbrio no ouvido interno (sinalizador do equilíbrio).
Plano sintomático: perder o controle: estar sobre terreno oscilante; não ter ainda encontrado o "jeito certo"; em vez de girar em torno do objeto e movimentar algo na vida, girar e movimentar os objetos em torno de si.
Tratamento: exercícios (espirituais) conscientes para renunciar ao controle (aprender a soltar); descobrir novamente jogos infantis (uma série de brincadeiras de roda); dançar valsas, mas sem sentir *vertigens*; cuidar para que no sentido figurado tudo, ou em todo caso muito, gire em torno de si mesmo; mover algo conscientemente na vida, girar e virar-se, em vez de se tornar presa das ilusões de movimento corporal.
Remissão: encontrar o jeito certo na vida; descobrir aspectos agradáveis do deixar-se ir (dança daroesa: girar até o êxtase embriagador).
Cobertura do princípio original: Netuno.

Vertigens ver Distúrbios do equilíbrio

Vesguice ver Estrabismo

Vícios (ver também Dependência química)
1. Vício de trabalhar: ilusão de conseguir tudo pelo trabalho, receber todo o reconhecimento e assim tornar-se um com todos; fuga de problemas pelo trabalho.
Princípio original: Saturno.
2. Vício da cobiça: querer ganhar tudo e, assim, tornar-se um com todos: busca para compensar o vazio interior.
Princípio original: Vênus.
3. Vício de querer o sucesso: querer conquistar o amor de todos, para assim tornar-se um com todos; falta-lhe o sentimento de seu próprio valor.
Princípio original: Sol.
4. Vício do jogo: querer ganhar tudo, para ter tudo; busca para tornar-se um com todos, e sobretudo para ser o número um.
Princípio original: Sol.
5. Vício de colecionar: querer ter tudo completo, para assim tornar-se perfeito.
Princípio original: Vênus.
6. Vício de recordes: busca de ser o mais rápido/o melhor, para com isso ser o primeiro.
Princípio original: Marte.
7. Vício da gula: busca de incorporar tudo e tornar-se redondo e um com todos.
Princípio original: Vênus.
8. Vício de informação: querer saber tudo, para se tornar um com todos; carência de saber e sobretudo de sabedoria.
Princípio original: Mercúrio.
9. Vício de prestígio/fama: querer ser reconhecido por todos, sobretudo para ser amado.
Princípio original: Sol.
10. Vício de sexo: querer sexo com todos, para se tornar um com todos; falta de disposição para chegar a um orgasmo e êxtase real e a verdadeiras sensações de unidade.
Princípio original: Sol.

Cobertura do princípio original (em conjunto): Netuno.

Visão dupla
Plano corporal: olhos (vista, discernimento, espelho da alma), retina (chapa fotográfica do olho); por exemplo, em caso de Esclerose múltipla: cérebro (comunicação, logística).
Plano sintomático: dupla percepção do mundo; não conseguir mais ligar os dois lados da polaridade; a divisão polar do mundo em dois lados contrários traz à pessoa um incômodo óptico; promover um rasgo entre os dois lados da realidade.
Tratamento: deixar claro para si que ambos os lados têm sempre um pólo oposto, que lhes pertence; aprender a ver o contrário da própria vida e reconhecê-lo.
Remissão: perceber (tomar por verdadeiro) sempre ambos os lados de uma possibilidade; ter sempre diante dos olhos a polaridade de todo o constituído, sabendo que por detrás disso se encontra a unidade.
Cobertura do princípio original: Sol/Lua-Mercúrio.

Vitiligo (doença das manchas brancas e lisas; interrupção da pigmentação de causa desconhecida)
Plano corporal: pele (delimitação, contato, carinho).
Plano sintomático: faltam-lhe, de modo localizado, as cores na vida; falsas manchas no mapa da alma, que se refletem no exterior, na superfície do corpo; ser marcado (distinguido).
Tratamento: trazer cores para as regiões demarcadas; conhecer as manchas brancas no mapa da alma; aceitar a marca (distinção) e deixar-se estimular por isso.
Remissão: mostrar-se digno de sua marca (distinção); buscar o particular que com isso se faz supor: distinguir-se.
Cobertura do princípio original: Vênus/Saturno-Urano.

Vomitar excrementos (ver também vômitos/náuseas, paralisia intestinal)
Plano corporal: goela (incorporação, defesa), intestino (inconsciente, submundo).
Plano sintomático: má vontade contra (as circunstâncias da) vida: rejeita-se a comida como se rejeita a própria vida; ruminar tralhas antigas, que há muito já caducaram; renunciar ao não-resolvido num caminho completamente errado; relação de trânsito com a matéria; variantes extremamente não-resolvidas na ressurreição do reino dos mortos.
Tratamento: reconhecer a atitude (até agora inconsciente) contra suas próprias circunstâncias de vida; desligar-se conscientemente do que é antigo e morto; despedir-se definitivamente e praticar o desprendimento; deixar o material em seu lugar; não permitir que ele avance para planos mais altos da vida; trabalho consciente nas sombras.
Remissão: descobrir o ciclo da vida e da morte como metamorfose e guardar-se de uma ingerência e influência violentas.
Cobertura do princípio original: Plutão.

Vômito de sangue ver Hematêmese

Vômitos/náusea (ver também Queixas na gravidez: vômitos/náusea, enjôo decorrente de movimento [Doenças de viagem])
Plano corporal: algo *irrompe* para fora; ter posto para dentro de si muito de impróprio/não-digerível; libertar-se de coisas e impressões que não se é obrigado a/não se quer digerir; libertar-se, recusar, não aceitar: "vira-me o estômago", "vem-me de novo à garganta"; protesto grave: "essa situação fede"; os problemas aparecem-lhe como uma pedra no estômago e tiram-lhe o apetite; vociferar de raiva e cuspir venenos agressivos: "cuspir" pode ser sinônimo de lançar afrontas, injúrias, calúnias; buscar alívio e libertação, querer abandonar algo opressivo.
Tratamento: confessar conscientemente uma oposição; aprender a rebelião, não tolerar alguma coisa; reconhecer a própria ira e a própria malícia; exercícios de liberação do acumulado, "liberar" agressividade; aceitar que não se pode a tudo digerir em toda e qualquer situação; aliviar-se conscientemente (o vômito como medida adotada pela antiga medicina naturalista).
Remissão: libertação de coisas passíveis de provocar ilusão, às quais a pessoa não se adapta, não conseguindo nem querendo digeri-las; escarrar o que oprime.
Cobertura do princípio original: Lua-Marte/Urano.

Vomituração (ver também Vômitos)
Plano corporal: pescoço (incorporação, ligação, comunicação), garganta (incorporação, defesa).
Plano sintomático: "ter algo entalado no pescoço", "não querer engolir alguma coisa"; o pescoço se fecha diante do que se impele para fora; é preferível asfixiar-se a integrar alguma coisa; algo introduzido por engano volta a ser levado para fora.
Tratamento/Remissão: aprender a fechar-se com força contra influências externas, a corrigir erros com ações.
Cobertura do princípio original: Vênus-Plutão.

Zoster ver Herpes-zoster

Literatura

BLUM, Bruno e DAHLKE, Rüdiger. *Erde – Feuer – Wasse – Luft*. Freiburg, 1995.
DA LIU. *T'ai Chi und Meditation. Einführung in die Praxis*, Munique, 1989. [*T'ai Chi Ch'uan e Meditação*, publicado pela Editora Pensamento, São Paulo, 1989.]
DAHLKE, Margit e Rüdiger. *Die spirituelle Herausforderung,* Munique, 1995.
DAHLKE, Rüdiger. *Bewusst Fasten. Ein Wegweiser zu neuen Erfahrungen*, Munique, 1996.
———. *Der Mensch und die Welt sind eins. Analogien zwischen Mikrokosmos und Makrokosmos,* Munique, 1991. [M]
———. *Gewichtsprobleme. Be-Deutung und Chance von Übergewicht und Untergewicht,* Munique, 1989. [G]
———. *Herz(ens)sprobleme. Be-Deutung und Chance von Herz-und Kreislaufsymptomen,* Munique, 1992. [H]
———. *Krankheit als Sprache der Seele. Be-Deutung und Chance von der Krankheitsbilder,* Munique, 1992. [H]. [*A Doença como Linguagem da Alma*, publicado pela Editora Cultrix, São Paulo, 2000.]
———. *Lebenskrisen als Entwicklungschancen. Zeiten des Umbruchs und ihre Krankheitsbilder*, Munique, 1995. [L]
———. *Mandalas der Welt. Ein Meditations- und Malbuch*, Munique, 1994. [*Mandalas – Formas que Representam a Harmonia do Cosmos e a Energia Divina*, publicado pela Editora Pensamento, São Paulo, 1991.]
———. *Reisen nach Innen. Geführte Meditationen auf dem Weg zu sich selbst*, Munique, 1994.
DAHLKE, Rüdiger e Margit. *Die Psychologie des blauen Dunstes. Be-Deutung und Chance des Rauchens*, Munique, 1992. [R]
DAHLKE, Rüdiger e HÖSSL, Robert. *Verdauungsprobleme. Be-Deutung und Chance von Magen- und Darmsymptomen,* Munique, 1992. [V]
DETHLEFSEN, Thorwald e DAHLKE, Rüdiger. *Krankheit als Weg. Deutung und Be-deutung der Krankheitsbilder*, Munique, 1992. [D].[*A Doença como Caminho*, Publicado pela Editora Cultrix, São Paulo, 1992.]
DÜRCKHEIM, Karlfried von. *Hara – Die Erdmitte des Menschen*, Munique, 1983. [*Hara – O Centro Vital do Homem*, publicado pela Editora Pensamento, São Paulo, 1991.]
FELDENKRAIS, Moshé. *Bewusstheit durch Bewegung. Der aufrechte Gang*, Frankfurt, 1982.
FISCHER-RIZZI, Susanne. *Aroma-Massage. Gesundheit und Wohlgefühl für Körper und Seele,* Munique, 1995.
FREMANTLE, Francesca e TRUNGPA, Chögyam (orgs.). *Das Totenbuch der Tibeter*, Munique, 1993.

GIBRAN, Khalil Gibran. *Der Prophet. Wegweiser zu einem sinnvollen Leben*, Olten, Freiburg, 1992.
GRAY, Miranda. *Roter Mond. Von der Kraft des weiblichen Zyklus*, Munique, 1995.
GROF, Stan e Christina (org.). *Spirituelle Krisen. Chancen der Selbstbefindung*, Munique, 1993.
HORNUNG, Eric (trad.). *Das Totenbuch der Ägypter*, Munique, 1993.
JOHNSON, Robert. *Bilder der Seele. Traumarbeit und Aktive Imagination*, Munique, 1995.
JUNG, C. G. *Grundwerk* (9 volumes), Olten, Freiburg, 1984.
KLEIN, Nicolaus e DAHLKE, Rüdiger. *Das senkrechte Weltbild. Symbolisches Denken in astrologischen Urprinzipien*, Munique, 1993.
KOBAYASHI, Toyo e Petra. *T'ai Chi Ch'uan – Einswerden mit dem Tao*, Munique, 1995.
LASKOW, Leonard. *Heilende Energie. Einführung in die Medizin der inneren Kräfte*, Munique, 1995.
MILLER, William. *Der goldene Schatten. Vom Umgang mit der dunklen Seite unserer Seele*, Munique, 1994.
MITSCHERLICH, Alexander. *Krankheit als Konflikt. Studien zur psychosomatischen Medizin*, Frankfurt, 1974.
NILSSON, Lennart. *Ein Kind entsteht*, Munique, 1990.
ORNSTEIN, Robert e SOBEL, David. *Gesund durch Lebensfreude*, Munique, 1994.
PODVOLL, Edward, M. *Verlockung des Wahnsinns. Therapeutische Wege aus entrückten Welten*, Munique, 1994.
Pschyrembel Klinisches Wörterbuch, Berlim, 1994.
QINGSHAN Liu. *Qi Gong. Der chinesische Weg für ein gesundes, langes Leben*, Munique, 1995.
RAINWATER, Janette. *Therapie in eigener Verantwortung. Übungsprogramm zur Selbsthilfe*, Munique, 1994.
RAPHAEL, Ray. *Vom Mannwerden. Übergangsrituale in der Welt der Männer*, Munique, 1993.
SACKS, Oliver. *Der Mann, der seine Frau mit einem Hut verwechselte*, Reinbek, 1990.
SCHEFFER, Mechthild.: *Schlüssel zur Seele. Das Arbeitsbuch zur Selbsterfahrung mit den Bahn-Blüten*, Munique, 1995.
SIEBERT, Al. *Erfolgreich Krisen bewältigen. Eine Anleitung zum Überleben*, Munique, 1995.
SIEGEL, Stanley/Ed Lowe: *Der Patient, der seinen Therapeuten heilte.*
   Einblicke in die Psychotherapie, Munique, 1995.
STEVENSON, Ian: *Reinkarnation. Der Mensch im Wandel von Tod und Wiedergeburt*, Braunschweig, 1992.
TRAGER, Milton e HAMMOND, Cathy Guadagno. *Meditation und Bewegung*, Munique, 1996.
UPLEDGER, John, E. *Auf den inneren Arzt hören. Eine Einführung in die KranioSacral-Arbeit*, Munique, 1995.
WALL, Kathleen e FERGUSON, Gary. *Rituale für das Leben*, Munique, 1996.
WARING, Philippa. *Vom richtigen Wohnen. In Harmonie leben mit Feng Shui*, Munique, 1995.
WEIL, Andrew. *Spontanheilung. Die Heilung kommt von innen*, Munique, 1995.
WEISSMAN, Rosemary e Steve. *Der Weg der Achtsamkeit. Vipassana-Meditation*, Munique, 1994.
WERNER, Benno. *Im Einklang mit der Sonne. Gesundes Leben im Rhytmus der Jahreszeiten*, Munique, 1995.